Hans Fallada

Seul dans Berlin

Traduit de l'allemand par A. Virelle
et A. Vandevoorde
Traduction revue et corrigée
par André Vandevoorde

Denoël

Titre original

JEDER STIRBT FÜR SICH ALLEIN

Éditeur original : Aufbau-Verlag, Berlin, 1965
© *Aufbau-Verlag, Berlin, 1965.*
© *Éditions Plon, 1967, pour la première édition*
© *Éditions Denoël, 2002, pour la présente édition.*

Hans Fallada, pseudonyme de Rudolf Ditzen, est né en 1893. Il a exercé une multitude de métiers, comme gardien de nuit ou exploitant agricole, avant de devenir reporter puis romancier. Il a terminé *Seul dans Berlin* en 1947, l'année de sa mort.

UNE MAUVAISE NOUVELLE

Eva Kluge la postière, monte avec lenteur l'escalier du 55 rue Jablonski. Avec lenteur, non seulement parce que sa tournée l'a fatiguée, mais surtout parce qu'il y a dans sa sacoche une de ces lettres qu'elle déteste apporter. Pourtant, dans un instant, il faudra bien qu'elle la donne aux Quangel, deux étages plus haut

Avant cela, au premier palier, elle doit remettre la circulaire du Parti aux Persicke.

Persicke est fonctionnaire ou dirigeant politique ou Dieu sait quoi dans le Parti. Eva Kluge s'embrouille encore toujours dans tous ces titres. La seule chose dont elle soit certaine, c'est qu'il faut donner du « *Heil* Hitler » aux Persicke et prendre bien garde à tout ce qu'on dit devant eux. Comme partout, au fond ; car il n'y a personne à qui Eva Kluge puisse dire ce qu'elle pense réellement. La politique ne l'intéresse pas le moins du monde ; elle est tout simplement une femme, et elle estime donc qu'on n'a pas mis des enfants au monde pour les faire tuer à la guerre. De même, à ses yeux, un ménage sans homme ne vaut rien. Or, pour le moment, elle n'a plus ni son mari, ni ses deux fils, ni son ménage. Et avec tout ça, elle doit garder bouche cousue, se tenir à carreau, et distribuer de sales lettres de la poste militaire, dactylographiées et estampillées par des rats de casernes.

Elle sonne chez Persicke, et, avec un « *Heil* Hitler », tend la circulaire au vieil ivrogne. Il arbore l'aigle nazi au revers de sa veste.

— Quoi de neuf? interroge-t-il.

— N'avez-vous pas entendu le communiqué spécial?... La France a capitulé.

Persicke n'est pas content, mais pas content du tout, de son interlocutrice :

— Bien sûr que je le sais! Mais vous dites ça comme si vous faisiez tranquillement votre petite popote, alors que vous devriez le claironner, le crier à tous ceux qui n'ont pas la radio et convaincre les derniers roupéteurs!... Nous avons gagné cette guerre-éclair, et maintenant en route pour l'Angleterre! Dans trois mois, les Tommies seront fichus, et on verra alors le paradis que nous devrons à notre Führer!... Aux autres les plaies et les bosses, nous serons les maîtres du monde! Entre, ma petite, et trinque avec nous!.., Amalie, Erna, August, Adolf, Baldur, amenez-vous!... Aujourd'hui, on se soûle et on se repose!.. Arrosons ça maintenant. Et cet après-midi nous irons chez la vieille Juive du quatrième, et il s'agira que cette charogne nous régale de petits gâteaux et de café!... Je vous garantis que la vieille ne fera pas de manières. Je serai sans pitié!

Pendant que Herr Persicke, entouré des siens, se répand en démonstrations de plus en plus excitées et lampe les premières rasades de schnaps, Eva Kluge a gagné le palier suivant et a sonné chez Quangel. La lettre à la main, elle est prête à s'esquiver sur-le-champ. Mais voilà bien sa chance : ce n'est pas la femme qui lui ouvre! Avec elle, la plupart du temps, Eva peut échanger quelques mots aimables. Mais

8

non, c'est l'homme qui surgit, avec son visage en lame de couteau, sa bouche aux lèvres minces et ses yeux au regard glacé. Il prend la lettre sans dire une seule parole et ferme la porte au nez de la messagère, comme s'il s'agissait d'une voleuse avec qui il convient d'être sur ses gardes.

Eva Kluge se contente de hausser les épaules et redescend. Beaucoup de gens sont comme ça. Depuis qu'elle distribue le courrier dans la rue Jablonski, cet homme-là ne lui a encore jamais adressé la parole. Mais, tant pis, elle ne peut pas le changer, puisqu'elle n'est même pas parvenue à transformer son propre mari, qui gaspillait son argent aux courses et au cabaret et qui ne rentrait au logis que lorsqu'il n'avait plus un sou vaillant.

Les Persicke ont laissé leur porte ouverte, et l'on entend le tintement des verres, ponctuant la célébration de la victoire. Frau Kluge ferme doucement l'huis et continue à descendre.

Tout compte fait, c'est vraiment une bonne nouvelle, puisque, grâce à cette victoire-éclair sur la France, la paix s'est rapprochée. La paix, et le retour des deux garçons.

Mais à cette immense espérance se mêle le sentiment désagréable que des gens comme ces Persicke vont tenir le haut du pavé. Les avoir pour maîtres et devoir toujours se taire et ne jamais pouvoir dire ce qui vous tient à cœur, tout cela ne paraît décidément pas très juste à Eva Kluge.

Pendant un moment, elle pense aussi à l'homme au visage en lame de couteau, à qui elle vient de remettre la lettre de la *Feldpost*. Et elle évoque la vieille Juive Rosenthal, au quatrième étage. Ceux de la Gestapo ont emmené son mari, il y a quinze jours. On peut la plaindre, celle-là ! Elle et son mari ont eu jadis une jolie boutique de lingerie avenue de Prenzlau. Mais on a « aryanisé » leur petite entreprise. Et maintenant, l'homme est parti, et il ne doit pas avoir loin de soixante-dix ans. Pourtant ces deux vieux n'ont certainement jamais fait de mal à personne. Ils étaient toujours prêts à faire crédit quand il n'y avait pas assez d'argent pour payer la layette des gosses Eva Kluge en a profité, comme tant d'autres. Et, chez les Rosenthal, ce n'était ni moins bon ni plus cher que dans d'autres boutiques.

Non, Frau Kluge ne peut pas admettre qu'un homme comme Rosenthal soit plus mauvais que le Persicke, uniquement parce que c'est un Juif. Et pourtant, la vieille dame est à présent toute seule là-haut et ne se hasarde plus dans la rue. Ce n'est qu'à la tombée de la nuit qu'elle va faire furtivement ses emplettes. Avec l'étoile de David. Elle a sans doute faim.

« Non, se dit Eva Kluge, nous avons beau remporter toutes les victoires possibles et imaginables sur la France, tout ça chez nous, ce n'est pas très juste ! »

La voici arrivée à l'immeuble voisin, et elle poursuit sa tournée.

Pendant ce temps, le contremaître Otto Quangel a posé sur la machine à coudre la lettre de la poste militaire.

— Tiens, se contente-t-il de dire.

Il laisse toujours à sa femme le privilège d'ouvrir ces missives-là, sachant tout l'attachement qu'elle a pour Otto, leur fils unique.

Et il est là, devant elle, mordillant sa lèvre inférieure, dans l'attente de la joie qui va illuminer le visage de sa compagne. À sa manière taciturne, calme et fruste, il l'aime beaucoup.

Elle a ouvert la lettre. L'espace d'un moment, elle s'est épanouie ; mais cette flambée s'est éteinte d'un seul coup lorsque son regard est tombé sur les quelques lignes dactylographiées. L'angoisse l'étreint, à présent. Elle lit de plus en plus lentement, comme si chaque mot la frappait d'épouvante. Quangel s'est penché en avant et ses dents prennent un solide appui sur la lèvre inférieure. Il pressent un malheur. Dans le silence de la pièce, la respiration de la femme se fait haletante.

Soudain elle pousse un léger cri ; c'est un son tel que son mari n'en avait jamais entendu. Le visage de sa femme s'affaisse et heurte les bobines de la machine, avant de s'abattre sur le linge préparé pour la couture. La lettre gît là, sous ce poids de détresse.

En deux pas, Quangel est derrière Anna. Avec une précipitation qui lui est tout à fait inhabituelle, il lui pose sa lourde main sur l'épaule ; il sent que sa femme tremble de tout son corps.

— Anna ! dit-il, Anna... Je t'en prie !

Un moment encore, et il se risque :

— Est-il arrivé quelque chose à Otto ?... Blessé ?... Comment ?... Gravement ?

La femme tremble de plus en plus, mais aucun son ne passe ses lèvres. Elle ne tente même pas de relever la tête et de regarder son mari.

Il contemple la chevelure de sa compagne, qui s'est tellement clairsemée depuis le temps qu'ils sont mariés. Voilà qu'ils sont de vieilles gens !... S'il est vraiment arrivé quelque chose à Otto, elle n'aura plus personne qu'elle puisse chérir. Lui seul. Et il se rend parfaitement compte qu'il n'y a pas grand-chose à chérir en lui. Il ne parvient jamais à trouver les mots qui lui exprimeraient combien il tient à elle. Même à présent, il se sent incapable de lui donner un peu de tendresse et de la consoler. Il pose seulement sa lourde main sur la tête fragile, il la force doucement à relever son visage, à le rapprocher du sien, et il murmure :

— Anna, dis-moi donc enfin ce qu'ils écrivent ?

Ses yeux sont maintenant à deux doigts de ceux de sa femme, et pourtant elle ne le regarde pas ; elle tient même les paupières obstinément fermées. Le visage est devenu livide, et toute sa fraîcheur de naguère a disparu. La chair même paraît avoir fondu sur les os ; c'est comme si Quangel contemplait une tête de mort. Dans ce visage figé, seules tremblent les joues et la bouche, comme tremble tout le corps, sous l'effet d'un mystérieux tressaillement intérieur.

En voyant ces traits si familiers devenir tout à coup si étrangers, en sentant son cœur battre de plus en plus fort, en se trouvant totalement incapable de consoler sa femme si peu que ce soit, voilà Quangel envahi par une angoisse panique.

Au fond, elle est risible, son angoisse, en face de la douleur sans bornes de sa compagne. Simplement, il redoute de la voir pleurer encore plus bruyamment et plus convulsivement qu'elle ne le fait en ce moment. Il a toujours été partisan du silence ; ne pas attirer l'attention dans l'immeuble, de quelque façon que ce soit ! Et surtout, ne pas extérioriser bruyamment ses sentiments. Dans cette angoisse, il n'arrive même plus à dire, comme il y a un instant :

— Qu'est-ce qu'ils écrivent ?... Parle donc, Anna !

La lettre a beau être là, ouverte à présent, il n'ose pas la prendre. Il devrait pour cela lâcher la tête de sa femme et il sait qu'elle retomberait, qu'elle heurterait de nouveau la machine à coudre, cette tête au front marqué à présent de deux ecchymoses.

Il se domine et répète :

— Qu'est-il donc arrivé à notre petit ?

« À notre petit »... Son mari ne s'était pour ainsi dire jamais exprimé ainsi. Et c'est comme si ces deux mots arrachaient Anna au monde de sa douleur et la faisaient réémerger dans leur univers commun. Elle étouffe ses sanglots, elle ouvre même les yeux — des yeux habituellement très bleus, mais qui semblent à présent ternis et éteints pour toujours.

— À notre petit ? chuchote-t-elle. Que pourrait-il bien lui arriver ?... Il n'y a rien... Il n'y a plus de petit... Voilà ce qu'il y a !

Quangel dit seulement :

— Oh !

Un « oh ! » venu du plus intime de son être. Sans s'en apercevoir, il a lâché la tête d'Anna et il s'est emparé de la lettre. Ses yeux regardent fixement les lignes, sans pouvoir encore les lire.

Mais sa femme lui arrache le feuillet, avec une soudaine violence. Elle a changé du tout au tout. Avec fureur, elle déchire la missive en menus fragments, tout en lui criant au visage, à mots précipités :

— Pourquoi lirais-tu ces ordures, ces mensonges ignobles, qu'ils écrivent tous ?... Qu'il est tombé en héros « pour son Führer et pour son peuple » ?... Qu'il a été un soldat et un camarade exemplaire ?... Voilà ce que tu te laisserais conter par ces gens, alors que nous savons si bien tous les deux que notre petit ne vivait que pour ses bricolages de radio, et qu'il a pleuré quand il a dû rejoindre l'armée !... Combien de fois ne m'a-t-il pas dit, pendant son service militaire, qu'il aurait volontiers sacrifié sa main droite pour être délivré de ces gens-là !... Et maintenant, un soldat modèle et un mort exemplaire !... Mensonges, mensonges, rien que mensonges !... Mais, tout ça, c'est vous qui l'avez préparé, avec votre misérable guerre, toi et ton Führer !

Dressée devant lui, elle l'affronte, les yeux étincelants de fureur.

— Moi et mon Führer ? murmure-t-il, tout abasourdi par cette attaque. Pourquoi est-il tout à coup mon Führer ?... Je ne suis même pas membre du Parti... Tout au plus du Front du Travail, parce que tout le monde doit en être... Ce Führer, nous l'avons porté au pouvoir, toi tout autant que moi.

Il a dit cela à la façon lente et posée qui lui est habituelle. Moins pour se défendre que pour rétablir la vérité. Mais pourquoi l'attaque-t-elle si brusquement ?... N'ont-ils pas toujours été du même avis ?

Elle poursuit, avec emportement :

— Mais, finalement, n'es-tu pas toujours le seul à décider de tout ? Même quand il s'agit d'aménager dans la cave un réduit pour la provision de pommes de terre, il faut qu'il soit comme tu veux et non pas comme je voudrais. Et pour une chose qui engageait toute notre existence, tu as pris la décision la plus mauvaise. Mais voilà : tu es un sournois, tu ne songes qu'à avoir la paix et à ne pas te faire remarquer. Quand ils ont tous hurlé : « Führer, commande : nous te suivons ! » tu as fait comme eux, et nous avons bien dû t'emboîter le pas une fois de plus !... Mais maintenant, Otto, mon petit est mort. Aucun Führer au monde ne me le rendra, ni toi non plus !

Quangel a écouté tout cela sans riposter. Il n'a jamais aimé se battre. Sentant d'ailleurs que seule la douleur parle en elle, il aime presque mieux faire face à ces griefs passionnés qu'à l'expression de son désespoir. Il ne répond que par quelques mots :

— Il faudra bien le dire à Trudel !

Trudel est l'élue, presque la fiancée de leur fils. Bien que le garçon ne soit plus là, elle vient souvent bavarder le soir avec ceux qu'elle appelle déjà « Maman » et « Père ». Pendant la journée, elle travaille dans une usine de confection d'uniformes.

L'évocation de Trudel ramène sur-le-champ Anna Quangel à d'autres pensées. Elle jette un coup d'œil à l'horloge murale, et elle soupire :

— Vas-tu t'en occuper avant ton travail ?

— Je suis de service de une à onze, répond-il. Je m'occuperai de Trudel.

— Bien, dit-elle, vas-y. Mais invite-la seulement à venir ici et ne lui dis encore rien du petit. Je veux lui apprendre moi-même la nouvelle... Ton repas sera prêt pour midi.

— J'y vais, et je lui dirai de venir ici ce soir.

Mais il ne se décide pas encore à sortir. Il regarde le visage livide de sa femme. Elle le regarde aussi. Et pendant un moment ils se contemplent ainsi, ces deux êtres que trente ans de vie commune ont toujours trouvés d'accord : lui, taciturne et paisible ; elle, mettant un peu de vie dans la maison.

Mais, si intense que soit cette contemplation, ils n'ont pas un seul mot à se dire.

Il fait un bref signe de tête et s'en va. Elle entend claquer la porte de l'appartement. Dès qu'elle a la certitude qu'il est bien parti, elle retourne à la machine à coudre et recueille les fragments de la lettre de la *Feldpost*, essaye de la reconstituer, mais comprend très vite que cela lui prendrait trop de temps. Pour le moment, il lui faut avant tout s'occuper du repas. Elle met donc soigneusement les débris dans l'enveloppe et la glisse entre deux pages de son livre de cantiques. L'après-midi quand son mari sera vraiment parti, elle aura le temps de rassembler les morceaux de papier et de les coller. Tout cela a beau n'être que mensonges, stupides et ignobles mensonges, ce n'en est pas moins le legs suprême de son enfant.

Elle gardera donc la lettre malgré tout et la montrera à Trudel. Peut-être alors pourra-t-elle enfin pleurer. Pour le moment, il y a comme des flammes dans son cœur. Et ce serait si bon, de pouvoir pleurer !

Elle secoue rageusement la tête et se dirige vers son fourneau.

AINSI PARLA BALDUR

En passant devant la porte de l'appartement des Persicke, Otto Quangel entendit des hurlements enthousiastes, entremêlés de « *Sieg Heil* ». Il allongea le pas, pour être certain de ne se trouver nez à nez avec aucune des personnes participant à cette réunion.

Ils habitaient depuis dix ans dans le même immeuble, mais Quangel avait évité toute rencontre avec les Persicke et

15

cela dès le début, alors que Persicke n'était encore qu'un petit boutiquier. Maintenant ces gens étaient devenus de grands personnages. Le père avait ses petites entrées au Parti. Les deux fils aînés étaient à la S.S. Les problèmes financiers semblaient ne plus se poser pour eux.

Raison de plus d'être sur ses gardes! Les individus de cet acabit n'avaient qu'un but : garder les faveurs du Parti. Pour cela, il fallait faire du zèle : dénoncer, par exemple ; rapporter que tel ou tel avait écouté une radio étrangère.

À ce sujet, Quangel aurait volontiers et depuis longtemps, remisé à la cave les appareils de radio qui se trouvaient dans la chambre de son fils. On ne pouvait être assez prudent en ces temps où l'on s'espionnait mutuellement, où la Gestapo tenait tout en main et où le camp de concentration de Sachsenhausen ne cessait de s'étendre. Quangel, pour sa part n'écoutait pas la radio. Mais Anna s'était opposée à ce qu'il changeât quoi que ce fût dans la chambre de l'absent. Elle était d'avis que le vieux proverbe était toujours valable, et qu'une bonne conscience était un excellent oreiller. Mais tout cela n'était plus de mise depuis longtemps.

Telles étaient les pensées de Quangel, tandis qu'il descendait le plus rapidement possible pour traverser le jardin et gagner la rue.

Chez les Persicke, l'espoir de la famille, le jeune Bruno, avait encore une fois manifesté sa supériorité. Son prénom avait été changé pour celui de Baldur, en hommage à Baldur von Schirach, chef de la jeunesse du Reich. Si les relations de son père se révélaient assez influentes, il partirait bientôt dans une Napola, c'est-à-dire une école de cadres nazis. Les hurlements de la famille s'expliquaient parce que Baldur avait repéré dans le *Völkischer Beobachter* une photo représentant le Führer et le maréchal Goering. Légende : « *En apprenant la capitulation de la France.* » Un grand rire illumine le visage adipeux de Goering, et le Führer, de contentement, se donne de grandes claques sur les cuisses.

16

Les Persicke aussi ont ri tout leur soûl. Mais Baldur a demandé :

— Est-ce que vous ne remarquez rien de particulier, sur cette photo ?

Tous le regardent comme en extase, suspendus à ses lèvres ; ils sont si convaincus de la supériorité intellectuelle de ce gamin de seize ans que pas un ne songe même à formuler une simple hypothèse.

— Voyons, dit Baldur, réfléchissez un instant... La photo a été prise par un photographe de presse, non ?... Et s'est-il vraiment trouvé là au moment précis où arrivait l'annonce de la capitulation ?... Évidemment non ! La nouvelle a dû parvenir téléphoniquement, ou par courrier, ou peut-être même par un général français... Or, de tout cela, on ne voit absolument rien sur la photo. Les deux personnages sont tout seuls au jardin et s'abandonnent à leur joie.

Les parents, frères et sœurs de Baldur demeurent muets et le regardent fixement. Cette attention soutenue rend leurs visages presque stupides. Le vieux Persicke s'accorderait volontiers un nouveau schnaps, mais il ne s'y risque pas tant que Baldur parle. Il sait par expérience que ce garçon peut se montrer très désagréable quand on ne prête pas une attention suffisante à ses exposés politiques.

— Donc, la photo a été arrangée, continue Bruno. Elle n'a pas du tout été prise à l'annonce de la capitulation, mais avant. Et voyez pourtant comme le Führer se réjouit ! Il pense depuis longtemps à l'Angleterre et à la façon dont nous ferons la guerre aux Tommies... Non, toute la photo est une mise en scène théâtrale, y compris le sourire et les claques sur les cuisses. C'est ce qui s'appelle jeter de la poudre aux yeux des imbéciles.

Tous regardent à présent Baldur comme s'ils étaient les imbéciles aux yeux desquels on a jeté de la poudre. S'il s'agissait d'un étranger et non de Baldur, ils l'auraient dénoncé à la Gestapo, pour une réflexion de ce genre.

Mais Baldur enchaîne :

— Voyez-vous, là est la grandeur de notre Führer : il ne dévoile ses plans à personne. Tout le monde croit maintenant qu'il se réjouit de sa victoire en France, alors qu'il rassemble peut-être déjà une flotte pour l'invasion des îles britanniques. Voilà la leçon que nous donne notre Führer : ne pas crier sur tous les toits ce que nous sommes et ce que nous comptons faire.

Les autres approuvent avec empressement. Ils croient avoir finalement compris où Baldur voulait en venir.

— Vous approuvez ce que je dis, continue Baldur en colère, mais vous agissez d'une toute autre manière. Il n'y a pas une demi-heure, j'ai entendu papa dire au facteur que la vieille Rosenthal là-haut aurait à nous régaler de café et de gâteaux.

— Oh, la vieille truie juive! dit le père (avec, quand même, une excuse dans la voix).

— Bien sûr, concède le fils, s'il lui arrive quelque chose, ça ne fera pas grand bruit. Mais pourquoi commencer par en parler aux gens? On ne saurait être trop prudent... c'est comme ce Quangel, qui habite au-dessus de nous. Tu n'en tires pas un mot. Je suis pourtant absolument certain qu'il observe et qu'il écoute tout. De cette façon, il se fait bien voir de ceux auxquels il envoie ses rapports. Si jamais il colporte que les Persicke sont incapables de « la boucler », qu'on ne peut pas se fier à eux, qu'on ne peut rien leur confier, ce jour-là c'en sera fait de nous. De toi en tout cas, papa. Et je ne lèverai pas le petit doigt pour te tirer du pétrin.

Tous se taisent. Baldur, malgré sa suffisance, se rend compte que ce silence n'équivaut pas à une approbation générale. Aussi ajoute-t-il rapidement, pour se concilier au moins ses frères et sœurs :

— Nous voulons réussir dans la vie, mieux que papa. Comment y arriverons-nous? Uniquement par le Parti[1]

Pour cela, nous devons imiter notre Führer : jeter de la poudre aux yeux, cacher notre jeu et agir quand personne ne s'y attend... On dira dans le Parti : « On peut compter totalement sur les Persicke ! »

Il regarde encore une fois la photo de Hitler et Goering, épanouis dans leur rire, fait un bref signe de tête et verse le schnaps : fin de son exposé politique. Il ajoute :

— Ne fais donc pas cette tête-là, papa, sous prétexte que je t'ai dit tes quatre vérités !

— Tu n'as que seize ans et tu es mon fils, commence le père, encore ulcéré...

— Et toi, tu es mon vieux, que j'ai vu trop souvent ivre pour qu'il puisse encore sérieusement m'en imposer ! coupe Baldur Persicke, mettant ainsi les rieurs de son côté, y compris la mère, toujours sur le qui-vive.

— Patience, papa ! Un jour nous roulerons dans une voiture à nous. Et tu pourras boire ton champagne quotidien, jusqu'à plus soif.

Le père veut de nouveau parler, mais cette fois contre le champagne, qu'il n'apprécie pas autant que le schnaps. Mais Baldur poursuit promptement et à voix plus basse :

— Tu as des idées qui ne sont pas si mauvaises, mais tu ne devrais pas en parler à d'autres que nous. Avec la Rosenthal, on pourrait peut-être faire effectivement quelque chose de plus intéressant que lui consommer son café et ses gâteaux... Laisse-moi y songer. Il faut mener ça prudemment. Il se peut que d'autres aussi flairent l'aubaine ; d'autres qui sont peut-être mieux en cour que nous.

Il a parlé si bas qu'on a à peine entendu ses dernières paroles. Baldur Persicke est une fois de plus arrivé à ses fins : il les a tous ralliés, même le père, qui avait d'abord mal pris les choses. Aussi conclut-il en riant, tout en se donnant de grandes claques sur les cuisses :

— À la capitulation de la France !

Mais tous remarquent bien qu'il pense à tout autre chose à la vieille Rosenthal.

Ils mènent grand tapage, trinquent et boivent schnaps sur schnaps. Mais ils ont du coffre, cet ancien hôtelier et ses enfants.

UN NOMMÉ BORKHAUSEN

Emil Borkhausen prenait le frais sur le pas de sa porte. Son seul métier semblait être de bavarder et de bayer aux corneilles à longueur de journée. La guerre elle-même et toutes les ordonnances sur le travail obligatoire n'y avaient rien changé.

Silhouette longue et maigre, le visage sans couleur, il contemplait d'un air morose la rue Jablonski, quasi déserte à ce moment-là. Seul passant, le contremaître Otto Quangel.

Dès qu'il l'aperçut, Borkhausen alla vers lui et lui tendit la main :

— Où allez-vous donc, Quangel ?... Ce n'est pourtant pas encore l'heure de votre travail à l'usine.

Quangel feignit de ne pas voir la main tendue et grommela trois mots à peine intelligibles :

— Je suis pressé.

Et il continua son chemin en direction de l'avenue de Prenzlau. Il ne lui manquait vraiment plus que cet importun-là !... Mais l'importun en question n'entendait pas se laisser semer ainsi.

— Faisons un bout de chemin ensemble, Quangel.

Et comme son interlocuteur allait de l'avant en regardant devant lui, il expliqua :

— Le docteur m'a prescrit de faire beaucoup d'exercice pour ma constipation, et ça m'ennuie de marcher seul.

Suivirent force détails, concernant tout ce qu'il avait déjà fait pour venir à bout de sa constipation. Quangel ne l'écoutait même pas. Deux sujets de réflexion le hantaient sans relâche.

D'abord, il n'avait plus de fils. Ensuite, il y avait le « Toi et ton Führer » d'Anna.

Quant au premier point, Quangel devait convenir en son for intérieur qu'il n'avait jamais aimé le garçon comme un père doit aimer son fils. D'emblée, il n'avait vu que les perturbations que cette naissance avait apportées à sa tranquillité et à ses relations avec Anna. S'il éprouvait quand même de la peine aujourd'hui, c'est parce qu'il pensait avec appréhension à la façon dont sa femme avait accueilli la triste nouvelle ; bien des choses allaient changer dans leur vie.

Et puis, il y avait le « Toi et ton Führer » d'Anna. C'était injuste. Hitler n'était pas le Führer de Quangel, ou du moins il n'était pas plus le sien que celui d'Anna Quand le petit atelier de menuiserie avait été déclaré en faillite, ils avaient toujours été bien d'accord tous les deux : c'était le Führer qui tirerait l'Allemagne de l'ornière. Après quatre ans de chômage, Otto était devenu contremaître dans une grande fabrique de meubles. C'était en 1934. À présent, il gagnait ses quarante marks par semaine. Avec ça, ils s'en tiraient très bien.

Mais ils ne s'étaient quand même jamais affiliés au Parti, où l'on était sollicité à tout bout de champ par toutes sortes de collectes, pour le Secours d'Hiver, pour le Front du Travail, etc. À la fabrique, on avait bien donné à Otto une petite fonction au Front du Travail mais c'était justement là une autre raison pour laquelle lui et sa femme ne s'étaient jamais inscrits au Parti. Car Quangel avait pu constater la différence qu'on faisait constamment entre les *Volksgenossen* de la communauté nationale et les *Parteigenossen* de la communauté du Parti. Le pire des membres du Parti était infiniment mieux considéré que le meilleur des membres de la communauté nationale. Dès lors qu'on appartenait au Parti, on pouvait tout se permettre. Ces gens appelaient ça : fidélité pour fidélité.

Mais le contremaître Otto Quangel, lui, était pour la justice. Pour lui, un homme était un homme, et l'appartenance éventuelle au Parti n'avait aucun rôle à jouer. Or, à l'atelier, il devait bien constater chaque jour davantage que la moindre faute de l'un était relevée avec sévérité, tandis que tel autre pouvait « bousiller » impunément son travail. Cela l'indignait, et il n'arrivait pas à s'y faire. Dans ces cas-là, il se mordait furieusement la lèvre inférieure. Oh oui, si ç'avait été possible, il y a belle lurette qu'il se serait démis de ses fonctions au Front du Travail !

Tout cela, Anna le savait très bien. Elle n'aurait donc jamais dû lui crier : « Toi et ton Führer ! »

Bien sûr, il comprenait la simplicité de sa femme, son humilité, et aussi ce changement subit dans sa façon d'être.

Elle avait été servante, d'abord à la campagne, puis en ville. Elle avait toujours dû travailler dur et obéir. Une fois mariée, elle n'avait pas eu non plus grand-chose à dire, parce que c'est son époux qui était le maître et parce que tout devait graviter autour de lui qui gagnait l'argent.

Maintenant, il y a la mort du petit. Et Otto Quangel comprend avec inquiétude combien Anna est bouleversée. Il revoit son visage livide et maladif. Il réentend ses reproches.

Et le voilà en route, à une heure tout à fait inhabituelle, avec ce Borkhausen à côté de lui ! Ce soir, Trudel sera chez eux. Il y aura des larmes, des bavardages sans fin. Quangel aime sa petite vie bien régulière : les journées de travail toutes semblables, avec le moins possible d'événements sortant de l'ordinaire !... Même le dimanche lui pèse, au fond, parce que le repos perturbe la régularité de ce rythme paisible. Et maintenant tout va être sens dessus dessous, pendant un bon bout de temps ! Et Anna ne sera vraisemblablement plus jamais ce qu'elle était !

Il faudrait qu'il puisse réfléchir encore bien à loisir à tout cela, mais Borkhausen l'en empêche :

— N'auriez-vous pas reçu une lettre de la *Feldpost* ?... De votre fils ?

Quangel lui jette un regard sombre et marmonne :

— Bavard !

Mais comme il ne veut avoir d'ennuis avec personne (même pas avec un bon à rien comme ce badaud de Borkhausen), il ajoute, presque à contrecœur :

— Les gens bavardent tous beaucoup trop.

Borkhausen ne se sent pas visé. Il approuve même avec empressement :

— C'est vrai, Quangel, vous avez raison !... Pourquoi la Kluge, cette vipère, ne peut-elle pas se taire ?... Mais non, il faut qu'elle raconte à tout le monde que les Quangel ont reçu par la poste militaire une lettre tapée à la machine !

Un temps d'arrêt, puis il demande, d'une voix sourde et étrangement pleine de sollicitude :

— Blessé ?... Ou disparu ?... Ou ?...

Il se tait. Après un long silence, Quangel ne répond que de façon indirecte :

— Alors, la France a capitulé ?... Eh bien, elle aurait pu le faire un jour plus tôt : mon fils serait encore en vie !

Borkhausen réplique, avec une vivacité surprenante :

— Mais c'est parce que tant de milliers d'hommes sont morts héroïquement que la France a capitulé si vite ! C'est grâce à cela que tant de milliers d'autres hommes sont encore en vie !... Un père doit être fier d'un tel sacrifice !

Quangel demande :

— Vos enfants sont encore tous trop petits pour aller au front ?

Presque offensé, Borkhausen riposte :

— Bien sûr !... Mais s'ils devaient périr tous à la fois dans un bombardement, je n'en éprouverais que de la fierté... Est-ce que vous ne me croyez pas, Quangel ?

Le contremaître ne répond pas. Il se dit seulement : « Il est possible que je ne sois pas un bon père et que je n'aie pas aimé Otto comme je l'aurais dû. Mais tes gosses à toi te sont tout simplement une charge. Je crois volontiers que tu serais heureux de t'en voir débarrassé par une bombe !... C'est tout vu ! »

Mais il garde ses réflexions pour lui. D'ailleurs Borkhausen, déjà las d'attendre une réponse, s'écrie :

— Voyez donc, Quangel : d'abord les Sudètes, puis la Tchécoslovaquie et l'Autriche, et maintenant la Pologne et la France !... Nous devenons le peuple le plus riche du monde... Qu'importent quelques centaines de milliers de morts ?... Nous serons tous riches !

Quangel répond, avec une promptitude qui lui est inhabituelle :

— Et que ferons-nous de cette richesse ?... Pourrai-je la manger ?... Est-ce que je dormirai mieux, quand je serai riche ?... Je n'irai plus à l'usine ?... Que ferai-je de mes journées ?... Non, Borkhausen, je préfère n'être jamais riche, surtout à ce prix... Une telle richesse ne vaut pas un seul mort.

Borkhausen le saisit par le bras. Ses yeux étincellent. Il secoue littéralement Quangel, tout en chuchotant précipitamment :

— Comment peux-tu parler ainsi, Quangel ?... Tu sais pourtant que je pourrais te faire mettre à l'ombre, pour des sorties de ce genre ?... Tu as bafoué notre Führer !... Si j'étais comme tant d'autres et si je rapportais tout ça ?

Quangel est atterré. Les événements familiaux doivent l'avoir bouleversé encore beaucoup plus qu'il ne le croyait. Sinon, jamais il ne se serait départi à ce point de sa prudence, toujours vigilante et comme innée.

Mais l'autre ne remarque pas cet effroi. Et Quangel, libérant son bras de l'étreinte visqueuse de Borkhausen, dit avec lenteur, sur un ton d'indifférence lassée :

– Pourquoi vous agitez-vous comme ça?... Qu'ai-je donc dit que vous puissiez rapporter?... Je suis triste parce que mon fils Otto est mort et parce que ma femme a beaucoup de chagrin... Voilà ce que vous pouvez rapporter, si vous en avez envie. Je suis prêt à vous accompagner là-bas et à signer que j'ai dit ça.

Mais il pense, en son for intérieur : « Je veux bien être pendu si ce Borkhausen n'est pas un mouchard! Encore un dont il faut se méfier!... De qui ne faut-il pas se méfier? »

Chemin faisant, ils sont arrivés à l'atelier. Quangel ne tend pas la main à Borkhausen. Il murmure :

– Allons!

Et il fait mine de le quitter.

Mais Borkhausen l'agrippe par la manche et chuchote :

– Voisin, nous ne parlerons plus de ce qui s'est passé. Je ne suis pas un mouchard et je ne veux de mal à personne... Mais maintenant, fais-moi aussi un plaisir... Je dois donner un peu d'argent à ma femme pour le ménage, et je n'ai pas un sou en poche... Les enfants n'ont encore rien mangé aujourd'hui... Prête-moi dix marks; je te les rendrai sans faute vendredi prochain... Parole d'honneur!

Quangel se libère de nouveau des griffes de l'autre. Il pense : « Voilà donc le genre de type que tu es et comment tu gagnes ton argent! »

Et encore : « Je ne lui donnerai pas un mark. Mais s'il croit que j'ai peur de lui il ne desserrera plus l'étau. »

Il dit à haute voix :

– Je ne gagne que trente marks par semaine, et ils me sont indispensables. Je ne peux rien te donner.

Sans ajouter un mot, sans un regard, il pénètre dans la cour de l'atelier où travaille Trudel Baumann.

Borkhausen demeure là, le regarde et se demande ce qu'il va faire. Il irait bien à la Gestapo dénoncer Quangel; ça lui vaudrait toujours quelques cigarettes. Mais il vaut mieux

attendre. Il est allé trop vite en besogne aujourd'hui ; il aurait
dû laisser Quangel débiter ses bêtises tout à son aise. La mort
de son fils l'a mis dans les dispositions requises. Mais Borkhausen s'est trompé sur le compte de Quangel ; le bluff ne
prend pas avec lui. Aujourd'hui la plupart des gens ont peur,
puisqu'ils font tous l'une ou l'autre chose interdite ; ils
craignent toujours que quelqu'un ne le sache. Il ne s'agit que
de les attraper à l'improviste, au bon moment : on les tient
et ils paient. Mais Quangel est d'une autre trempe. Il n'a
apparemment peur de rien, et il n'y a pas moyen de le
prendre à l'improviste. Non, avec Quangel, Borkhausen va
abandonner la partie. Mais il tentera quelque chose du côté
de la femme, un de ces jours. Une femme est bien autrement
bouleversée par la mort de son fils unique ; et dans ces
moments-là elle se met à jacasser inconsidérément.

Donc, la femme, un de ces jours... Mais que faire maintenant !... Il doit vraiment donner de l'argent à Otti. Ce matin,
en cachette, il a mangé tout le pain qui restait. Il n'a pas
d'argent. Et où en trouverait-il sur-le-champ ? Sa femme est
une Xanthippe, parfaitement capable de faire de sa vie un
enfer. Elle lui a donné cinq marmots (enfin, la plupart sont
de lui), et elle jure comme une marchande de poissons. Elle
a aussi la main très leste : elle tape dans le tas. Parfois aussi
elle écope ; mais ça ne la rend pas plus raisonnable.

Non, il ne peut pas se présenter, sans argent, devant
Otti !... Soudain, il se souvient de la vieille Rosenthal, qui
habite maintenant toute seule et sans défense au 4ᵉ étage du
55 rue Jablonski. Comment n'a-t-il pas pensé plus tôt à la
vieille Juive ? L'entreprise sera plus rentable qu'avec ce vieux
vautour de Quangel ! C'est une femme débonnaire. Borkhausen le sait bien ; cela remonte au temps où les Rosenthal
avaient encore leur boutique. Lui aussi, il commencera par la
manière douce. Mais si elle ne marche pas, il se fera plus
pressant. De toute façon, il trouvera bien quelque chose : un

bijou, de l'argent, de la nourriture ; bref, de quoi amadouer Otti.

Telles sont les réflexions de Borkhausen tandis qu'il imagine déjà tout ce qu'il va trouver (car les Juifs ont encore tous leurs biens qu'ils dissimulent soigneusement aux Allemands, auxquels ils les ont volés). Il est revenu rapidement rue Jablonski et il guette. Il n'aimerait pourtant pas que quelqu'un le voie ici, car il habite en sous-sol, dans l'arrière-bâtiment, qu'on appelle le pavillon, par dérision. Lui, le bon Allemand, en sous-sol !... Ça ne le dérange pas, au fond, mais ça lui est parfois pénible, à cause de l'opinion des gens.

Aucun bruit dans la cage d'escalier. Borkhausen monte rapidement, mais avec le maximum de légèreté. Au palier des Persicke, grand vacarme : la fête continue. Avec des gens comme les Persicke, il faudrait bien qu'il arrive à un accord ; ils ont les meilleures relations, et ça pourrait lui venir à point. Mais, bien entendu, ces gens-là ne regardent même pas le mouchard d'occasion qu'il est ; en particulier, Baldur et les deux de la S.S. sont incroyablement arrogants. Le vieux est plus malléable ; quand il est saoul, il donne parfois cinq marks à Borkhausen...

Dans l'appartement des Quangel, tout est tranquille. Un étage plus haut, chez la Rosenthal, on n'entend pas non plus le moindre bruit, même en collant l'oreille à la porte. Il sonne rapidement, comme ferait le facteur, pressé de poursuivre sa tournée. Mais rien ne bouge. Après une ou deux minutes d'attente, Borkhausen se décide à sonner une deuxième, puis une troisième fois. Entre-temps, il écoute, n'entend rien, et chuchote alors à travers la serrure :

— Frau Rosenthal, ouvrez donc !... Je vous apporte des nouvelles de votre mari !... Vite, avant qu'on ne me voie !.. Frau Rosenthal, je vous entends ; ouvrez donc !

Il sonne encore, mais en pure perte.

Finalement, la fureur s'empare de lui : il ne va pas échouer ici aussi! La vieille Juive va lui restituer ce qu'elle a volé ! Il carillonne furieusement, tout en criant à travers la serrure :

— Ouvre, sale Juive!... Sinon, je te bourrerai si bien de coups que tu ne pourras plus ouvrir les yeux... On te flanquera en prison ce soir même si tu n'ouvres pas, sale youpine!

S'il avait de l'essence à portée de main, il mettrait sur-le-champ le feu à la porte de la charogne.

Mais Borkhausen se calme tout à coup. Il a entendu une porte qui s'ouvre en bas. Il se colle au mur. Personne ne doit le voir ici. Ces gens vont sûrement descendre; il n'a qu'à se tenir coi pour le moment.

Mais les pas se rapprochent, lentement et en trébuchant. C'est un des Persicke, et un Persicke saoul, il ne manquait vraiment plus que ça! Borkhausen gagnerait bien le grenier, mais il en est séparé par une porte de fer fermée à clef. Pas moyen de se cacher! Le seul espoir, c'est que l'ivrogne passe près de lui sans même le remarquer. Si c'est le vieux Persicke, c'est possible.

Mais ce n'est pas le vieux Persicke, c'est le sale gamin, le Bruno alias Baldur, le pire de la bande! Il va et vient sans cesse dans son uniforme de chef de la Jeunesse Hitlérienne et attend qu'on le salue, bien qu'il ne soit qu'un bon à rien. Baldur monte lentement les dernières marches; dans son ivresse, il se tient fermement à la rampe. Il a le regard trouble, mais ça ne l'empêche pas d'avoir depuis longtemps remarqué Borkhausen, collé contre le mur. Il ne lui parle pourtant que lorsqu'ils sont face à face :

— Qu'est-ce que tu espionnes ici?... Je ne veux pas de ça!... Contente-toi de ta cave!... Ouste, disparais!

Et il lève son pied, chaussé d'un soulier à semelles cloutées. Mais il n'insiste pas, il est vraiment trop vacillant pour donner des coups de pied.

Borkhausen n'est pas habitué à ce ton-là. Quand il est mouché de la sorte, il se fait tout petit et il a peur. Il murmure humblement :

– Excusez-moi, Herr Persicke!... Je voulais seulement faire une petite blague à la vieille Juive.

De laborieuses réflexions plissent le front de Baldur :

– Charogne! Tu voulais voler, oui! C'est ça, ta blague à la vieille youpine!... Va-t'en!

Sous la grossièreté des mots, on perçoit une certaine bienveillance. Borkhausen a l'oreille fine pour ces nuances. Il dit donc, avec un sourire qui semble s'excuser pour cette plaisanterie :

– Je ne vole pas, Herr Persicke. J'ai seulement de temps en temps de petites combines.

Baldur Persicke ne lui rend pas son sourire. Il ne se compromet pas avec ce genre de gens, bien qu'ils puissent parfois être utiles. Il descend prudemment derrière Borkhausen. Ils sont tous les deux tellement perdus dans leurs réflexions qu'ils ne remarquent pas que la porte de l'appartement des Quangel est entrebâillée. Elle s'ouvre dès que les deux hommes sont passés. Anna Quangel se penche par-dessus la rampe et écoute.

À la porte des Persicke, Borkhausen salue du bras tendu :

– *Heil* Hitler, Herr Persicke... Et merci beaucoup.

Il ne sait pas trop lui-même pour quoi il remercie. Peut être parce que le chef des Jeunesses Hitlériennes ne lui a pas botté le bas du dos pour lui faire dégringoler les escaliers.

Baldur Persicke ne rend pas ce salut. Il fixe sur l'autre un regard vitreux; Borkhausen commence par cligner des yeux, puis les baisse vers le sol. Baldur demande :

– Tu voulais faire une blague à la vieille Rosenthal?

– Oui, répond Borkhausen, les yeux toujours baissés.

– Et quel genre de blague?

Borkhausen se risque à regarder furtivement son interlocuteur :

— Oh, dit-il, je lui aurais volontiers caressé les joues.

— Ah Ah! répond seulement Baldur.

Ils se taisent un instant. Borkhausen se demande s'il va prendre congé, mais il n'en a pas encore reçu l'ordre. Alors il continue à attendre, muet, les yeux de nouveau rivés au sol.

— Allons, entre! dit tout à coup Persicke d'une voix pâteuse.

Et il désigne du doigt la porte de son appartement :

— Peut-être ai-je encore quelque chose à te dire... Il faudrait voir.

Borkhausen obéit à l'injonction et pénètre silencieusement chez les Persicke. Baldur le suit, un peu vacillant, mais avec une allure militaire malgré tout. La porte se referme sur eux.

Là-haut, Frau Anna Quangel abandonne son poste d'observation et rentre chez elle, en fermant la porte avec précaution. Pourquoi a-t-elle suivi la conversation de Baldur et de Borkhausen, d'abord sur le palier de Frau Rosenthal, puis sur celui des Persicke? Elle n'en sait rien. D'habitude pourtant, elle calque toujours son attitude sur celle de son mari : ne pas s'occuper des faits et gestes des autres occupants de l'immeuble.

Le visage de Frau Quangel est encore d'une lividité maladive, et ses paupières palpitent nerveusement. Une ou deux fois, déjà, elle se serait volontiers assise pour pleurer. Mais elle ne le peut pas. Des phrases lui trottent en tête... « Ça me fend le cœur » ... Ou « Cela me reste sur l'estomac » ... Elle éprouve un peu de tout cela... Et il y a encore ceci : « Ils ne m'auront pas assassiné impunément mon enfant. Je puis changer du tout au tout. »

Elle ne sait pas au juste quel pourrait être ce changement; mais qu'elle ait épié cette conversation, c'est peut-être un signe. Elle se dit encore qu'Otto ne pourra plus continuer à toujours décider de tout :

– Je veux pouvoir faire ce que je veux, moi aussi. Même si ça ne lui plaît pas.

Elle mène activement les préparatifs du repas. C'est à son mari que va la plus grosse part de leur ravitaillement. Il n'est plus jeune et doit travailler dur, tandis qu'elle peut souvent s'asseoir pour faire ses travaux de couture ; une telle répartition des vivres va donc de soi.

Tandis qu'elle s'affaire, Borkhausen quitte l'appartement des Persicke. Tout en descendant, il abandonne l'attitude rampante qu'il avait eue avec eux. C'est la tête haute qu'il traverse la cour. Deux schnaps l'ont ravigoté, et il a en poche deux billets de dix marks ; l'un d'eux apaisera la mauvaise humeur d'Otti.

Mais, quand il pénètre dans son sous-sol, il s'aperçoit qu'Otti n'est pas du tout de mauvaise humeur. La table reste couverte d'une nappe blanche, et Otti est assise sur le divan avec un homme que Borkhausen ne connaît pas. L'hôte, qui n'est pas mal habillé, ramène précipitamment son bras, qui enlaçait les épaules d'Otti. Mais il aurait pu s'en dispenser : Borkhausen n'est pas regardant sur ce chapitre.

Il se dit : « Elle fait bien les choses. C'est au moins un employé de banque ou un professeur ! »

Dans la cuisine, les enfants hurlent à qui mieux mieux. Borkhausen leur donne à chacun une grosse tranche du pain qui est sur la table. Puis il s'attable : il y a du pain, de la charcuterie, du schnaps. Il a un regard plein de cordialité pour l'homme assis sur le divan et qui semble ne pas se sentir aussi à l'aise que lui.

Aussi Borkhausen s'en va-t-il, sitôt qu'il a mangé. Pour rien au monde, il ne voudrait déranger ce prétendant. L'avantageux, dans l'opération, c'est qu'il va pouvoir garder pour lui les vingt marks. Borkhausen se dirige vers la rue Roller ; on lui a parlé d'un cabaret où les gens tiendraient des propos particulièrement imprudents. Il y a peut-être là quelque chose à faire. À l'heure actuelle, le poisson peut se prendre partout à Berlin. De nuit comme de jour.

Quand Borkhausen pense à la nuit, il sourit dans ses moustaches. Ce Baldur Persicke, quelle bande!... Mais, avec lui, ils devront mettre le prix. Qu'ils ne croient surtout pas que deux schnaps et vingt marks suffiront! Un temps viendra peut-être où il mettra tous ces Persicke dans sa poche. Pour le moment il n'a qu'à filer doux.

Là-dessus, il se rappelle qu'il doit rencontrer encore avant la nuit un certain Enno. C'est peut-être le personnage qui convient tout à fait en l'occurrence. Il fait quotidiennement sa ronde dans trois ou quatre cafés, fréquentés par des habitués du pari mutuel. Le nom véritable de cet Enno, Borkhausen ne le connaît pas. Il le trouvera bien, et c'est peut-être justement l'homme qu'il lui faut.

LE SECRET DE TRUDEL BAUMANN

Le portier connaît Otto Quangel, de sorte que celui-ci pénètre très aisément dans l'atelier. Mais il lui est infiniment plus difficile d'obtenir un entretien avec Trudel Baumann. Comme dans toutes les entreprises à cette époque, on travaille selon une planification très stricte; avec des coefficients de production qu'il faut atteindre coûte que coûte; chaque minute a donc son importance.

Le visiteur arrive à ses fins par l'entremise d'un contremaître. (Comment refuser ce service à un collègue qui vous apprend qu'il vient de perdre son fils?) Mais, à présent malgré le désir de sa femme, Quangel est obligé d'annoncer lui-même la terrible nouvelle à Trudel : pas question qu'elle l'apprenne par le contremaître... Pourvu qu'il n'y ait pas de cris, et surtout pas de syncope!... Anna s'est très bien comportée... Presque un miracle!... Trudel aussi a également les nerfs solides.

La voici enfin. Et Quangel, qui n'a jamais connu d'autres femmes que la sienne, doit s'avouer que la jeune fille est séduisante en diable avec sa frimousse encadrée de cheveux sombres, ses yeux rieurs et sa poitrine haute. Le travail de l'atelier n'a pu lui enlever ses fraîches couleurs. Même comme ça, avec son pantalon bleu de travail et son chandail rapiécé, elle dégage un charme capiteux. Mais l'essentiel de sa beauté réside sans doute dans sa façon de se mouvoir; chacun de ses pas semble l'affirmation d'une vitalité débordante.

« C'est vraiment un miracle, songe Quangel, que notre Otto, toujours dorloté par sa mère, ait pu faire la conquête de cette merveille de fille! »

Mais il se reprend aussitôt :

« Que sais-je donc de mon fils?... Je ne l'ai jamais vu tel qu'il est. Peut-être tout autre que je ne l'ai imaginé... En radio, il était de première force; c'était l'avis de tous ses professeurs. »

— Bonjour, Trudel, dit-il.

Il lui tend la main, dans laquelle se blottit prestement la main douce et tiède de la jeune fille.

— Bonjour, père, répond-elle. Quoi de neuf chez vous? Maman a-t-elle envie de me voir?... Otto a-t-il écrit?... J'essaierai de passer chez vous le plus tôt possible.

— Il faut venir dès ce soir, Trudel, commence Otto Quangel. Il s'agit justement de...

Mais il n'achève pas sa phrase. Trudel a prestement fouillé dans la poche de son pantalon bleu et en retire un petit agenda, qu'elle feuillette hâtivement. Elle n'écoute que d'une oreille. Ce n'est pas le moment de lui parler de ça. Quangel attend donc patiemment qu'elle ait trouvé ce qu'elle cherche.

L'entrevue a lieu dans un long couloir dont les murs passés à la chaux sont couverts d'affiches. Involontairement, le regard de Quangel tombe sur l'une d'elles, collée en oblique derrière Trudel. Il en lit quelques mots en gros caractères d'imprimerie :

AU NOM DU PEUPLE ALLEMAND

Puis trois noms, et :

ONT ÉTÉ CONDAMNÉS À LA PENDAISON
POUR CRIME DE HAUTE TRAHISON.
LA SENTENCE A ÉTÉ EXÉCUTÉE CE MATIN
AU PÉNITENCIER DE PLOETZENSEE.

Involontairement, il prend les mains de Trudel dans les siennes, et il l'éloigne de l'affiche.

— Qu'y a-t-il donc? demande-t-elle, toute surprise.

Mais elle suit le regard de Quangel et lit également le texte. Une exclamation, qui peut tout signifier, lui vient aux lèvres : protestation contre ce qu'elle vient de lire, désapprobation du geste de Quangel, ou indifférence. Elle remet son agenda en poche et dit :

— Ce soir, c'est impossible, père. Mais je serai chez vous demain vers huit heures.

— Il faut que tu viennes ce soir, Trudel, répond Otto Quangel... Nous avons reçu des nouvelles d'Otto...

Il voit que toute gaieté disparaît des yeux de la jeune fille.

— Otto est mort, Trudel!

Du fond du cœur de Trudel monte le même « Oh! » profond qu'il a eu lui aussi en apprenant la nouvelle. Un moment, elle arrête sur lui un regard brouillé de larmes. Ses lèvres tremblent. Puis elle tourne le visage vers le mur, contre lequel elle appuie le front. Elle pleure silencieusement. Quangel voit bien le tremblement de ses épaules, mais il n'entend rien.

« Une fille courageuse! se dit-il. Comme elle tenait à Otto!... À sa façon, il a été courageux, lui aussi. Il n'a jamais rien eu de commun avec ces gredins. Il ne s'est jamais laissé monter la tête contre ses parents par la Jeunesse Hitlérienne. Il a toujours été contre les jeux de soldats et contre la guerre, cette maudite guerre!... »

Quangel est tout effrayé par ce qu'il vient de penser. Changerait-il donc, lui aussi? Cela équivaut presque au « Toi et ton Hitler » d'Anna.

Et il s'aperçoit que Trudel a le front appuyé contre cette affiche dont il venait de l'éloigner. Au-dessus de sa tête se lit en caractère gras :

AU NOM DU PEUPLE ALLEMAND

Son front cache les noms des trois pendus...

Et voilà qu'il se dit qu'un jour on pourrait fort bien placarder une affiche du même genre avec les noms d'Anna, de Trudel, de lui-même... Il secoue la tête, fâché... N'est-il pas un simple travailleur manuel, qui ne demande que sa tranquillité et ne veut rien savoir de la politique? Anna ne s'intéresse qu'à leur ménage. Et cette jolie fille de Trudel aura bientôt trouvé un nouveau fiancé...

Mais ce qu'il vient d'évoquer l'obsède :

« Notre nom affiché au mur? pense-t-il, tout déconcerté. Et pourquoi pas? Être pendu n'est pas plus terrible qu'être déchiqueté par un obus ou que mourir d'une appendicite... Tout ça n'a pas d'importance... Une seule chose est importante : combattre ce qui est avec Hitler... Tout à coup, je ne vois plus qu'oppression, haine, contrainte et souffrance!... Tant de souffrance!... "Quelques milliers", a dit Borkhausen, ce mouchard et ce lâche... Si seulement il pouvait être du nombre!... Qu'un seul être souffre injustement, et que, pouvant y changer quelque chose, je ne le fasse pas, parce que je suis lâche et que j'aime trop ma tranquillité... »

Il n'ose pas aller plus avant dans ses pensées. Il a peur, réellement peur, qu'elles ne le poussent implacablement à changer sa vie, de fond en comble.

Au lieu de cela, il contemple de nouveau ce visage de jeune fille au-dessus duquel on lit AU NOM DU PEUPLE ALLE-MAND. Elle ne devrait pas pleurer ainsi, appuyée justement à cette affiche!... Il ne peut résister à la tentation; il écarte son épaule du mur et dit, aussi doucement qu'il peut :

— Viens, Trudel. Ne reste pas appuyée contre cette affiche!

Un moment, elle regarde sans comprendre le texte imprimé. Ses yeux sont de nouveau secs, ses épaules ne tremblent plus. Puis la vie revient dans son regard. Ce n'est plus un éclat joyeux, comme lorsqu'elle s'avançait dans ce couloir; c'est un feu sombre, à présent. Avec fermeté et douceur à la fois, elle pose la main à l'endroit où se lit le mot « pendaison » :

— Je n'oublierai jamais, dit-elle, que c'est devant une de ces affiches que j'ai sangloté à cause d'Otto... Peut-être mon nom figurera-t-il aussi un jour sur un de ces torchons.

Elle le regarde fixement. Il a le sentiment qu'elle ne comprend pas toute la portée de ce qu'elle dit.

— Petite, réfléchis bien!... Toi, sur une affiche de ce genre!... Tu es jeune, tu as toute la vie devant toi... Tu riras de nouveau, tu auras des enfants.

Elle secoue fièrement la tête :

— Je ne veux pas d'enfants, aussi longtemps que je n'ai pas la certitude qu'on ne me les tuera pas. Aussi longtemps qu'un général peut dire : « Marche et crève!... » Père, conti-nue-t-elle en lui saisissant les mains, père, peux-tu vraiment continuer à vivre comme avant, maintenant qu'ils t'ont tué ton fils?

Elle le regarde d'un air décidé, et il se défend de nouveau contre ce sentiment étrange qui l'envahit :

— Les Français, murmure-t-il...

— Les Français! s'insurge-t-elle. Est-ce ainsi que tu te tires d'affaire!... Qui donc a attaqué les Français? Qui donc, père?... Dis-le, à la fin!

— Mais que pouvons-nous donc faire? répond désespérément Quangel. Nous ne sommes que quelques-uns, et tous les millions d'autres sont pour les nazis, maintenant plus que jamais, après cette victoire sur la France. Nous ne pouvons absolument rien faire.

— Nous pouvons faire énormément, murmure-t-elle. Nous pouvons saboter les machines, nous pouvons faire notre travail trop lentement et en dépit du bon sens, nous pouvons déchirer des affiches du genre de celle-ci et en placarder d'autres par lesquelles nous dirons aux gens comment on les trompe.

Elle continue, à voix encore plus basse :

— Mais l'essentiel, c'est que nous soyons autres que tous ceux-là, que nous n'en arrivions jamais à être et à penser comme eux. Nous ne serons jamais des nazis, même si les nazis conquièrent le monde entier.

— Et à quoi arriverons-nous, Trudel? demande Quangel avec douceur. Je ne vois pas à quoi nous arriverons.

— Père, répond-elle, moi non plus je n'ai pas compris, au début. Et je ne comprends pas encore tout à fait. Mais, tu sais, nous avons constitué secrètement ici une cellule de résistance. Toute petite, pour commencer : trois hommes et moi... Il y en a un parmi nous qui a essayé de m'expliquer tout ça. Il a dit que nous sommes la bonne semence dans un champ envahi par la mauvaise herbe. S'il n'y avait pas cette bonne semence, le champ ne serait que mauvaise herbe. La bonne semence peut se propager...

Elle fait une pause, comme si quelque chose l'épouvantait.

— Qu'y a-t-il, Trudel? s'étonne-t-il... Cette bonne semence, ce n'est pas une mauvaise idée... Je vais y réfléchir... J'ai tant de sujets de réflexion pour le moment..

Mais elle dit, pleine de honte et de repentir :

— Voilà que j'ai bavardé! Et j'avais fait le serment sacré de ne dévoiler à personne l'existence de cette cellule!

— Quant à cela, n'aie aucun souci, dit Otto Quangel. Avec moi, ces choses-là entrent par une oreille et sortent par l'autre... Je ne sais plus rien.

D'un air farouche, il contemple maintenant l'affiche :

— Toute la Gestapo peut venir : je ne sais absolument plus rien... Et si tu veux, si ça te facilite les choses, tu ne nous connais plus à partir de ce moment-ci... Il n'est même pas indispensable que tu viennes ce soir chez nous. J'inventerai quelque chose, sans dire un mot de tout ça.

— Non, répond-elle, rassérénée. J'irai encore ce soir chez maman. Mais je devrai avouer aux autres que j'ai bavardé inconsidérément, et on t'entreprendra peut-être pour voir si on peut également se fier à toi.

— Ils peuvent venir! dit Otto Quangel, avec une menace dans la voix... Je ne sais absolument rien... Au revoir, Trudel. Je ne te verrai plus aujourd'hui. Je ne rentre presque jamais du travail avant minuit.

Elle lui tend la main et s'éloigne pour regagner son atelier.

« Une brave fille! songe Quangel... Un garçon courageux! »

Seul à présent dans le couloir, avec les affiches qui font un bruit léger dans le courant d'air perpétuel, il se décide à partir. Auparavant, il fait quelque chose qui le stupéfie lui-même : il salue l'affiche sur laquelle Trudel a pleuré.

Aussitôt son geste lui paraît ridicule. Enfantillages que tout ça!... Il est plus que temps de rentrer. Il lui faudra même prendre un tramway, et cela heurte souverainement son esprit d'économie, qui confine à l'avarice.

RETOUR D'ENNO KLUGE

À 14 heures, Eva Kluge a terminé sa tournée. Elle en a encore jusqu'à près de 16 heures pour faire ses comptes de

quittances d'abonnements aux journaux et de surtaxes postales. Très lasse, elle s'embrouille dans tous ces chiffres et se
trompe constamment dans ses calculs. Les pieds en feu, la
tête douloureuse et vide, elle se met en route pour rentrer
chez elle. Mieux vaut ne pas penser à tout ce qu'elle doit
encore faire avant de se coucher! Chemin faisant, elle pour-
voit à son ravitaillement, et il faut qu'elle fasse la queue chez
le boucher. Il est près de 18 heures quand elle arrive au logis.

Devant la porte se tient un homme de petite taille en par-
dessus clair et casquette de sport. Le visage est incolore et
inexpressif, les paupières un peu enflées et les yeux pâles : un
de ces visages qu'on oublie aussitôt.

— Toi, Enno! s'écrie-t-elle en serrant plus fort ses clefs
dans sa main. Que viens-tu faire chez moi?...

— Je n'ai pas d'argent et rien à manger.

— Je ne te laisserai pas entrer.

Le petit homme a un geste conciliant :

— Pourquoi t'énerves-tu tout de suite comme ça, Eva?
Pourquoi es-tu toujours si agressive? Je ne viens que te dire
un petit bonjour.

— Bonjour, Enno, répond-elle, mais à contrecœur, car elle
connaît son mari, depuis tant d'années!

Elle attend un moment, puis, avec un rire bref et hostile :

— Voilà, nous nous sommes dit bonjour comme tu le
voulais! Tu peux partir... Mais je vois que tu ne t'en vas pas.
Que veux-tu donc, au juste?

— Vois-tu, ma petite Eva, commence-t-il, tu es une
femme pleine de bon sens, et il y a moyen de parler avec toi.

Il se met à lui expliquer en long et en large que la
Mutuelle ne le paie plus, car il en est à sa vingt-sixième
semaine de maladie. Il doit de nouveau aller travailler, sinon
on le renverra à l'armée (celle-ci l'a mis à la disposition de
son usine, car il est bon mécanicien, spécialisation qui ne
court pas les rues).

39

– Je dois avoir le plus tôt possible un domicile fixe...
Alors je me suis dit que...

Eva secoue énergiquement la tête. Elle est recrue de
fatigue et n'aspire qu'à pouvoir rentrer chez elle, où il y a
encore de la besogne qui l'attend. Mais, à aucun prix, elle ne
le laissera entrer, même si elle doit passer devant cette porte
la moitié de la nuit.

Il dit rapidement, mais d'une voix toujours aussi monocorde :

– Ne refuse pas encore, ma petite Eva! Je n'ai pas fini...
Je te jure que je ne veux rien de toi : ni argent, ni nourriture... Mais laisse-moi dormir sur le divan... Pas besoin de
draps de lit... Tu n'auras pas le moindre dérangement.

De nouveau, elle secoue la tête. Il perd son temps le bonhomme! Il devrait pourtant savoir qu'elle ne croit pas un
mot de ce qu'il dit. Jamais encore il n'a tenu ses promesses.

– Pourquoi ne t'adresses-tu pas à une de tes bonnes
amies?... Elles sont toujours prêtes à te rendre ce genre de
service.

Il a un geste de dénégation :

– Les femmes, c'est fini pour moi, ma petite Eva. Je ne
m'en occupe plus, j'en ai soupé... Quand j'y pense, c'est
quand même toi qui as toujours été la meilleure de toutes...
Nous avons eu de belles années, jadis, quand les enfants
étaient encore petits.

Malgré tout, le visage d'Eva Kluge s'est illuminé, à cette
évocation des premières années de leur mariage. C'est vrai,
ils ont été heureux jadis, quand il travaillait encore et rapportait chaque semaine chez lui les soixante marks de son
salaire de mécanicien.

Enno Kluge profite immédiatement de son avantage :

– Tu vois, tu m'aimes encore un peu et tu vas me laisser
dormir sur le divan.. Pour le travail j'aurai vite fait de
m'arranger : l'essentiel c'est que je touche de nouveau mes

indemnités et que je ne sois pas obligé de filer au front... Dans dix jours, je trouverai bien le moyen de me faire de nouveau porter malade.

Il s'interrompt et attend les réactions de son interlocutrice. Elle ne secoue pas la tête, mais son visage reste impénétrable. Il poursuit donc :

— Cette fois-ci, je ne vais pas me donner des hémorragies d'estomac, car, dans ces cas-là, on ne vous donne rien à manger dans les hôpitaux... Je choisirai les coliques hépatiques... Ils n'y voient que du feu, même aux rayons x... On m'a très bien expliqué tout cela... Ça marchera... Mais je dois d'abord travailler pendant dix jours.

De nouveau, elle ne répond rien, et il reprend ses discours, convaincu que l'on peut, à force d'insistance, forcer les gens à se rendre.

— J'ai aussi l'adresse d'un docteur de l'avenue de Francfort ; il fait des certificats comme on veut... Je m'arrangerai avec lui ; dans dix jours, je serai de nouveau à l'hôpital, et tu seras débarrassée de moi, ma petite Eva.

Elle dit, fatiguée de tout ce bavardage :

— Même si tu me tiens la jambe ici jusqu'à minuit, je ne te laisserai pas entrer. Je ne le ferai plus jamais, quoi que tu fasses et que tu dises. Je ne te laisserai pas me ruiner de nouveau par ta fainéantise, tes paris aux courses et tes femmes de mauvaise vie... J'ai essayé trois fois, puis une quatrième, et ne sais combien d'autres. Mais maintenant c'est bien fini !... Je m'assieds sur cette marche, je suis épuisée d'être debout depuis 6 heures... Si tu veux assieds-toi aussi... Si tu en as envie, pérore... Si tu n'en as pas envie, tais-toi... Tout m'est égal... Mais tu n'entreras pas chez moi.

Elle s'est assise sur une des marches de l'escalier. Et ses paroles ont un tel accent de résolution qu'il sent que cette fois il perd son temps. Il tire donc sa casquette sur le côté et dit :

— Bon, ma petite Eva, tu ne veux vraiment pas me faire ce petit plaisir, alors que tu sais que ton mari est en danger... Ton mari qui t'a donné cinq enfants, dont trois sont au cimetière et dont les derniers combattent pour le Führer et le pays.

Il parle d'abondance, habitué qu'il est à palabrer sans fin dans les cabarets.

— Allons, je m'en vais, ma petite Eva... Et sache bien que je ne me formalise pas de tout ça. Je ne le prends pas en mauvaise part.

Mais elle lui répond :

— Parce que, sauf tes paris aux courses, tout t'est égal... Parce que rien au monde ne t'a jamais intéressé. Parce que tu n'es capable d'aimer rien ni personne. Pas même toi, Enno!

Mais elle s'interrompt aussitôt. Il est tellement inutile de parler à cet homme!

-- Est-ce que tu n'avais pas dit que tu t'en allais?

— Voilà, je m'en vais, répète-t-il surpris... Bonne chance!... Je ne t'en veux pas!... *Heil* Hitler, Eva.

Elle croit encore que ce n'est là qu'un faux départ, simple préface à de nouvelles palabres interminables. Pourtant, à la grande stupéfaction de la femme, l'homme se met à descendre l'escalier, sans ajouter un seul mot.

Un moment, elle demeure assise là, tout étourdie et ne pouvant croire à sa victoire. Puis elle se lève et écoute. On entend distinctement les pas d'Enno tout au bas des marches. Il part donc vraiment!... La porte de la maison se ferme avec bruit.

D'une main tremblante, elle ouvre sa porte. Elle est si énervée que d'abord elle ne parvient pas à trouver la serrure. Tout de suite, elle met la chaîne et se laisse tomber sur une chaise de cuisine. Les membres lui pèsent; comme si cette bataille l'avait vidée de ses dernières forces... Si on la poussait d'un seul doigt, elle s'effondrerait.

Mais, graduellement, la force et la vie lui reviennent. Ainsi, elle aussi est arrivée à ses fins ; sa volonté a triomphé de l'opiniâtreté de son mari ! Elle a gardé son foyer pour elle, pour elle toute seule. Il ne sera plus là, de nouveau, à lui parler sans fin de ses courses de chevaux et à lui voler chaque mark et chaque morceau de pain à sa portée.

Elle se lève impétueusement, animée par une vitalité toute neuve. Ce petit morceau de sa vie lui est resté !

Après son service interminable, elle se réservait chaque jour ces quelques heures. Sa tournée lui pesait de plus en plus. Dans le passé déjà, son bas-ventre l'avait fait souffrir. Ce n'est pas pour rien que trois de ses enfants étaient morts : tous nés avant terme. Les jambes n'allaient pas trop bien non plus. Ménagère avant tout, elle n'était vraiment pas faite pour ce genre d'activité professionnelle. Mais elle avait bien dû gagner sa vie quand son mari avait cessé tout à coup de travailler. Les deux garçons étaient encore petits. Elle les avait élevés, elle s'était créé ce foyer : une cuisine-living et une chambre. Et elle avait encore supporté son mari, tout au moins quand il ne s'affichait pas avec l'une ou l'autre de ses conquêtes.

Bien sûr, elle aurait pu divorcer depuis longtemps, puisqu'il ne faisait nul mystère de ces entorses au pacte conjugal. Mais un divorce n'aurait rien changé ; divorcé ou non, Enno se serait toujours cramponné à elle. Tout lui était égal : il n'avait pas une once de dignité.

Elle ne l'avait complètement éloigné du foyer que lorsque les deux garçons avaient dû aller à l'armée. Avant cela, elle avait toujours maintenu tout au moins l'apparence d'une vie familiale, bien que les deux adolescents n'eussent guère d'illusions. Elle craignait par-dessus tout que ça ne se sût à l'extérieur. Quand on la questionnait sur son mari, elle répondait toujours qu'il était en chômage. Même maintenant, elle allait encore souvent chez les parents d'Enno et leur donnait un peu de vivres ou d'argent ; dans une certaine mesure, c'était un dédommagement pour l'argent que le fils leur soutirait sur leur misérable pension.

Mais, au fond d'elle-même, tout était bien fini avec cet homme. Même s'il avait pu changer, recommencer à travailler, être de nouveau comme il était au début de leur mariage, elle n'aurait pas repris la vie commune. Elle ne le haïssait pas. On n'arrive pas à haïr un tel vaurien. Il la dégoûtait, tout simplement, comme la dégoûtaient les araignées et les serpents.

Tout en songeant de la sorte, Eva Kluge avait fait chauffer son repas et mis la cuisine en ordre (la chambre et le lit, elle s'en occupait de grand matin). Le bouillon entrait en ébullition, et son arôme se répandait dans toute la pièce.

Elle s'assied près de sa corbeille à ouvrage. Quelle calamité, ces bas qui se déchirent plus vite qu'elle n'arrive à les réparer !... Mais ce travail ne l'irrite pas ; elle aime cette demi-heure paisible qui précède le repas, quand elle peut s'asseoir confortablement, chaussée de ses pantoufles de feutre, les jambes douloureuses bien étendues, les pieds tournés légèrement en dedans, sa position favorite pour se reposer.

Après avoir mangé, elle écrira à Karlemann, son aîné et son préféré. Il est en Pologne. Elle n'est pas absolument d'accord avec lui, surtout depuis qu'il est entré à la S.S. On dit beaucoup de mal des S.S. depuis quelque temps ; notamment, de leur comportement envers les Juifs. Mais elle ne le croit pas capable d'abattre une jeune Juive après l'avoir violée : lui, son fils, la chair de sa chair !... Karlemann ne fait certainement pas cela. D'où ces mœurs lui seraient-elles venues ?... Elle n'a jamais été dure pour lui, et le père n'est qu'une poule mouillée... Mais elle essaiera quand même, dans une lettre, de faire allusion au devoir qu'il a de rester correct... Naturellement, cette allusion devra être très prudente, et telle que Karlemann seul puisse la comprendre, sinon, il aurait des ennuis avec la censure. Mais elle trouvera bien un moyen... Peut-être lui rappellera-t-elle un épisode de ses années d'enfance. Le jour où il lui avait volé deux marks pour acheter des bonbons... Ou, mieux encore, le jour où, à peine âgé de treize ans, il s'est amouraché de Walli, qui n'était qu'une vulgaire grue. Quelles difficultés pour le détacher de cette femme! Il piquait parfois de belles rages, son Karlemann!

Mais elle sourit en évoquant ces menus épisodes. Tout lui paraît beau, de ce qui concerne l'enfance de ses garçons. En ce temps-là, pleine d'énergie, elle les aurait défendus contre le monde entier, et elle aurait travaillé jour et nuit pour leur donner ce que recevaient les autres enfants, ceux dont le père était tel qu'il devait être. Mais ses forces avaient décliné de plus en plus. Surtout depuis que les deux garçons avaient dû rejoindre l'armée.

Non, cette guerre n'aurait jamais dû éclater! Le Führer aurait dû l'éviter. Le coup de Dantzig et de ce corridor absurde, et les millions d'hommes jetés pour cela dans un danger de mort de tous les instants? Un véritable grand homme n'aurait pas fait ça.

Il est vrai que, d'après ce qu'on dit, le Führer est peut-être un enfant illégitime. Alors, il n'a sans doute jamais eu une mère pour se soucier de lui. Il ne sait donc rien de ce que les mères éprouvent dans ces angoisses perpétuelles et déchirantes... Après une lettre du front, il y a un ou deux jours de répit; puis on commence à calculer, et l'angoisse reprend de plus belle.

Perdue dans sa rêverie, elle a depuis longtemps laissé là son ravaudage. Elle se lève presque mécaniquement. Elle met le bouillon au ralenti et active la flamme sous la casserole de pommes de terre.

Soudain, un coup de sonnette. Elle en demeure comme pétrifiée : « Enno! se dit-elle, Enno! »

Elle écarte doucement la casserole et se précipite à pas de loup vers la porte. Elle se rassure : par le judas, elle voit distinctement sa voisine, Frau Gesch, qui vient certainement lui emprunter une fois de plus un peu de farine ou de graisse, qu'elle « oubliera » de lui rendre. Eva Kluge demeure pourtant méfiante ; elle s'efforce d'inspecter tout le palier, et elle épie le moindre bruit. Mais tout paraît normal. Il n'y a décidément que Frau Gesch, qui trépigne d'impatience en regardant vers le judas.

Eva Kluge se décide. Elle entrouvre la porte, tout en ne détachant pas la chaîne, et demande :

— Qu'y a-t-il donc, Frau Gesch ?

Frau Gesch se précipite... Une femme tout amaigrie, qui se tue au travail pendant que ses filles se la coulent douce aux frais de leur mère. Toujours faire les lessives écœurantes des autres et ne jamais manger à sa faim !... Emmi et Lilli ne font pratiquement rien du tout. Après le souper, elles s'en vont et laissent à leur mère le soin de laver la vaisselle...

— Voilà, Frau Kluge. Je voudrais vous demander... Je crois que j'ai un furoncle dans le dos... Nous n'avons qu'un miroir, et mes yeux sont si mauvais... Alors voudriez-vous examiner ça ?... Je ne puis pas aller chez un docteur pour si peu. Et comment en aurais-je le temps ?... Peut-être pourrez-vous le percer, si ça ne vous dégoûte pas ?... Il y a beaucoup de gens que cela dégoûte...

Pendant que Frau Gesch continue à jérémier, Eva Kluge a détaché la chaîne, presque mécaniquement, et sa visiteuse est entrée. Eva Kluge a voulu refermer la porte, mais un pied s'est interposé, et voilà qu'Enno Kluge aussi est chez elle ! Son visage est inexpressif, comme toujours. Seul indice de son agitation, le tressaillement de ses paupières presque sans cils.

Eva Kluge demeure les bras ballants : ses genoux tremblent tellement qu'elle se laisserait volontiers choir sur le

46

sol. Le torrent volubile de Frau Gesch s'est soudainement tari. Elle finit pourtant par expliquer :

— Voilà, je vous ai fait ce petit plaisir, Herr Kluge... Mais, je vous le répète, c'est bon pour une fois... Et si vous ne tenez pas vos promesses, si vous recommencez à fainéanter, à courir les cabarets et les champs de courses...

Elle s'interrompt, elle regarde Frau Kluge :

— Si j'ai gaffé, je vous aide immédiatement à l'expulser.. À nous deux, nous ferons ça en moins de rien.

Mais Eva Kluge esquisse un geste las :

— Oh, laissez donc, Frau Gesch ! Tout ça m'est tellement indifférent !

Elle se dirige lentement vers sa chaise et s'y laisse tomber. Elle reprend le bas qu'elle ravaudait, mais elle le regarde comme si elle ne l'avait jamais vu. Un peu froissée, Frau Gesch conclut :

— Voilà... Bonsoir, ou *Heil* Hitler, comme vous préférez.

Enno Kluge dit précipitamment :

— *Heil* Hitler.

Et lentement, comme si elle émergeait du sommeil, Eva Kluge répond :

— Bonne nuit, Frau Gesch.

Elle se souvient et ajoute :

— Et qu'en est-il au juste de votre dos ?

— Non, non, répond vivement Frau Gesch, déjà près de la porte. Je n'ai rien du tout au dos. J'ai raconté ça comme ça... Mais je ne me mêlerai certainement plus jamais des affaires des autres. Je vois bien que je n'en suis guère récompensée.

Et elle sort, heureuse d'être débarrassée de ces deux êtres, transformés en statues. Un peu de remords la tourmente pourtant.

Sitôt la porte refermée, le petit homme se met en mouvement. Le plus naturellement du monde, il ouvre l'armoire, libère un portemanteau, en mettant l'une sur l'autre deux robes de sa femme et pend soigneusement son pardessus. Il pose sa casquette de sport sur la planche supérieure. Il est toujours très soigneux, car il a horreur d'être mal habillé, et il sait qu'il ne peut rien acheter de neuf.

Puis il se frotte les mains avec un gloussement de satisfaction, va au réchaud et inspecte les casseroles :

— Des pommes de terre et du bœuf! Quel régal!

Un temps d'arrêt. Eva est assise, immobile et lui tournant le dos. Il remet doucement le couvercle sur la casserole, se dirige vers Eva et lui parle :

— Ne reste donc pas ainsi, Eva, comme si tu étais une statue de marbre!... Qu'est-ce qu'il y a donc?... Tu as de nouveau un homme chez toi pour quelques jours... Je ne te créerai aucun ennui... Ce que je t'ai promis, je le ferai... Je ne veux même pas de pommes de terre. Tout au plus, s'il en reste un peu, et encore, uniquement si tu me les donnes spontanément... Je ne demande rien.

Eva ne répond pas un mot. Elle range dans l'armoire son nécessaire de couture, met une assiette sur la table, se la remplit et commence lentement à manger. L'homme s'est assis l'autre bout de la table, a tiré de sa poche des journaux de sport et prend des notes dans un gros carnet crasseux. De temps à autre, il jette un coup d'œil rapide à la femme qui mange. Elle s'est déjà resservie; il ne restera sûrement rien pour lui, et il a une faim de loup. Il n'a rien mangé depuis la veille au soir. Le mari de Lotte, rentré du front en permission, l'a chassé du lit, sans aucun égard pour son petit déjeuner.

Mais il ne se hasarde pas à parler de sa faim à Eva, dont le silence lui fait peur. Avant qu'il puisse vraiment se sentir de nouveau chez lui, il doit encore se passer toutes sortes de choses. Ce moment viendra, il n'en doute pas une seconde. On peut amener n'importe quelle femme à changer d'avis; mais on doit être persévérant et savoir supporter beaucoup de choses.

Eva Kluge racle le fond de la casserole. Elle a mangé en un soir ce qu'elle avait préparé pour deux jours. Comme ça, au moins, il ne pourra pas lui mendier les restes! Elle lave vite sa petite vaisselle et commence un grand déménagement.

Au nez et à la barbe d'Enno, elle transporte dans la chambre tout ce qui a un peu de valeur à ses yeux. Il n'y est encore jamais entré, et il y a d'ailleurs à la porte une serrure solide. Elle gare ainsi les provisions, ses vêtements, ses chaussures, les coussins du divan et même la photo des deux garçons. Tout ça sous les yeux d'Enno. Ce qu'il peut dire ou penser lui est complètement indifférent. Il est entré par ruse, mais ça ne lui servira pas à grand-chose.

Elle ferme ensuite la porte de la chambre, revient et s'installe pour écrire. Elle est morte de fatigue, elle serait mille fois mieux dans son lit. Mais elle s'est promis d'écrire à Karlemann ce soir. Elle peut être dure non seulement pour son mari, mais aussi pour elle-même.

Elle a écrit quelques lignes. Enno se penche par-dessus la table et s'informe :

— À qui écris-tu donc, ma petite Eva?

Elle lui répond, mais involontairement, car elle s'était bien promis de ne plus lui parler :

— À Karlemann.

— Ah! dit-il en lâchant ses journaux, tu lui écris, à lui, et tu lui envoies sans doute encore des colis! Mais pour son père, affamé comme il l'est, tu n'as même pas une pomme de terre et une bouchée de viande!

Sa voix n'est plus monocorde : elle sonne comme s'il était gravement offensé et brimé dans son droit, parce qu'Eva donne au fils quelque chose qu'elle refuse au père.

— Laisse donc, Enno, dit-elle tranquillement. Ce sont mes affaires. Karlemann est un brave garçon.

— Tiens! tiens! dit-il. Tu as oublié, naturellement, la façon dont il s'est comporté envers ses parents quand il a été nommé caporal!... Tu n'arrivais plus à lui faire faire quoi que ce soit, et il se moquait de nous comme de vieux bourgeois stupides... Oublié, tout ça, hein, ma petite Eva? Un brave garçon, vraiment, Karlemann!

Elle le défend d'une voix faible.

— Il ne s'est jamais moqué de moi.

— Non, naturellement! ironise-t-il... Tu as aussi oublié qu'il ne reconnaissait plus sa propre mère quand elle arpentait l'avenue de Prenzlau avec sa lourde sacoche de la Poste?... Et qu'il a détourné le regard, en passant avec sa bonne amie, le beau monsieur!

— On ne peut pas en vouloir pour ça à un jeune homme, dit-elle... Ils veulent tous parader devant leur belle. Cela s'arrange plus tard, et ils reviennent à leur mère qui les a tenus dans ses bras.

Un instant, il la regarde en hésitant... Va-t-il lui dire ça?... Il n'est pas rancunier, mais, cette fois, elle l'a par trop offensé, d'abord en ne lui donnant rien à manger, puis en garant ostensiblement dans la chambre tout ce qui a de la valeur. Alors, il lui dit :

— Moi, si j'étais sa mère, je ne serrerais plus jamais dans mes bras un pareil fils, qui est devenu un vrai cochon.

Il voit ses yeux dilatés par l'angoisse, mais il lui jette impitoyablement au visage – un visage devenu cireux :

— À son dernier congé, il m'a montré une photo qu'un de ses camarades avait prise de lui... Et il s'en est vanté, de cette photo!... On voit ton Karlemann tenant par une jambe un petit Juif de trois ou quatre ans et lui brisant la tête sur le pare-chocs d'une voiture.

— Non! non! crie-t-elle. Tu as menti!... Tu as inventé ça pour te venger, parce que je ne t'ai rien donné à manger!... Karlemann ne fait pas ça!

— Comment aurais-je imaginé pareille chose? demande-t-il d'une voix de nouveau plus calme, après lui avoir porté ce coup… Si tu ne me crois pas, tu n'as qu'à aller au cabaret de Senftenberg, où il a montré la photo à tout le monde. Le gros Senftenberg et sa femme l'ont vue aussi.

Il cesse de parler. Il serait absurde de continuer à discuter avec cette femme. Elle pleure, la tête sur la table. Après tout comme employée à la Poste, elle est membre du Parti et elle a juré fidélité au Führer. Elle n'a donc pas à s'étonner que Karlemann soit devenu ce qu'il est.

Enno Kluge reste là un moment et regarde le divan d'un air indécis. Pas de couverture et pas de coussin, ça promet une belle nuit !… Mais c'est peut-être précisément le moment de tenter sa chance ?… Il hésite, jette un regard à la porte de la chambre, puis se décide… Il fouille la poche du tablier de la femme, qui pleure sans arrêt, et il en retire la clef… Il ouvre la porte et commence à fureter dans la chambre.

Eva Kluge, du tréfonds de sa lassitude, entend tout cela. Elle sait qu'il est en train de la voler, mais ça lui est égal. À présent son univers est anéanti et ne pourra plus jamais redevenir habitable… Pourquoi a-t-on donc vécu ici-bas, pourquoi a-t-on fait don de la vie à des enfants, pourquoi s'est-on réjoui de leurs rires et de leurs jeux, si c'est pour les voir se transformer en bêtes ?… Ah, son Karlemann ! Un enfant si blond et si gentil !… Quand elle allait jadis avec lui au cirque Busch et que les chevaux devaient se coucher sur le sable, il s'apitoyait sur le sort de ces pauvres bêtes. Elle devait le rassurer : les chevaux n'étaient pas malades, ils dormaient seulement.

Et maintenant, voilà ce qu'il faisait aux enfants d'autres mères !… Pas un instant, Eva Kluge ne doute que l'histoire de la photo soit vraie. Enno n'est vraiment pas capable d'imaginer ça… Voilà qu'elle a perdu son fils, aussi !… Et c'est pire que s'il était mort ; alors, au moins, elle aurait pu le pleurer… Mais maintenant, elle ne pourra plus jamais le serrer dans ses bras; elle va devoir lui interdire l'accès de son foyer... À lui aussi!

Pendant ce temps-là, en furetant dans la chambre, Enno a trouvé un livret de caisse d'épargne... Il soupçonnait depuis longtemps sa femme d'en posséder un... Six cent trente-deux marks!... Une femme prévoyante! Mais pourquoi si prévoyante? Elle aurait un jour sa pension... De toute façon, demain il misera vingt marks sur Adebar et peut-être dix sur Hamilcar... Il feuillette le carnet : une femme non seulement prévoyante, mais encore éprise d'ordre... Tout est bien rangé ensemble : avec le livret, il y a le cachet et aussi les vignettes de paiement.

Il s'apprête à mettre le livret en poche. Mais Eva est près de lui. Elle lui prend simplement le carnet et le dépose sur le lit.

— Sors d'ici! dit-elle seulement. Va-t'en!

Et lui, qui croyait déjà tenir fermement la victoire, il sort de la chambre. De ses mains tremblantes, il reprend son pardessus et sa casquette, mais sans oser risquer un seul mot. Et c'est encore sans dire un mot qu'il sort de l'appartement et s'enfonce dans l'obscurité. La porte se referme. Il tourne le commutateur et descend l'escalier... Dieu soit loué, quelqu'un a laissé ouverte la porte de la maison. Il va gagner son bistrot habituel. Au besoin, s'il ne trouve personne, le patron le laissera dormir sur le divan. Il déambule, résigné à son sort, habitué à encaisser les coups. Il a déjà presque oublié sa femme.

Eva, à sa fenêtre, scrute l'obscurité... Bon, tant pis, Karlemann est perdu, lui aussi!.. Il lui reste Max, le cadet... Max, toujours pâle, ressemble à son père plutôt qu'à son frère, qui a le teint éclatant. Peut-être pourra-t-elle garder ce fils-là. Sinon, elle vivra pour elle seule. Mais elle restera honnête; elle est toujours parvenue à rester honnête.

Dès demain, elle verra comment il est possible de quitter le Parti sans être jetée en prison. Ce sera difficile, mais elle réussira peut-être ? Et si ce n'est vraiment pas possible autrement, elle ira dans un camp de concentration. Ce sera, dans une certaine mesure, une petite expiation pour ce que Karlemann a fait...

Elle froisse la lettre commencée pour l'aîné et encore mouillée de ses larmes. Elle prend un autre feuillet et commence à écrire :

« Mon cher fils Max,

Je veux encore t'écrire une petite lettre. Je vais bien, toi aussi, j'espère. Ton père vient de venir ici, mais je lui ai montré la porte ; il ne voulait que m'exploiter. De ton frère Karl aussi je me suis séparée, à cause des atrocités qu'il a commises. À présent, te voici mon fils unique. Je t'en prie, demeure toujours correct. Je ferai tout ce que je pourrai pour toi. Écris-moi vite aussi une petite lettre. Bons baisers de

Ta mère. »

LA DÉMISSION D'OTTO QUANGEL

À la fabrique de meubles, Otto Quangel dirige un atelier qui compte environ quatre-vingts travailleurs des deux sexes. Avant la guerre, cette section se consacrait à la création de meubles d'après des plans agréés par les clients, tandis que tous les autres départements ne produisaient que des mobiliers en série. Mais, au déclenchement des hostilités, toute l'entreprise a été reconvertie pour la fabrication de matériel militaire. L'atelier de Quangel s'est vu confier le soin de livrer des caisses très longues et très lourdes qui doivent servir, croit-on, au transport de bombes de gros calibre.

La destination des caisses laisse Otto Quangel complètement indifférent. Il trouve méprisable et indigne de lui ce nouveau travail, insignifiant et purement mécanique. C'est un véritable ébéniste ; les veinures d'un bois, la fabrication d'une armoire bien sculptée, peuvent seules le remplir d'un sentiment de profonde satisfaction. Ce travail-là lui a fait éprouver autant de bonheur que peut en ressentir un homme d'un naturel aussi froid. À présent, il est ravalé au rang d'un vulgaire agent d'exécution et de contrôle. Sa seule responsabilité est de veiller à ce que son atelier assure un rendement autant que possible supérieur à la normale. Mais, fidèle à sa ligne de conduite, il n'a jamais extériorisé les sentiments que tout cela lui inspire, et son visage en lame de couteau n'a pas trahi le mépris que lui inspire ce pitoyable façonnage de bois de pin. Cependant, en l'observant bien, on pourrait remarquer qu'il est devenu plus taciturne que jamais.

Mais qui prendrait donc la peine d'observer un homme aussi sec, aussi insignifiant qu'Otto Quangel ? Il semble n'avoir jamais été qu'une bête de somme, ne s'intéressant qu'à son travail. Il n'a jamais eu un seul ami, jamais eu un mot cordial pour qui que ce fût. Le travail, toujours le travail ! Hommes ou machines, cela revient au même, pourvu que la besogne soit faite.

Pourtant, il n'y a aucune animosité contre lui, bien qu'il soit chargé de surveiller l'atelier et de stimuler la productivité. C'est qu'il n'injurie jamais personne ; et personne non plus n'a jamais été noirci par lui auprès de la direction. Si, quelque part, le travail lui paraît ne pas se faire convenablement, de ses mains adroites et sans dire un mot il arrange les choses en payant de sa personne. Ou bien il va près de l'un ou l'autre bavard et reste planté là, les yeux fixés sur les coupables, jusqu'à ce que l'envie de discourir leur passe. La seule présence du contremaître jette positivement un froid autour de lui. Pendant les courts arrêts de travail, les ouvriers tâchent de s'écarter de lui le plus possible. De la sorte, il bénéficie tout naturellement d'un respect qu'un autre ne pourrait obtenir qu'à grand renfort de discours et d'exhortations.

La direction de l'usine sait bien tout ce dont elle est redevable à Otto Quangel. C'est son atelier qui a toujours le rendement le plus élevé. Il n'y a jamais de difficultés. Et Quangel est docile. Il aurait eu de l'avancement depuis longtemps s'il s'était inscrit au Parti. Mais il refuse toujours :

— Je n'ai pas d'argent pour ça, dit-il. J'ai besoin de chaque mark que je gagne, j'ai une famille à nourrir.

On se moque derrière son dos de ce qu'on appelle sa ladrerie. Il semble souffrir le martyre chaque fois qu'il doit donner quelques pfennigs à quelque collecte. Son affiliation au Parti lui vaudrait une augmentation, qui compenserait largement les cotisations qu'il devrait payer. Mais ce raisonnement semble le dépasser ; ce contremaître capable est en même temps, politiquement, un cas désespéré. On n'a donc pas hésité à lui laisser ses petites fonctions de dirigeant subalterne, bien qu'il ne soit pas membre du Parti.

En réalité, si Otto ne s'y inscrit pas, ce n'est pas par avarice. Certes, il est très strict pour les questions d'argent et peut se faire du mauvais sang pendant des semaines pour un sou dépensé inconsidérément. Mais, s'il est strict pour lui-même, il l'est également pour les autres. Et ce fameux Parti lui semble fort peu pointilleux sur ce point. Il a vu la formation que l'école et la Jeunesse Hitlérienne ont donnée à son fils. Anna lui a rapporté des faits qui confirment d'ailleurs sa propre expérience : à l'usine, toutes les fonctions bien rétribuées sont toujours confiées aux membres du Parti, ce qui donne à penser que le Parti n'est pas équitable. Le contremaître entend donc bien n'assumer aucune responsabilité dans ces faits qu'il réprouve.

C'est pour cela que, ce matin, l'exclamation d'Anna, « Toi et ton Führer », l'a tellement ulcéré. Bien sûr, il a cru jusqu'à présent à la droiture des intentions du Führer. Celui-ci aurait dû pourtant éloigner de son entourage tous ces parasites et ces profiteurs qui ne songent qu'à se remplir les poches; tout aurait été beaucoup mieux. En attendant, Otto ne fait pas chorus avec ces gens-là, pas le moins du monde. Et ça, Anna le sait parfaitement, elle, le seul être auquel il se confie un peu. Mais tant pis! Elle a dit ces mots dans le premier moment de douleur. Le temps passera, et Otto oubliera, car comment garderait-il rancune à sa femme?

Dans l'atelier où bourdonnent et grincent raboteuses, scies à ruban et foreuses, Otto Quangel constate donc que la nouvelle de la mort de son fils, et plus encore les réactions d'Anna et de Trudel, produisent en lui des effets de plus en plus profonds. Ce n'est pourtant pas cela qui retient son attention pour le moment.

Le menuisier Dollfuss a quitté l'atelier depuis sept minutes et dans son groupe le travail se fait au ralenti. Il est certainement allé une fois de plus aux toilettes pour y pérorer ou y fumer une cigarette. Quangel lui accorde encore trois minutes; passé ce délai, il ira le chercher lui-même et le ramènera au travail!

Pendant que son regard suit l'aiguille de l'horloge murale, il songe à l'odieuse affiche qu'il a vue au-dessus du visage de Trudel et il se demande ce que peut être la haute trahison. Puis il songe à la convocation que le portier lui a remise et par laquelle il est prié, en termes laconiques, de se rendre à 5 heures précises à la cantine des employés.

Cette convocation ne l'inquiète guère. Jadis, quand on fabriquait encore des meubles, il avait souvent dû se rendre à la direction pour discuter de quelque détail de fabrication. Bien sûr, la cantine des employés, c'est du nouveau; mais ça lui est égal. En revanche, ce qui le contrarie, c'est l'heure: il est cinq heures moins six, et il voudrait voir ce menuisier Dollfuss à sa scie avant de quitter l'atelier. Il se met donc en route une minute plus tôt qu'il n'en avait l'intention; le temps de rappeler Dollfuss à l'ordre.

Mais il ne le trouve ni aux toilettes, ni dans les couloirs, ni dans les ateliers avoisinants; quand il revient dans son propre atelier, il est cinq heures moins une. Il est grand temps! Pour être ponctuel, il débarrasse vite sa veste du plus gros de la sciure de bois et se hâte de gagner le bâtiment administratif, où se trouve la cantine des employés.

Elle est visiblement préparée pour un discours : tribune pour les orateurs, longue table pour les présidents, et nombreuses rangées de chaises. Il connaît tout cela par les réunions du Front du Travail, auxquelles il a souvent dû prendre part. Mais ces assemblées-là se tiennent toujours à la cantine des ouvriers. Une seule différence : les chaises cannées remplacent ici les rudes bancs de bois. Et puis, guère de tenues de travail, mais un grand nombre d'uniformes bruns et même gris, parmi lesquels disparaissent presque les employés en civil.

Quangel s'assied sur une chaise tout près de la porte. Comme cela, dès la fin du discours, il pourra regagner son atelier aussi vite que possible. La salle est déjà presque remplie. Les uns sont assis, tandis que d'autres discutent, debout, par petits groupes.

Tous portent la croix gammée. Quangel est, semble-t-il, le seul à ne pas l'arborer, avec, bien sûr, les militaires; mais ceux-là ont les emblèmes de leur nationalité. Ce doit être par erreur qu'on a invité le contremaître. Il tourne la tête de côté et d'autre et reconnaît quelques visages. Ce gros, tout pâle, déjà assis à la table des autorités, c'est le directeur général Schröder, qu'il connaît de vue. Et le petit au nez pointu avec son pince-nez, c'est le caissier, qui lui paie son salaire tous les samedis et avec lequel il a déjà eu quelques prises de bec violentes à propos de retenues qu'Otto jugeait trop élevées.

« C'est drôle, songe-t-il, quand cet homme est à sa caisse, il ne porte jamais l'insigne du Parti! »

Mais la plupart des visages qu'il voit là lui sont totalement inconnus; presque uniquement des bureaucrates. Soudain, son regard se fait inquisiteur : il a reconnu dans un groupe le bonhomme qu'il a cherché vainement aux toilettes. Mais le menuisier Dollfuss n'est pas en tenue de travail : il porte son beau costume des dimanches et s'entretient d'égal à égal avec deux messieurs en uniforme du Parti. Il porte également une croix gammée : ce type qui s'est parfois fait remarquer à l'atelier par des discours fort peu orthodoxes !...

« C'est donc ça ! se dit Quangel. Un provocateur !... Peut-être n'est-il même pas menuisier et ne s'appelle-t-il pas Dollfuss ?... Dollfuss, n'est-ce pas un chancelier d'Autriche, qu'ils ont assassiné ?... Des combines, tout ça ! Et je n'ai jamais rien remarqué ! »

Et il essaye de se rappeler si cet homme était déjà dans son atelier quand Ladendorf et Tritsch ont disparu de la circulation. On a murmuré qu'ils avaient été envoyés dans un camp de concentration.

Quangel s'est raidi, il se dit *in petto* : « Attention !... Je suis ici parmi des assassins. » Il pense encore : « Je ne vais pas me laisser faire, moi aussi, par ces gaillards !... Je ne suis qu'une vieille bête de contremaître qui ne comprend pas grand-chose... Mais me mettre à leur remorque, non, jamais !... J'ai vu ce matin comme Anna a pris le coup, puis Trudel. Je ne joue pas ce jeu-là... Je ne veux pas qu'une mère ou une fiancée soit ainsi frappée par ma faute... Qu'ils me laissent en dehors de leurs histoires ! »

Cependant la salle s'est remplie, jusqu'à la dernière place. La table présidentielle est entièrement garnie d'uniformes bruns ou noirs. À la tribune, un major ou un colonel (Quangel n'a jamais appris à distinguer les uniformes et les grades), parle de la situation militaire.

Bien entendu, la grande victoire sur la France sera dignement fêtée. L'Angleterre aussi sera écrasée dans quelques semaines. L'orateur en vient alors progressivement au point qui lui semble le plus important : quand le Front remporte de tels succès, on peut compter que l'arrière aussi fera son devoir. La suite sonne presque comme si le major (ou le colonel ou le capitaine) arrivait en droite ligne du quartier général pour dire, de la part du Führer, au personnel de la fabrique de meubles Krause et Cie, qu'il faut absolument qu'il augmente sa production. Le Führer désire que le rendement s'accroisse de cinquante pour cent dans les trois mois et soit doublé dans les six mois. Des propositions de l'assemblée pour atteindre ce but seront les bienvenues. Mais celui qui ne collaborerait pas devait être considéré comme saboteur et traité en conséquence.

Tandis que l'orateur lance encore un *Siegheil* en l'honneur du Führer, Quangel se dit : « Dans quelques semaines, l'Angleterre sera écrasée et la guerre terminée. Mais nous devons doubler en six mois notre production de matériel de guerre !... À qui fera-t-on avaler celle-là ? »

Mais l'orateur suivant monte à la tribune. Il est en uniforme brun, la poitrine constellée de médailles, de décorations et d'insignes. Cet orateur du Parti est une tout autre sorte d'homme que le militaire qui l'a précédé. D'emblée, il évoque, d'une voix tranchante, le mauvais esprit qui continue à régner dans les entreprises, malgré les prodigieux succès du Führer et de l'armée. Il parle avec tant de virulence qu'il en rugit littéralement, et il ne mâche pas ses mots, pour flétrir les défaitistes et les rouspéteurs. Il s'agit d'exterminer ces gens-là ; on leur fermera le bec une fois pour toutes. Les mots *Suum cuique* étaient gravés sur les boucles des ceinturons pendant la Première Guerre mondiale ; les mots *à chacun son dû* se trouvent maintenant gravés sur les portes des camps de concentration. C'est là qu'on apprendra à vivre à ces gens-là. Et celui qui y fait jeter les mauvais citoyens, celui-là fait quelque chose de positif pour le peuple allemand. Celui-là est un homme du Führer.

L'orateur conclut, en rugissant :

— Mais vous tous qui êtes ici, chefs d'ateliers, chefs de services, directeurs, je vous rends personnellement responsables de la salubrité de votre entreprise. Et qui dit salubrité, dit façon national-socialiste de penser ! J'espère que vous m'avez compris. Quiconque se relâche et fait la moue, quiconque ne dénonce pas tout, même les choses les plus insignifiantes, celui-là sera jeté lui-même dans un camp de concentration !... Vous me répondez personnellement de l'usine, que vous soyez directeur ou contremaître. Je mettrai bon ordre dans tout cela, fût-ce à coups de bottes.

L'orateur reste encore un moment ainsi, les mains levées et crispées par la fureur, le visage d'un rouge violacé. Après cette explosion, un silence de mort s'est emparé de l'assemblée. Les assistants prennent tous des airs pincés, eux qui, si soudainement et si officiellement, ont été promus au rang d'espions de leurs camarades. Puis, à pas lourds, l'orateur descend de la tribune, et ses insignes tintinnabulent doucement sur sa poitrine. Le directeur général Schröder, plus pâle que jamais, se lève et demande d'une voix suave si l'on a des observations à formuler.

Une impression de soulagement s'empare de l'assemblée, comme la fin d'un cauchemar. Personne ne semble encore vouloir parler. Tous n'ont qu'un désir : quitter cette salle le plus vite possible. Et le directeur général s'apprête à clore la séance par un « *Heil* Hitler », quand tout à coup, au fond de la salle, un homme en « bleu » de travail se lève. Il déclare que, pour faire augmenter le rendement dans son atelier, ce serait très simple. Il suffirait d'installer encore telle et telle machine : il les dénombre et explique comment elles devraient être installées. Après quoi, il faudrait encore débarrasser son atelier de six ou huit hommes, flâneurs et bons à rien. De cette façon-là, il se fait fort d'atteindre les cent pour cent en un trimestre.

Quangel est très détendu : il a entamé le combat. Il sent que tous les regards sont braqués sur lui, simple travailleur pas du tout à sa place parmi tous ces beaux messieurs. Mais il ne s'est jamais beaucoup occupé des gens; ça lui est égal qu'ils le regardent. Les autorités et les orateurs se concertent, se demandent qui peut être cet homme en blouson bleu. Le major ou le colonel se lève alors et dit à Quangel que la direction technique s'entretiendra avec lui au sujet des machines. Mais que veut-il dire, en parlant des six ou huit hommes dont son atelier devrait être débarrassé?

Quangel répond posément :

– Certains ne peuvent déjà pas travailler au rythme actuel, et d'autres ne le veulent pas... Un de ceux-là se trouve ici.

De l'index, il désigne carrément le menuisier Dollfuss, assis à quelques rangs devant lui.

Il y a quelques éclats de rire; Dollfuss est parmi les rieurs. Il a tourné le visage vers son accusateur.

Mais Quangel s'écrie, sans sourciller :

– Oh! bavarder, fumer des cigarettes aux toilettes et négliger le travail, tout cela, tu le fais très bien, Dollfuss!

À la table des autorités, tous les regards se sont de nouveau braqués sur cet insensé. Mais voici que l'orateur du Parti bondit et s'écrie :

– Tu n'es pas membre du Parti! Pourquoi n'es-tu pas membre du Parti?

Et Quangel répond ce qu'il a toujours répondu :

– Parce que j'ai besoin de tous mes sous, parce que j'ai une famille.

Le brun hurle :

– Parce que tu es un sale avare, chien que tu es!... Parce que tu ne veux rien donner pour ton Führer et ton peuple!... Et ta famille, à combien de personnes se monte-t-elle?

Froidement, Quangel lui jette au visage :

– Ne me parlez pas de ma famille aujourd'hui, cher monsieur... J'ai précisément appris ce matin que mon fils est tombé au front.

Un moment, un silence de mort règne dans la salle. Pardessus les rangées de chaises, le bonze brun et le vieux contremaître se regardent fixement. Et Otto Quangel se rassied tout à coup, comme si tout était terminé. Le brun s'assied aussi. Le directeur général Schröder lève la séance par le *Siegheil* en l'honneur du Führer – un *Siegheil* qui n'est guère claironnant.

Cinq minutes plus tard, Quangel se retrouve dans son atelier. La tête un peu relevée, il laisse son regard errer lentement sur toutes les machines. Mais ce n'est plus le même Quangel qui est là. Il le sait, il le sent, il les a tous dominés. Dominés d'une façon odieuse, peut-être, en exploitant la mort de son fils. Mais doit-on être correct avec de telles gens ?

« Non, se répond-il à lui-même, à voix presque haute... Non, Quangel, tu ne redeviendras plus jamais le Quangel que tu étais !... Je suis curieux de savoir ce qu'Anna dira de tout ça... Est-ce que Dollfuss ne reprendra plus son travail ici ?... En ce cas, je dois exiger qu'il soit remplacé immédiatement. Nous sommes en retard pour la production. »

Mais Dollfuss arrive. Il est même accompagné d'un chef de service. Et le contremaître Otto Quangel est informé que, s'il conserve la direction technique de cet atelier, il faut qu'il cède à Herr Dollfuss ses fonctions au Front du Travail :

– Compris ?

– Bien sûr, que j'ai compris !... Je suis heureux que tu me décharges de ça, Dollfuss. Mon ouïe devient de plus en plus mauvaise, et, dans le tapage qu'il y a ici, je ne pourrais absolument pas épier nos camarades, comme le monsieur nous a demandé de le faire.

Dollfuss dit rapidement :

– De tout ce que vous venez de voir et d'entendre là-bas, pas un mot à qui que ce soit ! Sinon...

Presque offensé, Quangel répond :

– À qui parlerais-je, Dollfuss?... M'as-tu entendu une seule fois discourir avec quelqu'un?... Ça ne m'intéresse pas. Il n'y a que mon travail qui m'intéresse!... Et, là, je sais que nous sommes fameusement en retard aujourd'hui!... Il est grand temps que tu reprennes ta place à ta machine... Tu as déjà perdu une heure trente-sept minutes.

Un moment plus tard, Dollfuss est à son poste. On ne sait comment, le bruit se répand dans l'atelier que le Dollfuss s'est fait sérieusement laver la tête pour ses bavardages continuels et pour ses cigarettes clandestines.

Le contremaître Quangel va d'une machine à l'autre, donne un coup de main, regarde fixement l'un ou l'autre bavard, et songe :

– Me voilà débarrassé à jamais de ces gens!... Et ils ne soupçonnent rien. Pour eux, je ne suis qu'un vieux gâteux... Le « Cher monsieur » que j'ai lancé au *brun* leur a donné le coup de grâce... Quand même, je suis curieux de voir ce qui va se passer pour moi... Car je suis sûr qu'il y a pour moi quelque chose qui commence... Mais quoi?... Je n'en sais encore rien.

INVASION NOCTURNE

La soirée était déjà fort avancée quand Borkhausen finit par retrouver Enno dans un de ces cabarets qu'il fréquentait assidûment. Attablés devant un verre de bière dans un recoin discret, ils chuchotèrent interminablement. Le garçon dut leur rappeler par trois fois que l'heure de la fermeture était passée depuis un bon moment et qu'ils feraient bien de regagner leurs pénates.

Ils marchèrent d'abord en direction de l'avenue de Prenzlau, puis Enno manifesta l'intention de rebrousser chemin, se souvenant tout à coup de Tutti... C'était une particulière qui jadis avait été fort accueillante pour lui... Et ce genre de bonnes fortunes l'attirait infiniment plus que les sales histoires auxquelles on voulait le mêler.

Mais Emil Borkhausen poussa des clameurs. C'était vraiment trop bête!... Pour la dixième, pour la centième fois, il répéta à Enno qu'il n'était absolument pas question de sales histoires. Il s'agissait tout simplement d'une saisie, presque légale et sous la protection des S.S. Et ça devait se passer chez une vieille Juive, au sort de laquelle personne ne s'intéressait. Il leur suffirait de disparaître de la circulation pendant un certain temps. La police et la justice ne se mêleraient pas le moins du monde de cette affaire.

À tout cela Enno répliqua obstinément qu'il n'avait encore jamais trempé dans des affaires de ce genre, et qu'il n'y comprenait d'ailleurs rien. Les femmes et les courses, ça le connaissait; mais il n'avait jamais pêché en eaux troubles. La Tutti avait toujours été parfaitement débonnaire, bien qu'elle eût été surnommée « la Babouine ». Elle ne se rappelait certainement plus qu'elle l'avait jadis tiré d'embarras avec un peu d'argent et quelques tickets de ravitaillement, — et cela sans même s'en être doutée!

Là-dessus, ils arrivèrent avenue de Prenzlau.

Borkhausen, oscillant comme d'habitude entre la flagornerie et la menace, dit avec une réprobation véhémente :

— Mais qui donc te demande d'y comprendre quelque chose?... Je m'occuperai bien seul de l'oiseau... Tu peux assister à ça les mains dans les poches... Je me chargerai même de ta valise, si tu le désires... Comprends donc une fois pour toutes que je te prends avec moi uniquement pour me protéger contre un tour éventuel des S.S. Tu seras en quelque sorte le témoin d'un partage régulier... Pense donc à tout ce qu'il y a à prendre chez une commerçante juive aussi riche, même si la Gestapo s'est déjà servie quand elle a arrêté le mari.

Tout à coup, sans plus se défendre ni hésiter, Enno Kluge accepta. Et il lui tardait à présent d'arriver rue Jablonski. Ce qui l'avait décidé à triompher de son inquiétude et à dire un « oui » catégorique, ce n'était ni le discours de Borkhausen, ni la perspective d'un riche butin mais tout simplement la faim. Il avait pensé au garde-manger des Rosenthal. Les Juifs ont toujours aimé faire bonne chère. Pour sa part, de toute sa vie, il n'avait jamais rien savouré d'aussi délectable que l'oie farcie que lui avait offerte un jour un tailleur juif.

Dans une sorte d'hallucination, il s'imagina bel et bien qu'il allait trouver cette pièce de choix dans le garde-manger des Rosenthal ; dans un mirage, il vit le volatile fastueux, trônant dans sa sauce figée.

Dès lors, il ne pensa plus qu'à s'emparer du plat et à réchauffer le tout sur le gaz. Tout le reste lui était égal, et Borkhausen pouvait faire ce qu'il voulait pour sa part, Enno tremperait du pain dans la sauce chaude et fortement épicée, il saisirait l'oie à pleines mains, il y mordrait à belles dents, et la graisse dégoulinerait de toutes parts.

— Mettons les bouchées doubles, Emil. Ça presse.

— Pourquoi si vite, tout à coup ? demande Borkhausen.

Mais, au fond, cet empressement lui convient on ne peut mieux. Il lui tarde également de terminer cette affaire, qui n'entre guère dans le cadre de ses activités habituelles. Il ne se sent inquiet ni à cause de la police, ni à cause de la vieille Juive (il n'y a pas grand risque à « aryaniser » ce qu'elle possède). Ce sont les Persicke qui lui causent du souci : ce tas de charognes seraient parfaitement capables de susciter des ennuis à leur complice. Ce n'est qu'à cause des Persicke qu'il a pris avec lui ce faiblard d'Enno ; un témoin qu'ils ne connaissent pas et qui les empêcherait éventuellement de lui créer des difficultés.

Rue Jablonski, tout marche comme sur des roulettes. Il peut être 22 h 30 quand ils ouvrent la porte de l'immeuble

avec la clef qui convient. Ils écoutent dans la cage d'escalier...
Pas un bruit... Ils ont allumé la lumière et se sont déchaussés... Borkhausen ricane :

— Ménageons le repos des locataires!

La lumière de nouveau éteinte, ils montent avec célérité et légèreté, ne commettant aucune des maladresses qui signalent les débutants : pas un craquement, pas un heurt malencontreux ∟'ascension s'est faite dans un silence total. Belle performance!

Ouvrir la porte de la Rosenthal, Borkhausen s'est imaginé que ça allait être très difficile; et voilà qu'elle n'est même pas fermée à clef!... Quelle étourdie, cette femme! C'est pourtant une Juive, elle aurait des raisons d'être doublement prudente.

Ils se retrouvent donc tous deux dans l'appartement, sans même savoir comment cela s'est fait. Alors, sans façon, Borkhausen allume la lumière. Il est à présent d'un sans-gêne total. Il annonce, comme il l'a fait le matin à Baldur Persicke :

— Si la vieille Juive pousse des cris, je lui caresse les joues.

Ils commencent par inspecter en toute tranquillité le petit couloir, tout encombré de meubles, de malles et de caisses. Les Rosenthal au temps de leur prospérité avaient une vaste habitation, mais quand on doit vider précipitamment les lieux pour aller vivre dans trois pièces...

Il tarde aux deux hommes de commencer sur-le-champ à fureter, à chaparder et à empaqueter. Mais Borkhausen juge plus indiqué de se mettre d'abord en quête de la Rosenthal et de la bâillonner, pour qu'il n'y ait pas de complications.

Les lieux sont si encombrés qu'on peut à peine se mouvoir. Il faudrait plus de dix minutes pour tout emporter. Ils ne choisiront donc que le meilleur.

Mais ils ne trouvent pas trace de la Rosenthal. Borkhausen a pourtant tout inspecté, y compris la cuisine et le

W.-C. Le lit de la Juive n'est même pas défait.. C'est ce qui s'appelle avoir de la chance. Ça épargne les tracas et facilite singulièrement la besogne.

Borkhausen retourne dans la première pièce et commence à fouiner, sans même remarquer qu'il a perdu en route son complice. Enno est resté dans la salle à manger, où, amèrement déçu, il n'a trouvé que deux oignons et un demi-pain. Il a quand même commencé à faire honneur à ce repas frugal. Les oignons coupés en tranches sur ce pain semblent délectables à son estomac qui criait famine.

Tout en mastiquant, Enno Kluge remarque, dans le corps inférieur du buffet, de nombreuses bouteilles de vin et de schnaps. Toujours plein de modération, sauf quand il s'agit de courses hippiques, il débouche une bouteille de vin doux, dont il humecte de temps à autre ses tartines à l'oignon. Mais il ne persévère pas dans cette tempérance relative, et Dieu seul sait comment et pourquoi. Il s'empare d'une bouteille de cognac. En quelques rasades, il la vide plus qu'à moitié.

Puis, le schnaps ayant cessé de l'intéresser, il va retrouver Borkhausen, qui a fouillé la grande pièce de fond en comble, ouvrant armoires et malles et jetant sur le sol ce qui y était emballé.

— Eh bien, mon vieux, ils ont pris toute leur boutique de lingerie avec eux! dit Enno, tout ébahi.

— Ne bavarde pas tant. Donne-moi plutôt un coup de main, répond Borkhausen. Il y a sûrement de l'argent et des bijoux cachés ici. Les Rosenthal étaient jadis millionnaires... Et tu parlais de menu fretin, idiot que tu es!

Pendant un moment, ils travaillent tous les deux silencieusement, jetant de plus en plus de choses sur le sol, déjà encombré de vêtements, de linge et d'objets de toutes sortes. Puis, Enno, sous l'empire du schnaps, propose :

— Je n'y vois plus... Je dois d'abord m'éclaircir les idées.. Va chercher un peu de cognac dans la salle à manger, Emil.

Borkhausen y va, sans faire d'objection, et revient avec deux bouteilles de schnaps. Assis au milieu du linge, ils boivent à tire-larigot et discutent le coup, à fond et sérieusement :

— C'est clair, Borkhausen, nous ne pouvons ni emporter tout ce bazar, ni rester trop longtemps ici... Selon moi, il faut prendre chacun deux valises et filer à l'anglaise avec ce que nous pourrons... Demain il fera jour !

— Tu as raison, Enno. Je crains les Persicke.

— Qui ça ?

— Oh, des gens !... Mais quand je pense que je filerais d'ici avec deux valises de linge, abandonnant argent et bijoux, je me jetterais bien la tête contre le mur !... Laisse-moi encore chercher !... À ta santé, Enno.

— À la tienne, Emil... Cherche encore !.. La nuit est longue, et ce n'est pas nous qui payons la note d'électricité. Mais je voudrais te demander : où iras-tu avec tes valises ?

— Comment ça ?... où veux-tu en venir, Enno ?

— Eh bien, où vas-tu emporter ça ?... Chez toi ?

— Tu crois sans doute que je vais mettre les valises aux objets trouvés ?... Bien sûr que je l'emporte chez moi, chez ma petite Otti ! Et demain matin, ni vu ni connu !

— À la tienne, Emil !... Si j'étais toi, ce n'est pas ça que je ferais. Pas chez moi, et surtout pas chez la femme... Pourquoi ta femme doit-elle être au courant de tes petites rentrées supplémentaires ?... Non, à ta place, je mettrais les valises à la consigne de la gare de Stettin, et je m'enverrais le récépissé, mais poste restante. Comme ça, on ne pourrait jamais rien trouver chez moi, et personne ne pourrait prouver quoi que ce soit.

— Ce n'est pas mal trouvé, Enno, dit Borkhausen d'un air approbateur. Et quand reprendrais-tu le fourbi ?

— Mon Dieu, quand la route serait libre, Emil.

— Et de quoi vivrais-tu, d'ici là ?

– Mais je te l'ai dit : je vais chez la Tutti... Si je lui raconte ce que j'ai manigancé, elle m'embrasse sur les deux joues.

– Bon, très bien! consent Borkhausen. Va à la gare de Stettin, moi j'irai à celle d'Anhalt... Comme ça, on se fera moins remarquer.

– Pas mal trouvé non plus. Tu as de bonnes idées.

– À force de fréquenter les gens, dit modestement Borkhausen, on entend ceci et cela. L'homme est comme une vache : il a toujours quelque chose à apprendre.

– T'as raison. À ta santé, Emil.

– À la tienne, Enno.

Un instant, ils se regardent en silence, rayonnants de satisfaction intérieure. Puis Borkhausen dit :

– Si tu te retournes, Enno, mais ce n'est pas urgent, tu verras derrière toi un poste de radio qui a au moins dix lampes... Je me l'adjugerais volontiers.

– Fais-le, fais-le, Emil!... Un poste de radio, c'est toujours bon à garder ou à revendre.

– Voyons alors si nous pouvons camoufler le truc dans une valise et le caler avec du linge.

– Le faisons-nous immédiatement, ou buvons-nous encore un coup?

– Nous pouvons bien nous offrir encore un verre. Mais un seul.

Ils s'en offrent un... Deux... Trois... Puis, se mettant lentement sur leurs jambes, ils se donnent un mal infini pour essayer d'enfourner un grand récepteur de radio dans une valise, qui, tout au plus, contiendrait un petit poste de série courante. Après pas mal d'efforts, Enno dit :

– Rien à faire. Ça ne va pas! Laisse donc là ce sale vieux poste, Emil. Prends plutôt une valise de vêtements.

– Mais c'est que mon Otti écoute volontiers la radio.

– Je croyais que tu ne voulais rien lui raconter, de toute cette opération... Tu es saoul, Emil.

— Toi aussi... Et ta Tutti aussi.

— Oh, elle gazouille si bien, ma Tutti!... Je vais te faire entendre comme elle gazouille.

Et il frotte le bouchon humide sur le col de la bouteille.

— Prenons-en encore un.

— À la tienne, Enno.

Ils boivent, et Borkhausen poursuit :

— Mais la radio?... Je voudrais quand même l'emporter... Si ce truc ne veut pas entrer dans la valise, je me l'attacherai au cou avec une corde. J'aurai encore les deux mains libres.

— C'est ça, mon vieux!... Emballons-le ensemble, alors.

— C'est ça... Il est temps.

Mais ils restent là tous les deux, à se contempler béatement.

Borkhausen reprend la parole :

— Quelle aubaine, quand on y pense!... Toutes ces belles choses! Et nous pouvons prendre ce que nous voulons, en faisant encore une bonne action, puisque nous le raflons à une Juive qui a volé tout ce qu'elle possède.

— Tu as raison, Emil, nous faisons une bonne action... C'est pour le peuple allemand et pour notre Führer... Ce sont là les temps prospères qu'il nous a promis.

— Notre Führer tient parole, Enno.

Ils se regardent, tout émus, presque les larmes aux yeux.

— Que faites-vous ici, vous deux? lance une voix rude, du côté de la porte.

Ils sursautent tous les deux et aperçoivent un petit jeune homme en uniforme brun.

Alors, lentement, navré, Borkhausen fait un signe de tête à Enno :

— Voici Herr Baldur Persicke, dont je t'ai parlé, Enno. Les difficultés vont commencer.

Tous les membres masculins de la famille Persicke sont maintenant réunis dans la pièce. Près d'Enno et d'Emil se tient le petit Baldur, filiforme, les yeux étincelants derrière ses lunettes. Un peu plus loin, ses deux frères, dans leurs uniformes noirs de la S.S. Et près de la porte, pas très rassuré, le vieux Persicke. Les Persicke ont pas mal bu, eux aussi, mais le schnaps produit sur eux un tout autre effet : ils sont encore plus tranchants, plus cupides et plus brutaux que d'habitude.

Baldur Persicke demande sèchement :

— Alors, est-ce que ça vient?... Que faites-vous tous les deux?... Votre domicile serait-il ici par hasard?

— Mais, Herr Persicke! dit Borkhausen d'une voix plaintive...

Baldur s'écrie, comme s'il venait seulement de reconnaître son interlocuteur :

— Ma parole, c'est le sieur Borkhausen!... Celui qui habite les sous-sols de l'arrière-bâtiment!... Eh bien, Herr Borkhausen, que faites-vous ici?

Cet étonnement feint se transforme en moquerie :

— Ne vaudrait-il pas mieux, au beau milieu de la nuit, que vous vous occupiez un peu de votre femme, la bonne petite Otti?... J'ai entendu dire qu'on festoyait avec de meilleurs convives que vous, et que vos enfants titubent tard le soir dans la cour... Mettez-les au lit, Herr Borkhausen!

Borkhausen murmure, en regardant tristement Enno :

— Voilà les embêtements!... Je me le suis dit dès que j'ai vu surgir le serpent à lunettes : voilà les embêtements!

Enno Kluge, lui, est intimidé. Il vacille un peu, tenant encore à la main son flacon de cognac. Il ne comprend strictement rien à tout ce qui se dit autour de lui.

Borkhausen, drapé dans sa dignité ulcérée, s'adresse maintenant à Baldur :

— Si ma femme s'écarte du droit chemin, ça ne concerne que moi, Herr Persicke. Je suis le mari et le père, selon la loi... Et si mes enfants sont saouls, vous l'êtes aussi, et vous êtes encore un enfant, vous aussi!... Oui, voilà ce que vous êtes!

Il est écarlate de colère. Baldur, dont les yeux jettent des étincelles, fait à ses frères le signe convenu, qui les avertit d'avoir à se tenir prêts. Et le cadet des Persicke demande aigrement à Borkhausen :

— Que faites-vous chez la Rosenthal?

— Mais ça a été convenu comme ça, s'empresse d'affirmer Borkhausen... C'est ce qui avait été décidé!... Mon ami et moi, nous allions justement partir : lui pour la gare de Stettin, moi pour celle d'Anhalt... Nous prenons chacun deux valises. Il reste assez pour vous.

Les derniers mots ont été murmurés dans une demi-somnolence.

Baldur l'observe attentivement... Peut-être la brutalité ne sera-t-elle pas nécessaire... Les deux gaillards sont tellement ivres!... Mais prudence!... Il saisit Borkhausen aux épaules et lui demande rudement :

— Et quel genre de type est-ce là?... Comment s'appelle-t-il?

— Enno, répond Borkhausen d'une voix pâteuse... Mon ami Enno.

— Et où habite ton ami Enno?

— Je ne sais pas, Herr Persicke... Un copain de bistrot.

Baldur se décide. D'un brusque coup de poing dans la poitrine, il pousse Borkhausen, qui tombe à la renverse, avec un petit cri, parmi les meubles et le linge :

— Damné cochon! hurle-t-il. Comment oses-tu me traiter de serpent à lunettes?... Je vais te montrer quel genre d'enfant je suis.

Mais ces injures sont bien superflues, les deux larrons ne l'entendent déjà plus. Les frères S.S. ont bondi et ont chacun fait place nette, d'un coup de poing bien placé.

— Bien! fait Baldur, satisfait... Dans une petite heure, nous livrons ces deux types à la police, comme cambrioleurs surpris en plein travail. Entre-temps, nous déménageons en bas ce que nous pouvons utiliser... Mais attention dans l'escalier!... J'ai écouté, mais je n'ai pas entendu le vieux Quangel rentrer de son travail.

Les deux frères approuvent. Baldur regarde d'abord ses deux victimes, assommées, puis toutes les malles, le linge, le récepteur de radio. Il a tout à coup un sourire et se tourne vers son père :

— Eh bien, père, ai-je bien mené l'affaire?... Tu vois : avec ta frousse perpétuelle!...

Mais il s'arrête de parler. Dans l'encadrement de la porte, ce n'est pas son père qui se tient, comme il le croyait. Le père a disparu sans laisser de traces. À sa place, il y a le contremaître Quangel, cet homme froid au visage en lame de couteau, qui, silencieusement, regarde Bruno de ses yeux sombres.

Pour rentrer de sa longue journée de travail, et bien qu'il fût très tard, à cause de la besogne supplémentaire, Otto Quangel n'avait pas pris le tramway; il pouvait faire cette économie-là. Arrivé devant son logis, il avait vu que, malgré les prescriptions de la défense passive, il y avait de la lumière dans l'appartement de Frau Rosenthal. En y regardant de plus près, il avait constaté qu'il y en avait également chez les Persicke et, à l'étage d'au-dessous, chez Fromm. Chez le conseiller à la Cour Fromm, dont on ne savait trop s'il avait été pensionné en 1933 à cause de son âge ou à cause des nazis, la lumière brûlait toujours pendant la moitié de la nuit; il n'y avait donc rien d'étonnant à cela. Et les Persicke fêtaient sans doute encore la victoire sur la France. Mais que la vieille Rosenthal eût encore de la lumière, et cela *a giorno*, à chaque fenêtre, ce n'était pas normal. La vieille dame était si pusillanime. Elle n'aurait jamais illuminé son appartement de cette façon-là.

« Ce n'est pas normal ! » se disait Otto Quangel tout en fermant la porte d'entrée et en commençant sa lente ascension de l'escalier. Il avait, comme toujours, omis d'allumer, par souci d'économie.

« Ce n'est pas normal, mais en quoi ça me concerne-t-il ?... Les gens ne m'intéressent pas du tout : je vis pour moi seul... Avec Anna... Uniquement nous deux... Et puis, c'est peut-être la Gestapo qui fait une perquisition... là-haut. J'aurais bonne mine, de surgir là-dedans !... Non, je vais me coucher. »

Mais son penchant pour l'exactitude, que l'on pouvait déjà presque appeler un penchant pour la justice, ce penchant qu'avait renforcé l'apostrophe « Toi et ton Führer », lui faisait trouver une telle conclusion parfaitement mesquine. Il restait là à attendre devant sa porte, sa clef en main, la tête tournée vers le haut :

« Une vieille femme sans aucune protection ! » pensa-t-il soudain, à sa propre stupéfaction.

À ce moment-là, une main d'homme, petite mais vigoureuse, l'avait agrippé dans l'ombre, et une voix très polie lui avait dit en même temps :

— Précédez-moi, je vous prie, Herr Quangel. Je vous suis, et j'apparaîtrai au moment opportun.

Quangel monta sans hésiter, tant il y avait de force persuasive dans cette main et dans cette voix.

« Ce ne peut être que Fromm, se disait-il. Il est toujours si mystérieux !... Depuis le temps que j'habite ici, je crois que je ne l'ai pas rencontré vingt fois pendant la journée. Et le voilà qui furète à présent en pleine nuit dans cette cage d'escalier ! »

Tout en se faisant ces réflexions, il monte l'escalier et arrive à l'appartement des Rosenthal. En le voyant surgir, une forme massive (sans doute le vieux Persicke) gagne précipitamment la cuisine, Quangel a entendu les derniers mots que Baldur a adressés à son père. À présent, Quangel et Baldur se trouvent face à face, silencieux et les yeux dans les yeux.

Un moment, Baldur Persicke croit que tout est perdu. Mais il songe alors à l'un de ses principes d'action favoris : l'audace vient à bout de tout. Aussi dit-il, avec un peu de provocation dans la voix :

– Ça vous étonne, hein ?... Mais vous êtes arrivé un peu tard, Herr Quangel. Nous avons surpris les cambrioleurs et nous les avons mis hors d'état de nuire.

Il fait une pause, mais Quangel se tait. D'une voix plus mate, Baldur ajoute :

– Un de ces deux voleurs semble d'ailleurs être Borkhausen.

Le regard de Quangel suit l'index de Baldur.

– Oui, dit-il sèchement, l'un des voleurs est Borkhausen.

Soudain, Adolf Persicke, le frère S.S., intervient, sur le mode interrogatif :

– Mais, au fait, que faites-vous ici ? Il ne suffit pas de regarder... Vous pourriez aller au commissariat de police, Quangel, et signaler le cambriolage, pour qu'on vienne prendre livraison des bonshommes. Pendant ce temps, nous les surveillerons.

– Ne te mêle pas de ça, Adolf, siffle Baldur, contrarié... Tu n'as aucun ordre à donner à Herr Quangel... Herr Quangel sait parfaitement ce qu'il a à faire.

Justement, Quangel ne sait absolument pas ce qu'il doit faire. Si lui seul avait été en cause, il aurait pris une décision sur-le-champ. Mais il y a eu cette main, et cette voix d'homme si polie. Comment deviner les projets du vieux conseiller à la Cour d'appel ?

Heureusement à cet instant précis, le vieux monsieur entre en scène. Pas par le palier lui, comme Quangel s'y attendait; il arrive par l'intérieur de l'appartement. Il est soudain là parmi eux, comme une apparition spectrale, inspirant aux Persicke un effroi nouveau et encore plus grand.

L'apparence extérieure du vieux monsieur est extrêmement bizarre. De taille plutôt petite, il est élégamment drapé dans une robe de chambre bleu foncé, dont les bords sont galonnés de soie rouge. Le vieux monsieur a une barbiche gris fer et une moustache blanche presque rase. Les cheveux très clairsemés, encore bruns et peignés avec soin, ne dissimulent pas entièrement sur son crâne des zones dénudées. Derrière les lunettes étroites à monture d'or brillent des yeux espiègles et moqueurs.

— Non, messieurs, dit-il sans la moindre gêne et comme s'il continuait ainsi un agréable entretien commencé depuis longtemps, non, messieurs, Frau Rosenthal n'est pas ici. Mais un des jeunes messieurs Persicke devrait prendre la peine de se rendre aux toilettes. Monsieur Persicke père semble n'être pas très bien. En tout cas, il tente pour le moment de se pendre avec un essuie-main... Je n'ai pas pu l'en dissuader.

Le vieux conseiller sourit, tandis que les deux aînés quittent précipitamment la chambre. C'est presque comique! Le jeune Persicke est à présent très pâle et tout dégrisé. Ce vieux monsieur qui vient d'entrer dans la chambre et qui parle avec tant d'ironie est un homme dont Baldur lui-même reconnaît la supériorité.

— Vous comprenez, monsieur le Conseiller, mon père, à parler franc, est tout à fait saoul... La capitulation de la France...

— Je comprends, je comprends parfaitement, dit le vieux conseiller, avec un geste apaisant de la main... Nous sommes tous des hommes, mais nous différons en ceci que nous ne nous pendons pas tous quand nous avons trop bu.

Il se tait un instant et sourit. Puis :

— Il a naturellement raconté bien des choses!... Mais ce ne sont là que bavardages d'ivrogne.

Nouveau sourire.

— Monsieur le Conseiller, implore presque Baldur, je vous en prie, prenez cette affaire en main!... Vous avez été juge, vous savez ce qui doit se faire.

— Non, non, dit le conseiller d'un ton résolu. Je suis vieux et malade.

Il n'y paraît guère; au contraire!

— Et puis, je vis tout à fait retiré. Je n'ai plus guère de contacts avec le monde... Mais c'est vous, Herr Persicke, vous et votre famille, qui avez surpris les deux cambrioleurs... Livrez-les à la police et mettez en sécurité les biens qui se trouvent ici... J'ai jeté un petit coup d'œil, au cours d'une ronde rapide... J'ai, par exemple, dénombré dix-sept malles ou valises et vingt et une caisses... Entre autres!... Entre autres!

Il a parlé de plus en plus posément. À présent, il dit avec douceur :

— Je crois que l'arrestation des deux cambrioleurs vous vaudra encore de la gloire et de l'honneur, à vous et à votre famille.

Baldur demeure songeur.

Quel vieux renard, ce Fromm!... Il voit vraiment tout, et le père a sûrement dit des bêtises... Mais l'ancien magistrat tient à sa tranquillité et ne veut rien savoir de cette affaire... Pas de danger de ce côté-là!... Et Quangel, le vieux contre-maître?... Celui-là ne s'est jamais mêlé des affaires de qui que ce soit dans la maison; il n'a jamais salué personne, jamais parlé avec personne. Quangel n'est qu'un vieux travailleur, exténué, vidé; il n'a plus aucune idée à lui dans la tête. Pourquoi se créerait-il des tracas inutiles? Il est donc tout à fait inoffensif.

Restent les deux piteux ivrognes qui gisent là... Naturellement, on peut les livrer à la police, quitte à nier les racontars auxquels pourrait se livrer Borkhausen... Les Persicke ont suffisamment de crédit, grâce à leur qualité de membres du Parti, de la S.S. et des Jeunesses Hitlériennes... L'affaire pourrait ensuite être transmise à la Gestapo... On obtiendrait peut-être alors, le plus légalement du monde, une partie de ces richesses, qu'on ne pourrait s'approprier actuellement qu'en courant certains risques. Et il y aurait peut-être des félicitations par-dessus le marché.

L'idée est séduisante. Mais la sagesse n'est-elle pas d'en rester là pour le moment, de remettre sur pied Borkhausen et Enno et de s'en débarrasser avec quelques marks?... Ceux-là ne parleront certainement pas. Fermer l'appartement dans l'état où il est, que la Rosenthal revienne ou non. Plus tard, il y aura peut-être quelque chose à faire... Baldur en a le sentiment très net, les mesures antijuives vont devenir encore plus rigoureuses. Attendre et voir venir. Dans six mois, on pourra peut-être se permettre des initiatives qui ne sont pas encore de mise aujourd'hui... Maintenant les Persicke ont donné prise sur eux, jusqu'à un certain point. Bien sûr, on ne les attaquera pas de front, mais on jasera sur leur compte dans le Parti. Ils ne seront plus considérés comme absolument sûrs.

Baldur Persicke dit :

— Je serais presque tenté de laisser courir ces deux lascars... Ils me font pitié, monsieur le Conseiller. Ce ne sont que des amateurs.

Il se retourne : il est seul. Le conseiller et le contremaître sont partis... C'est bien ce qu'il s'était dit : les deux hommes ne veulent à aucun prix s'occuper de cette affaire. Et c'est très bien comme ça.

Avec un profond soupir à l'adresse de toutes les belles choses auxquelles il doit renoncer, Baldur se dispose à gagner la cuisine, pour exhorter le père à la réflexion et les frères au renoncement.

Pendant ce temps, dans l'escalier, le conseiller dit à Quangel, qui a quitté la pièce avec lui :

— Si vous avez des difficultés à cause de Frau Rosenthal, Herr Quangel, adressez-vous à moi... Bonne nuit.

— Que m'importe Frau Rosenthal ?... Je ne la connais pas du tout, proteste Quangel.

— Alors bonne nuit, Herr Quangel.

Et le conseiller Fromm disparaît en descendant l'escalier.

Quangel ouvre la porte de son appartement.

CONVERSATION NOCTURNE CHEZ LES QUANGEL

Quangel n'est pas plutôt entré dans la chambre à coucher que sa femme Anna, toute saisie, lui crie :

— N'allume pas père !... Trudel dort ici dans ton lit... Je t'ai préparé une couchette dans la pièce, sur le divan.

— C'est bien, Anna, répond Quangel, tout en s'étonnant de cette innovation qui veut que Trudel doive absolument dormir dans son lit à lui. Jusqu'à présent, c'est toujours elle qui prenait le divan.

Quand il s'est déshabillé et qu'il s'est allongé sur le divan, il demande :

— Veux-tu déjà dormir, Anna, ou pouvons-nous encore parler un peu ?

Elle hésite un moment :

— Je suis si fatiguée !... À en mourir, Otto !

« Donc elle est encore fâchée contre moi. Pourquoi ? » se demande Otto Quangel.

Mais il dit, sur le même ton :

— Dors, alors, Anna !... Bonne nuit.

De son lit, elle lui répond :

— Bonne nuit, Otto.

Et Trudel aussi chuchote doucement :

— Bonne nuit, père.

— Bonne nuit, Trudel, répond-il.

Et il se met sur le côté, en souhaitant de s'endormir aussi vite que possible, car il est très fatigué; vraiment recru de fatigue, comme on peut être affamé au-delà de toute mesure... Il ne parvient pas à trouver le sommeil... Une longue journée, pleine d'événements à n'en plus finir. Une journée telle qu'il n'en a encore jamais vécu.

Et il ne voudrait plus en vivre une semblable : tout a été désagréable, y compris son renvoi du poste qu'il avait au Front de Travail... Il a souffert de devoir parler à toutes sortes de gens qui lui déplaisent. Il pense à la lettre de la *Feldpost*, annonçant la mort d'Otto, la lettre qu'Eva Kluge lui a donnée. Il pense au mouchard Borkhausen qui voulait si lourdement le « mettre dedans »... Il pense au couloir de la fabrique d'uniformes, avec les affiches qui flottaient dans les courants d'air et sur lesquelles Trudel appuyait son visage... Il pense au pseudo-menuisier Dollfuss, cet éternel fumeur de cigarettes... Les médailles et les décorations tintinnabulent de nouveau sur la poitrine de l'orateur en uniforme brun... À présent, dans l'obscurité, c'est la petite main ferme du conseiller Fromm qui le prend et le pousse vers l'escalier... Puis, c'est le jeune Persicke, dont les bottes miroitantes piétinent le linge... Et, dans le coin, les deux ivrognes ensanglantés râlent et gémissent.

Il se serait peut-être endormi, mais il y a encore quelque chose qui le trouble, quand il repasse dans son esprit cette journée : quelque chose qu'il a entendu de façon très nette, puis oublié... Il se soulève sur son divan et écoute longtemps, attentivement... C'est exact : il avait bien entendu!... Il appelle impérativement :

— Anna!

Elle répond plaintivement, d'une façon qui ne lui est pas du tout habituelle :

— Pourquoi me déranges-tu encore, Otto?... Ne pourrai-je donc pas trouver le repos?... Je t'ai pourtant dit que je ne voulais plus parler.

Il poursuit :

— Pourquoi dois-je dormir sur le divan, puisque Trudel est dans le même lit que toi?... Mon lit est donc libre.

Un moment de profond silence, puis la voix presque suppliante de sa femme :

— Mais père, Trudel dort vraiment dans ton lit! Je suis seule dans le mien. J'ai les membres tellement meurtris!

Il l'interrompt :

— Tu ne devrais pas me mentir, Anna... Vous êtes trois à respirer, là, je l'ai bien entendu... Qui dort dans mon lit?

Silence, long silence... Puis, Anna dit avec fermeté :

— N'en demande pas tant... Ce qu'on ignore ne fait de mal à personne... Tais-toi plutôt, Otto!

Mais lui, inflexible :

— Dans cette maison, je suis le maître... Il ne peut y avoir de secret pour moi ici, car j'ai à répondre de tout... Qui dort dans mon lit?

Long silence... Long... Alors, s'élève une voix de femme, cassée et grave :

— C'est moi, Frau Rosenthal, Herr Quangel... Votre femme et vous n'aurez pas d'ennuis à cause de moi... Je m'habille... Je remonte tout de suite.

— Vous ne pouvez pas regagner votre appartement maintenant, Frau Rosenthal. Les Persicke sont là-haut, et aussi deux autres individus... Pour le moment, restez dans mon lit. Demain matin, de très bonne heure, à 6 ou 7 heures, descendez chez le conseiller Fromm et sonnez à sa porte, au rez-de-chaussée. Il vous aidera, il me l'a dit.

— Je vous remercie beaucoup, Herr Quangel.

— Vous pouvez remercier le conseiller. Pas moi, je vous mets carrément à la porte de chez moi... À ton tour maintenant, Trudel.

— Devrai-je aussi partir, père?

— Oui, tu le dois. C'est ta dernière visite chez nous, et tu sais pourquoi... Peut-être qu'Anna ira parfois te voir, mais je ne le crois pas. Quand elle aura retrouvé son bon sens et que j'aurai pu lui parler.

Sa femme crie presque :

— Je ne supporterai pas ça. Je partirai plutôt aussi!... Alors, tu pourras rester seul chez toi... Tu ne penses qu'à ta tranquillité!

— C'est exact, interrompt-il avec violence. Je ne veux courir aucun danger. Et surtout je ne veux pas être mêlé aux affaires d'autrui quand elles sont dangereuses. Si je dois offrir ma tête, ce sera pour ce que j'ai décidé de faire, et non pour des idioties commises par d'autres!... Je ne dis pas que je ferai quelque chose, mais si cela arrive, ce sera avec toi seule, Anna, avec personne d'autre, fût-ce une gentille fille comme Trudel ou une vieille femme sans défense comme vous, Frau Rosenthal... Peut-être ma façon d'agir n'est-elle pas la bonne, mais je ne puis faire autrement. Je suis ainsi, et je ne puis pas me changer... Voilà. Maintenant je veux dormir.

Là-dessus, Otto Quangel se retourne sur le divan. Les femmes chuchotent encore un peu, mais cela ne le dérange pas. Il le sait, sa volonté s'accomplira. Demain matin, sa demeure sera de nouveau nette, et Anna se soumettra... Plus d'histoires louches!... Et lui seul, uniquement lui!

Il s'endort. Et celui qui pourrait le voir dormir ainsi, celui-là le verrait sourire : un sourire farouche sur ce dur visage en lame de couteau, un sourire farouche, belliqueux, mais pas méchant...

LE MERCREDI MATIN

Tous les événements qui précèdent se déroulèrent un mardi. Le matin du mercredi suivant, très tôt, entre 5 et 6 heures, Frau Rosenthal, accompagnée de Trudel Baumann, quitta l'appartement des Quangel. Otto dormait encore profondément. Trudel accompagna presque jusqu'à la porte du conseiller Fromm Frau Rosenthal à demi morte d'inquiétude, avec son étoile jaune sur la poitrine. Puis la jeune fille remonta la moitié d'un étage, bien décidée à défendre la Juive jusqu'à la mort si un Persicke survenait.

Trudel remarqua qu'à peine Frau Rosenthal eut appuyé sur le bouton de la sonnerie, la porte s'ouvrit, comme si quelqu'un avait attendu déjà de l'autre côté. Quelques mots furent échangés à voix basse, puis Frau Rosenthal entra, et Trudel Baumann gagna la rue. La porte de la maison était déjà ouverte.

Elles avaient eu de la chance. Malgré l'heure matinale, les deux S.S. avaient franchi le seuil de l'immeuble moins de cinq minutes plus tôt. Et c'est ainsi qu'avait pu être évitée une rencontre qui eût été fatale, tout au moins pour Frau Rosenthal, étant donné la stupidité et la brutalité des deux garçons.

Les deux S.S. n'étaient pas partis seuls. Ils avaient reçu de Baldur l'ordre d'emmener et de rendre à leurs femmes respectives Borkhausen et Enno Kluge (Baldur avait examiné entre-temps les papiers de ce dernier). Les deux cambrioleurs amateurs étaient encore sous l'effet de l'alcool qu'ils avaient absorbé la veille et du coup qu'ils avaient encaissé. Pourtant Baldur Persicke était parvenu à leur faire comprendre qu'ils s'étaient conduits comme des idiots. S'ils n'avaient pas été livrés à la police, c'est aux Persicke qu'ils le devaient. Mais gare aux commérages! Sinon... Bien entendu, pas question de revenir dans l'appartement des Rosenthal, ni de rôder dans les parages : sinon, c'est la Gestapo qui s'en occuperait.

Toute la nuit, Baldur leur avait seriné ces discours, en les assortissant de tant de menaces, d'injures et de coups que le refrain semblait bien s'être gravé dans leurs cervelles abruties.

Finalement, donc, Baldur les expédia avec ses frères. Dans leur poche, sans le savoir, Borkhausen et Kluge emportaient chacun une cinquantaine de marks en petites coupures. Baldur s'était résigné à ce nouveau sacrifice douloureux; de sorte que l'opération Rosenthal se soldait provisoirement par une perte sèche. Il se disait que si les deux hommes, battus et incapables de travailler, rentraient chez eux sans un sou, leurs femmes pousseraient beaucoup plus de cris et poseraient beaucoup plus de questions que si les soûlards leur rapportaient un peu d'argent. Et il comptait bien que, étant donné l'état des bonshommes, les femmes trouveraient l'argent.

L'aîné des Persicke, qui avait à rapatrier Borkhausen, s'acquitta de sa mission en dix minutes; ces dix minutes pendant lesquelles Frau Rosenthal atteignit l'appartement de Fromm, tandis que Trudel Baumann gagnait la rue. Le S.S. avait tout simplement pris au collet Borkhausen à peu près incapable de marcher, l'avait traîné à travers la cour, l'avait laissé sur le sol devant son logis et avait éveillé la femme à grands coups de poing dans la porte. Effrayée, elle avait reculé devant la sombre silhouette menaçante. Il lui avait crié :

— Je te ramène ton homme... Mets-le au lit... Il gisait ivre mort chez nous dans la cage d'escalier, après avoir vomi tout son saoul.

Là-dessus, il s'en fut. Otti eut encore la corvée de déshabiller Emil et de le mettre au lit. Le monsieur d'un certain âge, qui était encore son hôte, dut lui donner un coup de main. Puis il fut congédié, malgré l'heure matinale. On lui interdit même de revenir... Peut-être se rencontrerait-on encore de temps à autre dans quelque café : mais ici, non, plus jamais.

C'est que la petite Otti était en proie à une peur panique depuis qu'elle avait vu à sa porte le S.S. Persicke. Elle connaissait plus d'une collègue qui, en guise de salaire, avait été expédiée par ces hommes noirs dans un camp de concentration, comme asociale et rétive au travail. Dans son sous-sol obscur, elle avait cru passer complètement inaperçue; et voilà qu'elle venait de s'apercevoir qu'elle était constamment espionnée (comme tout le monde à cette époque, d'ailleurs). Pour la centième fois de son existence, elle se promit solennellement de s'amender. Cette décision lui fut facilitée lorsqu'elle découvrit quarante-huit marks dans la poche d'Emil. Elle cacha l'argent dans un de ses bas et décida d'attendre que son seigneur et maître lui contât ses mésaventures. Pour sa part, en tout cas, l'argent, ni vu ni connu.

La mission du deuxième Persicke était nettement plus compliquée, d'autant que le chemin à parcourir était beaucoup plus long, puisque les Kluge habitaient au-delà du parc Friedrich. Enno était aussi incapable de marcher qu'Emil, mais Persicke ne pouvait pas, en pleine rue, le traîner par le collet ou par le bras. Il lui était pénible par-dessus tout d'être vu en compagnie de ce pantin disloqué. Car, s'il faisait peu de cas de son propre honneur et de celui du prochain, l'honneur de son uniforme lui tenait à cœur.

Il était également vain d'ordonner à Kluge de marcher du même pas, un peu en avant : l'ivrogne avait toujours la même tendance à s'asseoir sur le sol, à trébucher, à s'accrocher aux arbres et aux murs ou à heurter les passants. Les coups de poing, les injonctions les plus énergiques étaient sans effet; tout simplement, le corps ne suivait pas, et la rue déjà trop animée pour que le S.S. pût administrer au pochard la rude correction qui l'aurait peut-être dégrisé malgré tout. La sueur inondait le front de Persicke, les muscles de ses mâchoires s'agitaient spasmodiquement de fureur, et il se jura bien de dire une bonne fois à ce petit crapaud venimeux de Baldur ce qu'il pensait de ce genre de besogne.

Il devait éviter les artères principales, faire des détours par des rues latérales moins fréquentées. Là, il prenait Kluge sous le bras et le portait souvent, jusqu'à ce qu'il n'en pût plus. Pendant tout un temps, il fut importuné par un policier, qui avait remarqué ce transport matinal et quelque peu brutal, et qui l'avait suivi pendant tout son trajet sur le territoire de sa circonscription, obligeant par là même Persicke à user de procédés relativement bienveillants.

Mais il prit sa revanche lorsqu'ils furent enfin arrivés au parc Friedrich. Il installa Kluge sur un banc derrière un buisson et le « travailla » de telle manière que l'homme en demeura sans connaissance pendant dix bonnes minutes.

Ce petit joueur sans envergure pour qui, en ce bas monde, tout était sans intérêt, à l'exception des courses de chevaux ; cette créature qui ne pouvait éprouver ni amour ni haine ; ce fainéant qui tirait de sa cervelle débile des moyens ingénieux de se soustraire à toute fatigue ; cet Enno Kluge, content de peu, incolore, garda de cette rencontre avec les Persicke la crainte de tous les uniformes du Parti. Une crainte qui désormais lui paralyserait l'âme et l'esprit quand il serait en contact avec ces sortes de gens.

Quelques coups de pied dans les côtes lui rendirent sa connaissance, quelques coups dans le dos le firent se mettre en route, et il trotta ainsi, poltron comme un chien rossé, devant son bourreau jusqu'au logis de sa femme.

Mais la porte était fermée. Eva Kluge, qui, pendant la nuit, avait désespéré de son fils et par là de la vie, avait repris son petit train-train habituel. Elle avait en poche sa lettre à son fils Max, mais très peu d'espérance et de foi dans le cœur. Elle distribua le courrier comme elle le faisait depuis tant d'années. Cela valait mieux que de rester chez elle, inactive et torturée par de tristes pensées.

Persicke, après s'être assuré que la femme n'était vraiment pas là, sonna à la porte voisine, en l'occurrence à la porte de cette Frau Gesch qui, la veille au soir, avait aidé Enno à pénétrer dans l'appartement de sa femme. Persicke lui poussa dans les bras la forme meurtrie et se contenta de dire :

— Voilà!... Occupez-vous de ce type. Il doit habiter ici. Et il s'en fut.

Frau Gesch avait pris la ferme résolution de ne plus jamais se mêler des affaires de Kluge. Mais si grand était le pouvoir d'un S.S. et si grande l'inquiétude qu'inspirait ce personnage qu'elle accueillit Kluge chez elle sans protester, qu'elle le fit asseoir dans sa cuisine et lui prépara café et pain. Son mari était déjà parti pour son travail.

Frau Gesch voyait bien combien le petit Kluge était épuisé. Elle voyait également sur son visage, à sa chemise déchirée, aux souillures du pardessus, les traces de mauvais traitements prolongés. Mais comme Kluge avait été amené par un S.S., elle s'abstint de poser la moindre question. Elle ne voulait rien savoir de ce qui était arrivé à son voisin. Quand on ne sait rien, on ne se trahit pas en bavardant, et on évite ainsi de se mettre en péril...

Kluge mastiquait lentement le pain, buvait le café. De grosses larmes de souffrance et d'épuisement coulaient sur son visage. Frau Gesch jetait parfois sur lui un regard scrutateur. Quand il eut enfin terminé, elle demanda :

— Et où irez-vous maintenant?... Votre femme ne vous reprendra jamais, vous le savez bien.

Il ne répondit rien, il se contentait de regarder fixement devant lui.

— Et vous ne pouvez pas non plus rester chez moi... D'abord parce que Gustav ne le veut pas... Ensuite parce que je ne puis pas fermer tout à clef... Alors, où irez-vous?

Il ne répondait toujours rien. Frau Gesch s'énerva :

— Alors, je vous mets devant la porte sur l'escalier... Je le fais à l'instant... Ou bien?

Il dit péniblement :

— Tutti... Une vieille amie...

Et il se remit à pleurer.

— Bon Dieu, quel pleurnicheur! dit Frau Gesch, méprisante... Si je devais faire la poule mouillée comme ça chaque fois qu'il y a quelque chose qui va de travers!... Alors, cette Tutti, quel est son vrai nom et où habite-t-elle?

Moyennant d'interminables interrogatoires et menaces, elle apprit que Kluge ne connaissait pas le véritable nom de Tutti, mais qu'il se faisait fort de trouver son logis.

— Bon! bon! dit Frau Gesch. Mais vous ne pouvez pas y aller seul. N'importe quel policier vous arrêterait... Je vous accompagnerai... Mais si vous vous trompez de maison, je vous plante là, en pleine rue. Je n'ai pas de temps à perdre en longues recherches, j'ai à travailler.

Il supplia :

— D'abord, laissez-moi dormir un moment.

Elle décida, après une brève hésitation :

— Soit! mais pas plus d'une heure!... Dans une heure, en route!... Étendez-vous sur le divan, que je vous borde.

Elle n'était pas encore près de lui, avec le couvre-lit, que Kluge était déjà profondément endormi.

*
**

Le vieux conseiller Fromm avait ouvert lui-même à Frau Rosenthal. Il l'avait conduite dans son cabinet de travail, aux murs entièrement tapissés de livres, et lui avait fait prendre place dans un fauteuil. Une liseuse était allumée, un volume était ouvert sur la table. Le vieux monsieur apporta un plateau avec une théière et une tasse, du sucre et deux minces tranches de pain, et il dit à sa visiteuse :

— Commencez par déjeuner, Frau Rosenthal. Nous parlerons ensuite.

Et comme elle voulait lui exprimer au moins sa gratitude, il s'écria avec cordialité :

— Non, vraiment, commencez par déjeuner... Faites absolument comme si vous étiez chez vous ici. J'en fais autant.

Là-dessus, il reprit le livre sous la lampe et commença à lire, tandis que sa main gauche, d'un mouvement mécanique de haut en bas, lissait constamment sa barbiche grise. Il semblait avoir complètement oublié sa visiteuse.

Graduellement, la vieille Juive angoissée reprenait un peu d'assurance. Depuis des mois, elle avait vécu dans la crainte et dans le désordre, parmi des caisses et des malles, s'attendant toujours à subir quelque avanie de la dernière brutalité. Depuis des mois, elle ne connaissait plus ni foyer, ni repos, ni paix, ni plaisir. Et voilà qu'elle se trouvait assise ici près d'un vieux monsieur qu'elle n'avait pratiquement jamais vu auparavant dans l'escalier. Aux murs, les reliures de cuir brun clair et brun foncé de nombreux livres. Près de la fenêtre, un grand bureau d'acajou, des meubles comme elle en avait possédé elle-même aux premiers temps de son mariage. Sur le plancher, un tapis de Zwickau, légèrement usé. Et ce vieux monsieur plongé dans sa lecture et qui lissait sans arrêt sa barbiche — une barbiche semblable à celle que beaucoup de Juifs portaient volontiers. Et encore cette longue robe de chambre, qui rappelait vaguement à Frau Rosenthal le caftan de son père.

C'était comme si, par une formule magique, tout l'univers de fange, de sang et de larmes se fût englouti : comme si elle avait vécu de nouveau au temps où elle et son mari étaient encore des gens considérés et estimés, et non pas une vermine détestable, qu'on avait le devoir d'exterminer.

Involontairement, elle se passa la main dans les cheveux, et tout naturellement son visage prit une autre expression. Il y avait donc encore de la paix en ce monde ; même ici, à Berlin !

— Je vous suis très reconnaissante, monsieur le Conseiller, dit-elle.

Même sa voix sonnait autrement, plus assurée.

Il eut un regard vif par-dessus son livre :

— Je vous en prie... Buvez votre thé tant qu'il est encore chaud, et mangez votre pain. Nous avons tout le temps. Rien ne nous presse...

Et il se remit à lire. Obéissante, elle but le thé et mangea le pain, bien qu'elle eût préféré parler avec le vieux monsieur. Mais elle voulait lui obéir en tout ; elle ne voulait pas troubler la paix de sa demeure. Elle regarda de nouveau autour d'elle... Tout cela devait être maintenu et respecté ; elle ne mettrait pas en péril ce foyer (trois ans plus tard, une bombe devait le réduire en poudre, et le vieux monsieur si soigné devait mourir dans une cave, d'une mort lente et affreuse)...

Elle dit, tout en déposant la tasse vide sur le plateau :

— Vous êtes très bon pour moi, monsieur le Conseiller, et très courageux. Mais je ne veux pas vous mettre inutilement en danger, vous et votre logis. Tout cela ne sert à rien... Je retourne dans mon appartement.

Le vieux monsieur l'avait regardée attentivement tandis qu'elle parlait. Elle s'était déjà levée, mais il la fit rasseoir :

— Veuillez vous asseoir encore un moment, Frau Rosenthal.

Elle résista :

— Monsieur le Conseiller, je parle très sérieusement.

— Écoutez-moi d'abord, voulez-vous ?... Moi aussi, c'est très sérieusement que je vais vous parler. Tout d'abord, pour ce qui est du danger auquel vous m'exposez, j'ai été en danger ma vie durant, depuis que j'ai embrassé mon état. J'ai une maîtresse à laquelle je dois obéir : elle me gouverne, elle vous gouverne, elle gouverne le monde, même le monde actuel à deux pas de nous, et cette maîtresse est la justice...

C'est en elle que j'ai toujours cru, que je crois aujourd'hui encore. De la justice j'ai fait le seul guide de mes actes.

Tout en parlant ainsi, il allait et venait dans la chambre, les mains derrière le dos, restant toujours dans le champ visuel de Frau Rosenthal. Les mots tombaient paisibles et sans passion ; il parlait de lui comme d'un homme du passé, qui aurait cessé d'exister à proprement parler. Frau Rosenthal écoutait avec une attention soutenue.

— Mais poursuivit le conseiller, je parle de moi au lieu de parler de vous, selon la mauvaise habitude de tous ceux qui vivent très seuls... Excusez-moi... Disons encore un mot du danger. J'ai reçu des lettres de menaces, pendant dix ans, vingt ans, trente ans. À présent, Frau Rosenthal, me voici devenu un vieillard, et je lis mon Plutarque... Le danger ne signifie rien pour moi ; il ne m'angoisse pas, il n'occupe ni mon cerveau ni mon cœur. Ne parlez pas de dangers, Frau Rosenthal.

— Mais ce sont d'autres hommes, aujourd'hui ! s'écria-t-elle.

Il sourit doucement :

— Ce ne sont pas d'autres hommes. Ils sont un peu plus nombreux, et les autres sont un peu plus lâches ; mais la justice est restée identique, et j'espère que nous assisterons encore tous les deux à sa victoire.

Un moment, il s'arrêta, redressé de toute sa taille. Puis, il reprit ses allées et venues et dit doucement :

— Et la victoire de la justice ne sera pas la victoire de ce peuple allemand.

Il se tut un instant, puis reprit, sur un ton moins grave :

— Non, vous ne pouvez pas retourner chez vous... Les Persicke y sont allés cette nuit. Vous savez bien, ces gens du Parti, qui habitent ici au-dessus... Les clefs de l'appartement sont en leur possession : ils le tiendront tout le temps à l'œil. Vous vous y mettriez en péril tout à fait inutilement.

— Mais je dois être là quand mon mari reviendra! fit Frau Rosenthal, suppliante.

Le conseiller Fromm l'apaisa avec cordialité.

— Pour le moment, votre mari ne peut pas vous voir. Il est détenu, pour les besoins de l'instruction, à la prison de Moabit, sous l'inculpation d'avoir dissimulé de nombreux avoirs à l'étranger... Il sera donc en sécurité aussi longtemps qu'il réussira à tenir en haleine, pour cette affaire, l'intérêt du Parquet et de l'administration des contributions.

Le vieux conseiller sourit doucement, jeta à Frau Rosenthal un regard d'encouragement et reprit ses allées et venues.

— D'où tenez-vous ces renseignements? demanda-t-elle.

Il eut un geste apaisant et dit :

— Un vieux juge entend toujours ceci et cela même quand il n'est plus en fonctions... Vous apprendrez aussi avec intérêt que votre mari a un avocat très habile et qu'il est traité de façon relativement correcte. Le nom et l'adresse de l'avocat, je ne vous les donne pas : il ne souhaite pas recevoir de visite.

— Mais peut-être puis-je aller voir mon mari à Moabit, s'écria Frau Rosenthal, tout agitée. Je pourrais lui apporter du linge propre. Qui s'occupe de son linge, là-bas?... Il lui faudrait un nécessaire de toilette, et sans doute des vivres.

— Chère Frau Rosenthal, dit le conseiller, en posant sur l'épaule de la dame sa main aux veines bleues saillantes, vous ne pouvez pas plus rendre visite à votre mari qu'il ne peut venir vous voir... Une telle visite ne lui serait d'aucune utilité, car vous ne pourriez pas arriver jusqu'à lui, et elle ne pourrait que vous faire du mal.

Il la regarda. Soudain, le sourire disparut de ses yeux, et sa voix se fit plus sévère. Elle comprit que ce petit homme doux et bon obéissait à une loi inflexible; sans doute celle de cette justice dont il avait parlé.

— Frau Rosenthal, reprit-il avec douceur, vous serez mon hôtesse aussi longtemps que vous respecterez les lois de l'hospitalité amicale, dont voici le premier commandement : dès que vous agirez de votre propre autorité, fût-ce une seule fois, la porte de ce foyer se fermera pour vous et ne se rouvrira plus. Votre nom et celui de votre mari seront à jamais effacés de ma mémoire... Vous m'avez compris ?

Il la regardait avec insistance. Elle murmura doucement « oui ». Ce n'est qu'alors qu'il retira la main de son épaule. Les yeux du conseiller Fromm que la gravité avait assombris, s'éclairèrent de nouveau, et il reprit lentement ses allées et venues. Il poursuivit, avec plus de douceur :

— La chambre que je vais vous montrer dans un instant, je vous prie de ne pas la quitter pendant la journée et de ne pas non plus vous y montrer à la fenêtre... Ma servante, il est vrai, est tout à fait sûre, mais enfin...

Il s'interrompit avec un peu de mauvaise humeur et regarda le livre, ouvert sous la lampe. Il reprit :

— Essayez comme moi de faire de la nuit le jour... Je vous enverrai chaque jour un somnifère. Vos repas vous seront servis la nuit... Veuillez me suivre, à présent.

Elle suivit dans le couloir. Elle était de nouveau un peu déconcertée et inquiète : son hôte avait si subitement changé de ton !... Mais elle se disait que le vieux monsieur aimait sa tranquillité par-dessus tout et n'était plus habitué aux relations avec ses semblables. Il était à présent fatigué d'elle, il voulait retourner à son Plutarque.

Le conseiller ouvrit une porte devant elle et alluma la lumière :

— Les persiennes sont fermées, dit-il, et la pièce est condamnée... Laissez tout ainsi, si vous le voulez bien ; on pourrait vous voir de l'arrière-bâtiment... Je crois que vous trouverez ici tout ce dont vous avez besoin.

Il la laissa contempler un moment cette chambre claire et pleine de gaieté, avec ses meubles de bouleau, une petite table-toilette haute sur pattes, tout encombrée, et un lit. Le vieux magistrat contemplait la chambre comme s'il ne l'avait plus vue depuis longtemps et la reconnaissait à présent. Puis il dit avec gravité :

— C'est la chambre de ma fille... Elle est morte en 1933. Pas ici : non, non, pas ici !... Ne vous effrayez pas.

Il lui tendit vite la main.

— Je ne ferme pas la chambre, Frau Rosenthal, dit-il, mais je vous prie de tirer le verrou dans un moment... Vous avez une montre ?... Bon !... À 10 heures du soir, je viendrai frapper... Bonne nuit.

Il s'en fut. Arrivé à la porte, il se retourna encore une fois :

— Pendant les jours à venir, vous serez très seule, Frau Rosenthal. Essayez de vous y habituer. La solitude peut avoir beaucoup de bon... Pensez à tirer le verrou.

Il était parti si doucement, il avait fermé la porte avec tant de précaution, qu'elle ne remarqua que trop tard qu'elle ne lui avait même pas souhaité une bonne nuit. Elle alla rapidement vers la porte, mais elle se ravisa immédiatement. Après avoir tiré le verrou, elle se laissa tomber sur la première chaise venue ; ses jambes tremblaient. Dans le miroir de la petite table de toilette, elle contempla un visage blême, bouffi par les larmes et par les veilles. Elle adressa à ce visage un signe de tête lent et triste.

« C'est toi, cela, Sara ? pensait-elle. Lore, qui t'appelles aujourd'hui Sara !... Tu as été une habile commerçante, toujours à la tâche... Tu as eu cinq enfants ; l'une d'eux est maintenant au Danemark, une autre en Angleterre, deux aux États-Unis, et un autre repose ici au cimetière juif de l'avenue de Schönhaus... Je ne suis pas fâchée qu'ils t'appellent Sara... Lore est devenue Sara... Sans l'avoir voulu, ils ont fait de moi une fille de mon peuple, uniquement une fille de mon peuple... C'est un bon vieux monsieur gentil, mais si étrange, si étrange !... Je ne pourrais jamais parler avec lui comme je parlais avec Siegfried... Je crois qu'il est froid, bien que bon. Il est froid, et sa bonté même est froide... C'est l'effet de la loi à laquelle il est soumis : la justice... Moi, je n'ai jamais été soumise qu'à une seule loi : aimer mes enfants et mon mari, et les aider à progresser dans la vie... Et me voici à présent ici chez ce vieux monsieur! Et tout ce que je suis m'a déserté... C'est là cette solitude dont il parlait... Il n'est pas encore six heures et demie du matin, et je ne le reverrai pas avant dix heures du soir... Seule avec moi-même pendant quinze heures et demie! Qu'apprendrai-je sur moi, que je ne sache déjà?... J'ai peur, j'ai tellement peur!... Je crois que je vais crier; dans le sommeil même, je vais crier de peur... Quinze heures et demie!... La demi-heure, il aurait encore pu la passer avec moi... Mais il voulait continuer la lecture de son vieux bouquin... Malgré toute sa bonté, les hommes ne signifient rien pour lui. La justice seule dicte tous ses actes, et non une charité véritable. »

Elle salue lentement ce visage de Sara dans le miroir, ce visage décomposé par le chagrin, puis elle cherche le lit du regard et se souvient brusquement : « La chambre de ma fille... Elle est morte en 1933... Pas ici!... Pas ici! »

Elle frémit. « C'est ça qu'il a dit!... Sa fille aussi est certainement morte à cause... à cause de ceux-là... Mais il n'en parlera jamais, et moi non plus je n'oserai jamais le lui demander... Non, je ne puis pas dormir dans cette chambre; c'est atroce, inhumain!... Il devrait me donner la chambre de sa servante : un lit encore chaud du contact d'un être en chair et en os... Je ne pourrai jamais dormir ici. Ici, je ne puis que pleurer!... »

Elle touche du bout des doigts les petites boîtes et les flacons sur la toilette... Crèmes desséchées, poudres fanées, rouge à lèvres devenu verdâtre... Et la jeune fille est morte depuis 1933... Sept ans!... « Je dois faire quelque chose... Ce qui se lève en moi, c'est la peur... À présent que je suis arrivée sur cette île de paix, ma peur reparaît... Je dois faire quelque chose... Je ne puis pas rester ainsi, seule avec moi-même. »

Elle fouille dans son sac à main... Elle trouve du papier et un crayon... « Je vais écrire aux enfants : Gerda à Copenhague, Eva à Ilford, Bernhard et Stefan à Brooklyn... Mais ça n'a pas de sens : la poste ne fonctionne plus, c'est la guerre... Je vais écrire à Siegfried ; je passerai la lettre en fraude à Moabit, n'importe comment... Si cette vieille servante est vraiment sûre... Le conseiller ne saura rien : et je puis donner de l'argent ou des bijoux à la messagère.... J'en ai encore. »

Elle fouille de nouveau dans son sac à main et étale devant elle l'argent, les bijoux. Elle prend un bracelet :

« Siegfried me l'a offert à la naissance d'Eva... C'étaient mes premières couches : j'ai dû endurer de grands tourments... Comme il a ri quand il a vu l'enfant!... Il se tenait les côtes de rire... Tous riaient en voyant l'enfant, avec ses petites boucles noires sur tout le crâne et les bourrelets de ses lèvres... Un négrillon blanc, disait-on... Je trouvai Eva jolie... C'est alors qu'il m'a offert le bracelet... Il a coûté très cher : il y a mis tout l'argent qu'il avait gagné au cours d'une mise en vente. J'étais très fière d'être une maman... Le bracelet ne signifiait rien pour moi... Maintenant, Eva a déjà trois filles, et Harriet a neuf ans... Comme elle doit souvent penser à moi, là-bas, à Ilford... Mais elle n'imaginerait jamais comment sa mère est ici dans la chambre d'une morte, chez le conseiller Fromm, qui n'obéit qu'à la justice... Toute seule avec elle-même!... »

Elle dépose le bracelet, elle prend une bague...

Toute la journée, elle resta devant ses objets, se parlant à voix basse et se cramponnant à son passé. Elle ne voulait pas penser à ce qu'elle était maintenant.

Parfois elle avait des accès de peur sauvage. Une fois, elle alla jusqu'à la porte, se disant :

« Si je savais seulement qu'ils ne me tortureraient pas trop longtemps, qu'ils feraient vite et sans douleur, j'irais à eux...

Je ne puis plus supporter cette attente, et elle n'a sans doute aucun sens. Un jour, ils me prendront quand même... Les enfants penseront plus rarement à moi, les petits-enfants plus du tout, Siegfried mourra bientôt à Moabit. »

Elle s'appuya de la main sur la toilette et contempla sombrement son visage couvert d'un réseau de petites rides, creusées par les soucis, la peur, la haine et l'amour... Puis, elle revint à la table, à ses objets de valeur. Uniquement pour passer le temps, elle compta et recompta ses billets, puis essaya de les classer par séries et par numéros... De temps en temps, elle ajoutait aussi une phrase à la lettre pour son mari. Mais ce ne serait pas une lettre; à peine quelques questions... Comment était-il logé?... Que recevait-il à manger?... N'avait-il pas besoin de linge?... Petites questions sans importance... Quant à elle, elle allait bien... Elle était en lieu sûr...

Non, pas de lettre! Un bavardage inutile, sans signification et donc mensonger... Elle n'était pas en lieu sûr... Jamais encore pendant ces derniers mois épouvantables, l'angoisse ne l'avait assaillie comme aujourd'hui, dans cette chambre paisible... Elle le savait, elle aurait dû faire un effort pour s'adapter aux circonstances; mais comment échapper à toutes ces pensées qui lui faisaient peur? Peut-être aurait-elle à souffrir et à supporter quelque chose de plus terrible encore. Elle, Lore devenue Sara!...

Plus tard, elle s'étendit pourtant sur le lit. Et à 10 heures, quand son hôte frappa à la porte, elle dormait si profondément qu'elle ne l'entendit pas. Il ouvrit prudemment la porte, avec une clef qui actionnait le verrou; en voyant la dormeuse, il hocha la tête et sourit... Il apportait un repas sur un plateau, qu'il déposa sur la table; pour cela, il dut écarter les bijoux et l'argent. De nouveau, il hocha la tête et sourit, puis il sortit sans bruit de la chambre. Il referma le verrou et la laissa dormir.

Et c'est ainsi que Frau Rosenthal, pendant les trois premiers jours de sa « détention », ne vit âme qui vive. Elle passait toute la nuit à dormir avant d'entamer une journée de solitude angoissante.

Le quatrième jour, à moitié folle, elle fit quelque chose...

ENCORE LE MERCREDI

Frau Gesch n'avait pas eu le courage de réveiller après une heure le petit homme allongé sur son divan. Il était si pitoyable, dans son épuisement total et avec les ecchymoses de son visage, qui viraient au violacé!

Comme un enfant triste, il avançait la lèvre inférieure. Parfois ses membres étaient agités d'un tremblement convulsif, ou bien sa poitrine se soulevait en un profond soupir, comme s'il allait éclater en sanglots dans son sommeil.

Ce n'est que lorsqu'elle eut préparé le déjeuner qu'elle l'éveilla et le fit manger. Il murmura quelque chose qui pouvait passer pour un vague merci et dévora littéralement, tout en jetant parfois un regard furtif à Frau Gesch. Mais il demeura muet sur ce qui lui était arrivé.

Elle finit par lui dire :

— Écoutez, je ne puis plus rien vous donner à manger, sinon il n'en restera plus assez pour Gustav... Dormez encore un peu sur le divan... Je vais aller trouver votre femme.

Il bredouilla de nouveau quelque chose d'incompréhensible... Assentiment?... Refus?... Puis, il regagna le divan, et, une minute plus tard, il dormait profondément.

À la fin de l'après-midi, quand elle entendit rentrer sa voisine, Frau Gesch sortit à pas de loup et s'en fut sonner chez elle. Eva Kluge ouvrit aussitôt, tout en s'arrangeant pour barrer le passage, et elle accueillit sa visiteuse avec une hostilité non dissimulée :

– Et alors?

– Excusez-moi de vous déranger encore une fois, commença Frau Gesch, mais votre mari est chez moi. Une espèce d'argousin de la S.S. l'a traîné ici ce matin, tout de suite après votre départ.

Eva Kluge gardant un silence résolument hostile, Frau Gesch poursuivit :

– Ils l'ont vraiment bien arrangé!... Pas un pouce de son corps qui ne soit endolori... Votre mari ne vaut pas grand-chose, mais vous ne pouvez pas le mettre à la porte dans l'état où il est. Venez donc le voir, Frau Kluge.

Mais Frau Kluge riposta, intraitable :

– Je n'ai plus de mari, Frau Gesch... Je vous l'ai dit... Je ne veux plus rien entendre de tout cela.

Elle fit mine de rentrer, mais Frau Gesch se fit pressante :

– N'allez pas si vite en besogne, Frau Kluge!... Après tout, c'est votre mari. Vous avez eu des enfants de lui.

– J'en suis particulièrement fière, Frau Gesch. Tout particulièrement fière.

– On ne peut pas être inhumain, Frau Kluge, et ce que vous voulez faire est inhumain... Cet homme ne peut pas sortir comme ça.

– Et ce qu'il m'a fait, tout ce qu'il m'a fait tout au long des années, était-ce particulièrement humain?... Il m'a torturée, il a gâché toute ma vie, et finalement il m'a encore arraché mes enfants. Et je devrais encore être humaine pour lui, uniquement parce qu'il a reçu une raclée des SS?... Je n'y songe absolument pas. Même roué de coups, il ne changera pas.

Là-dessus, Frau Kluge referma purement et simplement la porte au nez de Frau Gesch, coupant court ainsi à toute conversation. Elle se sentait incapable de discourir plus long-temps. Pour échapper à ces palabres, elle eût peut-être, pour son malheur, repris cet homme chez elle...

Elle s'assit sur une chaise de cuisine, regarda fixement la flamme bleuâtre du réchaud et se remémora cette journée. Elle avait annoncé à son chef de bureau sa décision de quitter le Parti sur-le-champ, et cela avait fait sensation. On avait commencé par la dispenser de sa tournée. Puis elle avait été interrogée ; vers midi, deux civils avaient surgi, portant des serviettes de cuir, et l'avaient fait demander. Elle avait dû raconter toute sa vie, parler de ses parents, de toute sa famille, de son mariage.

Elle avait commencé par se montrer pleine d'empressement, heureuse d'échapper aux questions concernant sa démission. Mais après, au moment de devoir s'expliquer sur son mariage, elle s'était butée. Après le mariage, ç'allait être le tour des enfants, et elle ne pourrait rien dire de Karlemann, sinon ces fines mouches remarqueraient que c'était précisément là que quelque chose ne tournait pas rond. Elle fut donc fort circonspecte ; son mariage et ses enfants ne concernaient qu'elle-même.

Mais les deux bonshommes étaient coriaces et disposaient de plus d'un moyen pour arriver à leurs fins. L'un d'eux se mit à parcourir un document qu'il avait retiré de sa serviette. Eva aurait donné gros pour savoir de quoi il s'agissait. Il ne pouvait pourtant rien y avoir de grave sur son compte à la police.

Ils reprirent l'interrogatoire, et il se révéla que le document devait se rapporter à Enno. Car on la questionnait à présent sur lui, sur ses maladies, sur sa fainéantise, sur sa passion du jeu, sur ses relations féminines. Tout cela paraissait on ne peut plus anodin ; mais elle vit tout à coup le danger et se tut obstinément.

Non, ça aussi, c'était du domaine privé. Ses démêlés avec son mari n'intéressaient qu'elle seule. Au surplus elle vivait séparée de lui.

C'était là donner prise aux inquisiteurs... Depuis quand vivait-elle séparée de lui ?... Quand l'avait-elle vu pour la dernière fois?... Y avait-il un rapport entre la conduite de cet homme et son désir à elle de quitter le Parti?

Elle se contenta de secouer la tête. Mais elle songea avec épouvante qu'ils allaient sans doute entreprendre Enno; et en moins d'une demi-heure ils arracheraient à ce pleutre tous les renseignements qu'ils voudraient. Alors, la honte d'Eva serait étalée au grand jour; cette honte qu'elle était actuellement seule à connaître.

— Raisons personnelles... Absolument personnelles.

Eva Kluge qui, perdue dans ses pensées, avait observé les vacillements de la petite flamme bleuâtre du réchaud, eut un tressaillement. Elle venait de commettre une lourde faute. Il lui fallait donner de l'argent à Enno, pour assurer sa subsistance pendant une ou deux semaines, et lui enjoindre de se cacher chez une de ses amies.

Elle sonna chez Frau Gesch:

— Écoutez, j'ai réfléchi, je voudrais dire quelques mots à mon mari.

L'autre se fit méchante:

— Vous auriez dû y penser plus tôt. Maintenant votre mari est parti depuis vingt bonnes minutes... Vous arrivez trop tard.

— Où est-il allé, Frau Gesch?

— Comment pourrais-je le savoir?... Là où vous l'avez envoyé. Sans doute chez une de ses femmes.

— Ne savez-vous pas chez laquelle?... De grâce, dites-le, Frau Gesch: c'est vraiment très important.

— Tiens! c'est si important tout à coup?

À contrecœur, Frau Gesch ajoute:

— Il a parlé d'une certaine Tutti.

— Tutti?... Ce doit être une Trude, une Gertrude?... Ne connaissez-vous pas son autre nom, Frau Gesch?

— Il ne le connaît pas lui-même. Il ne savait pas trop bien où elle habite; il croyait pouvoir la trouver... Mais, dans l'état où il est...

– Peut-être reviendra-t-il, dit pensivement Eva Kluge. En ce cas, envoyez-le-moi... De toute façon, je vous remercie beaucoup, Frau Gesch... Bonne nuit.

Mais Frau Gesch ne lui rend pas son salut. Elle claque la porte derrière elle. Elle n'a pas encore oublié la façon dont l'autre lui a fermé la porte au nez. Il n'est pas certain du tout que Frau Gesch lui enverrait son mari, s'il réapparaissait vraiment... Ce genre de femme devrait réfléchir en temps utile ; après, il est généralement trop tard.

Frau Kluge a regagné sa cuisine. C'est curieux, encore que demeurée sans résultats, sa conversation avec la Gesch l'a soulagée. Que les choses suivent à présent leur cours : elle a fait tout ce qu'elle pouvait. Elle s'est séparée du mari comme de son fils aîné ; elle les extirpera de son cœur. Le Parti a reçu sa démission. Maintenant, advienne que pourra ! Elle ne pourrait rien y changer ; même le pire ne peut plus l'effrayer vraiment, après tout ce qu'elle a enduré.

Quand les deux enquêteurs étaient passés des questions oiseuses aux menaces précises, cela ne l'avait même pas effrayée.

Elle devait pourtant bien savoir qu'une démission du Parti, dans ces conditions, pouvait lui coûter sa situation à la Poste ?... Bien plus, en voulant quitter le Parti tout en refusant de donner les motifs de sa décision, elle deviendrait politiquement douteuse, catégorie pour laquelle on avait créé les camps de concentration. N'en avait-elle pas entendu parler ?... Là, on transformait très vite des gens politiquement douteux en éléments de toute confiance. De toute confiance pour toute leur vie !... Qu'elle comprenne donc !...

Eva Kluge n'avait pas eu peur ; elle était restée obstiné-ment sur ses positions. La vie privée devait demeurer la vie privée, et elle ne voulait pas en parler.

Dans ces conditions, sa demande de quitter le Parti n'était provisoirement pas acceptée. On lui en reparlerait. Mais elle était suspendue de ses fonctions à la Poste. Et elle avait à se tenir chez elle à la disposition des deux civils.

Eva Kluge décide tout à coup de ne pas respecter ce dernier point. Pas question de rester perpétuellement oisive chez elle, à attendre les tracasseries de ces messieurs!... Non, demain matin, elle prendra le train de 6 heures pour aller chez sa sœur à la campagne. Elle pourra y passer deux ou trois semaines sans se faire inscrire. On lui donnera à manger pendant ce temps-là. Ils ont vache, porc et champs de pommes de terre. Elle travaillera à l'étable et au champ. Ça lui fera du bien; ça vaudra mieux que ses éternelles tournées de facteur, toujours au trot!

Ses mouvements sont devenus plus vifs depuis qu'elle a pris cette décision. Elle prépare son bagage... Un moment, elle songe à annoncer ce voyage tout au moins à Frau Gesch, quitte à n'en pas révéler la destination. Mais non : mieux vaut se taire... Personne ne doit être mêlé à ses affaires; pas même sa sœur et son beau-frère, auxquels elle décide de ne rien dire.

Jusqu'à présent, parents, mari, enfants avaient toujours réclamé ses soins. À présent, la voilà seule, et il est très possible que cette solitude lui plaise. Elle pourra enfin s'occuper un peu d'elle-même, sans toujours se sacrifier aux autres.

En cette nuit qui pèse sur Frau Rosenthal du poids de toute son angoisse et de toute sa solitude, Eva Kluge, pour la première fois depuis longtemps, sourit de nouveau dans son sommeil. En rêve, elle se voit, la houe à la main, dans un champ de pommes de terre; et elle, toute seule pour le sarcler. Elle sourit, abat la houe qui rend un son clair sur une pierre, elle déracine une touffe de chiendent, et sarcle, sarcle sans arrêt...

Le petit Enno Kluge s'est beaucoup moins bien tiré d'affaire que son complice Emil Borkhausen.

D'abord, il a reçu beaucoup plus de coups. Ensuite, Borkhausen a quand même été accueilli dans un lit par une femme (peu importe qu'elle l'ait délesté de son argent aussitôt après). Enno, lui, en est encore réduit à courir anxieusement les rues à la recherche de sa Tutti.

Pendant ce temps-là, Borkhausen, lui, se lève tranquillement, s'en va quérir à la cuisine quelque chose à manger, et s'empiffre d'un air sombre et songeur. Puis il trouve un paquet de cigarettes dans la garde-robe, en allume une, empoche le paquet et se rassied à la table, ruminant de sombres pensées. Otti fait alors son apparition, chargée de ses emplettes matinales.

Elle voit évidemment tout de suite qu'il a fait des brèches dans ses provisions, et elle est bien placée pour savoir que, lorsqu'elle est partie, il n'avait pas de cigarettes dans ses poches. Elle ne met pas longtemps à découvrir le larcin commis dans sa garde-robe, et une colère folle s'empare d'elle :

— Voilà le type que j'ai la faiblesse d'aimer ! Un gaillard qui bouffe mes provisions et qui vole mes cigarettes !... Tu vas me les rendre immédiatement ou me les payer !... Amène l'argent, Emil !

Tendue, elle attend les réactions, mais elle est sûre de son affaire. Puisqu'elle a déjà dépensé, à peu de chose près, les quarante-huit marks, elle ne risque pas grand-chose.

— Boucle-la ! grogne seulement Borkhausen, sans même relever la tête. Et vide les lieux, sinon je te casse la figure.

Si agressive que soit cette réponse, Otti peut en conclure que Borkhausen n'a pas encore découvert le pot aux roses. Du coup, elle se décerne un brevet de supériorité : elle a volé ce polichinelle, et il ne s'en aperçoit même pas !

Elle bat en retraite. Mais, comme il lui faut toujours avoir le dernier mot, elle lui jette méchamment :

— Tâche plutôt que ce ne soit pas à toi que les S.S. cassent la figure!... Tu n'en es plus très loin.

Alors, se réfugiant dans la cuisine, elle passe sur les gosses le dépit que lui cause cette retraite en bon ordre.

Borkhausen, de son côté, reprend le fil de ses méditations. Il n'a qu'un vague souvenir de ce qui s'est passé pendant la nuit, mais ça lui suffit. Il évoque l'appartement des Rosenthal. En ce moment même, les Persicke sont peut-être en train de le piller!... Et lui, Borkhausen, aurait pu s'y servir tant et plus. Par sa bêtise, il a gâché cette occasion unique.

Mais non, c'est Enno qui est responsable! C'est lui qui a commencé à boire du schnaps et qui s'est saoulé le premier. Sans Enno, Borkhausen aurait maintenant du linge, des vêtements, un tas de choses. Et aussi un récepteur de radio... S'il tenait Enno, ce gringalet qui a tout gâché, il le mettrait en charpie.

Un moment plus tard, Borkhausen hausse les épaules. Après tout, qui est cet Enno? Une vulgaire punaise, qui vit de ce qu'il soutire aux femmes!... Non, le vrai coupable, c'est ce Baldur Persicke. Ce sale gamin, digne élève de ses maîtres des Jeunesses Hitlériennes, songeait dès le début à rouler Borkhausen; il lui fallait un coupable, un bouc émissaire, pour pouvoir s'approprier impunément le butin. Voilà ce qu'avait supérieurement machiné ce serpent à lunettes!... Le mettre dedans comme ça!

Borkhausen ne comprend pas trop pourquoi il est dans cette chambre, à l'heure présente, et non pas dans une cellule de prison. Il doit y avoir eu un imprévu. Très vaguement, il se souvient de deux silhouettes. Mais qui était-ce, que s'était-il passé?... Il ne l'a pas compris au moment même, dans sa demi-inconscience, à plus forte raison ne le sait-il plus du tout maintenant.

Mais une chose reste : il ne pardonnera jamais ça à Baldur Persicke. Celui-là grimpera peut-être encore très haut dans la faveur du Parti ; mais Borkhausen veille. Borkhausen peut attendre. Borkhausen n'oublie rien. Ce gamin, il le possédera un jour, il le traînera dans la boue ! Et il y sera plus salement empêtré que lui-même ne l'est maintenant : il ne fera plus jamais surface !... Trahir un complice ? Non, ça ne se pardonne et ne s'oublie jamais !... Les belles choses qui remplissent l'appartement des Rosenthal, malles, caisses et radio, Borkhausen aurait pu tout avoir !

Il rumine inlassablement les mêmes pensées. S'emparant discrètement du petit miroir d'argent d'Otti, dernier souvenir d'un client aux idées larges, il s'y contemple et se tâte le visage.

Pendant ce temps-là, le petit Enno Kluge a, lui aussi, découvert dans le miroir d'une boutique de mode l'aspect qu'a pris son visage ; ça l'a épouvanté encore un peu plus. Il a l'impression que tous les regards sont braqués sur lui ; il n'ose plus regarder personne. Sa course à la recherche de Tutti devient de plus en plus désordonnée. Où peut-elle bien habiter ?... Lui-même ignore, au fond, où il se trouve pour le moment. Il explore tous les porches obscurs et lorgne vers les fenêtres supérieures dans les arrière-cours... Tutti !... Tutti !...

Le jour baisse. Avant la nuit, Kluge doit avoir trouvé un gîte, sinon la police l'arrêtera. Voyant dans quel état il est, ces brutes feront de lui un hachis pour obtenir des aveux... S'il parle des Persicke, ceux-ci le tueront. Mais comment ne se mettrait-il pas à table, avec la peur qu'il a ?

La course sans but continue. Plus loin, toujours plus loin...

Finalement, n'en pouvant plus, Kluge s'assied sur un banc et reste là. Impossible d'aller plus loin ni de réfléchir à quoi que ce soit. Machinalement, il explore ses poches, à la recherche de quelque chose à fumer : ça le remettrait un peu en train... Pas de cigarettes, mais quelque chose à quoi il ne s'attendait certainement pas : de l'argent!... Quarante-six marks!...

Il y a plusieurs heures que Frau Gesch aurait pu lui dire qu'il avait de l'argent en poche; elle aurait ainsi rendu un peu d'assurance au petit homme anxieusement en quête d'un gîte. Mais la Gesch n'a évidemment pas voulu avouer qu'elle avait inventorié les poches de l'ivrogne pendant qu'il dormait. Frau Gesch est une femme correcte; elle a remis l'argent là où il était (après un court débat avec elle-même, il est vrai). Si elle l'avait trouvé dans les poches de son Gustav, elle se le serait approprié sans autre forme de procès; mais, avec un étranger, non, elle n'est pas femme à faire ça. Bien entendu, sur les quarante-neuf marks qu'elle a trouvés, la Gesch a prélevé trois marks. Mais ce n'est pas du vol; c'est exactement la valeur de la nourriture qu'elle a donnée à Kluge. S'il n'avait pas eu d'argent, elle l'aurait nourri gratuitement; mais pouvait-elle nourrir gratuitement un étranger aux poches garnies?

Quoi qu'il en soit, les quarante-six marks réconfortent considérablement le timide Enno Kluge. Il sait à présent qu'il pourra toujours trouver à se loger pour la nuit. Et sa mémoire aussi recommence à fonctionner. Bien sûr, il ne se souvient toujours pas de l'endroit où habite Tutti; mais il se remémore tout à coup qu'il a fait sa connaissance dans un petit café dont elle est une habituée. Le tenancier connaît peut-être son adresse.

Il se lève, reprend sa marche et s'oriente plus ou moins. Apercevant un tramway qui peut le conduire à proximité du but, il se risque à monter sur l'obscure plate-forme avant de la première voiture. Il y fait si sombre et il y a tant de monde que personne ne prête grande attention à son visage. Au café, il va droit au comptoir et demande à la serveuse si elle sait où se trouve Tutti et si Tutti fréquente encore l'établissement.

D'une voix perçante, qui résonne dans tout le local, la serveuse lui demande de quelle Tutti il s'agit ; il y a une foule de Tutti à Berlin.

Il répond, embarrassé :

— Mais la Tutti qui venait toujours ici !... Un peu corpulente, des cheveux bruns.

Ah ! c'est de cette Tutti-là qu'il s'agit !... Non, on ne veut plus rien savoir ici de cette engeance. Elle ne se risquerait plus à s'y montrer. On ne veut plus entendre parler de cet oiseau-là.

Là-dessus, la serveuse laisse Enno en plan. Il murmure quelques mots d'excuse et quitte le café. Dans la rue baignée de nuit, il est encore indécis sur ce qu'il va faire lorsqu'un client sort du café ; un homme d'un certain âge, quelque peu déguenillé, qui s'avance vers lui. D'une voix hésitante, l'inconnu lui demande s'il est bien le monsieur qui vient de s'informer d'une certaine Tutti.

— Peut-être, répond prudemment Enno Kluge. Pourquoi cette question ?

— Oh ! pour ça... Je puis éventuellement vous dire où elle habite... Je puis même vous conduire à son logis. Mais vous devriez aussi me rendre un petit service.

— Quel genre de service ? demande Enno, encore plus prudemment. Je ne vois pas quel plaisir je pourrais vous faire. Je ne vous connais pas du tout.

— Eh bien, voilà... Il se trouve que Tutti a encore une valise et différents objets qui m'appartiennent... Alors, demain au petit matin, vous pourriez peut-être me rendre rapidement la valise, pendant que Tutti dormira ou fera ses emplettes.

Le vieux monsieur semble considérer comme certain qu'Enno passera la nuit avec Tutti.

– Non, dit Enno, pas de ça!... Je ne m'engage pas dans ce genre d'affaires... Je regrette.

– Mais je puis vous dire avec précision ce qu'il y a dans la valise. C'est vraiment ma valise.

– Alors, pourquoi ne pas demander ça à Tutti elle-même?

– Oh! si vous parlez comme ça, dit le vieux monsieur, c'est que vous ne connaissez pas Tutti... Vous devriez pourtant savoir qu'elle a bec et ongles; un vrai hérisson!... Elle mord et crache comme un babouin. Et c'est d'ailleurs ça qui lui a valu son surnom.

Et tandis que le vieux monsieur esquisse cette aimable description de Tutti, Enno Kluge se souvient avec effroi que la Tutti est réellement ainsi. Il se rappelle ainsi que, lors de leur dernière rencontre, il lui a pris son porte-monnaie et ses cartes de ravitaillement. Quand elle est en fureur, elle mord et crache réellement comme un babouin. Elle donnera vraisemblablement libre cours à cette fureur dès qu'Enno apparaîtra... Tout ce qu'il s'était imaginé, quant à la possibilité de trouver un refuge nocturne chez elle, n'était qu'illusion.

Alors, Enno Kluge prend une décision : désormais, il changera de vie. Plus d'histoires de femmes, plus de petites filouteries, même plus de paris aux courses! Il a en poche quarante-six marks qui lui permettront de subsister jusqu'au prochain jour de paie. Demain, moulu comme il l'est, il s'offrira encore un peu de bon temps; mais après-demain il se remettra sérieusement au travail. On verra bien ce qu'il vaut, et on ne le renverra pas au Front. Après tout ce qu'il a subi pendant les dernières vingt-quatre heures, il ne peut vraiment pas courir le risque d'être reçu comme ça par cette babouine de Tutti.

– Oui, dit pensivement Enno au vieux monsieur, c'est exact, Tutti est bien comme ça. Aussi, suis-je décidé à ne pas aller chez elle... Je passerai la nuit dans ce petit hôtel. Bonne nuit, monsieur. Je regrette, mais...

Et il s'en va cahin-caha vers le petit hôtel. Ses allures de chien battu, et le fait qu'il est sans le moindre bagage, n'inspirent guère confiance au domestique débraillé. Il doit lui glisser trois marks pour obtenir le droit de se coucher dans un lit étroit et malodorant dont les draps ont déjà servi à nombre de gens avant lui. Il s'étire, et se dit :

– Désormais, je vais vivre tout autrement... J'ai été un dégoûtant, particulièrement envers Eva, mais tout va changer... Je me suis fait rosser à bon droit, mais je vais changer, dès à présent.

Il repose paisiblement dans le lit étroit, les bras allongés le long du corps. Il tremble de froid, d'épuisement, de douleur. Mais il ne le sent pas. Il évoque le travailleur estimé qu'il était jadis. Et qu'est-il maintenant, sinon un pauvre diable méprisé de tous?... Non, les coups ne lui ont pas été inutiles; les choses iront désormais tout autrement. Tout en évoquant cette nouvelle manière de vivre, il s'endort.

Au même moment, tous les Persicke dorment, Frau Gesch et Frau Kluge dorment, le couple Borkhausen dort (Borkhausen a autorisé tacitement Otti à le rejoindre dans le lit).

Frau Rosenthal dort dans l'angoisse. La petite Trudel Baumann dort aussi. L'après-midi, elle a pu souffler à un des conjurés qu'elle doit absolument leur faire une communication, et que tous devraient se rencontrer le lendemain soir à l'*Élysée*, en se faisant remarquer le moins possible. Bien qu'un peu inquiète à la perspective de devoir avouer son indiscrétion, elle a quand même trouvé le sommeil.

Frau Anna Quangel est au lit, dans l'obscurité, tandis que son mari, en service de nuit à son atelier, surveille attentivement la marche du travail. Les services techniques ne l'ont pas convoqué à propos de l'amélioration de la fabrication. Tant mieux!

Anna Quangel ne parvient pas à dormir. Elle voit toujours en son mari un affreux sans-cœur. La façon dont il a accueilli la nouvelle de la mort de leur fils, la façon dont il a mis à la porte la pauvre Trudel et Frau Rosenthal... Froid, sans-cœur et ne pensant jamais qu'à lui seul!... Elle ne pourra plus jamais être pour lui aussi bonne qu'auparavant. Elle voit bien que seules l'ont offensé ses paroles inconsidérées : « Toi et ton Führer »... Voilà ce qui l'a le plus atteint. Eh bien, elle ne le chagrinera plus ainsi à l'avenir ; elle ne lui parlera plus sur ce ton... Aujourd'hui, ils n'ont pas échangé un seul mot ; ils ne se sont même pas dit bonjour.

Le conseiller en retraite Fromm veille encore. Comme toujours, il est à la tâche pendant la nuit. De sa petite écriture soignée, il écrit une lettre dont voici l'entrée en matière : « Très honoré monsieur le Procureur »...

Sous la lampe son Plutarque, ouvert, l'attend.

VICTOIRE AU DANCING

Ce vendredi-là, l'*Élysée*, le grand dancing de Berlin-Nord, offrait un aspect qui devait réjouir le cœur de tout Allemand normalement constitué : un vrai parterre d'uniformes. La Wehrmacht était là, avec son gris et son vert, sur lesquels tranchaient le brun, le brun clair, le brun or, le brun sombre des uniformes du parti, dont toutes les ramifications étaient généreusement représentées : chemises brunes des S.A., chemises plus claires de la Jeunesse Hitlérienne, Organisation Todt et Service du Travail, dirigeants politiques appelés « faisans dorés » en jaune d'or. Et les hommes n'étaient pas seuls à être costumés de cette façon, bien propre à exalter les imaginations. Il y avait là de nombreuses jeunes filles en uniforme : la Fédération des Jeunes Filles allemandes (BDM) le Service du Travail, l'Organisation Todt semblaient avoir délégué leurs cheftaines, leurs sous-cheftaines et leurs troupes.

Quelques civils étaient complètement noyés dans cette foule chamarrée. Ici comme partout dans les rues et dans les usines, les civils ne signifiaient pas grand-chose ; le Parti était tout, le peuple n'était rien.

On ne prêtait donc presque aucune attention à une table où se trouvaient réunis une jeune fille et trois jeunes gens ; aucun d'eux n'était en uniforme ni n'arborait quelque insigne que ce fût.

La jeune fille et un des jeunes gens, qui paraissaient former un couple, étaient arrivés les premiers. Puis un autre jeune homme avait demandé la permission de s'asseoir à leur table, et un quatrième civil en avait fait autant un peu plus tard. Le jeune couple avait tenté de danser, malgré la cohue, et les deux hommes avaient entamé une conversation à laquelle se mêlaient occasionnellement les deux danseurs, bousculés et en nage.

L'un des hommes, âgé d'une trentaine d'années, le front haut et la chevelure déjà clairsemée, avait observé pendant un moment la foule sur la piste de danse, ainsi que les tables voisines. Il dit alors, regardant à peine les autres :

– Un lieu de réunion mal choisi !... Dans toute la salle, notre table est presque la seule à n'être occupée que par des civils... Nous attirons les regards.

Karl Hergesell, le cavalier de la jeune fille, répondit en souriant à sa partenaire (mais ses paroles s'adressaient à l'homme au front haut) :

– Au contraire, Grigoleit, nous ne serons pas du tout remarqués. Tout au plus serons-nous méprisés... Ces messieurs et ces dames pensent uniquement aux quelques jours de permission-dancing que leur a valus cette prétendue victoire sur la France.

— Pas de noms!... Sous aucun prétexte, dit, d'un ton tranchant, l'homme au front haut.

Ils se turent un instant.

— En tout cas, Trudel, dit le troisième homme, qui avait le visage poupin d'un nourrisson, c'est le moment, pour ta communication... Les tables voisines sont presque inoccupées. Tout le monde danse... Vas-y... de quoi s'agit-il?

Le silence des deux autres hommes équivalait à un acquiescement. Trudel Baumann dit en hésitant, sans lever les yeux :

— Je crois que j'ai commis une faute. En tout cas, je n'ai pas tenu parole. Mais, selon moi, il n'y a pas vraiment de faute.

— Oh écoute! s'écria Grigoleit, méprisant. Ne caquète pas comme une oie!... Au fait, veux-tu!

La jeune fille leva les yeux. Elle regarda lentement l'un après l'autre ces hommes qui la considéraient avec une froideur cruelle. Dans ses yeux, il y avait deux larmes. Elle voulait parler, mais elle n'y arrivait pas. Elle chercha son mouchoir. Grigoleit se pencha en arrière et grogna :

— Elle ne devait pas caqueter... Mais c'est déjà fait... Regardez-la donc!

Karl Hergesell protesta vivement :

— Impossible!... Trudel est la loyauté même!...Dis-leur que tu n'as pas bavardé, Trudel.

Et il l'encouragea d'une pression de main.

Le jouvenceau, dans l'attente, fixait sur la jeune fille ses yeux ronds, très bleus, presque sans expression. Grigoleit avait un sourire méprisant. Il écrasa sa cigarette dans le cendrier et ricana :

— Et alors, Fräulein?

Trudel s'était reprise. Elle murmura avec fermeté

– Il a raison : j'ai bavardé... Mon beau-père m'a annoncé la mort d'Otto et cela m'a mise sens dessus dessous. Je lui ai dit que je faisais partie d'une cellule.

– Tu as donné des noms ?

Personne n'aurait cru le paisible jouvenceau capable de mettre tant de vivacité dans une question.

– Non, bien sûr !... Je n'ai absolument rien dit de plus... Et mon beau-père est un vieux travailleur, qui ne dira jamais rien.

– Ton beau-père, c'est une autre affaire. C'est de toi qu'il s'agit pour le moment... Tu dis que tu n'as cité aucun nom.

– Et tu dois me croire, Grigoleit... Je ne mens pas... J'ai avoué spontanément.

– Vous venez encore de prononcer un nom, Fräulein Baumann.

Le jouvenceau dit :

– Ne voyez-vous pas qu'il est tout à fait indifférent qu'elle ait ou non cité des noms ?... Elle a dit qu'elle faisait partie d'une cellule ! Elle a caqueté une fois, elle le fera encore... Si ceux auxquels je pense mettent la main sur elle, s'ils la torturent un peu, elle parlera. Alors il importe peu de savoir combien de fois elle a trahi jusqu'à présent.

– Je ne dirais jamais rien à ceux-là, même si je devais mourir ! s'écria Trudel dont les joues s'étaient empourprées.

– Oh, dit Grigoleit, mourir est très simple, Fräulein Baumann. Mais, avant de mourir, il faut souvent passer par des moments fort désagréables.

– Vous êtes impitoyables, dit la jeune fille. J'ai commis une faute, mais...

– C'est mon avis, opina celui qui était assis à côté d'elle.. Nous irons voir son beau-père, et s'il est sûr...

– Aux mains de ces gens-là, qui est sûr ? objecta Grigoleit.

– Trudel, dit le jouvenceau avec un doux sourire, Trudel, tu as bien dit que tu n'avais encore nommé personne ?

– Personne...

– Et tu as affirmé que tu mourrais plutôt que de donner des noms?

– Oui! oui! oui! cria-t-elle passionnément.

– Alors, dit le jouvenceau avec un sourire triomphant, alors, Trudel, qu'en penses-tu?... Si tu mourais dès ce soir, avant d'avoir comméré plus avant?... Cela nous donnerait une certaine sécurité et nous épargnerait pas mal de travail.

Un silence de mort s'établit... Le visage de la jeune fille était passé au blanc crayeux... Karl Hergesell dit : « Non! » et posa doucement sa main sur celle de Trudel. Mais il la retira aussitôt.

Les danseurs regagnèrent leurs tables, rendant provisoirement impossible la suite de cette conversation.

Grigoleit alluma une nouvelle cigarette. Le jouvenceau sourit imperceptiblement, en voyant combien tremblait la main de l'autre. Puis il dit au chevalier servant de la jeune fille silencieuse et pâle :

– Vous dites « non! »... Mais pourquoi, au fait?... C'est une solution presque satisfaisante, et une solution qui a été proposée par votre voisine elle-même.

– La solution n'est pas satisfaisante... Il y a déjà eu assez de morts. Notre mission n'est pas d'en accroître encore le nombre.

– J'espère, dit Grigoleit, que vous penserez à cette phrase quand le Tribunal du Peuple s'occupera de vous, de moi et de celle-là.

– Silence! dit le jouvenceau... Allez donc danser un moment, vous deux!... Elle est très bien, cette danse... Vous pourrez discuter ensemble, tandis qu'ici nous en ferons autant.

À contrecœur, Karl Hergesell obtempéra et s'inclina devant sa cavalière. Elle posa la main sur son bras, et tous deux se perdirent dans la foule qui tournoyait sur la piste. Ils dansèrent gravement, silencieusement. Il croyait danser avec une morte; il frissonnait... Les uniformes autour de lui, les brassards à croix gammée, les drapeaux aux murs, rouge sang avec l'emblème détesté, le portrait du Führer orné de laurier, le rythme de swing...

— Tu ne le feras pas, Trudel... dit-il. C'est insensé d'exiger cela!... Promets-moi!

Ils dansaient presque sur place, dans la foule toujours plus dense. Elle ne parlait pas, peut-être parce qu'elle était constamment gênée par des danseurs.

— Trudel! supplia-t-il encore une fois, promets-le-moi!.. Tu peux aller dans une autre entreprise et continuer là, loin des regards de ces gens-là... Promets-moi!

Il s'efforça de l'amener à le regarder; mais les yeux de Trudel étaient fixés obstinément sur les épaules du jeune homme.

— Tu es la meilleure d'entre nous, dit-il soudain. Tu es la faiblesse humaine : lui n'est que le dogme... Tu dois continuer à vivre : ne lui cède pas!

Elle secoua la tête, et cela pouvait passer pour un oui aussi bien que pour un non.

— Retournons, dit-elle, je ne peux plus danser.

— Trudel, dit précipitamment Karl Hergesell quand ils se furent dégagés des danseurs, ce n'est qu'hier qu'Otto est mort, ce n'est qu'hier que tu l'as appris. C'est trop tôt. Mais tu sais que je t'ai toujours aimée. Je n'ai jamais rien attendu de toi, mais j'attends à présent que tu vives... au moins ça! Pas pour moi, non : que tu vives!

Mais, de nouveau, elle n'eut qu'un mouvement de tête, sans qu'on pût savoir ce que cela signifiait pour celui qui l'aimait et qui souhaitait continuer à la voir en vie.

Ils étaient arrivés à la table des autres.

— Alors, demanda Grigoleit, comment a-t-on dansé? Un peu étourdie, non?

La jeune fille ne s'était pas rassise. Elle dit :

— Je m'en vais... Bonne chance! J'aurais pourtant aimé travailler avec vous.

Elle eut un mouvement pour partir. Mais le gros jouvenceau paisible était derrière elle. Il la prit par le poignet et dit :

— Un moment encore, s'il vous plaît!

Il l'avait dit avec une extrême politesse, mais son regard était lourd de menace.

Ils retournèrent à la table. Ils se rassirent. Le jouvenceau demanda :

— J'ai donc bien compris, Trudel, ce que ton départ signifie?

— Tu as parfaitement compris, dit la jeune fille.

— Alors, permets-moi de t'accompagner pendant le restant de la soirée.

Elle eut un mouvement de recul. Il dit très poliment :

— Je ne veux pas m'imposer, mais je considère que de nouvelles fautes peuvent être commises pendant l'exécution d'un tel dessein.

Il murmura, menaçant :

— Je ne me soucie pas qu'un idiot quelconque te repêche ou que tu sois à l'hôpital demain après avoir raté ton suicide. Je veux être là.

— Très juste! fit Grigoleit. Je partage ton avis, c'est la seule garantie que nous ayons.

Karl Hergesell dit alors, avec une certaine emphase :

— Moi, je serai à ses côtés aujourd'hui, demain et chacun des jours suivants. Je ferai tout pour faire échouer l'exécution de ce plan. J'irai chercher du secours, fût-ce à la police, si vous m'y forcez.

Le jouvenceau eut un petit sifflement :

— Ah ah! voilà un second bavard qui se met à table, à présent! Amoureux, hein? Je l'avais toujours pensé... Allons, Grigoleit, la cellule est dissoute. Il n'y a plus de cellule. Et c'est ça que vous appelez de la discipline? Femmelettes!

– Non! non! cria la jeune fille. Ne l'écoutez pas! C'est vrai, il m'aime; mais je ne l'aime pas! Je vous accompagnerai ce soir.

– Ah non! dit le jouvenceau, en colère pour tout de bon. Ne voyez-vous donc pas que vous ne pouvez absolument plus rien faire sans celui-là?

D'un mouvement de tête, il désignait Karl Hergesell.

– C'est du propre! conclut-il. Mais cela suffit... Viens, Grigoleit.

Grigoleit était déjà debout. Ensemble ils se dirigèrent vers la sortie. Mais une main s'abattit tout à coup sur le bras du jouvenceau. Il se trouva nez à nez avec un type en uniforme brun, au visage glabre un peu bouffi.

– Un moment, je vous prie. Que venez-vous de dire, de la dissolution de la cellule? Cela m'intéresse beaucoup.

Le jouvenceau se libéra presque brutalement :

– Laissez-moi tranquille! dit-il très haut. Si vous voulez savoir ce que nous avons dit, demandez-le à la jeune femme, là! Son fiancé est mort hier, et aujourd'hui elle en a déjà un autre sur les bras! Maudites affaires de femmes!

Tout en parlant, il s'était rapproché de la sortie, que Grigoleit avait déjà atteinte. Il sortit également. Le bouffi le suivit un moment des yeux, puis il se tourna vers la table, où la jeune fille et son partenaire étaient toujours assis, le visage blême. Cela le tranquillisa.

« Peut-être n'ai-je pas commis de faute en le laissant filer. Il m'a pris au dépourvu. Mais... »

Il dit poliment :

– Me permettez-vous de m'asseoir un moment avec vous et de vous poser quelques questions?

Trudel Baumann répondit :

– Je ne puis rien vous dire d'autre que ce que vous a dit le monsieur qui vient de partir. J'ai appris hier la mort de mon fiancé. Et aujourd'hui, ce monsieur-ci voudrait se fiancer avec moi.

Sa voix sonnait ferme et assurée. À présent que le danger planait sur elle, l'angoisse et l'inquiétude s'étaient envolées.

— Verriez-vous un inconvénient à me donner le nom de votre fiancé décédé? Et sa formation?

Elle s'exécuta.

— Et à présent votre nom... Votre adresse... Le lieu de votre travail... Vous avez peut-être des papiers sur vous? Je vous remercie. À votre tour maintenant, monsieur.

— Je travaille dans la même entreprise. Je m'appelle Karl Hergesell. Voici mon livret de travail.

— Et les deux autres messieurs?

— Nous ne les connaissons pas du tout... Ils se sont assis à notre table et se sont tout à coup mêlés à notre différend.

— Et pourquoi vous querelliez-vous?

— Je ne veux pas de lui.

— Bien! bien! dit le bouffi, en fermant son carnet, tandis que son regard allait de l'un à l'autre.

Ils semblaient vraiment des amoureux en dispute, plutôt que des criminels pris sur le fait. Rien que la façon dont ils évitaient anxieusement de se regarder l'un l'autre. Et leurs mains qui se touchaient presque sur la table...

— Ça va! Naturellement, vos déclarations seront vérifiées. De toute façon, continuez mieux cette soirée que vous ne l'avez commencée.

— Oh! pas moi! dit la jeune fille. Pas moi!

Elle se leva, en même temps que l'autre.

— Je rentre chez moi.

— Je t'accompagne.

— Non, merci. Je préfère aller seule.

— Trudel, supplia-t-il, laisse-moi au moins te dire encore deux mots!

Le type en uniforme les regardait en souriant. C'étaient vraiment des amoureux. Une vérification superficielle de leurs déclarations suffirait.

Elle s'était tout à coup décidée :

— Bon !... Mais pas plus de deux minutes.

Ils s'en furent. Ils étaient enfin sortis de cette horrible salle, de cette atmosphère d'hostilité et de haine. Ils se regardèrent.

— Ils sont partis.

— Nous ne les reverrons jamais.

— Et tu peux vivre... Non, à présent tu dois vivre, Trudel ! Un geste inconsidéré de toi mettrait les autres en danger. Beaucoup d'autres... Pense toujours à cela, Trudel !

— Oui, dit-elle, je dois vivre, à présent.

Et, avec une décision soudaine :

— Adieu, Karl.

Un moment, elle s'appuya contre la poitrine du jeune homme, dont sa bouche effleura la bouche. Puis elle courut vers un tramway à l'arrêt. Le convoi démarra.

Karl Hergesell fit un mouvement, comme pour courir à sa poursuite. Mais il se ravisa.

« Je la verrai de temps en temps à l'usine, songeait-il. Nous avons toute une vie devant nous. Maintenant, je sais qu'elle m'aime. »

SAMEDI : INQUIÉTUDES CHEZ LES QUANGEL

Le vendredi, les Quangel n'avaient toujours pas échangé une seule parole. Trois jours de silence, sans même se souhaiter le bonjour, ce n'était jamais arrivé depuis qu'ils s'étaient mariés. Même dans ses périodes les plus taciturnes, Quangel articulait malgré tout l'une ou l'autre phrase de loin en loin : compte rendu d'un petit événement à l'atelier, opinions sur le temps qu'il faisait ou sur le repas qui lui était servi. Mais, ce vendredi-là, rien du tout !

Ce nouveau comportement de son mari commençait à

inquiéter singulièrement Anna Quangel, et cette inquiétude l'emportait presque sur la peine que lui causait la mort de son fils. Elle aurait voulu ne penser qu'à son enfant, mais elle n'y parvenait pas, quand elle observait Otto Quangel, son mari, l'homme auquel elle avait voué les années les plus nombreuses et les meilleures de son existence. Que lui était-il arrivé?... Qu'est-ce que tout cela cachait?... Qu'est-ce qui avait bien pu le changer à ce point-là?

Dès le vendredi matin, Anna Quangel avait oublié toute sa colère et tous ses reproches. Même, elle lui aurait bien demandé pardon pour son apostrophe inconsidérée : « Toi et ton Führer. » Mais il était visible que Quangel ne pensait plus à ces reproches; et il ne pensait probablement même plus à Anna. Il la regardait en passant. Son regard la transperçait. Il se postait à la fenêtre, les mains dans les poches de sa veste de travail, et il sifflait lentement, pensivement, avec de longues pauses. Jamais encore il n'avait fait cela... À quoi pensait-il?... Qu'est-ce qui le troublait intérieurement à ce point?

Elle lui servit le repas, qu'il commença à manger. Un moment, elle l'observa de la cuisine. Son visage était penché sur l'assiette, mais c'est d'une façon toute mécanique qu'il portait la cuiller à la bouche; ses yeux sombres regardaient quelque chose qui n'était pas là.

Elle s'affaira de nouveau dans la cuisine, à réchauffer un restant de chou, bien décidée à lui adresser la parole en le lui servant. Dût-elle se faire rembarrer, elle romprait ce silence néfaste.

Mais, quand elle entra dans la pièce, Otto était parti. Son assiette était encore à moitié pleine. Avait-il deviné l'intention de sa femme et s'était-il esquivé comme un enfant désireux de prolonger sa bouderie? Avait-il tout simplement oublié de continuer à manger, à cause de ce qui semblait le troubler tellement?... De toute façon, il était parti, et elle devrait l'attendre jusqu'à une heure avancée de la nuit.

Mais, dans la nuit du vendredi au samedi, Otto rentra si tard de son travail, que, malgré toutes ses bonnes résolutions, Anna était déjà endormie lorsqu'il se mit au lit. Ce n'est que plus tard qu'elle fut réveillée par la toux de son mari. Elle demanda, avec circonspection :

— Dors-tu, Otto?

La toux cessa. Elle répéta :

— Dors-tu, Otto?

Et rien, pas de réponse. Ils demeurèrent longtemps silencieux tous les deux. Chacun savait que l'autre ne dormait pas. Ils n'osaient pas changer de position, pour ne pas se trahir. Finalement, ils s'endormirent.

Le samedi s'annonça encore plus mal. Otto s'était levé anormalement tôt. Avant qu'elle n'eût pu disposer le casse-croûte sur la table, il avait de nouveau disparu pour une de ces promenades matinales qu'il ne faisait jamais auparavant. À son retour, elle l'entendit de la cuisine, aller et venir dans la pièce. Quand elle entra avec le café, il plia soigneusement et mit dans sa poche une grande feuille de papier blanc qu'il était en train de lire près de la fenêtre.

Anna était sûre que ce n'était pas un journal. Il y avait trop de blanc, et les caractères étaient plus grands que ceux des journaux. Qu'est-ce que son mari pouvait bien avoir lu?... De nouveau, elle lui en voulut de toutes ces cachotteries. Elle dit pourtant :

— Le café, Otto!

Il tourna la tête et la regarda, comme étonné de ne pas être seul dans cet appartement, se demandant qui lui parlait. Il la regarda, comme quelqu'un qu'il aurait connu jadis et dont il ne se serait souvenu qu'au prix d'un gros effort. Il y avait un sourire sur son visage, dans ses yeux; jamais elle ne lui avait vu un sourire pareil. Elle fut sur le point de crier : « Otto! Otto! Ne me quitte pas, toi aussi, à présent! »

Mais, avant qu'elle eût pu s'y décider, il était passé devant elle et était sorti. De nouveau sans café (elle devrait le faire réchauffer). Elle soupira doucement :

– Quel homme !

Ne lui resterait-il donc absolument rien ?... Après le fils, le mari aussi serait-il perdu pour elle ?

Pendant ce temps, Quangel gagnait rapidement l'avenue de Prenzlau. Il ralentit le pas, lisant les plaques des portes, comme s'il avait cherché quelque chose de bien précis. Il s'arrêta devant une maison d'angle : deux avocats, un médecin, de nombreux bureaux...

Il poussa la porte, qui s'ouvrit aussitôt. Pas de concierge, dans une maison où il y a tant d'allées et venues. Il monta lentement l'escalier, en se tenant à la rampe ; un escalier de chêne qui avait été très « patricien » mais qui ne l'était plus du tout ; un usage intensif et la guerre l'avaient abîmé et sali, et le tapis avait disparu depuis longtemps.

Otto Quangel passa devant la porte d'un avocat, au rez-de-chaussée, et continua lentement son ascension. Il n'était pas seul dans cette cage d'escalier ; des gens allaient et venaient constamment, et il entendait sans cesse des sonneries, des claquements de portes, le timbre de téléphones, le bruit de machines à écrire et de voix.

Il vint pourtant un moment où Quangel eut l'escalier pour lui seul, du moins à l'étage où il se trouvait. Toute la vie semblait s'être retirée dans les bureaux. C'eût été le bon moment pour faire « cela » : tout était vraiment comme il l'avait prévu. Des gens affairés, qui ne se regardaient pas l'un l'autre ; des persiennes crasseuses ne laissant filtrer qu'une lumière grisâtre ; pas de portier, absolument personne qui s'intéressât aux faits et gestes d'autrui.

Quand Otto Quangel eut lu au premier étage la plaque du deuxième avocat et appris par une autre plaque que le médecin habitait au second étage, il hocha la tête d'un air satisfait, fit demi-tour et sortit de la maison. Inutile de chercher ailleurs. C'était exactement ce qu'il lui fallait. Et, des maisons semblables, il y en avait des milliers à Berlin.

Dans la rue, un jeune homme, dont la chevelure sombre fait paraître plus blanc encore le visage, accoste le contremaître :

— Herr Quangel, n'est-ce pas ? demanda-t-il... Herr Otto Quangel, de la rue Jablonski, n'est-ce pas ?

Quangel grommelle un « Et alors ? » évasif, qui peut être indifféremment acquiescement ou dénégation. Le jeune homme prend cela pour un acquiescement :

— Trudel Baumann m'a chargé de vous demander de l'oublier tout à fait. Votre femme également ne devrait plus rendre visite à Trudel. Il n'est pas nécessaire, Herr Quangel, que...

— Je ne connais pas de Trudel Baumann, dit Otto Quangel, et je souhaite qu'on ne me raconte pas de sornettes.

Son poing assène un « direct » au menton du jeune personnage, qui s'affaisse comme une chiffe. Sans y prêter attention, Quangel se perd parmi les gens qui commencent à se rassembler, évite de justesse un policier et gagne l'arrêt du tramway. Le convoi arrivé, il y monte et en descend deux arrêts plus loin, puis refait le trajet en sens inverse. C'est bien comme il l'avait pensé : la plupart des gens se sont déjà dispersés. Il y a encore dix ou douze curieux devant un café, dans lequel on a transporté la victime.

Celle-ci a repris connaissance. Pour la deuxième fois en quelques heures, Karl Hergesell a dû décliner son identité à un personnage officiel.

— Ce n'est vraiment rien, monsieur le Commissaire, assure-t-il. Je lui ai marché sur le pied par inadvertance, et il m'a donné un coup de poing... Non, pas la moindre idée de son identité. Avant que j'aie pu m'excuser, il m'avait déjà frappé.

Cette fois encore, Karl Hergesell peut s'en aller tranquille ; aucun soupçon à sa charge. Mais il comprend qu'il ne doit pas continuer à prendre des risques. Il est allé trouver cet ex-beau-père Otto Quangel uniquement pour assurer la sécurité de Trudel. À présent, en ce qui concerne ce Quangel, il peut être sans souci. Un rude gaillard, et méchant ! Certainement pas un bavard. Quelle façon de frapper, vite et dur !

Et c'était parce qu'un tel homme aurait peut-être pu parler, que Trudel avait failli être acculée à la mort ! Or, celui-là ne parlerait jamais – même pas devant les sbires. Et il semblait bien avoir pris le parti de ne pas s'intéresser aux affaires de Trudel. Ce qu'un crochet au menton peut parfois vous éclaircir les idées !

Karl Hergesell est tout rasséréné quand il arrive à l'atelier. Et quand il apprend, par une prudente enquête, que l'affaire est également éclaircie pour Grigoleit et pour le jouvenceau, il se sent soulagé. À présent, tout va bien. Il n'y a plus de cellule, mais il ne le regrette pas outre mesure : grâce à cela, Trudel vivra !

Au fond, il ne s'est jamais tellement intéressé à l'action politique.

Quangel prend le tramway pour rentrer chez lui ; mais il descend un arrêt plus loin que la rue Jablonski : deux précautions valent mieux qu'une. S'il est encore suivi, il s'expliquera seul à seul avec le type sans l'attirer chez lui. En ce moment, Anna n'est pas à même d'affronter une surprise désagréable. Il doit d'abord lui parler, et il le fera certainement. Anna tient une grande place dans ses projets. Mais il a d'autres choses à régler auparavant.

Et Quangel décide de ne pas rentrer chez lui avant d'aller travailler. Il renoncera au café et au déjeuner. Anna sera un peu inquiète, mais elle attendra et n'agira pas inconsidérément. Il a encore quelque chose à faire aujourd'hui. Demain, c'est dimanche, et il faut que tout soit prêt.

Il prend un autre tramway... Non, même ce jeune homme, auquel il a si vite fermé la bouche, ne lui cause pas de gros soucis. Personne sans doute ne le suit ; il croit plutôt que cet émissaire venait réellement de la part de Trudel. Elle avait donné à entendre qu'elle devrait avouer qu'elle avait manqué à sa parole. On lui avait naturellement interdit toute relation ultérieure avec lui, et elle avait envoyé ce jeune gamin, en messager. Tout ça ne présente pas le moindre danger. De purs enfantillages ! De vrais enfants, qui se sont embarqués dans un jeu auquel ils ne comprennent absolument rien. Lui, Otto Quangel, y voit un peu plus clair. Il sait ce qu'il va entreprendre. Mais il ne jouera pas ce jeu comme un enfant ; il étudiera chacune des cartes.

Il revoit Trudel devant lui, appuyée contre l'affiche sinistre dans le courant d'air. Il éprouve de nouveau ce sentiment d'angoisse qui s'était emparé de lui à la vue du visage de la jeune fille surmonté de l'inscription « *Au nom du peuple allemand* ». Au lieu de ces noms d'inconnus, il imagine... Non, non, c'est une affaire qui ne concerne que lui seul. Et Anna aussi, bien sûr. Il lui montrera qui est « son » Führer !

Au centre de la ville, Quangel fait d'abord des emplettes. Pour quelques pfennigs, il achète des cartes postales, un porte-plume, quelques plumes métalliques, un flacon d'encre. Ces achats, il les fait en partie dans un grand magasin, en partie dans une succursale de *Woolroorth*, en partie dans une papeterie. Finalement, après mûre réflexion, il achète encore une paire de gants, de tissu tout à fait ordinaire, qu'il obtient sans tickets.

Il s'installe alors dans une grande brasserie de l'Alexanderplatz, y boit un verre et obtient de manger sans timbres de ravitaillement. Cela se passe en 1940 ; le pillage des peuples vaincus a commencé, le peuple allemand n'a pas à supporter de grandes privations. En fait, on peut encore avoir presque tout, et à des prix qui ne sont pas encore exorbitants. Et quant à la guerre elle-même, elle se fait à l'étranger, loin de

Berlin. Bien sûr, des avions anglais survolent la ville de temps à autre et lâchent quelques bombes. Le lendemain, la population fait de longues promenades pour aller voir les destructions. La plupart rient et disent :

— S'il veulent en finir comme ça avec nous, il leur faudra cent ans. Auparavant, nous aurons rayé leurs villes de la surface de la terre.

Ainsi raisonne la foule ; et, à présent que la France a demandé l'armistice, le nombre de ceux qui tiennent ce langage a considérablement augmenté. La plupart des gens courent après le succès. Un homme comme Otto Quangel, qui se décide à quitter les rangs au moment où tout va bien, est une exception.

Il reste là, à réfléchir. Il a le temps. Et l'inquiétude des derniers jours l'a quitté. Depuis qu'il a inspecté cet immeuble et fait ces quelques petits achats, tout va s'accomplir, il ne doit plus se creuser la tête pour le reste. Ça se fera désormais tout seul. Le chemin est tracé devant lui, il lui suffit d'aller de l'avant, et il a déjà fait les premiers pas décisifs.

Quand le moment est venu, il paie et prend le chemin de l'atelier. Bien que la route soit longue, de l'Alexanderplatz, il va à pied. Tramways, repas, achats, lui ont déjà coûté assez cher : beaucoup trop ! Bien que Quangel soit décidé à mener une toute autre vie, il ne changera rien à ses habitudes. Il restera économe et se tiendra à l'écart des gens.

Finalement, le voilà de nouveau dans son atelier, l'œil à tout, taciturne et peu avenant, exactement comme avant. On ne voit rien de ce qui s'est passé en lui.

ENNO KLUGE SE REMET AU TRAVAIL

Quand Otto Quangel prit son service à l'atelier, il y avait six heures qu'Enno Kluge était déjà dans le sien, travaillant à un tour. Il lui avait été impossible de rester au lit ; malgré sa faiblesse et sa souffrance, il était allé à la fabrique.

L'accueil, il est vrai, n'avait pas été extrêmement cordial : mais il fallait s'y attendre.

Le chef lui avait demandé :

– Ah, te voilà de nouveau en visite chez nous, Enno. Combien de temps comptes-tu nous tenir compagnie, cette fois-ci ? Une semaine ou deux semaines ?

– Me voici de nouveau bien portant, chef, répondit Enno Kluge avec empressement. Je peux reprendre le travail. Vous allez voir.

– Bon ! bon ! fit le chef, assez incrédule.

Avant de s'éloigner, il regarda attentivement le visage d'Enno.

– Mais qu'as-tu donc au visage ? On t'a passé à la calandre ?

Enno baissa la tête sur son ouvrage et finit par répondre :

– Oui, c'est ça, chef : la calandre.

Tout songeur et ne cessant de le regarder, le chef crut comprendre l'affaire et dit :

– Peut-être cela t'a-t-il fait du bien. Maintenant, tu auras vraiment le cœur à l'ouvrage.

Là-dessus il s'en alla, laissant Enno Kluge tout heureux de l'interprétation donnée à ses ecchymoses. Si l'on croyait qu'il avait été rossé ainsi pour sa fainéantise, tant mieux. Il ne voulait en parler à personne. De cette manière, ses compagnons de travail lui feraient grâce de leurs questions. Tout au plus riraient-ils de lui derrière son dos, mais ils pourraient le faire à leur aise : ça lui était bien égal. Il voulait travailler à présent, et il leur en boucherait un coin.

Souriant modestement, Enno Kluge se fit inscrire à l'équipe volontaire du travail dominical. Quelques anciens, qui le connaissaient depuis un bon bout de temps, firent des remarques ironiques. Il se contenta de rire avec eux.

D'ailleurs l'erreur que le chef avait commise, en s'imaginant que c'est pour sa fainéantise qu'il avait été passé à tabac, cette erreur fut manifestement partagée par la direction, qui l'avait convoqué immédiatement après la pause de midi. Il se tenait là comme un accusé. De ses juges, l'un était en uniforme de l'armée, l'autre en uniforme des S.A., et un seul était en civil (encore portait-il également l'insigne du Parti). Et tout cela augmentait encore l'angoisse d'Enno.

L'officier de l'armée feuilleta un dossier et reprocha à Kluge tous ses manquements, d'une voix aussi indifférente que dégoûtée. Tel et tel jour, licencié de la Wehrmacht pour l'industrie d'armement. Dans l'entreprise à laquelle il avait été affecté, onze jours de travail, puis porté malade pour hémorragies stomacales. Trois médecins, deux hôpitaux... De nouveau bon pour le travail... Cinq jours de présence. Nouvelles hémorragies... etc.

L'officier mit le dossier de côté. Il regarda avec dégoût Enno Kluge, ou du moins le bouton supérieur de la veste d'Enno, puis il dit, en élevant la voix :

— À quoi penses-tu donc, cochon ?

Il cria soudain — mais on voyait qu'il criait sans raison spéciale, par pure habitude :

— Crois-tu pouvoir nous duper ici avec tes stupides hémorragies ? Je vais t'envoyer dans une compagnie disciplinaire. Là, on t'extirpera les boyaux, et tu sauras ce que c'est qu'une hémorragie !

L'officier cria encore de la sorte pendant quelque temps. Enno, depuis son service militaire, était habitué à ces coups de gueule ; ça ne pouvait l'effrayer spécialement. Il écoutait ces réprimandes, le petit doigt réglementairement à la couture de son pantalon civil, le regard fixé attentivement sur celui qui le tançait. L'officier devait-il reprendre haleine, Enno disait, du ton réglementaire, clair et net, mais sans humilité ni insolence, neutre en somme :

– Oui, mon lieutenant... À vos ordres, mon lieutenant.

À un moment, il réussit (sans résultat appréciable, il est vrai) à intercaler la phrase :

– Portez-moi guéri, mon lieutenant. Je vous le demande très respectueusement. Je vais travailler.

Aussi soudainement qu'il avait commencé à crier, l'officier arrêta les frais. Il ferma la bouche, détacha son regard du bouton supérieur de la veste de Kluge et le tourna vers son voisin en brun :

– Encore quelque chose ? demanda-t-il, dégoûté.

Oui, ce monsieur-là aussi avait encore quelque chose à dire ou plutôt à hurler – tous ces supérieurs semblaient ne pouvoir que crier avec les gens –. Il parla donc à grands cris de trahison envers le peuple, du sabotage du travail, du Führer qui ne souffrait aucun traître dans les rangs, et des camps de concentration où on apprenait à marcher droit.

– Et dans quel état viens-tu ici ? cria soudain le brun. Comment es-tu arrangé, cochon ?... C'est avec une gueule pareille que tu te présentes au travail ?... Tu as forniqué chez les femmes, sale bouc !... C'est là que tu as laissé tes forces. Et nous, ici, nous devrions te payer !... Où es-tu allé, où t'es-tu fait arranger de la sorte, misérable souteneur ?

– C'est à cause de la calandre, dit Enno, intimidé par le regard de l'autre.

– Qui, qui t'a arrangé ainsi ?... Je veux le savoir ! cria l'homme à la chemise brune.

Il brandissait le poing sous le nez d'Enno et il frappait le sol du pied.

À ce moment-là, toute pensée déserta le cerveau d'Enno Kluge. Sous la menace de nouveaux coups, beaux projets et prudence l'abandonnèrent. Il souffla, plein d'angoisse :

– À vos ordres !... Ce sont les S.S. qui m'ont arrangé comme ça.

Dans l'angoisse folle de cet homme, il y avait quelque chose de si convaincant, que les trois hommes le crurent sur-le-champ. Un sourire entendu, approbateur, parut sur leurs visages.

L'homme en brun cria encore :

— Tu appelles ça « arrangé » ?... Moi j'appelle ça : châtié, puni à bon droit... Comment cela s'appelle-t-il ?

— À vos ordres... Ça veut dire : puni à bon droit.

— Bon !... J'espère que tu retiendras la leçon... La prochaine fois, tu ne t'en tireras pas à si bon compte.. Sors d'ici.

Une demi-heure plus tard, Enno Kluge tremblait encore tellement qu'il ne pouvait faire son travail. Il fila furtivement aux W.-C., où le chef finit par le dénicher. Il le renvoya au travail avec force injures, puis demeura près de lui et constata que Kluge gâchait les pièces l'une après l'autre ; et ce furent de nouvelles invectives. Dans la tête du petit homme, tout tournait : injurié par le chef, raillé par ses camarades de travail, menacé de camp de concentration et de compagnie disciplinaire, il était incapable d'y voir encore clair. Ses mains, jadis si adroites, lui refusaient tout service. Il ne pouvait pas, et pourtant il devait ; sinon, il était tout à fait perdu.

Le chef lui-même vit finalement qu'il ne s'agissait pas cette fois de mauvaise volonté et de fainéantise.

— Si tu ne venais pas d'avoir été malade, je te dirais de commencer par te mettre au lit pendant deux jours et de te soigner.

Il ajouta en s'éloignant :

— Mais tu sais bien ce qui t'arriverait ensuite.

Oui, il le savait... Il continua donc, en essayant de ne pas penser à ses souffrances, à cette pression intolérable qui lui serrait les tempes. Un moment, l'acier qui étincelait en tournant l'attira comme un aimant. Il lui suffirait de mettre le doigt là-dedans, et il aurait la paix, il irait dans un lit, il pourrait s'étendre, se reposer, dormir, oublier. Mais il se rappela aussitôt que celui qui se mutilait volontairement était puni de mort. Il retira sa main...

Telle était la situation : mourir dans une compagnie disciplinaire, mourir dans un camp de concentration, mourir dans une prison. Voilà ce qui le menaçait quotidiennement, ce qu'il devait détourner de lui. Et il avait si peu de force!...

Dieu sait comment cet après-midi s'acheva; peu après 5 heures, il était dans le flot de ceux qui rentraient chez eux. Il avait aspiré au repos et au sommeil; mais quand il fut dans sa petite chambre d'hôtel, il ne put se résoudre à se coucher. Il ressortit pour acheter quelque chose à manger.

Revenu entre ses quatre murs, les vivres sur la table devant lui, le lit à côté de lui, il ne pouvait pas rester là. Il était comme pourchassé. Impossible de rester dans cette chambre. Il devait encore s'acheter quelques objets de toilette et chercher une blouse bleue chez un fripier.

Dans une droguerie, il se souvint d'une lourde valise, pleine d'objets lui appartenant, et qu'il avait dû laisser chez une certaine Lotte, dont le mari, rentrant en congé, l'avait brutalement jeté à la porte. Il sortit de la droguerie et prit un tramway. Il courrait le risque; il irait tout simplement chez cette femme. Il ne pouvait pourtant pas abandonner toutes ses affaires! L'horreur des désagréments ne l'arrêtait pas.

Il eut de la chance : elle était chez elle et le mari était absent.

– Tes affaires, Enno, dit-elle, je les ai mises dans la cave, pour qu'il ne les trouve pas... Attends, je vais chercher la clef.

Mais il l'étreignit, il s'abandonna sur la poitrine opulente. Les fatigues des dernières semaines avaient été trop pour lui; il fondit en larmes :

– Ah! Lotte, Lotte, loin de toi, je n'y tiens plus!... J'ai tellement besoin de toi!

Il sanglotait éperdument. Elle prit peur. Elle avait l'habitude des hommes, y compris les pleurnicheurs! mais alors ils

132

étaient saouls, et celui-ci était à jeun... Et puis, cet aveu qu'il avait besoin d'elle ! Il y avait des éternités que personne ne lui avait plus dit ça (en admettant que quelqu'un le lui eût jamais dit)...

Elle l'apaisa tant bien que mal :

— Il n'a que trois semaines de permission. Après ça, tu pourras revenir, Enno... Contiens-toi maintenant, reprends tes affaires avant qu'il n'arrive.

Il la suivit docilement, ne sachant que trop tout ce qui le menaçait.

Elle le conduisit encore jusqu'au tramway, l'aida à porter sa valise.

Enno Kluge regagna son hôtel, un peu soulagé malgré tout. Plus que trois semaines, dont quatre jours étaient déjà passés. Alors, l'autre retournerait au front, et lui, Enno, pourrait retourner dans le lit de la femme.

Enno avait bien cru se passer tout à fait de femmes ; mais ça n'allait pas, il ne pouvait vraiment pas.

En attendant le départ de l'autre, il pousserait également une pointe chez Tutti. Il voyait bien à présent qu'elles n'étaient pas si terribles, si on pleurait un peu dans leur giron. Alors elles allaient même jusqu'à vous aider. Il pourrait peut-être passer les trois semaines chez Tutti : cette chambre solitaire dans cet hôtel était trop triste.

Mais, malgré les femmes, il allait travailler, travailler, travailler ! Il ne ferait plus de bêtises, plus jamais. Il était guéri.

LA FIN DE FRAU ROSENTHAL

Le dimanche matin, Frau Rosenthal sortit d'un profond sommeil. Elle avait eu de nouveau un de ces cauchemars atroces qui troublaient à présent presque toutes ses nuits. Siegfried et elle étaient en fuite. Ils se cachaient. Leurs poursuivants passaient tout près d'eux, sans les voir ou en affectant de ne pas les voir. Puis Siegfried se mettait à courir, et elle ne pouvait pas courir aussi vite que lui. Elle criait : « Pas si vite, Siegfried!... Je ne peux pas te suivre!... Ne me laisse pas seule! »

Il s'élevait du sol, il volait, d'abord presque au ras des pavés, puis, prenant toujours plus de hauteur, il disparaissait au-dessus des toits. Elle était seule dans la rue de Greifswald. Ses larmes coulaient. Une grande main malodorante menaçait son visage et une voix murmurait à son oreille : « Vieille truie juive, je te tiens cette fois! »

Elle regarda le store de la fenêtre; la lumière du jour filtrait par les interstices. Aux terreurs de la nuit succédaient celles d'une longue journée qui commençait. Pendant son sommeil, elle avait de nouveau manqué le conseiller à la cour d'appel, le seul homme avec lequel elle pouvait parler. Elle s'était pourtant juré de rester éveillée. De nouveau ces douze heures de solitude en perspective?... Oh, elle ne pouvait plus l'endurer!... Les murs de cette chambre s'écrouleraient sur elle. Toujours le même visage blême dans le miroir!... Toujours recompter le même argent!... Non, cela ne pouvait continuer ainsi. Rien ne pouvait être plus terrible que cette claustration dans le désœuvrement.

Frau Rosenthal s'habille en hâte. Elle va à la porte, tire le verrou, ouvre doucement et inspecte le couloir. Tout est tranquille dans l'appartement, dans la maison aussi... Dans la rue les enfants ne mènent pas encore leur tapage; il doit être très tôt. Peut-être le conseiller est-il toujours dans sa bibliothèque? Peut-être a-t-elle encore le temps de lui dire bonjour, d'échanger avec lui deux ou trois mots, qui lui donneraient le courage de supporter une journée qui n'en finit pas.

Malgré la défense, elle s'y risque, traverse vite le couloir et pénètre dans la chambre du conseiller. Elle recule devant la clarté qui pénètre à flots par la fenêtre ouverte et s'effraie encore plus de la présence d'une femme, qui balaie le tapis de Zwickau. C'est une femme sèche et âgée : turban autour de la tête, balai en mains, c'est sûrement la femme de ménage.

À l'arrivée de Frau Rosenthal, cette femme a interrompu son travail. Elle contemple d'abord la visiteuse inattendue avec quelques battements rapides des paupières, comme si elle ne pouvait croire tout à fait à la réalité de ce qu'elle voit. Puis elle appuie le balai contre le bureau et commence à faire des mouvements défensifs des mains et des bras, tout en proférant de temps en temps un « chut! » aigu.

Frau Rosenthal, battant déjà en retraite, dit d'une voix suppliante :

– Où est le conseiller?... Il faut que je lui parle un instant.

La femme serre les lèvres et secoue énergiquement la tête. Puis, elle recommence ses mouvements et ses « chut! chut! » jusqu'à ce que Frau Rosenthal, à reculons, regagne sa chambre. Tandis que la femme de ménage ferme doucement la porte, elle se laisse tomber sur un siège et fond en larmes. Tout cela pour rien!... De nouveau un jour d'attente solitaire et absurde! Il se passe beaucoup d'événements dans le monde. Siegfried meurt peut-être en ce moment même. Ou bien une bombe allemande tue Eva... Mais elle doit continuer à rester ici, dans l'obscurité, à ne rien faire.

Elle secoue la tête avec véhémence : ce jeu ne peut continuer; s'il lui faut vivre perpétuellement traquée et dans l'angoisse, elle le fera à sa façon. Peut-être ne pourra-t-elle empêcher cette porte de se refermer définitivement sur elle, mais une chose est certaine : cette hospitalité ne lui fait aucun bien, malgré les bonnes intentions de l'hôte.

Prête à ressortir, elle se ravise, retourne à la table et prend le gros bracelet d'or avec les saphirs. De cette façon, peut-être...

Mais la femme n'est plus dans le studio, les fenêtres sont déjà refermées. Frau Rosenthal attend dans le couloir. Puis, entendant un bruit d'assiettes, elle s'avance dans cette direction et trouve la femme lavant la vaisselle dans la cuisine.

Elle lui tend le bracelet avec un regard suppliant, et dit en hésitant :

— Il faut vraiment que je parle au conseiller... Je vous en prie.

La domestique a froncé le sourcil, devant cette deuxième intrusion. Elle ne jette qu'un regard distrait au bracelet. Puis elle recommence à gesticuler, comme si elle ramait, en proférant les mêmes « chut!... chut!... » Devant cet épouvantail, Frau Rosenthal bat en retraite dans sa chambre, se précipite vers sa table de chevet et y prend le somnifère que lui a prescrit le conseiller. Elle n'en a encore jamais pris. Maintenant elle verse tous les comprimés (douze ou quatorze) dans le creux de sa main, va au lavabo et les fait fondre dans un verre d'eau. Elle veut passer la journée à dormir... Ce soir elle parlera au conseiller, et ils verront ensemble ce qu'il y a lieu de faire. Elle s'étend tout habillée, ramène sur elle le couvre-lit. Étendue sur le dos, elle attend le sommeil, qui semble vraiment venir. Dans son cerveau, les pensées torturantes, les visions d'effroi suscitées par l'angoisse, deviennent confuses. Ses yeux se ferment, ses membres se détendent; elle s'est déjà presque abandonnée dans le sommeil...

Et puis, c'est comme si, au seuil de ce refuge, une main la repoussait dans l'état de veille. Tout son corps s'est recroquevillé, comme secoué par une crampe.

De nouveau, elle gît sur le dos, regardant fixement le couvre-lit. Les mêmes pensées et les mêmes images continuent leur ronde obsédante. Puis, graduellement, tout cela s'estompe, les yeux se ferment, l'oubli est proche.

Mais encore une fois, au seuil du sommeil, le choc, la secousse, la crampe, contractent tout le corps de Frau Rosenthal; encore une fois, la voilà chassée du repos, de la paix.

Après trois ou quatre tentatives, elle perd l'espoir de dormir. Alors elle se lève, va lentement à la table, en chancelant un peu. Sous ses yeux se trouve la lettre à Siegfried qu'elle a commencée trois jours plus tôt ; plus loin, les billets de banque, les bijoux. Il y a aussi le plateau, avec le repas qui lui est destiné. Les autres matins, affamée, elle s'était jetée sur les plats : à présent, elle les regarde d'un œil indifférent. Elle ne peut pas manger...

Assise ainsi, Frau Rosenthal prend confusément conscience que les somnifères ont réalisé un changement en elle : s'ils n'ont pu lui procurer le sommeil, du moins lui ont-ils enlevé l'effrayante inquiétude du matin. Dans cette demi-torpeur, qui va parfois jusqu'à l'assoupissement, le temps lui paraît s'écouler, mais à un rythme qu'elle ne peut préciser. Une seule chose importe : voir s'achever ce jour d'épouvante.

Plus tard, un pas dans l'escalier la fait tressaillir. Elle essaie de se souvenir : peut-elle vraiment entendre quelqu'un monter l'escalier ? Sans s'arrêter à cette question, elle se concentre uniquement sur ce pas. C'est le pas d'un homme qui se traîne péniblement pour monter, s'arrêtant à chaque instant, puis, après un toussotement, reprend son ascension en s'agrippant à la rampe.

À présent, non seulement elle entend, mais encore elle voit. Elle voit clairement Siegfried, montant à pas feutrés dans la cage d'escalier silencieuse. Ils l'ont maltraité une fois de plus ; autour de sa tête, un bandage sommaire est déjà maculé de sang ; son visage est meurtri et souillé par les coups de poing. C'est dans cet état que Siegfried monte péniblement ; une respiration bruyante soulève sa poitrine, qu'ils ont bourrée de coups de pied...

Un instant encore, elle reste assise, ne pensant à rien de précis ; ni au conseiller, ni à l'accord qu'ils ont conclu. Elle sait seulement qu'il faut qu'elle soit là-haut, dans l'appartement conjugal. Que penserait Siegfried s'il le trouvait vide ? Mais comment s'arracher au fauteuil, à cet effroyable état de fatigue ?

Elle y arrive tout de même, prend le trousseau de clefs dans son sac, saisit le bracelet aux saphirs, comme si c'était un talisman capable de la protéger, et lentement, en titubant, sort de l'appartement. La porte se ferme derrière elle.

Réveillé finalement par sa femme de ménage, le conseiller à la cour arrive trop tard pour dissuader sa protégée de tenter cette incursion dans un monde plein de périls.

Il reste un moment dans l'embrasure de la porte, qu'il a doucement rouverte, et il tend l'oreille. Vers le haut, vers le bas... Il n'entend rien. Soudain un bruit de bottes rapide, énergique, le fait se retirer chez lui, mais il ne quitte pas son poste de guet, derrière la porte. S'il y a encore une possibilité de sauver la malheureuse, il lui ouvrira encore une fois, malgré le danger que cela représente.

Frau Rosenthal n'a absolument pas remarqué qu'elle est passée près de quelqu'un dans l'escalier. Elle n'a qu'une seule pensée : atteindre le plus vite possible son appartement, avec Siegfried. Mais le chef de la Jeunesse Hitlérienne, Baldur Persicke, qui se rend à une réunion matinale, demeure tout ahuri. La Rosenthal ! La Rosenthal, qui a disparu depuis plusieurs jours, est en route, ce dimanche matin, dans une blouse brodée sombre, sans l'étoile de David, un trousseau de clefs et un bracelet dans une main, et de l'autre, s'accrochant péniblement à la rampe ! Ivre morte, complètement saoule, au petit matin de ce dimanche !

Baldur en demeure sur place, de plus en plus sidéré. Mais, quand Frau Rosenthal a disparu au détour de l'escalier, il rassemble ses idées... Le bon moment est venu ; à présent, il s'agit de ne pas commettre de bévue. Non, cette fois, il va régler l'affaire tout seul ; ni ses frères, ni son père, ni un Borkhausen ne la lui gâcheront !

Baldur attend que Frau Rosenthal ait atteint le palier des Quangel, puis il gagne doucement le logis paternel. Tout y est encore endormi. Il décroche le téléphone, forme un numéro, demande un certain poste. Il a de la chance : bien qu'on soit dimanche, il atteint l'homme qu'il lui faut. Brièvement, il dit ce qu'il a à dire. Puis, près de la porte qu'il a entrebâillée, il se résigne patiemment à monter la garde une demi-heure, ou même une heure s'il le faut. Pourvu que l'oiseau ne lui échappe pas une fois de plus !

Chez les Quangel, seule Anna est déjà éveillée et s'affaire sans bruit dans l'appartement. De temps en temps, elle regarde Otto, qui dort encore profondément. Il semble fatigué et tourmenté, même pendant son sommeil ; comme si quelque souci ne lui laissait aucun repos. Elle contemple pensivement le visage de l'homme avec lequel, jour après jour, elle a passé près de trente ans. Elle est habituée depuis longtemps à ce visage au profil en bec d'aigle, à la bouche mince, presque toujours fermée. Ce matin, il lui semble que le visage est devenu encore plus tranchant, la bouche encore plus mince, que les rides se sont creusées davantage. Otto a des soucis, et elle a négligé de lui en parler, de l'aider à porter le fardeau. Ce matin-là, quatre jours après avoir appris la mort de son fils, Anna Quangel est de nouveau fermement convaincue, non seulement qu'elle doit continuer à vivre avec cet homme comme auparavant, mais qu'elle a eu tort d'agir comme elle l'a fait. Elle aurait dû mieux le connaître. Il se tait plus volontiers qu'il ne parle ; c'est donc elle qui devrait toujours lui délier la langue ; de lui-même, cet homme ne dit jamais rien. Mais aujourd'hui, il parlera. Il le lui a promis cette nuit, en rentrant du travail.

Anna avait passé une mauvaise journée... Otto était parti sans déjeuner. Elle l'avait attendu en vain pendant des heures. Il n'était pas rentré pour le repas de midi. Pas la moindre apparition à son foyer... Tout cela avait mis Anna à deux doigts du désespoir.

Que s'est-il passé en cet homme, depuis qu'elle a eu cette parole trop prompte et inconsidérée. Qu'est-ce qui l'a poussé ainsi sans répit? Elle en est certaine, il n'a pensé qu'à une seule chose : lui démontrer que le Führer n'est pas « son » Führer. Comme si elle l'avait jamais pensé sérieusement! Mais pourquoi ne pas lui avoir encore dit que, seul, le désarroi où l'a plongée tout d'abord la triste nouvelle fut la cause de cette algarade? Elle aurait pu tout aussi bien dire beaucoup d'autres choses contre les criminels qui l'ont privée si absurdement de son fils : et il a fallu que ce fussent justement ces mots-là! Maintenant, Otto court partout et s'expose à tous les dangers possibles, pour lui prouver, de façon palpable, le mal qu'elle lui cause injustement! Peut-être un jour ne reviendra-t-il pas. Peut-être a-t-il dit ou fait quelque chose qui lui vaudra l'hostilité de la direction ou de la Gestapo. Peut-être est-il déjà au cachot! Cet homme, habituellement paisible, a paru si agité, dès le petit matin!

Anna Quangel n'y tient plus; elle ne peut plus l'attendre passivement. Après avoir préparé quelques tartines, elle prend le chemin de l'usine. Malgré son désir d'être rapidement fixée sur le sort de son mari, elle renonce au tramway et fait la route à pied. Comme lui, elle est économe de ses deniers.

Le portier de la fabrique lui apprend que le contremaître Quangel est arrivé à son travail avec sa ponctualité habituelle. Anna lui fait porter les tartines « oubliées » et attend le retour du messager.

— Alors, qu'est-ce qu'il a dit?

— Qu'est-ce qu'il aurait pu dire? Il ne dit jamais rien.

Maintenant elle peut rentrer, un peu rassurée. Il n'est encore rien arrivé. Et ce soir elle lui parlera.

Il rentre dans la nuit. La fatigue se lit sur son visage.

— Otto, dit-elle, je n'ai pas vraiment pensé cela... Ce n'est que dans la première émotion que ces paroles m'ont échappé... Ne sois plus fâché.

— Moi?...Fâché?...Contre toi?... Et pour ça?... Jamais!

— Mais tu veux faire quelque chose, je le sens bien!... Otto, ne le fais pas, ne te jette pas dans le malheur... Je ne pourrais jamais me le pardonner.

Il la regarde un instant, presque souriant. Puis il pose vite les deux mains sur les épaules de sa femme. Mais il les retire déjà, comme s'il avait honte de cet accès de tendresse :

— Ce que je vais faire?... Je vais dormir... Et demain je te dirai ce que *nous* allons faire.

Maintenant, le matin est venu et Quangel dort encore. Mais, à présent, peu importe une demi-heure de plus ou de moins! Il est près d'elle, il ne peut rien faire de dangereux, il dort.

Elle vaque à ses petits travaux ménagers.

Frau Rosenthal est arrivée à son appartement. Elle n'est pas surprise de le trouver fermé. Le désordre qui règne partout ne semble pas la frapper. Elle n'appelle, ni ne cherche son mari... Se souvient-elle seulement qu'en montant elle croyait le rattraper dans l'escalier?... L'engourdissement la gagne lentement, irrésistiblement.

Elle ne dort pas, mais n'est pas non plus éveillée. Son cerveau lui semble aussi pesant que ses membres. Des images surgissent, toutes floconneuses, et s'évanouissent avant qu'elle ait pu vraiment les distinguer. Elle est assise sur le divan, les pieds sur le linge souillé, et regarde de tous côtés, avec une sorte d'indolence. Dans la main, elle tient toujours les clefs et le bracelet serti de saphirs. Siegfried le lui a offert à la naissance d'Eva. Le bénéfice de toute une semaine... Elle sourit un peu.

Puis elle entend s'ouvrir la porte d'entrée, et elle sait que Siegfried arrive. C'est d'ailleurs pour cela qu'elle est montée... Elle veut aller à sa rencontre, mais reste assise, un sourire épanoui sur son visage tout gris. Elle le recevra ainsi, comme si elle n'était jamais partie.

La porte de la pièce s'ouvre à son tour. Au lieu du mari de Frau Rosenthal, ce sont trois hommes qui s'apprêtent à entrer. Dès qu'elle distingue parmi eux un des haïssables uniformes bruns, elle sait : « Ce n'est pas Siegfried ! Siegfried n'est pas ici ! »

Un peu d'angoisse se glisse en elle : mais si peu ! Tout cela est si lointain !

Lentement, le sourire s'efface de son visage, qui passe du gris au vert jaunâtre.

Les trois hommes sont maintenant à un pas d'elle. Elle écoute vaguement un gros lourdaud en pardessus noir :

— Elle n'est pas saoule, mon ami. Vraisemblablement, une dose de somnifère... Nous allons vite en extraire ce qu'il y a à en tirer... Vous êtes Frau Rosenthal ?

Elle fait un signe affirmatif.

— Oui messieurs, Lore, ou plus exactement Sara Rosenthal. Mon mari est à Moabit, deux fils aux États-Unis, une fille au Danemark, une autre mariée en Angleterre.

— Et combien d'argent leur avez-vous déjà envoyé ? demande le commissaire Rusch.

— De l'argent ?... Pourquoi donc, de l'argent ?... Ils en ont suffisamment... Pourquoi leur en enverrais-je ?

Elle incline la tête, gravement. Ses enfants vivent tous dans une confortable aisance ; ils pourraient, sans se priver, prendre à leur charge leurs parents. Tout à coup, elle se souvient de quelque chose, qu'elle doit absolument confier à ces messieurs. Elle dit, d'une voix pâteuse, qui devient de plus en plus indistincte :

— C'est ma faute... C'est ma seule faute... Siegfried voulait quitter l'Allemagne depuis longtemps. Mais je lui disais : « Pourquoi abandonner ici toutes ces belles choses, ce commerce prospère, les vendre pour trois fois rien? Nous n'avons jamais rien fait de mal à qui que ce soit... On ne nous fera rien de mal non plus. » Je l'ai persuadé. Sinon, nous serions partis depuis longtemps.

— Et où avez-vous mis votre argent? continue le commissaire, avec un peu plus d'impatience.

— L'argent?

Elle cherche à se souvenir. Il y en avait encore là. Qu'est-il devenu? Mais cet effort de concentration la fatigue; aussi s'avise-t-elle d'autre chose. Elle tend au commissaire le bracelet serti de saphirs :

— Tenez! dit-elle simplement. Tenez!

Le commissaire Rusch jette un regard rapide sur le bracelet, puis il tourne la tête vers les deux autres... Ce chef des Jeunesses Hitlériennes et ce Friedrich, un gros lourdaud aux allures d'aide-bourreau... Il voit que tous deux l'observent avec attention. Aussi repousse-t-il avec impatience la main qui tend le bracelet. Il prend la femme par les épaules et la secoue :

— Réveillez-vous, à la fin, Frau Rosenthal! crie-t-il. Je vous l'ordonne. Il faut vous réveiller.

Puis il l'abandonne. La tête tombe en arrière contre le dossier du divan, le corps se tasse sur lui-même; elle bégaie quelque chose d'incompréhensible. Ce moyen de la réveiller ne semble donc pas avoir été tout à fait efficace. Un moment, ils regardent tous trois en silence la vieille femme recroquevillée sur elle-même. Elle ne semble pas reprendre connaissance.

Le commissaire murmure tout à coup :

— Prends-la avec toi dans la cuisine, et tâche de la réveiller.

Le bourreau Friedrich se contente d'incliner la tête. Il soutient la femme et évite prudemment les obstacles épars sur le sol.

Quand il est à la porte, le commissaire crie encore :

— Arrange-toi pour qu'elle reste tranquille !... Je ne veux pas de scandale un dimanche matin dans une maison de rapport... Si ça ne va pas, nous irons rue du Prince-Albert... De toute façon, je l'emmènerai là-bas.

La porte se referme. Le commissaire et le chef des Jeunesses Hitlériennes sont seuls.

Le commissaire Rusch va à la fenêtre et regarde :

— Une rue tranquille, dit-il. L'idéal, pour les jeux des enfants.

Baldur Persicke confirme que la rue Jablonski est une rue paisible.

Le commissaire est un peu nerveux. Pas à cause de la présente affaire ; Friedrich arrange cela avec la vieille Juive dans la cuisine. De tels incidents n'émeuvent plus Rusch. Ayant raté ses études de droit, il s'est orienté vers la police, qui l'a passé ensuite à la Gestapo. Son service ne lui déplaît pas. Il le ferait volontiers sous n'importe quel régime, mais les méthodes expéditives de cette époque lui plaisent particulièrement.

— Surtout pas de rêveries sentimentales ! dit-il souvent aux débutants. Nous ne faisons notre devoir que lorsque nous atteignons notre but. La façon d'y arriver n'a aucune importance.

Non, le commissaire ne se préoccupe pas le moins du monde de la vieille Juive ; il n'est vraiment pas du genre sentimental.

Mais ce jeune, ce chef des Jeunesses Hitlériennes, ce Persicke, ne fait pas du tout son affaire. Il voit d'un mauvais œil un amateur dans ce genre de missions. On ne sait jamais au juste comment il réagira. Celui-ci semble de la bonne espèce ? D'accord, mais on n'en est vraiment certain qu'après coup.

Baldur Persicke ne veut pas prêter l'oreille du côté de la

cuisine ; ça, c'est l'affaire des deux autres. Il demande avec empressement :

— Avez-vous vu, monsieur le Commissaire ? Elle ne portait pas d'étoile de David.

— J'ai encore vu autre chose, dit pensivement le commissaire. J'ai vu par exemple que la femme avait des chaussures propres. Et dehors, il fait un temps de chien.

— Oui, opine Baldur Persicke, qui ne comprend pas.

— Donc quelqu'un doit l'avoir cachée ici, dans l'immeuble, depuis mercredi, en admettant qu'elle ait été absente de chez elle depuis lors, comme vous le dites.

— J'en suis presque certain, commence Baldur Persicke, un peu désarçonné par ce regard inquisiteur qui ne le quitte pas.

— « Presque certain », jeune homme ? répète le commissaire avec dédain. « Presque certain » ou rien, c'est la même chose.

— Je suis tout à fait certain, dit vite Baldur. Je suis prêt à jurer que Frau Rosenthal, depuis mercredi, n'était pas chez elle.

— Bon, bon ! fait le commissaire. Vous savez, naturellement, que vous ne pouvez pas, seul, avoir tenu l'appartement à l'œil depuis mercredi. Pas un juge ne vous croirait.

— J'ai deux frères dans la S.S., dit Baldur Persicke avec empressement.

— Ah bon ! se rassure le commissaire Rusch. À propos, je ne pourrai pas venir avant ce soir pour la visite domiciliaire... Peut-être, d'ici là, continuerez-vous à surveiller l'appartement ?... Vous avez sûrement la clef.

Baldur Persicke acquiesce avec une profonde satisfaction. Tout va se passer le plus légalement du monde.

— Il serait bon, dit le commissaire, en regardant de nouveau par la fenêtre, que tout reste en bon état. Naturellement, vous ne pouvez pas répondre de ce qui se trouve dans les armoires et dans les malles. Mais je parle du reste.

Avant que Baldur ait pu répondre, un grand cri d'angoisse, aigu, strident, a retenti dans l'appartement.

Le commissaire lance un juron, mais ne bouge pas.

Tout pâle, Baldur le regarde ; ses genoux se dérobent sous lui.

Le cri d'angoisse a été étouffé aussitôt ; on entend jurer Friedrich.

– Ce que je voulais dire, recommence lentement le commissaire...

Mais, toujours à l'écoute, il ne poursuit pas. Soudain, dans la cuisine, un grand tapage de jurons, et des pas précipités. Maintenant, Friedrich vocifère :

– Veux-tu tout de suite !... Veux-tu bien !...

Puis un cri aigu. Encore des blasphèmes. Une porte s'ouvre brusquement ; il y a un piétinement dans le couloir. Et Friedrich surgit dans la pièce en hurlant !

– Monsieur le Commissaire, monsieur le Commissaire !... Au moment où je l'avais amenée à parler raisonnablement, la charogne a sauté par la fenêtre !

Le commissaire le gifle furieusement.

– Maudit crétin, je te ferai étriper !... Va-t'en !... File !

Et il quitte précipitamment la pièce, il descend l'escalier quatre à quatre.

– Heureusement, c'est dans la cour ! crie Friedrich, pleurnichant et courant derrière lui. Elle est tombée dans la cour, pas dans la rue... Ça ne fera pas de scandale, monsieur le Commissaire.

Il ne reçoit pas de réponse. Tous trois dégringolent l'escalier en s'efforçant de troubler le moins possible la paix dominicale de l'immeuble. Baldur Persicke suit, à un demi-étage de distance. Il n'a pas oublié de bien fermer la porte de l'appartement qui lui a été confié. Rien ne doit disparaître. Il a conscience de sa responsabilité.

À trois, ils passent en courant devant l'appartement des Quangel, devant celui des Persicke, devant celui du conseiller Fromm. Plus qu'un étage, et ils sont dans la cour.

Pendant ce temps, Otto Quangel s'est levé, a fait sa toilette et regarde sa femme qui prépare le petit déjeuner dans la cuisine. Après ce repas, ils parleront ensemble ; en attendant, ils n'ont échangé qu'un « bonjour », mais avec cordialité. Dans la cuisine au-dessus d'eux, il y a eu un cri. Ils écoutent, se regardant l'un l'autre, effrayés et tendus. Puis, un instant, la fenêtre de leur cuisine est obscurcie par la chute de quelque chose de volumineux ; et ils entendent à présent la chose s'écraser lourdement dans la cour. En bas, quelqu'un crie. Un homme.

Otto Quangel ouvre brusquement la fenêtre, mais il recule en entendant du vacarme dans l'escalier.

— Mets vite la tête à la fenêtre, Anna ! dit-il. Peut être verras-tu quelque chose. Une femme se fait moins remarquer, dans ce genre de circonstances.

Il la prend par l'épaule et la serre très fort :

— Ne crie pas ! dit-il impérieusement... Il ne faut pas crier... Bon !... Referme la fenêtre.

— Mon Dieu, Otto ! gémit Anna Quangel, le visage livide, en regardant son mari... Frau Rosenthal est tombée par la fenêtre... Elle gît en bas, dans la cour... Borkhausen est près d'elle, et...

— Silence ! dit-il. Silence maintenant ! Nous ne savons rien. Nous n'avons rien vu et rien entendu. Sers le café dans la salle.

Et là, encore une fois, avec énergie :

— Nous ne savons rien, Anna... Nous n'avons presque jamais vu les Rosenthal... Maintenant, mange !... Mange, te dis-je... Et bois du café... Si quelqu'un vient, il ne doit rien remarquer.

Le conseiller Fromm était toujours à son poste d'observation. Il avait vu deux civils monter l'escalier. À présent ils étaient trois (y compris le jeune Persicke) à descendre avec une hâte folle. Quelque chose s'était donc passé. Bientôt, la servante du magistrat lui apporta la nouvelle que Frau Rosenthal venait de se jeter dans la cour. Il la regarda, épouvanté...

Un moment, il resta muet. Puis il secoua lentement la tête deux ou trois fois :

— Oui, Liese, dit-il, c'est comme cela. Il ne suffit pas de vouloir sauver quelqu'un, encore faut-il que ce quelqu'un vous aide.

Puis, rapidement :

— La fenêtre de la cuisine est-elle refermée ?

Liese inclina la tête.

— Vite, remets en ordre la chambre de mademoiselle. Personne ne doit voir qu'elle a été occupée... Fais disparaître la vaisselle et le linge.

De nouveau, Liese inclina la tête. Puis, elle demanda :

— Et l'argent et les bijoux qui sont sur la table, monsieur le Conseiller ?

Un moment, il resta perplexe.

— Ah, cela ! dit-il enfin, cela va compliquer les choses... Aucun héritier ne se présentera... Et pour nous, c'est très compromettant.

— Si je mettais le tout dans la poubelle ? proposa Liese.

Il secoua la tête :

— Pas dans la poubelle !... Ces finauds peuvent fort bien la fouiller... Je vais aviser... Occupe-toi vite de la chambre. « Ils » peuvent arriver à tout moment.

Mais « ils » étaient encore dans la cour, Borkhausen avec eux. Celui-ci avait eu sa part de frayeur, et largement. Il rôdait dans la cour depuis le matin, tourmenté par sa haine pour les Persicke et par son avidité pour le butin qui lui avait échappé. Voulant tout au moins savoir quelque chose, il faisait le guet, observant cage d'escalier et fenêtres.

Soudain un corps était tombé tout près de lui, à le frôler. Il avait été pris d'une telle peur qu'il avait dû s'appuyer contre le mur de la cour, puis s'asseoir à même le sol ; mais il s'était relevé aussitôt en constatant qu'il était assis à côté de Frau Rosenthal... Mon Dieu, la vieille femme s'était jetée par la fenêtre !... Et il connaissait le coupable...

Borkhausen vit tout de suite que la femme était morte. Un peu de sang avait coulé de sa bouche, mais sans l'enlaidir. Sur son visage, il y avait une telle expression de paix profonde que le misérable petit mouchard dut détourner les yeux. Son regard tomba sur les mains de la morte, et il vit que l'une d'elles tenait un bijou dont les pierres brillaient.

Borkhausen regarda tout autour de lui. S'il voulait faire quelque chose, il fallait agir sans délai. Il se baissa et, sans oser poser les yeux sur la morte, s'empara du bracelet et le fit disparaître dans la poche de son pantalon. De nouveau, il jeta un regard circulaire. Il lui sembla, que chez les Quangel, on avait fermé la fenêtre de la cuisine avec des précautions infinies.

À ce moment, trois hommes arrivèrent en courant dans la cour ; deux d'entre eux étaient bien connus de Borkhausen. Il s'agissait maintenant de bien s'y prendre.

— Frau Rosenthal vient de se jeter par la fenêtre, monsieur le Commissaire, dit-il comme s'il avait annoncé un événement d'une banalité toute quotidienne... Et elle a bien failli me tomber sur la tête.

— Comment me connaissez-vous donc ? demanda le commissaire, tout en se penchant sur la morte avec Friedrich.

— Je ne vous connais pas, monsieur le Commissaire, dit Borkhausen. Mais je me suis douté de votre qualité... C'est que j'ai parfois travaillé pour monsieur le Commissaire Escherich.

— Tiens ! Tiens ! dit seulement le commissaire. Alors, restez encore un moment ici. Et vous, jeune homme, dit-il en se tournant vers Persicke, assurez-vous que ce gaillard ne se défile pas. Friedrich, fais en sorte que personne ne vienne dans la cour. Recommande au chauffeur de surveiller les lieux. Je vais vite téléphoner dans l'appartement de la morte.

Quand le commissaire Rusch revint, la situation dans la cour s'était quelque peu modifiée. À toutes les fenêtres du bâtiment sur cour, il y avait des visages. Quelques curieux stationnaient également, mais à distance. Le cadavre était à présent recouvert d'une couverture. Celle-ci, trop courte, laissait voir, jusqu'aux genoux, les jambes de Frau Rosenthal. Le sieur Borkhausen avait, lui, le visage quelque peu décomposé et portait des menottes. De loin, sa femme et ses cinq enfants l'observaient silencieusement.

— Monsieur le Commissaire, je proteste! cria Borkhausen, à présent lamentable... Je n'ai absolument pas jeté le bracelet dans le soupirail de la cave!... Le jeune Persicke me déteste.

Friedrich, revenant après avoir obéi aux ordres, avait commencé sur-le-champ à chercher le bracelet. Dans la cuisine, Frau Rosenthal avait eu encore en main ce bijou. C'est même parce qu'elle n'avait absolument pas voulu le lâcher que Friedrich, pris d'un certain dépit, avait été distrait; la femme en avait profité pour sauter par la fenêtre. Le bracelet devait donc être ici, quelque part dans la cour.

Pendant que Friedrich commençait ses recherches, Borkhausen s'appuyait au mur de l'immeuble. Soudain, Baldur Persicke avait vu briller quelque chose. Un léger bruit dans le soupirail de la cave l'avait alerté. Il était allé voir aussitôt : le bracelet s'y trouvait.

— Je ne l'ai absolument pas jeté, monsieur le Commissaire, protestait Borkhausen, dans son angoisse. Il doit être tombé là au moment de la chute de Frau Rosenthal.

— Tiens, tiens! dit le commissaire Rusch... Tu es donc un oiseau de cet acabit?... Un oiseau de ce genre travaille donc pour mon collègue Escherich?... Cela le réjouira énormément de l'apprendre!

Mais, tandis que le commissaire monologuait paisiblement de la sorte, son regard allait de-ci de-là, de Borkhausen
à Baldur Persicke. Puis Rusch poursuivit :

— Bon, je pense que tu ne verras pas d'objection à faire
avec nous une petite promenade?... Non?

— Mais non, assura Borkhausen.

Il tremblait, et son visage devenait de plus en plus blême.

— Je vous accompagnerai volontiers... Je tiens avant tout à
ce que tout soit tiré au clair, monsieur le Commissaire.

— Bon, ça va bien, dit sèchement celui-ci.

Et, après un regard rapide à Persicke :

— Friedrich, enlève-lui les menottes... Il nous accompagnera bien comme ça.

— Certainement!... Volontiers! assura Borkhausen avec
empressement... Je ne m'enfuirai pas... D'ailleurs, vous me
rattraperiez quand même partout, monsieur le Commissaire.

— Très juste! dit Rusch, toujours aussi sec... Un oiseau de
ton genre, nous l'attraperions partout.

Il s'interrompit :

— L'ambulance est là? Et la police? Finissons-en rapidement avec tout ça. J'ai encore beaucoup à faire ce matin.

Après « en avoir fini rapidement avec tout ça », le
commissaire Rusch et le jeune Persicke montèrent encore
une fois à l'appartement des Rosenthal.

— Histoire de fermer la fenêtre de la cuisine! avait dit le
commissaire.

Dans l'escalier, le jeune Persicke s'arrêta tout à coup :

— N'avez-vous pas remarqué quelque chose, monsieur le
Commissaire? chuchota-t-il.

— J'ai remarqué diverses choses. Mais toi, qu'as-tu donc
noté, mon garçon?

— Ne remarquez-vous pas combien la maison est paisible?... Personne, dans l'immeuble, ne s'est montré aux
fenêtres, tandis que dans le bâtiment sur la cour on regardait

à l'envi... C'est bizarre... Ceux d'ici doivent pourtant avoir aussi remarqué quelque chose, mais ils veulent jouer à ceux qui n'ont rien vu. Vous devriez sur-le-champ perquisitionner chez eux, monsieur le Commissaire.

— Et je commencerais par les Persicke, répondit le commissaire, tout en continuant paisiblement son ascension. Chez eux non plus, personne n'a regardé par la fenêtre.

Baldur eut un rire embarrassé :

— Mes frères de la S.S., expliqua-t-il, se sont saoulés hier soir.

— Mon gars, poursuivit le commissaire comme s'il n'avait rien entendu, ce que je fais, c'est mon affaire, et ce que tu fais te regarde. Je n'ai pas besoin de tes conseils. Tu es encore trop novice.

Amusé en son for intérieur, il regarda par-dessus son épaule le visage de l'adolescent :

— Si je ne fais pas de perquisitions ici, c'est uniquement parce qu'ils ont eu tout le temps pour mettre en lieu sûr tout ce qui pourrait être compromettant... Et pourquoi tant de raffut pour la mort d'une Juive ? J'ai assez à faire avec les vivants !

À l'appartement des Rosenthal, Baldur ouvrit. Dans la cuisine, ils fermèrent la fenêtre et redressèrent une chaise renversée.

— Voilà ! dit le commissaire Rusch en regardant autour de lui. Tout va pour le mieux.

Il prit les devants pour entrer dans la pièce principale et s'assit sur le canapé, à l'endroit précis où une heure plus tôt, Frau Rosenthal avait sombré dans une inconscience totale. Il s'étendit confortablement et dit :

— Voilà, mon gars. Et maintenant, apporte-nous une bouteille de cognac et deux verres.

Baldur s'en fut, puis revint et versa l'alcool. Ils trinquèrent.

— Bien, mon gars, dit le commissaire, très détendu, en allumant une cigarette... Et maintenant, raconte-moi un peu ce que toi et Borkhausen avez déjà fait précédemment dans cet appartement.

Il dit plus vite, en voyant le tressaillement du jeune Baldur Persicke :

— Réfléchis bien, mon gars... Le cas échéant, j'emmène rue du Prince-Albert, même un chef des Jeunesses Hitlériennes, s'il est vraiment par trop imprudent... Donc, songe à ne pas maltraiter la vérité... Peut-être celle-ci restera-t-elle tout à fait entre nous. Et maintenant, voyons ce que tu as à raconter.

Et comme il voyait que Baldur hésitait :

— J'ai fait également quelques constatations... Des observations, dirons-nous. Par exemple, j'ai vu les traces de tes semelles de bottes, là, sur la literie ; or, tu n'es pas encore allé dans ce coin-là aujourd'hui. Et comment as-tu su si vite qu'il y avait du cognac ici, et où il se trouvait ? Et que penses-tu de tout ce que Borkhausen est prêt à me raconter, dans sa frousse ? Dois-je vraiment rester ici pour t'entendre débiter des mensonges ? Tu es encore trop jeune pour ça.

Baldur dut en convenir, et il raconta son histoire.

— Bon ! dit finalement le commissaire. Bien sûr, chacun fait ce qu'il peut : les imbéciles font des bêtises, et les malins en font souvent d'encore plus grandes. Mais après tout, mon gars, en fin de compte tu as été malin de ne pas essayer d'en faire accroire au père Rusch. Ça ne doit pas rester sans récompense. Qu'est-ce qui te ferait plaisir ici ?

Les yeux de Baldur brillèrent. Un moment plus tôt, il était complètement découragé ; à présent, l'espoir renaissait.

— L'appareil de radio avec le tourne-disque et les disques, monsieur le Commissaire, murmura-t-il avidement.

— Ça va, fit gracieusement le commissaire... Je t'ai dit que je ne reviendrai pas ici avant six heures... À part ça, encore quelque chose ?

— Peut-être une ou deux valises de linge, demanda Baldur... Ma mère en est terriblement à court.

— Dieu, que c'est touchant! ironisa le commissaire. Un si bon fils, prenant tellement à cœur les intérêts de sa mère!... À la bonne heure! Mais après cela, point final! Pour le reste, tu es responsable envers moi. Et j'ai une sacrée bonne mémoire pour ce genre de choses; tu ne m'aurais pas si facilement... Bien entendu, en cas de doute, perquisition chez les Persicke. Et procès-verbal : trouvé un appareil de radio avec tourne-disque, deux valises de linge. Mais ne crains rien, mon gars : aussi longtemps que tu seras régulier, je le serai aussi.

Il alla vers la porte et dit encore en se retournant :

— Surtout, si ce Borkhausen réémergeait ici, pas de querelles avec lui... je ne veux pas de ça. Compris?

— Bien, monsieur le Commissaire, répondit docilement Baldur Persicke.

Et les deux hommes se séparèrent là-dessus, après cette matinée fructueusement employée.

LA PREMIÈRE CARTE EST ÉCRITE

Ce dimanche ne fut pas aussi fructueux pour les Quangel; en tout cas, il ne permit pas à Anna d'avoir avec son mari l'entretien qu'elle souhaitait si ardemment. Quangel s'était dérobé à ses questions répétées :

— Non, maman, pas aujourd'hui... Le jour a trop mal commencé pour que je puisse faire ce que j'avais projeté. Donc je préfère ne pas t'en parler. Ce sera peut-être pour un autre dimanche... As-tu entendu?... Un des Persicke doit être de nouveau dans l'escalier? Qu'importe, s'ils nous laissent en paix.

Pourtant, ce dimanche-là, Otto fit preuve d'une tendresse tout à fait inhabituelle. Anna put lui parler de leur fils tant qu'elle le voulut. Il regarda même avec elle les quelques photos qu'elle possédait du disparu. Quand elle se mit à pleurer, il posa une main sur son épaule et lui dit doucement :

– Laisse, maman, laisse... Qui sait tout ce que cette mort lui a peut-être épargné !

Tel quel, ce dimanche avait donc été un bon dimanche, et il y avait longtemps qu'Otto n'avait plus eu tant de douceur pour Anna. C'était comme un ultime rayon de soleil, sur un paysage que l'hiver allait recouvrir de neige et de glace. Plus tard, Anna devait évoquer souvent ce dimanche-là, qui lui était tout à la fois une consolation et un encouragement.

Puis ce fut une nouvelle semaine de travail ; une de ces semaines identiques aux autres, été comme hiver. Le travail était toujours le même, et les hommes ne changeaient guère.

Il n'y eut qu'un événement, d'ailleurs de minime importance. En se rendant à l'usine, Quangel avait croisé dans la rue Jablonski le conseiller Fromm. Il l'aurait volontiers salué, mais il craignait les regards des Persicke tout autant que ceux de Borkhausen (qui, aux dires d'Anna, avait été pris par la Gestapo). Il ne répondit ni au bref salut, ni au sourire du conseiller.

« Parfait ! se dit-il avec satisfaction. Un témoin éventuel se dirait certainement que Quangel est toujours le même ours mal léché, tandis que le conseiller à la Cour est un homme bien élevé... Mais il ne croirait certainement pas qu'il y ait un lien quelconque entre ces deux hommes. »

La semaine se passa sans autre péripétie, et ce fut un nouveau dimanche. Apporterait-il enfin à Anna la conversation tant attendue ?

Otto s'était levé tard, mais il était détendu et de bonne humeur. Pendant le petit déjeuner, elle lui jetait parfois un regard à la dérobée, comme pour l'encourager, mais il ne parut pas le remarquer ; il mangeait lentement, en mastiquant tout à loisir.

Anna ne se résolut que difficilement à débarrasser la table. Cette fois, ce n'était vraiment pas à elle de parler la première. Il lui avait promis pour le dimanche cette discussion, et il tiendrait certainement parole ; toute invitation venant d'elle eût ressemblé à une indiscrétion.

Elle se leva donc avec un léger soupir et porta les tasses et les assiettes dans la cuisine. Quand elle revint pour prendre la corbeille à pain et la cafetière, Otto était agenouillé devant un tiroir de la commode et y fouillait. Anna Quangel ne pouvait se rappeler ce qu'il y avait au juste dans ce tiroir.

— Cherches-tu quelque chose, Otto ?

Mais il ne répondit que par un grognement. Aussi se retrancha-t-elle de nouveau dans la cuisine, pour laver la vaisselle et préparer le repas de midi. Il ne voulait pas ! Une fois de plus, il ne voulait pas !... Et, plus que jamais, elle avait la conviction que quelque chose changeait en lui, quelque chose qu'elle ignorait encore, alors qu'elle aurait dû le savoir.

Plus tard, quand elle revint dans la pièce pour éplucher les pommes de terre à côté de son mari, elle le trouva installé à la table dont il avait enlevé le napperon. Il y avait étalé ses couteaux à sculpter, et déjà de petits copeaux jonchaient le sol tout autour de lui.

— Que fais-tu donc, Otto ? demanda-t-elle avec un étonnement sans bornes.

— C'est pour voir si je suis encore capable de sculpter, répondit-il.

Elle était un peu irritée. Otto avait beau ne pas être grand psychologue, il devait pourtant se douter de l'impatience avec laquelle elle attendait les explications qu'il avait promis de lui donner. Et voilà qu'il avait exhumé ses couteaux à sculpter et qu'il tripotait ses petits morceaux de bois, tout à fait comme au début de leur mariage, lorsqu'il la mettait au désespoir par son éternel silence ! Alors, elle n'avait pas autant qu'aujourd'hui l'habitude de ce mutisme, qui pourtant aujourd'hui lui semblait encore plus intolérable... Justement aujourd'hui!...Sculpter du bois! Grands dieux, voilà tout ce que cet homme trouvait à faire après de tels événements! Ce silence si âprement défendu, allait-il le rendre plus insupportable encore? Y aurait-il de longues heures pendant lesquelles il sculpterait du bois sans prononcer une parole?... Pour elle, quelle nouvelle et cruelle désillusion!... Mais elle ne pourrait pas la supporter aussi passivement que toutes les autres.

Inquiète, au bord du désespoir, elle regardait pourtant avec une certaine curiosité le morceau de bois long et épais qu'il tournait pensivement dans ses grosses mains et dont il faisait sauter çà et là quelques copeaux.

— Qu'est-ce que ce sera, Otto? demanda-t-elle, un peu malgré elle.

L'idée l'avait effleurée qu'il fabriquait un élément destiné à une bombe. Mais n'était-ce pas pure folie, d'aller imaginer cela?... Qu'est-ce qu'Otto pourrait bien faire avec des bombes?... D'ailleurs, le bois entrait-il dans la fabrication de ces engins?

À cette question presque involontaire, Otto parut d'abord ne vouloir répondre de nouveau que par un grognement. Mais il s'avisa peut-être que, ce matin, il avait exigé un peu trop d'Anna. Ou peut-être était-il tout simplement disposé à s'expliquer.

— Ce sera une tête, dit-il. Je veux voir si je suis encore capable de sculpter une tête... Jadis, j'ai sculpté beaucoup de têtes de pipes.

Et il se remit à travailler son morceau de bois.

— Des têtes de pipes?... Voyons, Otto, réfléchis!... Le monde s'écroule, et tu penses à des têtes de pipes!... Quand j'entends ça!...

Il ne semblait faire grand cas ni de sa colère ni de ses paroles.

— Naturellement, ce ne sera pas une tête de pipe... Je veux seulement voir si je suis capable de sculpter notre garçon tel qu'il était.

La mauvaise humeur d'Anna tourna court sur-le-champ. Ainsi, c'était au petit qu'il pensait! Et s'il pensait au petit, et songeait à sculpter une image de lui, c'est qu'il pensait aussi à elle et qu'il voulait lui faire plaisir. Elle se leva de sa chaise, laissant là ses pommes de terre, et dit :

— Attends, Otto, je t'apporte les photos. Pour que tu saches comment notre petit était réellement...

Il eut un mouvement de refus :

— Je ne veux pas voir de photos. Je veux évoquer Otto par la sculpture, tel que je l'ai ici en moi.

Il se toucha le front. Après un silence, il ajouta encore :

— Si j'en suis capable!

Elle était tout émue. Leur fils vivait donc également en lui; il avait en lui une image bien nette de leur fils. À présent, elle était curieuse de voir comment serait ce visage.

— Tu y arriveras sûrement, Otto, dit-elle.

— Bon, dit-il seulement.

Leur entretien était terminé. Anna devait regagner la cuisine. Elle le laissa donc travailler lentement ce morceau de bois de tilleul, dont il enlevait patiemment copeau après copeau.

Quand elle revint, elle fut très surprise de trouver la table débarrassée et recouverte de son napperon. Quangel, à la fenêtre, regardait la rue Jablonski et les jeux bruyants des enfants.

— Eh bien, Otto, demanda-t-elle, déjà fini, la sculpture?

— Je ne travaillerai plus aujourd'hui.

À l'instant même, elle comprit que le fameux entretien était imminent. Otto, cet être incroyablement persévérant, pouvait toujours attendre le moment opportun. Rien ne pouvait l'amener à mettre quelque précipitation dans ce qu'il avait décidé de faire.

Ils mangèrent en silence. Puis, pendant qu'elle rangeait la cuisine, il resta sur le divan, regardant fixement devant lui. Quand elle revint, une demi-heure plus tard, il était encore comme elle l'avait quitté. Cette patience inaltérable, et l'impatience qu'elle éprouvait, la mettaient dans une agitation fébrile. Elle ne pouvait plus attendre davantage. Et lui, il était parfaitement capable d'être encore comme ça à quatre heures ou même le soir !

— Eh bien, Otto, qu'y a-t-il?... Pas de sieste aujourd'hui, comme tous les dimanches?

— Aujourd'hui n'est pas comme « tous les dimanches »... « Tous les dimanches » sont définitivement révolus.

Il se leva brusquement et sortit de la pièce.

Mais, cette fois, elle n'avait pas l'intention de le laisser repartir sans autre forme de procès, pour une de ses expéditions mystérieuses dont elle ne connaissait toujours pas l'objet.

Elle le suivit :

— Non, Otto, commença-t-elle...

Il était à la porte du palier, dont il venait de mettre la chaîne. Il leva la main pour demander le silence et écouta attentivement. Puis il fit un signe de la tête et la précéda dans la pièce. Quand elle le rejoignit, il avait repris sa place sur le divan ; elle s'assit à côté de lui.

— Si on sonne, Anna, dit-il, n'ouvre pas avant que je...

— Qui sonnerait donc, Otto? fit-elle avec impatience... Qui viendrait donc chez nous?... Allons, dis-moi ce que tu as à me dire !

— Je vais parler, Anna, répondit-il avec une douceur inhabituelle... Mais si tu me presses, tu me rendras la chose plus difficile.

Elle toucha vivement sa main, la main de cet homme pour lequel se confier avait toujours été si pénible.

— Je ne te presserai pas, Otto, dit-elle, apaisante... Prends ton temps.

Mais il commença aussitôt à parler. Il parla pendant près de cinq minutes d'affilée, en phrases lentes, décousues ; entre deux phrases, il fermait sa bouche aux lèvres minces, comme si décidément plus rien n'était venu. Tout en parlant, il avait le regard fixé sur quelque chose qui se trouvait derrière Anna.

Celle-ci tenait les yeux fixés sur le visage de son mari. Elle lui était presque reconnaissante de ne pas la regarder, tant elle avait de mal à dissimuler le désappointement qui l'envahissait. Mon Dieu, qu'est-ce que cet homme avait imaginé ! Elle avait pensé à de grandes actions (et elle les avait craintes pour lui), à un attentat contre le Führer, ou tout au moins à un combat acharné contre les bonzes du Parti.

Et que voulait-il faire ? Autant dire rien !... Quelque chose de dérisoire, d'insignifiant, tout à fait dans sa ligne ; quelque chose de calme, qui ne pouvait en rien troubler sa tranquillité. Il voulait écrire des cartes ! Des cartes postales, avec des appels contre le Führer et le Parti, contre la guerre, pour éclairer ses semblables. C'est tout... Et ces cartes, il ne comptait nullement les envoyer à des gens bien déterminés, ni les coller sur les murs comme des affiches. Non, il voulait simplement les déposer dans les escaliers des immeubles où il y avait beaucoup d'allées et venues, les abandonner là, sans savoir aucunement qui les ramasserait, ni si elles ne seraient pas aussitôt foulées aux pieds ou déchirées... Tout en elle s'élevait contre cette façon de faire la guerre dans l'ombre. Elle voulait être active ; il lui fallait faire quelque chose dont on vît le résultat.

Mais Quangel, arrivé à la fin de son exposé, semblait n'attendre de sa femme aucun jugement, aucun avis. Elle était là sur le divan, luttant avec elle-même. Ne ferait-elle pourtant pas mieux de lui dire quelque chose ?

Il s'était levé et était retourné écouter à la porte. Quand il revint, il enleva de nouveau le napperon de la table, le plia et le posa soigneusement sur le dossier de la chaise. Puis il alla au vieux bureau d'acajou, prit dans sa poche son trousseau de clefs, ouvrit un tiroir et y fouilla.

Anna se décida. Elle dit en hésitant :

— Ce que tu veux faire, Otto, n'est-ce pas un peu vain ?

Il arrêta ses recherches et tourna la tête vers sa femme :

— Que ce soit vain ou non, Anna, dit-il, s'ils nous attrapent, ça nous coûtera la tête.

Il y avait quelque chose de si terriblement convaincant dans ces paroles, dans le sombre regard impénétrable avec lequel il la regardait à cette minute, qu'elle frissonna de la tête aux pieds. L'espace d'un moment, elle vit distinctement devant elle la cour en pierres grises de la prison, la guillotine dressée ; dans l'aube blême, l'acier du couperet ne brillait pas ; c'était comme une menace muette.

Anna Quangel tremblait. Elle regarda de nouveau Otto. Il avait peut-être raison : que ce fût peu ou beaucoup, personne ne pouvait faire plus que risquer sa vie. Chacun selon ses forces et ses aptitudes : le principal était de résister.

Quangel la regardait silencieusement, comme s'il avait suivi le combat qui se livrait en elle. Son regard s'éclaira ensuite ; il retira la main du tiroir, se redressa et dit, presque en souriant :

— Mais ils ne nous auront pas si facilement ! S'ils sont rusés, nous pouvons l'être également. Rusés et prudents... Prudents, Anna ! Toujours sur nos gardes !... Plus longtemps nous combattrons, plus longtemps nous agirons... Il ne sert à rien de mourir trop tôt... Nous devons vivre : assister encore à leur chute. Alors, nous pourrons dire : « Nous étions aussi de la partie ! »

Il avait dit ces mots presque en plaisantant. Tandis qu'il furetait de nouveau, Anna, soulagée, se rejeta en arrière sur le divan. Un fardeau lui avait été enlevé. À présent, elle était également persuadée qu'Otto projetait quelque chose de grand.

Il disposa sur la table son flacon d'encre, ses cartes postales serrées dans une enveloppe, les énormes gants blancs. Il déboucha le flacon, brûla la plume avec une allumette et la trempa dans l'encre. Puis, il mit cérémonieusement les gants, retira une carte de l'enveloppe, la posa devant lui. Il fit un signe à Anna, qui, d'un regard attentif, avait suivi chacun de ses mouvements. Il désigna les gants et dit :

– Pour les empreintes digitales, tu comprends!

Il prit la plume et dit doucement, mais avec une certaine emphase :

– La première phrase de notre première carte sera : « Mère! le Führer m'a tué mon fils. »

De nouveau, elle frissonna : il y avait quelque chose de décidé et de sinistre dans ces paroles! Elle comprit à cet instant que, par cette première phrase, il avait déclaré la guerre, aujourd'hui et à jamais. Confusément, elle comprit ce que cela signifiait. D'un côté, eux deux, les pauvres petits travailleurs insignifiants, qui pour un mot pouvaient être anéantis pour toujours. Et de l'autre côté, le Führer et le Parti, cet appareil monstrueux, avec toute sa puissance, tout son éclat, avec derrière lui les trois quarts, oui, les quatre cinquièmes de tout le peuple allemand. Et eux deux, seuls ici, dans cette petite chambre de la rue Jablonski!...

Elle regarda son mari. Pendant qu'elle songeait à tout cela, il était arrivé au troisième mot de la première phrase. Avec une patience infinie, il traçait le F de *Führer* :

– Laisse-moi écrire, Otto, proposa-t-elle. J'irai beaucoup plus vite.

Il commença par grogner, mais il expliqua quand même :

– Ton écriture... Tôt ou tard, ils nous attraperaient, à cause de ton écriture... Moi tu vois, j'écris un peu comme si c'était imprimé.

Il se remet à écrire silencieusement, comme s'il dessinait. Oui, tel est son plan : il croit n'avoir rien oublié... Son écriture évoque celle qu'on voit sur les plans d'architecte décorateur; personne ne peut en deviner l'auteur. Naturellement, tracée par ses mains inexpertes, elle paraît très grossière et massive. Mais cela n'a pas d'importance. Ainsi la carte prend des allures d'affiche et attire immédiatement l'attention. Il continue à tracer consciencieusement ses lettres.

Anna sent qu'il lui faudra apprendre la patience pour cette longue guerre clandestine. Mais à présent elle est tranquillisée : Otto n'a rien négligé, on peut se fier à lui en toutes circonstances. Il a tout prévu. La première carte est inspirée par la mort de leur enfant : c'est du petit qu'il est question. Ils ont eu un fils; le Führer l'a assassiné; maintenant ils écrivent des lettres. Une nouvelle période de leur vie... Extérieurement, rien n'a changé; mais intérieurement tout s'est transformé. La lutte commence.

Prenant son nécessaire de couture, elle se met à raccommoder des chaussettes. De temps à autre, son regard se pose sur Otto, qui, sans accélérer le mouvement, trace toujours ses lettres. Après chacune de celles-ci, il tend la carte à bout de bras et la contemple les yeux plissés. Puis il hoche la tête. Une fois terminée la première phrase, qui s'étale largement, il la montre à Anna.

— Tu ne pourras pas en mettre beaucoup sur une carte comme celle-là, dit-elle.

— Peu importe! Il y en aura encore beaucoup d'autres.

— Et une carte comme celle-là prend beaucoup de temps.

— J'en écrirai une par dimanche. Deux peut-être, plus tard... La guerre ne touche pas encore à sa fin. Le massacre continue.

Il est inébranlable. Sa décision est prise et il s'y tiendra. Rien ne peut le démonter; personne ne pourra arrêter Otto Quangel sur la route qu'il a choisie.

Il dit :

— Deuxième phrase : « Mère, le Führer tuera aussi tes fils. Il ne s'arrêtera pas, même quand il aura porté le deuil dans toutes les maisons du monde. »

– « Mère, le Führer tuera aussi tes fils ! » répète-t-elle.
Puis, d'un ton approbateur :

– Écris ça.

Elle réfléchit :

– On devrait déposer cette carte là où viennent des femmes.

Après un temps de réflexion, il répond :

– Non. Quand les femmes sont prises d'effroi, on ne sait pas ce qu'elles peuvent faire... Un homme glissera vite une carte dans sa poche, et plus tard en prendra connaissance. Beaucoup penseront à leur mère.

Il se tait de nouveau et se remet à écrire. L'après-midi s'écoule ; ils ne pensent pas au goûter. Finalement le soir est là et la carte est terminée. Il se lève et la regarde encore une fois.

– Voilà, dit-il, ça y est. Dimanche prochain la deuxième

Elle approuve de la tête.

– Quand la mets-tu en circulation ? murmure-t-elle.

– Demain dans la matinée.

– Laisse-moi t'accompagner, pour cette première fois.

Il secoue la tête :

– Non. Pas la première fois... Je dois d'abord voir comment ça se passera.

– Quand même ! insiste-t-elle, c'est ma carte !... C'est la carte de la mère.

– Bon !... Accompagne-moi... Mais seulement jusqu'à l'immeuble... À l'intérieur, je veux être seul...

– C'est bien.

La carte est glissée prudemment dans un livre, le nécessaire à écrire est mis de côté, les gants sont glissés dans une poche du pardessus.

Ils prennent le repas du soir et parlent à peine. Mais, même Anna ne remarque pas les silences. Tous deux sont fatigués, comme s'ils avaient accompli un lourd travail, ou fait un long voyage.

— Je me couche tout de suite, fait-il en quittant la table.

— Et moi, je finis vite à la cuisine... Puis je viens aussi... Dieu, que je suis fatiguée! Et nous n'avons pourtant rien fait!

Il la regarde en esquissant un sourire, va dans la chambre à coucher et commence à se déshabiller.

Plus tard, dans l'obscurité, ils ne parviennent pas à s'endormir. Ils se tournent et se retournent, et finalement commencent à se parler. Dans l'obscurité, on parle mieux.

— Quel effet penses-tu que feront nos cartes? demande Anna.

— Tous commenceront par éprouver un choc en les voyant et en lisant les premiers mots. Car aujourd'hui tout le monde a peur.

— Oui, dit-elle. Tous.

« Presque tous ont peur, pense-t-elle... Nous, non. »

— Ceux qui les trouveront, répète-t-il après y avoir réfléchi cent fois, auront peur d'être observés dans l'escalier. Ils dissimuleront vite les cartes et s'éloigneront rapidement... Ou bien, ils les déposeront de nouveau, et le suivant viendra.

— Ce sera comme ça, dit Anna.

Et elle se représente la cage d'escalier : une cage d'escalier mal éclairée, comme elles sont toutes à Berlin. Tous ceux qui liront ces cartes auront soudain l'impression d'être des criminels. Tous donneront raison à l'auteur; mais on n'a pas le droit de penser ainsi, puisque la mort plane sur ceux qui ont de telles pensées.

— Beaucoup, poursuit Quangel, s'empresseront de remettre la carte au chef de bloc du Parti, ou à la police, pour s'en débarrasser au plus vite. Mais cela ne fait rien; qu'ils soient du Parti ou non, dirigeants politiques ou policiers, ils liront tous la carte, elle fera sur eux son effet elle leur prouvera qu'il y a encore une résistance, que tout le monde ne suit pas le Führer.

– Non, dit-elle. Pas tout le monde... Nous, non.

– Et ils deviendront plus nombreux, Anna. Par nous ils deviendront de plus en plus nombreux. Peut-être donnerons-nous à d'autres l'idée d'écrire ce genre de carte. Finalement, il y en aura des douzaines, des centaines à faire comme moi et à écrire. Nous inonderons Berlin de ces cartes, nous saboterons les machines, nous renverserons le Führer, nous mettrons fin à la guerre.

Il s'arrête, consterné de ses propres paroles, par ces rêves qui envahissent, si tard, son cœur généralement froid.

Mais Anna Quangel s'écrie, enthousiasmée par cette vision :

– Et nous aurons été les premiers !... Personne ne le saura, mais nous le savons.

Il dit, tout à coup dégrisé :

– Peut-être y en a-t-il déjà beaucoup qui pensent comme nous... Des milliers d'hommes doivent déjà être tombés... Peut-être y en a-t-il déjà beaucoup qui écrivent des cartes de ce genre... Mais qu'importe, Anna...! Qu'est-ce que ça peut nous faire ?... C'est nous qui faisons cela.

– Oui, dit-elle.

Et lui, encore une fois entraîné par les perspectives de l'entreprise commencée :

– Et nous mettrons en branle la police, la Gestapo, les S.S., les S.A... Partout on parlera du mystérieux auteur de ces cartes... Ils vont poursuivre, soupçonner, observer, perquisitionner. En vain !... Nous continuerons à écrire, nous continuerons toujours !

Et elle :

– Peut-être montreront-ils de ces cartes au Führer lui-même... Lui-même les lira... Nous l'accusons !... Il sera furieux !... Il entre toujours en fureur dès que quelque chose ne va pas selon sa volonté... Il donnera l'ordre de nous trouver, et on ne nous trouvera pas !... Il devra continuer à lire nos accusations.

Ils se taisent tous les deux, éblouis par cette espérance. Qu'étaient-ils il y a encore un instant? Ils avaient mené des existences inconnues, dans un grand fourmillement sombre. Et à présent les voilà tout seuls, tous les deux unis, élevés sur le pavois. Il fait un froid glacial autour d'eux, tant ils sont seuls.

Et Quangel se voit dans l'atelier, pourchassant et pour-chassé, veillant à tout. Pour ses hommes, il sera toujours le vieux fou de Quangel, uniquement soucieux de son travail et de sa ladrerie. Mais son cerveau recèle des idées qu'aucun de ceux-là ne pourrait avoir. Ils périraient de peur, s'ils avaient de telles idées. Mais lui, le vieil idiot de Quangel, il a ces idées! Il est là, et il leur donne le change à tous.

Anna Quangel pense à présent au chemin qu'ils suivront tous deux demain pour déposer la première carte. Elle est un peu mécontente d'elle-même : pourquoi n'a-t-elle pas insisté pour entrer dans l'immeuble aux côtés de son mari?... Elle le lui demandera peut-être encore... Peut-être!... En général, Otto Quangel n'est pas homme à se laisser fléchir par des prières. Mais ce soir, qui sait, puisqu'il semble être de si bonne humeur?... Si elle le lui demandait maintenant?

Mais elle a mis trop de temps à se décider. Quangel s'est déjà endormi... Elle verra demain... Si l'occasion se présente, elle le demandera...

Et elle s'endort aussi.

ON DÉPOSE LA PREMIÈRE CARTE

Elle n'ose lui en parler qu'en arrivant dans la rue. Otto a été, ce matin-là, très avare de paroles.

— Où comptes-tu déposer la carte, Otto?

Il répond d'un ton bourru :

— Ne parle pas de ça maintenant!... Pas ici!

Il ajoute, à contrecœur :

— J'ai choisi un immeuble de la rue de Greifswald.

— Non! s'écrie-t-elle résolument en s'arrêtant net. Non, ne fais pas ça, Otto!... Ce serait une erreur.

— Viens! dit-il, fâché... Je t'ai dit de ne pas parler de ça ici, dans la rue.

Il poursuit sa marche, et elle le suit. Mais elle persiste à parler :

— Pas si près de chez nous!... Si la carte tombe aux mains des policiers, ils auront tout de suite un point de repère... Allons jusqu'à l'Alexanderplatz.

Il réfléchit... Elle a peut-être raison... Oui, elle a certainement raison!... On doit tout prévoir. Et pourtant, cette modification soudaine de ses plans ne l'arrange guère. S'ils vont à l'Alexanderplatz, le temps sera compté et Quangel doit arriver à l'heure à son travail. De plus, il ne connaît là aucun immeuble très fréquenté. Bien sûr, il y en a certainement beaucoup, mais encore faut-il choisir minutieusement. Ce serait plus simple si sa femme n'était pas là à le déranger.

Il se décide brusquement :

— Soit! dit-il... Tu as raison, Anna... Allons Alexanderplatz.

Elle le regarde à la dérobée, avec reconnaissance, heureuse qu'il ait accepté cette fois un conseil venant d'elle. Et puisqu'il vient de la rendre si heureuse, elle ne veut pas encore lui demander de la laisser l'accompagner dans l'immeuble. Soit, qu'il aille seul! En attendant son retour elle sera un peu anxieuse. Mais pourquoi, au juste? Elle ne doute pas un instant qu'il reviendra. Il est calme et froid; il ne se laisse pas prendre au dépourvu. Même capturé par la Gestapo, il ne se trahirait pas; il reconquerrait sa liberté.

Tandis que, toute à ses réflexions, elle marche à côté de lui, ils sont passés de la rue de Greifswald à la Rue Neuve du Roi. Elle n'a même pas remarqué combien les yeux d'Otto examinaient attentivement les immeubles. Voilà qu'il s'arrête tout à coup, alors qu'ils ont un bout de chemin à faire jusqu'à l'Alexanderplatz. Et il dit :

— Regarde cette vitrine... Là... Je reviens tout de suite.

Il traverse déjà la voie du tramway et se dirige vers un grand immeuble, occupé par des bureaux.

Le cœur d'Anna se met à battre à grands coups. Elle voudrait lui crier :

« Non ! Nous étions convenus que ce serait Alexanderplatz. Restons encore ensemble jusque-là !... Dis-moi au moins adieu ! »

Mais la porte s'est déjà refermée sur lui.

Avec un profond soupir, Anna se tourne vers l'étalage. Mais elle ne voit rien de ce qui y est exposé. Elle appuie le front contre la vitre froide ; sa vue se trouble, son cœur bat si fort qu'elle peut à peine respirer et qu'il lui semble que tout son sang lui afflue au visage.

« Donc, j'ai quand même peur ! se dit-elle... Pour l'amour de Dieu, qu'Otto ne le remarque jamais ! Il ne me prendrait plus avec lui... Mais je n'ai pas vraiment peur... Je n'ai pas peur pour moi... J'ai peur pour lui... S'il ne revenait pas !... »

Malgré elle, elle se retourne vers l'immeuble aux bureaux. La porte s'ouvre. Des gens vont et viennent. Pourquoi Quangel ne reparaît-il pas ? Il doit être parti depuis cinq, non, dix minutes... Pourquoi l'homme qui vient de sortir de la maison court-il ainsi ? Serait-ce pour appeler la police ? Ont-ils attrapé Quangel, dès la première fois ?

« Oh, je n'en peux plus !... Qu'a-t-il entrepris là ?... Et moi qui croyais que c'était quelque chose d'aisé ! Une fois par semaine, être en danger de mort. Deux fois par semaine, s'il arrive à écrire deux cartes ! Et il ne voudra pas toujours que je l'accompagne... j'ai bien vu ce matin que ma proposition ne lui plaisait pas du tout. Il ira seul, il déposera seul les cartes, et de là il se rendra à l'usine (ou bien il n'y reviendra jamais), et moi, à la maison, je l'attendrai dans l'angoisse... je le sens, cette angoisse ne cessera plus, et je ne m'y ferai jamais. Voilà Otto! Enfin! Non, ce n'est pas lui... ce n'est encore pas lui! Il s'est sûrement passé quelque chose, il doit y avoir un quart d'heure qu'il est parti... cela ne peut pas durer si longtemps! Je vais à sa recherche. »

Elle fait trois pas en direction de l'immeuble, puis se ravise. La voilà de nouveau devant la vitrine.

« Non, je ne le suivrai pas, je n'irai pas à sa recherche. Je ne dois pas perdre mon sang-froid, dès la toute première fois. C'est mon imagination qui travaille... il y a du va-et-vient comme toujours... et Otto n'est sûrement pas parti depuis un quart d'heure. Je vais regarder ce qu'il y a à l'étalage... des soutiens-gorge, des ceintures... »

Pendant ce temps, Quangel est entré dans l'immeuble. C'était la présence de sa femme qui l'avait décidé à abréger les recherches. Il craignait qu'elle ne discutât à propos de chaque immeuble. Mieux valait se décider pour le premier immeuble venu, qu'il fût excellent ou exécrable.

Celui-ci est très mauvais. Clair et moderne, il est occupé par de nombreux bureaux. À l'entrée, se trouve un portier en uniforme gris.

Quangel passe devant lui en le regardant avec indifférence. Ayant prévu qu'on pourrait lui demander le but de sa visite, il a noté que l'avocat Toll a son bureau au quatrième étage. Mais le portier ne lui demande rien; il s'entretient avec quelqu'un et ne jette à Quangel qu'un regard rapide et distrait. Otto s'apprête à monter l'escalier, quand il entend le bruit d'un ascenseur... Voilà, il n'avait pas pensé à cela : dans ces immeubles modernes, on utilise rarement l'escalier.

Quangel monte tout de même. Le jeune liftier pensera ce qu'il voudra : que c'est un vieux bonhomme qui se méfie des ascenseurs, ou qui ne doit aller qu'au premier étage... ou bien il ne pensera rien du tout. De toute façon, cet escalier n'est emprunté par personne, dirait-on. Le contremaître, arrivant au deuxième étage, n'a encore rencontré qu'un jeune garçon de bureau qui descendait quatre à quatre, mais qui ne l'a même pas regardé. Il pourrait déposer la carte n'importe où. Mais il n'oublie pas une seconde que l'ascenseur, par les vitres duquel on pourrait l'observer, passe à tous moments. Il lui faut aller encore plus haut, et attendre que l'ascenseur soit tout en bas; à ce moment-là, il pourra agir.

Entre deux étages, il s'arrête en face d'une des hautes baies et regarde dans la rue. Alors il met un gant à sa main droite et tâte prudemment, pour ne pas la froisser, la carte qui est là, toute prête. Il la saisit entre deux doigts.

En faisant cela, Otto Quangel a vu qu'Anna n'est plus à son poste devant la vitrine; elle se tient au bord de la chaussée et regarde vers l'immeuble, attirant l'attention par la pâleur extrême de son visage. Elle ne lève pas le regard jusqu'à lui, mais contemple les portes du rez-de-chaussée. Avec mauvaise humeur, il secoue la tête, fermement décidé à ne plus jamais permettre à sa femme de l'accompagner dans de telles expéditions. Évidemment, elle a peur pour lui! Mais pourquoi? Elle devrait avoir peur pour elle-même, tant elle s'y prend mal. C'est elle qui les met tous les deux en danger.

Il continue son ascension. À la fenêtre suivante, il regarde de nouveau dans la rue, et il voit qu'Anna est retournée à son poste. Bien, très bien, elle a dominé sa crainte! C'est une femme courageuse. Il ne lui parlera pas de tout cela.

Tout à coup Quangel prend la carte, la dépose prudemment sur l'appui de fenêtre, puis, tout en redescendant, enlève son gant et le met dans sa poche.

Après avoir descendu quelques marches, il regarde encore une fois derrière lui. Elle est là, en pleine lumière; il peut encore voir la grande écriture lisible qui s'étale sur sa première carte. Chacun pourra la lire! Et la comprendre aussi! Quangel a un sourire farouche.

Au même moment, il entend qu'une porte s'ouvre à l'étage du dessus. Celui qui vient de quitter ce bureau, trouvant trop long d'attendre l'ascenseur, va-t-il descendre par l'escalier et trouver la carte? Quangel n'a qu'un étage d'avance. Si cet inconnu court, il peut facilement rattraper Quangel. Celui-ci n'ose pas courir. Que penserait-on d'un homme âgé qui descend l'escalier à la vitesse d'un écolier? Non, cela attire l'attention. Et il ne peut pas attirer l'attention. Personne, dans cette maison, ne doit se souvenir de l'avoir vu.

Cependant il descend les marches de pierre à une allure relativement rapide, en tâchant de deviner si l'homme a réellement emprunté l'escalier. En ce cas, l'homme a certainement vu la carte; il n'est pas possible de ne pas la voir. Mais Quangel n'entend plus rien. L'ascenseur, tout étincelant, monte et le dépasse.

À la sortie, il se mêle à un groupe d'ouvriers, qui arrivent justement de la cour.

Il suit la chaussée et rejoint Anna.

— C'est fait, dit-il.

Voyant briller le regard de sa femme et trembler ses lèvres, il ajoute :

— Personne ne m'a vu.

Et encore :

— Viens, allons-nous-en. J'ai encore juste le temps d'aller à pied à l'usine.

Tout en marchant, ils jettent encore tous les deux un regard vers l'immeuble dans lequel la première carte de Quangel vient de prendre le départ. C'est un bon immeuble. Si nombreux que soient ceux qu'ils visiteront dans les mois et les années à venir, ils n'oublieront jamais celui-là.

Anna Quangel voudrait bien caresser furtivement la main de son mari, mais elle n'ose pas. Alors elle l'effleure, comme par mégarde, et dit, toute saisie :

— Pardon, Otto.

Il la regarde à la dérobée avec étonnement, mais garde le silence.

Ils continuent leur chemin.

Deuxième partie

LA GESTAPO

LE CHEMIN DES CARTES

L'acteur Max Harteisen avait encore à se faire pardonner quelques peccadilles, antérieures à l'avènement du nazisme. Il avait joué dans des films réalisés par des Juifs et dans des films pacifistes. L'un de ses grands rôles au théâtre avait été ce gringalet de « prince de Hombourg », que tout véritable national-socialiste ne pouvait que honnir. Max Harteisen avait donc eu toutes les raisons du monde d'être très prudent. Pendant tout un temps, il avait même été très douteux qu'il pût encore jouer sous le règne des seigneurs tout de brun vêtus. Mais cela s'était finalement arrangé.

Bien sûr, il dut commencer par observer une certaine réserve. Il lui fallut céder le pas à des acteurs d'un brun bon teint, même quand leur talent était loin de valoir le sien. Mais il était parvenu pourtant à attirer l'attention du ministre Goebbels en personne, qui s'était mis à raffoler de lui.

Quand le ministre daignait honorer quelqu'un de son estime, d'ailleurs fort inconstante, il ne faisait guère de différence entre les femmes et les hommes. Le Dr Goebbels se mit donc à téléphoner chaque matin à l'acteur Harteisen, comme il l'eût fait à une bien-aimée. Il s'informait de la façon dont il avait passé la nuit, lui faisait envoyer des bonbons et des fleurs, comme à une diva, et il n'y avait guère de jour où le ministre ne passât au moins quelques instants avec Harteisen. Il alla jusqu'à emmener l'acteur avec lui au congrès du Parti à Nuremberg, lui donnant une foule d'aperçus orthodoxes sur le national-socialisme. Et Harteisen comprit tout ce qu'il devait comprendre.

La seule chose qu'il ne comprit pas, c'est qu'un simple citoyen véritablement national-socialiste ne devait jamais contredire un ministre. Or, dans une discussion sans aucune importance à propos de cinéma, Harteisen soutint carrément un avis opposé à celui du sieur Goebbels ; bien plus, il lui laissa entendre que ses propos ressortissaient à la bêtise. Nul ne sait si c'est bien ce problème de cinéma sans importance qui avait à ce point irrité l'acteur, ou bien s'il en avait tout simplement assez de l'admiration béate du ministre. En tout cas, malgré maintes exhortations, il resta sur ses positions : ministérielles ou non, des bêtises restaient des bêtises...

Comme le monde changea alors pour Max Harteisen ! Plus d'amicales enquêtes sur la qualité de son sommeil, plus de pralines, plus de fleurs, plus de visites au Dr Goebbels ! Mais tout cela eût encore été supportable ; peut-être était-ce même souhaité. En revanche, du jour au lendemain, il n'y eut plus d'engagement ; des contrats en bonne et due forme furent rompus, des représentations annulées. Bref, il n'y avait plus rien à faire pour l'acteur Harteisen.

Or celui-ci n'aimait pas seulement sa profession pour ses avantages matériels : c'était un véritable artiste, dont la vie ne trouvait son vrai sens que sur la scène ou devant la caméra. Cette inaction forcée le mit au désespoir. Il ne pouvait et ne voulait pas croire que le ministre, qui avait été son meilleur ami pendant un an et demi, s'était transformé en ennemi. Ennemi assez vil pour abuser de sa puissance en privant autrui de toute joie de vivre, et cela pour une simple discussion. (En 1940, ce brave Harteisen n'avait pas encore compris que chaque nazi était toujours prêt à enlever non seulement la joie de vivre, mais encore la vie tout court, à tout Allemand qui avait une opinion différente de la sienne.)

Mais comme le temps passait, et qu'aucune possibilité de travail n'apparaissait à l'horizon, Max Harteisen dut bien finir par se rendre à l'évidence. Des amis l'informèrent que le ministre, au cours d'une conférence sur le cinéma, avait déclaré que le Führer ne voulait plus jamais revoir à l'écran cet acteur en tenue d'officier. Puis il fut notifié, de façon tout à fait officielle, que l'acteur Harteisen était « indésirable ». Être mis à trente-six ans sur la liste noire – et pour un Reich qui devait durer mille ans !...

À présent, le malheureux était vraiment dans de beaux draps. Mais il ne se tint pas pour battu, et mena sa petite enquête personnelle. Il voulait savoir à tout prix si c'était au Führer lui-même qu'il devait son effondrement, ou si ce n'était qu'une basse vengeance de ce nabot de Goebbels.

Et ce lundi, Max Harteisen, ne doutant plus de sa victoire, s'était précipité chez Erwin Toll, son avocat et son ami, en s'écriant :

– Ça y est !... Ça y est, Erwin !... Le fourbe a menti !... Le Führer n'a même pas vu le film dans lequel j'incarnais un officier prussien. Il n'a jamais rien dit contre moi.

Et il affirma avec ardeur que ses informations étaient absolument certaines, puisqu'elles émanaient de l'entourage de Goering lui-même.

L'avocat contemplait toute cette agitation d'un air un peu moqueur :

– Et alors, Max, qu'est-ce que ça change ?

L'acteur murmura, interdit :

– Mais enfin, Erwin, Goebbels a bel et bien menti !

– Et après ?... As-tu jamais pris pour vérités tout ce que dit le petit boiteux ?

– Non, bien sûr... Mais si on portait l'affaire devant le Führer ? Goebbels a abusé du nom du Führer !

— Oui, et le Führer va flanquer à la porte un vieux cama-rade du Parti, ministre de la Propagande, uniquement parce qu'il a fait de la peine à Harteisen !

L'acteur eut un regard comme un appel au secours :

— Quand même, Erwin, on doit pouvoir faire quelque chose pour moi ! J'ai bien le droit de travailler et Goebbels m'en empêche injustement.

— Oui, dit l'avocat. Bien sûr !

Il se tut. Devant le regard implorant de Harteisen, il pour-suivit :

— Tu es un enfant, Max. Vraiment un grand enfant. Nous sommes ici entre nous ; cette porte est bien capiton-née, et nous pouvons nous entretenir à cœur ouvert... Tu n'es pourtant pas sans connaître, au moins superficiellement, les injustices qui se commettent aujourd'hui en Allemagne, dans les larmes et dans le sang ; des injustices à vous fendre le cœur. Oui, personne ne s'en soucie. Pour un peu, on se glo-rifierait de cette honte. Mais, parce que l'acteur Harteisen a un petit bobo, il découvre tout à coup qu'il se passe des scé-lératesses dans le monde, et il réclame justice... Max !

Harteisen dit, accablé :

— Que dois-je donc faire, Erwin ?

— Ce que tu dois faire ? Mon Dieu, c'est pourtant tout à fait clair... tu te retires avec ta femme dans un joli patelin à la campagne et tu t'y tiens tranquille. Avant tout, tu mets un point final à ces bavardages déraisonnables concernant « ton » ministre, et tu t'abstiens de colporter l'interview de Goering. Sinon, il pourrait se faire que le ministre t'en fasse voir encore bien d'autres...

— Combien de temps devrai-je rester ainsi inactif à la campagne ?

— Les humeurs d'un ministre vont et viennent... elles pas-seront aussi, Max, sois-en certain. Un jour, tu retrouveras tout ton éclat.

L'acteur eut un frémissement :

— Pas cela! implora-t-il. Tout, mais pas cela!

Il se leva :

— Et tu ne crois vraiment pas pouvoir faire quelque chose dans mon affaire?

— Absolument rien, dit l'avocat en souriant. À moins que tu n'aies envie d'aller jouer les martyrs pour ton ministre dans un camp de concentration.

Trois minutes plus tard, l'acteur Max Harteisen se trouvait dans la cage d'escalier et, fort embarrassé, tenait une carte où étaient écrits ces mots : « *Mère, le Führer m'a tué mon fils...* »

« Juste ciel! se dit-il, quel est donc l'homme qui écrit des choses de ce genre? Il doit être fou! Il risque sa vie. »

Involontairement, il retourna la carte. Mais il n'y avait aucune mention d'expéditeur ni de destinataire. Au lieu de cela on lisait : « *Faites circuler cette carte, pour que beaucoup la lisent! Ne donnez rien au Secours d'Hiver... Travaillez lentement, encore plus lentement!... Sabotez les machines!... Ainsi, vous contribuerez à arrêter la guerre.* »

L'acteur leva la tête, au passage de l'ascenseur. Son premier mouvement fut de mettre la carte en poche. Se ravisant aussitôt, il voulut la remettre sur l'appui de fenêtre. Mais, de l'ascenseur, ne l'avait-on pas vu et même reconnu la carte en main? Si on trouvait celle-ci, comment pourrait-il prouver qu'il n'en était pas l'auteur? Son conflit avec Goebbels ne pourrait que le rendre plus suspect. Il ne lui manquait vraiment que cette nouvelle affaire!

La sueur perlait à son front. Il comprenait tout à coup que lui-même était en danger de mort; plus encore, peut-être, que l'auteur de la carte. Il eut un mouvement de la main. La déposer? Non, il valait mieux l'emporter... la déchirer? Ici même et sur-le-champ? Mais peut-être y avait-il en haut, dans l'escalier, quelqu'un qui l'observait. Ces derniers jours, il avait eu plusieurs fois le sentiment d'être suivi, mais avait

attribué cette impression à la nervosité que lui causait l'hostilité de Goebbels.

Et si tout cela n'était qu'un piège tendu par celui-ci ! Mon
Dieu, Max Harteisen devenait fou, il avait des hallucinations !
Un ministre était-il vraiment capable de choses pareilles ?

Mais il ne peut pas rester là éternellement : il doit prendre
une décision... Personne ne l'observe... Remontant les quelques marches, il sonne chez l'avocat Toll, passe comme un
ouragan près de la dame qui se trouve dans l'antichambre,
et, jetant la carte sur la table de l'avocat il s'écrie :

— Voilà ce que je viens de trouver dans la cage d'escalier !

L'avocat ne lui jette qu'un bref regard. Puis, il se lève et
ferme soigneusement la double porte, que l'exalté a laissée
ouverte. Il reprend place à son bureau.

Pendant que Harteisen va et vient, impatient, Toll lit lentement la carte, puis il demande :

— Où as-tu trouvé cela ?

— Ici, dans l'escalier. Quelques marches plus bas.

— Dans l'escalier ? Sur les marches, alors ?

— Non, pas sur les marches. Sur l'appui de fenêtre.

— Et puis-je te demander pourquoi tu fais échouer sur
mon bureau ce précieux cadeau ?

La voix de l'avocat se fait plus tranchante. L'acteur
répond, presque suppliant :

— Que devais-je faire ?... La carte était là. Je l'ai ramassée
tout à fait sans y penser.

— Et pourquoi ne l'as-tu pas remise où elle était ? C'eût
été pourtant le plus indiqué.

— L'ascenseur passait pendant que je la lisais. J'avais le
sentiment d'être observé... Mon visage est tellement connu !

— De mieux en mieux ! dit amèrement l'avocat. Après
quoi, tu es sans doute accouru chez moi en portant bien
ostensiblement cette carte ?

L'acteur, sombrement, fit un signe affirmatif.

— Non, mòn ami, dit Toll résolument, en lui rendant le

papier compromettant. Je t'en prie, reprends-la... Je ne veux pas être mêlé à cette histoire. Retiens bien ceci : je n'ai jamais vu cette carte.

Blême, Harteisen regardait Toll :

— Je crois, dit-il alors, que tu n'es pas seulement mon ami, mais aussi mon avocat. Tu défends mes intérêts.

— Pas du tout! Ou plutôt : plus du tout... tu es un oiseau de mauvais augure et tu as un talent incroyable pour te fourrer dans les plus sales affaires. Tu en entraîneras d'autres dans le malheur... donc, reprends ta carte.

Il la tendit encore une fois. Mais Harteisen demeurait toujours là, tout pâle, les mains dans les poches. Après un long silence, il dit doucement :

— Je n'ose pas... Ces derniers jours, j'ai eu plusieurs fois l'impression d'être observé... Écoute, déchire la carte... Jette-la dans ta corbeille à papier.

— Trop dangereux, mon cher! Le garçon de bureau, ou une femme de ménage fureteuse, et je serais cuit.

— Brûle-la.

— Tu oublies que nous avons le chauffage central.

— Prends une allumette : brûle-la dans ton cendrier... Personne ne le saurait...

— Toi, tu le saurais.

Pâles, ils se regardaient. C'étaient de vieux amis; leurs relations remontaient à l'époque de leurs études. Mais la peur avait surgi, et la peur avait fait naître la défiance. Ils se regardaient sans un mot.

« C'est un acteur, pensait l'avocat. Peut-être m'a-t-il joué la comédie et veut-il me perdre. Peut-être est-il chargé de mettre ma loyauté à l'épreuve... Récemment, pour avoir malencontreusement accepté de défendre un accusé devant le Tribunal du Peuple, j'ai eu grand-peine à me tirer d'affaire. Depuis lors, on se méfie de moi... »

« Jusqu'à quel point Erwin est-il vraiment mon avocat? se demandait en même temps l'acteur. Dans mon différend

179

avec le ministre, il ne veut pas m'aider. Et maintenant il est prêt à déposer sous la foi du serment qu'il n'a jamais vu la carte. Il ne prend pas mes intérêts à cœur et agit même contre moi. Qui sait si cette carte... Partout on parle de pièges qui sont tendus aux gens... mais c'est absurde! Il a toujours été mon ami. Un homme sûr! »

Et tous deux réfléchissaient; tous deux se regardaient; tous deux commencèrent à sourire.

— Nous avons été bien sots de nous méfier l'un de l'autre!

— Nous qui nous connaissons depuis plus de vingt ans!

— Depuis les bancs de l'école.

— Oui, nous avons fait bien du chemin!

— Comment en sommes-nous venus là?... Le fils trahit sa mère, la sœur son frère, l'ami son amie.

— Mais ce n'est pas vrai pour nous.

— Réfléchissons. Qu'allons-nous faire au sujet de cette carte... il serait vraiment déraisonnable de sortir, l'ayant en poche, puisque tu te crois surveillé.

— C'était peut-être mes nerfs... donne-moi la carte. Je la ferai bien disparaître d'une façon ou de l'autre.

— Toi, c'est bien le moment, étourdi comme tu es! Non, la carte restera ici.

— Tu as une femme et deux enfants, Erwin... Ton personnel n'est peut-être pas absolument sûr. Qui est encore sûr, aujourd'hui? Donne-moi la carte. Je te téléphone dans un quart d'heure pour te dire que j'en suis débarrassé.

— Bonté divine! C'est bien toi, Max : parler au téléphone d'une chose pareille! Pourquoi ne téléphones-tu pas directement à Himmler? Cela irait encore plus vite.

Et ils se regardent, un peu consolés, à l'idée qu'ils ont encore chacun un ami sûr.

L'avocat frappe tout à coup sur la carte avec colère :

— À quoi pensait donc l'idiot qui a écrit ça et qui a abandonné l'objet dans l'escalier? À envoyer d'autres gens à l'échafaud!

— Et pourquoi? Qu'est-ce qu'il écrit, en somme? Rien que nous ne sachions déjà tous. Ce doit être un fou.

— Ce peuple tout entier est devenu fou. L'un communique sa maladie à l'autre.

— Si on attrapait ce gaillard qui expose autrui à de tels désagréments, j'en serais enchanté.

— Bah! Laisse donc! Tu ne te réjouirais certainement pas d'en voir mourir encore un de plus... Mais comment allons-nous nous tirer de ce guêpier?

L'avocat contemplait de nouveau la carte d'un air songeur. Il s'empara du téléphone.

— Nous avons dans l'immeuble une sorte de chef politique, expliqua-t-il à son ami. Je vais lui transmettre officiellement la carte, lui exposer les choses telles qu'elles se sont passées, et d'ailleurs sans leur accorder beaucoup d'importance. Es-tu sûr de tes paroles?

— Tout à fait.

— Et de tes nerfs?

— Absolument, mon cher. En scène, je n'ai encore jamais eu le trac... jusqu'à présent, en tout cas! Quelle sorte d'homme est ce chef politique?

— Pas la moindre idée. Il ne me souvient pas de l'avoir jamais vu. Vraisemblablement, une sorte de petit bonze. Une minute, je lui téléphone.

Mais le petit homme qui arriva ressemblait beaucoup moins à un bonze qu'à un renard. Il fut très flatté de faire la connaissance de l'acteur célèbre qu'il avait déjà vu souvent au cinéma. À brûle-pourpoint, il énuméra six titres de films. L'acteur n'avait joué dans aucun d'eux. Max Harteisen admira la mémoire du petit homme, puis on en vint à la partie officielle de cette entrevue.

Le petit renard lut la carte, et son visage ne révéla rien de ses impressions. Alors on lui raconta comment la carte avait été découverte, et comment elle avait été rapportée dans le bureau.

— Très bien ! Très correct ! murmura-t-il. Et quand cela se passait-il ?

L'avocat hésita un instant et jeta un regard rapide à son ami. Il se dit qu'il valait mieux ne pas mentir. On avait vu Harteisen arriver très excité, la carte en main.

— Il y a une bonne demi-heure, dit l'avocat.

Le petit homme fronça les sourcils :

— Si longtemps ! fit-il avec un léger étonnement.

— Nous avions encore à parler de diverses choses, expliqua l'avocat. Nous n'attachions pas grande importance à l'affaire... Est-elle vraiment importante ?

— Tout est important... surtout d'attraper le gaillard qui a déposé cette carte. Mais maintenant, une demi-heure après, il est évidemment beaucoup trop tard pour ça.

— Je le déplore, dit l'acteur Harteisen. C'est ma faute. J'ai considéré mes affaires comme plus importantes que ces griffonnages.

L'avocat ajouta :

— J'aurais dû être plus avisé.

Le petit renard eut un sourire apaisant :

— Mon Dieu, messieurs, trop tard c'est trop tard. Je me réjouis en tout cas d'avoir eu, de cette façon, l'honneur de faire personnellement la connaissance de Monsieur Harteisen. *Heil* Hitler.

Très fort, en se levant d'un bond :

— *Heil* Hitler.

Quand la porte se fut refermée derrière lui, les deux amis se regardèrent :

— Dieu merci, nous voilà débarrassés de cette funeste carte !

— Et il ne nous soupçonne de rien.

— Pas pour la carte... Mais il a très bien compris que nous nous sommes demandé si nous allions la donner ou non.

— Crois-tu que l'affaire aura des suites ?

– Non, je ne le crois pas. En mettant les choses au pire, un interrogatoire sans importance sur l'endroit, le moment et la façon dont tu as trouvé la carte. En ce cas, il n'y a rien à dissimuler.

– Tu sais, Erwin, au fond je suis très satisfait de quitter cette ville pour un bout de temps.

– Tu vois!

– On devient mauvais, ici.

– On le devient? On l'est déjà... et fortement!

Pendant ce temps, le petit renard était allé à sa section locale. Un type en chemise brune tenait à présent la carte en main.

– Cela ne concerne que la Gestapo, dit-il. Le mieux, c'est d'y aller toi-même, Heinz... attends, je te donne un mot d'accompagnement. Et les deux bonshommes?

– Tout à fait hors de question. Naturellement, on ne peut pas se fier à eux, politiquement parlant... Crois-moi, ils ont sué sang et eau quand ils ont dû se résoudre à m'alerter dans cette affaire.

– Harteisen serait en disgrâce auprès du ministre Goebbels, dit pensivement l'homme à la chemise brune.

– C'est vrai, mais il ne se risquerait pas à faire quelque chose de ce genre. Il a beaucoup trop peur. Je lui ai énuméré six films dans lesquels il n'a jamais joué, et je lui ai exprimé mon admiration pour ses interprétations... il a fait courbette sur courbette, en rayonnant de reconnaissance. C'est à cela que j'ai senti immédiatement combien il avait eu la frousse.

– Ils ont tous peur, trancha l'homme à la chemise brune avec mépris. Et pourquoi, en fin de compte? Ils ont pourtant beau jeu : ils n'ont qu'à faire ce que nous leur disons.

– C'est parce que les gens ne peuvent pas s'abstenir de réfléchir. Ils croient toujours être plus avancés en réfléchissant.

– Ils n'ont qu'à obéir. C'est le Führer qui réfléchit.

L'homme en chemise brune tapota la carte :

— Et celui-ci ? Quel est ton avis à son sujet, Heinz ?

— Que pourrais-je en dire ? Il a vraisemblablement perdu réellement son fils.

— Vas-y voir ! Ceux qui écrivent et agissent ainsi sont généralement de purs provocateurs... ils veulent obtenir quelque chose pour eux. Leur fils, et toute l'Allemagne, ça leur est complètement égal. Ce doit être un ancien socialiste ou communiste.

— Je ne crois pas... Ceux-là ne peuvent pas renoncer à leur phraséologie : fascisme et réaction, solidarité, prolétariat. Il n'y a pas un seul de ces mots sur la carte. Tu sais, pour ce qui est d'un socialiste ou d'un communiste, je le sens à dix kilomètres par vent debout.

— Pourtant, je m'en tiens à mon opinion. Maintenant, ces gens-là se sont tous camouflés.

Mais les chefs de la Gestapo ne furent pas non plus de l'avis de l'homme à la chemise brune.

D'ailleurs le rapport du petit renard y fut accueilli avec une sereine tranquillité : on en voyait bien d'autres.

— Ça va ! dirent-ils. Parfait ! Nous verrons... Prenez la peine de voir le commissaire Escherich ; nous le prévenons téléphoniquement. C'est lui qui traitera l'affaire. Donnez-lui encore tous les détails sur le comportement de vos deux messieurs. Naturellement, on ne leur fera rien pour le moment... C'est dans l'un ou l'autre cas ultérieur que ce genre de choses peut être utile. Vous comprenez ?

Le commissaire Escherich, long et mince, vêtu d'un complet gris clair, avait une moustache couleur de sable. Tout était si incolore en ce personnage qu'on pouvait le prendre pour quelque produit de la poussière des archives. Il tourna et retourna la carte entre ses doigts.

— Un nouveau disque, dit-il alors. Je ne l'avais pas encore dans ma collection... main maladroite... pas écrit beaucoup dans sa vie... Toujours travaillé de ses mains... Voyez-vous, si nous avions une véritable police et si l'affaire en valait la peine, ce graphomane serait derrière les barreaux dans les vingt-quatre heures.

— Et comment feriez-vous?

— C'est très simple! Je ferais rechercher dans tout Berlin ceux qui ont perdu un fils durant ces deux ou trois dernières semaines... un fils unique, notez-le bien. Car celui qui a écrit cette carte n'avait qu'un fils.

— À quoi voyez-vous donc ça?

— C'est très simple aussi... Dans la première phrase, où il parle de lui-même, il n'est question que d'un fils. Dans la deuxième phrase, qui s'adresse au lecteur, il est question de fils au pluriel... C'est à ceux-là que se circonscriraient mes recherches. Il ne peut pas y en avoir tellement à Berlin. C'est ceux-là que j'aurais à l'œil, et l'auteur de la carte serait bientôt pris.

— Et pourquoi ne le faites-vous pas?

— Je vous l'ai dit : parce que nous n'avons pas d'effectifs suffisants, et parce que l'affaire n'en vaut pas la peine. Voyez-vous, il y a deux possibilités. Ou bien l'homme écrit encore deux ou trois cartes, puis il en a assez : parce que cela lui donne trop de mal ou parce que le risque est trop grand. En ce cas, il n'a pas fait beaucoup de dégâts, et on n'a pas eu non plus beaucoup de travail à cause de lui.

— Croyez-vous donc que toutes les cartes seront remises ici?

— Toutes, non. Mais la plupart... on peut faire confiance au peuple allemand.

— Parce que tous les Allemands ont peur?

— Non, ce n'est pas cela que j'ai dit... je ne crois pas que cet homme, par exemple, ait peur. Mais je crois que la seconde possibilité s'applique à lui : il va continuer à écrire. Laissez-le faire : plus il écrira, plus il se trahira. Pour le moment, il n'a encore dévoilé qu'un tout petit coin de lui-même : à savoir, qu'il a perdu un fils. Mais, à chaque carte, j'en saurai un peu plus. Je n'ai pas grand-chose à faire pour cela... un peu d'attention, et crac, je le tiens! Ici, dans notre département, il nous suffit d'avoir de la patience. Parfois cela dure un an, parfois davantage. En fin de compte nous attrapons tous nos bonshommes... ou presque tous.

— Et après?

Le commissaire couleur de poussière avait déroulé un plan de Berlin et l'avait fixé au mur. Il planta un petit drapeau rouge à l'endroit où était situé l'immeuble à bureaux de la Rue Neuve du Roi :

— C'est tout ce que je puis faire pour le moment. Dans les semaines à venir, d'autres petits drapeaux s'ajouteront à celui-ci. Et là où il y en aura le plus, là sera mon fauteur de troubles. Avec le temps, il va se lasser : il ne fera plus de longues trottes pour une seule carte. Voyez, c'est simple.

— Et après? demanda le petit renard, stimulé par une curiosité avide.

Le commissaire Escherich lui jeta un regard un peu moqueur :

— Ça vous intéresse tellement? Bon, je vous ferai ce plaisir. Tribunal du Peuple, et le tour est joué! Qu'est-ce que ça me fait? Qu'est-ce qui oblige ce type à écrire une carte aussi stupide, que personne n'a lue et que personne ne veut lire? Non, ça ne me fait rien... je touche mon traitement, et que ce soit en vendant des timbres ou en piquant des petits drapeaux, ça m'est tout à fait égal. Mais je penserai à vous; je n'oublierai pas que vous m'avez fourni le premier renseignement. Quand j'aurai attrapé le type, et c'est en bonne voie, je vous enverrai une carte d'invitation pour l'exécution.

— Non, grand merci! Ce n'était pas dans cette intention-là que...

— C'était naturellement dans cette intention... Pourquoi vous gênez-vous avec moi? je connais les hommes. Ici, on apprend à les connaître. Donc, c'est entendu : je vous envoie une carte pour l'exécution... *Heil* Hitler!

— *Heil* Hitler!... Et n'oubliez pas surtout!

SIX MOIS PLUS TARD : LES QUANGEL

Six mois plus tard, la rédaction des cartes dominicales était devenue pour les Quangel une habitude sacrée, une partie de leur vie, aussi essentielle que la tranquillité profonde qui les entourait, ou que leur parcimonie rigoureuse, à un sou près. Les plus belles heures de la semaine étaient ces moments où ils étaient tous les deux ensemble ; elle, occupée à ses ravaudages sur le divan, et lui, tout droit sur sa chaise, le porte-plume dans sa grosse main, traçant lentement mot après mot.

Quangel avait doublé sa production initiale d'une carte par semaine. Certains dimanches, il écrivait même jusqu'à trois cartes ; et les textes étaient toujours différents. Plus ils écrivaient, plus les Quangel découvraient des choses à reprocher au Führer et à son Parti. Certaines mesures leur avaient paru à peine blâmables à l'époque où elles avaient été édictées : la suppression de tous les autres partis, par exemple. D'autres leur avaient semblé excessives ou trop brutales, mais uniquement dans leur mise en application, et non dans leur principe même : telle la persécution des Juifs. À présent que le mari et la femme s'étaient rangés parmi les ennemis du Führer, ces choses prenaient à leurs yeux un tout autre sens et une toute autre importance. Elles mettaient en lumière les mensonges perpétuels du Parti et de son Führer. Et, comme tous les convertis de fraîche date, ils s'efforçaient de rallier les autres à leurs nouvelles convictions. Leurs cartes n'étaient donc pas monotones, et les sujets ne manquaient pas.

Depuis longtemps, Anna Quangel avait cessé d'être une simple auditrice silencieuse. Assise sur le divan, elle parlait avec vivacité, suggérait des thèmes, essayait des phrases. Ils travaillaient ainsi en étroite union ; et cette communauté profonde, intime, qu'ils venaient de découvrir après tant d'années de mariage, leur faisait éprouver un grand bonheur, qui rayonnait sur toute leur semaine. Ils échangeaient un regard ou un sourire ; et chacun d'eux savait alors que l'autre venait de penser à la prochaine carte ou à ses effets, au nombre croissant de leurs partisans, à l'avidité avec laquelle leurs messages étaient attendus.

Les deux Quangel ne doutaient pas un seul instant que leurs cartes passaient maintenant mystérieusement de main en main dans les entreprises et que Berlin commençait à parler de ce combat. Ils se rendaient bien compte qu'une partie des cartes tombaient entre les mains de la police, mais ils acceptaient le fait : tout au plus une carte sur cinq ou six. Ils avaient si souvent parlé entre eux de cette action que la diffusion de leurs messages, la sensation qu'ils provoquaient, leur semblaient des réalités qu'on ne pouvait mettre en doute.

Pourtant, le ménage Quangel n'avait jamais recueilli le moindre indice positif au sujet de cette efficacité. Mais ce silence ne pouvait les ébranler dans leur ferme conviction : on parlait de leur action et elle produisait ses effets. Berlin était très étendu et il fallait du temps pour que la bonne parole s'infiltrât partout. Bref, il en allait des Quangel comme de tout le monde : ils prenaient leurs rêves pour des réalités.

En ce qui concerne les mesures de prudence que Quangel s'était imposées au début de son action, il n'avait changé que sur un point : le port des gants. De mûres réflexions l'avaient amené à conclure que ces accessoires encombrants ralentissaient beaucoup trop son travail. Avant que certaines cartes n'échouassent éventuellement à la police, elles seraient passées par tant de mains que personne ne pourrait y retrouver les empreintes de l'auteur. Mais, bien sûr, Quangel continuait à observer une circonspection extrême. Avant d'écrire, il se lavait toujours les mains, il prenait les cartes du bout des doigts et le plus près possible du bord, et il mettait toujours un papier buvard sous la main qui écrivait.

Le dépôt des cartes dans les immeubles avait depuis longtemps, pour Otto, perdu l'attrait de la nouveauté. Cette opération, qui au début lui paraissait si dangereuse, s'était révélée la partie la plus aisée de l'entreprise. Cela devenait une simple habitude. Un léger poids dans la région de l'estomac persistait au moment de l'action, mais ce n'était plus les grandes émotions du début.

Quangel s'était d'abord chargé seul de déposer les cartes ; la compagnie de sa femme lui semblait dangereuse. Mais, par la suite, Anna devint, là aussi, une collaboratrice active. Otto tenait à ce que les cartes quittassent la maison dès le lendemain de leur rédaction. Souvent, ses rhumatismes lui rendaient la marche pénible. D'autre part, la prudence exigeait que les distributions se fissent aux quatre coins de la ville. Cela exigeait de longs déplacements ; une seule personne pouvait difficilement en venir à bout en une matinée.

Anna prit donc également sa part dans ce travail. Elle découvrit avec surprise qu'il était beaucoup plus angoissant et plus énervant de stationner devant un immeuble en attendant son mari que d'entrer elle-même en action. Son calme était absolu. Dès qu'elle avait pénétré dans une des maisons choisies, elle se sentait en sécurité parmi les gens qui montaient et descendaient ; attendant patiemment le moment propice, elle déposait les cartes avec la certitude de n'être jamais remarquée pendant cette opération. De fait, elle attirait beaucoup moins l'attention que son mari, avec sa tête de rapace. On la prenait pour une petite-bourgeoise pressée.

Les Quangel n'avaient été dérangés qu'une seule fois, pendant leurs travaux épistolaires du dimanche. Même cette alerte ne leur avait pas causé la moindre émotion, ni le moindre embarras. Au coup de sonnette, Anna s'était glissée doucement à la porte et avait regardé les visiteurs par le judas. Pendant ce temps, Otto avait dissimulé le nécessaire à écrire et glissé dans un livre la carte commencée. Il n'avait encore écrit que les mots : « *Führer, ordonne : nous suivrons. Oui, nous suivrons, nous sommes devenus un troupeau de moutons, que notre Führer peut mener à n'importe quelle boucherie ! Nous avons renoncé à penser...* »

La carte ainsi rédigée, Otto Quangel l'avait glissée dans un traité de bricolage de radio qui appartenait à son fils décédé. Quand Anna entra avec les deux visiteurs (un petit bossu et une grande femme à l'air sombre et fatigué), Otto travaillait au buste du fils, qui était déjà fort avancé ; selon Anna, il devenait de plus en plus ressemblant. Le petit bossu était un frère d'Anna, qu'elle n'avait plus vu depuis trente ans. Il avait toujours travaillé dans une usine d'optique de Rathenow, et il venait d'être muté à Berlin, dans une usine qui fabriquait du matériel destiné aux sous-marins. La femme sombre et fatiguée était la belle-sœur d'Anna. Otto Quangel n'avait encore jamais rencontré ces deux parents.

Ce dimanche-là, on n'avait pas écrit plus avant : la carte entamée demeura inachevée dans le manuel. Les Quangel, au nom de la tranquillité dans laquelle ils souhaitaient vivre, étaient résolument hostiles à toute visite ; mais, pour une fois, cette irruption imprévue ne leur déplut pas. Les Heffke, gens tranquilles eux aussi, appartenaient à une secte religieuse qui avait été persécutée par les nazis. Mais ils en parlèrent à peine, évitant soigneusement tout sujet politique.

Quangel fut tout étonné d'entendre Anna et son frère Ulrich Heffke échanger des souvenirs d'enfance. Il découvrait qu'Anna aussi avait été une enfant : une enfant exubérante, indocile, capable de jouer de mauvais tours. Il avait connu sa femme alors que sa dure et triste condition de servante lui avait déjà enlevé beaucoup de force et d'illusions.

Tandis que le frère et la sœur conversaient, Otto imaginait leur pauvre petit village. Il apprit qu'Anna avait dû garder les oies, qu'elle s'était souvent dérobée au travail exécré de la culture des pommes de terre, et que cela lui avait valu bien des coups. Et il apprit aussi qu'elle avait été très aimée au village, parce que, fière et courageuse, elle s'était toujours insurgée contre tout ce qui lui semblait déloyal. C'est ainsi que, trois fois de suite, elle avait fait tomber à coups de boules de neige le chapeau d'un professeur manifestement injuste. Jamais on n'avait découvert la coupable; Ulrich, seul au courant, ne l'avait pas dénoncée.

Non, ce n'était pas là une visite désagréable, bien qu'Otto n'eût pu écrire qu'une de ses trois cartes habituelles. Les Quangel étaient tout à fait sincères lorsque, aux visiteurs prenant congé, ils promirent de rendre leur visite. Et ils tinrent parole. Environ cinq ou six semaines plus tard, ils allèrent voir les Heffke dans leur petit logis provisoire à l'ouest, aux environs de la place Nollendorf, profitant de cette visite pour déposer une carte dans ce quartier. C'était un dimanche, et l'immeuble était peu animé; mais tout alla bien.

Dès lors, ces visites réciproques se succédèrent de six en six semaines environ. Elles créaient une autre atmosphère dans la vie des Quangel. Le plus souvent, Otto et sa belle-sœur s'asseyaient silencieusement à la table et suivaient la conversation à mi-voix du frère et de la sœur. Ceux-ci ne se lassaient pas de parler de leur enfance. Cela faisait du bien à Otto, de découvrir cette autre Anna. Mais, au vrai, il n'arrivait jamais à jeter un pont entre cette femme qui vivait aujourd'hui à ses côtés et la jeune fille qui travaillait dans les champs et faisait mille espiègleries, tout en passant pour la meilleure élève de la petite école campagnarde.

Les parents d'Anna vivaient encore, au village natal. De très vieilles gens. Ulrich signala incidemment qu'il envoyait chaque mois dix marks aux parents. Anna fut sur le point de dire à son frère qu'ils feraient de même à l'avenir, mais elle se tut, après avoir surpris à temps un regard éloquent de son mari.

Ce n'est que sur le chemin du retour qu'il dit :

– Non, il ne vaut mieux pas, Anna... Pourquoi donner de mauvaises habitudes à de si vieilles gens ? Ils ont leur pension, et si ton frère y ajoute encore dix marks chaque mois, c'est bien suffisant.

– Nous avons pourtant pas mal d'argent à la caisse d'épargne, objecta Anna. Nous n'épuiserons jamais ces économies... Jadis, nous croyions que ce serait pour notre petit. Mais maintenant... Faisons-le Otto ! Ne fût-ce que cinq marks tous les mois.

Inébranlable, Otto Quangel répondit :

– Maintenant que nous sommes embarqués dans cette grande aventure, qui sait si nous n'aurons pas besoin de notre argent, de chacun de nos marks ! Les vieux ont vécu sans nous jusqu'à présent. Pourquoi ne pas continuer ?

Elle se tut, un peu chagrinée. Peut-être pas tellement par amour pour ses parents, car elle n'avait pour ainsi dire jamais pensé à eux, se bornant à leur écrire une fois par an la rituelle lettre de Noël. Mais elle se jugeait un peu mesquine, en comparaison de son frère. Il ne croirait certainement jamais que les Quangel ne pouvaient rien donner.

Anna insista :

– Ulrich va croire que nous n'avons pas les moyens, Otto. Il aura mauvaise opinion d'un travail qui te rapporte si peu.

– Ce que d'autres pensent de moi n'a aucune importance, riposta Quangel. Je ne donnerai pas un sou.

Anna sentit que cette dernière phrase était irrévocable. Elle se tut et se résigna, comme toujours quand Otto parlait de la sorte. Mais elle était pourtant un peu humiliée de voir

que son mari ne tenait jamais compte de ses sentiments. Elle
oublia pourtant cette humiliation en se remettant à l'œuvre
commune.

SIX MOIS PLUS TARD :
LE COMMISSAIRE ESCHERICH

Six mois après la visite de Heinz, le commissaire Escherich, mordillant sa moustache couleur de sable, était planté
devant le plan de Berlin. Quarante-quatre petits drapeaux
rouges désignaient les endroits où avaient été trouvées les
cartes des Quangel. Sur les quarante-huit qu'ils avaient
écrites au cours du semestre, quatre seulement n'avaient pas
atterri à la Gestapo.

Et encore ces quatre-là n'étaient-elles nullement transmises de main en main dans les entreprises, comme les
Quangel se l'imaginaient : à peine lues, elles avaient été
fébrilement déchirées, jetées au W.-C. ou brûlées.

La porte s'ouvre et le chef de service d'Escherich, le
S.S. Obergruppenführer Prall, fait son entrée :

– *Heil* Hitler, Escherich! Pourquoi mordillez-vous ainsi
votre moustache?

– *Heil* Hitler! Herr Obergruppenführer... C'est à cause
de celui qui écrit ces cartes, le « Trouble-Fête », comme je
l'appelle.

– Tiens, pourquoi le « Trouble-Fête »?

– Je n'en sais rien. Ça m'est venu comme ça.

– Et où en sommes-nous, Escherich?

– Oh! soupira le commissaire, en se reportant pensivement vers le plan, à en juger par la diffusion des cartes il doit
habiter quelque part au nord de l'Alexanderplatz. La plupart
viennent de là. Mais l'est et le centre en ont également leur
part... rien au sud... à l'ouest, un peu au sud de la place Nol-

lendorf, on en a trouvé deux. L'homme doit avoir de temps en temps quelque chose à faire de ce côté-là.

– Autrement dit, le plan ne nous apprend absolument rien et nous n'avons pas avancé d'un pas.

– Patience! Dans six mois, si le bonhomme persévère, le plan nous donnera beaucoup plus d'indications.

– Six mois! Comme vous y allez, Escherich! Vous comptez laisser cet animal faire de l'agitation et grogner pendant six mois, en vous contentant de piquer paisiblement vos petits drapeaux?

– Dans notre métier, il faut avoir de la patience, Herr Obergruppenführer. C'est un peu comme quand on est à l'affût. Il faut attendre... avant que le gibier approche, inutile de tirer. Mais quand il vient, alors je tire; faites-moi confiance!

– J'entends toujours le même refrain, Escherich : « patience! » Mais croyez-vous que nos chefs, eux, ont tant de patience? Je crains que nous ne recevions bientôt un rappel à l'ordre, dont nous nous souviendrons longtemps. Pensez donc : quarante-quatre cartes en un semestre, ça fait presque deux cartes par semaine qui échouent chez nous ! Ces messieurs le voient bien ; ils me demandent : « Et alors? Pas encore pris? Et pourquoi? Que faites-vous au juste? » Moi, je réponds : « Nous piquons des petits drapeaux et nous nous tournons les pouces. » Un de ces jours, je recevrai un blâme sévère et l'ordre formel de mettre la main sur le bonhomme dans les deux semaines.

Le commissaire Escherich ricana dans sa moustache décolorée :

– Et alors vous m'adresserez un blâme sévère, Herr Obergruppenführer, et vous me donnerez l'ordre formel et militaire de mettre la main sur le bonhomme dans les huit jours.

– Ne blaguez pas si bêtement, Escherich! Un cas de ce genre, s'il arrive par exemple aux oreilles de Himmler, peut suffire à gâcher la carrière la plus brillante. Un jour, peut-être, au camp de concentration de Sachsenhausen, réfléchirons-nous piteusement tous les deux à cela, en évoquant l'heureuse époque où nous pouvions encore piquer des drapeaux rouges.

— Rien à craindre, Herr Obergruppenführer... Je suis un vieux technicien de la police et je sais que personne ne pourrait faire mieux que nous : attendre... Que ces messieurs nous indiquent une meilleure voie pour arriver à mon « Trouble-Fête » ! Mais, naturellement, eux non plus n'en connaissent pas d'autre.

— Escherich, songez donc que si quarante-quatre cartes ont échoué chez nous, cela veut dire qu'il y en a au moins autant, peut-être même au-delà de cent, qui circulent aujourd'hui dans Berlin, semant le mécontentement et poussant au sabotage. On ne peut pas regarder cela d'un œil paisible.

Escherich partit d'un grand rire .

— Cent cartes en circulation !... Est-ce que vous connaissez le peuple allemand, Herr Obergruppenführer ? Oh ! mille excuses, ce n'est pas ce que je voulais dire, cela m'a échappé ! Bien sûr, un général S.S. connaît bien le peuple allemand. Mieux que moi, vraisemblablement ! Mais les gens ont tellement peur, à l'heure qu'il est... ils nous remettent les cartes. Il n'y en a certainement pas plus de dix en circulation.

Après un regard courroucé, provoqué par l'exclamation offensante d'Escherich (ces gens venus de la police criminelle étaient passablement stupides et se comportaient beaucoup trop en collègues) et après avoir lancé l'avant-bras en avant pour se calmer, le général S.S. dit :

— Dix, c'est encore trop ! Une seule, c'est encore trop ! Il ne faut plus qu'il en circule une seule. Il faut que vous attrapiez le bonhomme, Escherich, et vite !

Le commissaire, interdit, ne levait pas le regard de la pointe des bottes de son supérieur S.S. ; lissant pensivement sa moustache, il se taisait obstinément.

Prall s'écria avec colère :

— Vous voilà bien silencieux ! Je sais ce que vous pensez...
vous pensez que je suis bon à distribuer des réprimandes,
mais incapable de proposer de meilleurs moyens.

Rougir, le commissaire Escherich ne le pouvait depuis
longtemps. Mais à cet instant où ses pensées secrètes avaient
été percées à jour, il était aussi près du rouge que ce lui était
encore possible. Et, ce qui ne lui était plus arrivé depuis des
temps infinis, il se sentait gêné.

Le général Prall remarquait parfaitement tout cela. Il dit
avec sérénité :

Allons, je ne veux certes pas vous mettre dans l'embarras, Escherich. Certainement pas ! Et je ne veux pas non plus
vous donner de conseils. Vous le savez, je ne suis pas un
policier. C'est par ordre que je suis dans cette boutique.
Mais éclairez donc ma lanterne. Je devrai certainement, dans
les prochains jours, faire un rapport sur cette affaire. Je
devrai donc être suffisamment informé. L'homme n'a jamais
été surpris au moment où il déposait les cartes ?

— Jamais.

— Et personne n'a eu de soupçon, aux endroits où les
cartes ont été trouvées ?

— Des soupçons ? Il y en a des quantités. On soupçonne
beaucoup, de nos jours... mais il n'y a rien de plus là-dessous
qu'un peu de colère contre les voisins, de l'« espionnite », la
manie de la dénonciation. Non, pas d'indices de ce côté-là !

— Et ceux qui ont trouvé les cartes ? Tous insoupçonnables ?

Escherich eut une moue :

— Insoupçonnables ? Grands dieux, Herr Obergruppenführer, personne n'est insoupçonnable, de nos jours !

Et après un rapide coup d'œil au visage de son chef :

— Ou tous le sont... Mais nous avons passé et repassé au
crible ici tous ceux qui avaient trouvé des cartes. Aucun n'a
le moindre rapport avec l'auteur.

Le général S.S. soupira.

— Vous auriez pu être curé. Vous trouvez de si merveil-leuses consolations, Escherich! Restent donc les cartes. Quels points de repère avons-nous?

— Peu! Très peu! dit Escherich. Non, pas d'histoires de curés pour vous; rien que la vérité, Herr Obergruppenfüh-rer! Après le premier faux pas que l'homme a fait, en parlant de son fils unique, j'ai cru qu'il se livrerait lui-même au cou-teau... mais il est rusé.

— Dites donc, Escherich, s'écria brusquement Prall, avez-vous déjà songé que ce pourrait très bien être une femme? L'idée me vient à l'instant, en vous entendant parler du fils unique.

Le commissaire contempla son supérieur avec surprise. Il réfléchissait. Puis il dit, secouant la tête d'un air soucieux:

— Rien de ce côté-là non plus, Herr Obergruppenführer... C'est même un des points que je tiens pour absolument cer-tains. Le bonhomme est un veuf, ou, en tout cas, un homme qui vit en solitaire. S'il y avait une femme dans l'affaire, il y aurait eu depuis longtemps des bavardages... pensez donc: un semestre! Une femme ne se tait pas aussi longtemps.

— Mais une mère qui a perdu son fils unique?

— Non plus... moins qu'une autre, trancha Escherich. Qui a du chagrin veut être consolé; et pour être consolé, on doit parler. Non, il n'y a sûrement pas de femme dans le coup. Un seul est au courant, et celui-là sait se taire.

— Comme je le disais: curé... Et les points de repère?

— Peu, Herr Obergruppenführer, très peu. Il est presque certain que l'homme est avare ou qu'il a eu maille à partir avec le Secours d'Hiver. En effet, quoi qu'on puisse lire sur les cartes, pas une seule fois il n'y manque cette consigne: « Ne donnez rien au Secours d'Hiver. »

— Alors, si nous devons chercher à Berlin un type qui ne donne pas volontiers au Secours d'Hiver!

– C'est ce que je dis, Herr Obergruppenführer... trop peu d'indices... et trop inconsistants.

– Et outre cela?

Le commissaire haussa les épaules :

– Peu de chose... rien du tout. Nous pouvons peut-être encore poser en principe avec quelque certitude que celui qui dépose les cartes n'a pas d'occupations bien fixes, puisqu'elles ont été trouvées à toutes les heures possibles, entre huit heures du matin et neuf heures du soir. Et l'animation qui règne dans les cages d'escalier choisies par cet homme permet de penser que les cartes sont découvertes peu de temps après leur dépôt. C'est un travailleur manuel, qui n'a guère écrit dans sa vie, mais qui n'a pas une mauvaise instruction. Il ne fait que peu de fautes et s'exprime sans maladresse.

Ils se turent tous deux pendant un certain temps, contemplant distraitement le plan aux petits drapeaux rouges.

Puis le général Prall dit :

– Une affaire difficile, Escherich! Difficile pour nous deux!

Le commissaire se fit consolateur :

– Il n'y a pas de noix si dure qu'un casse-noix ne puisse en venir à bout.

– Mais plus d'un s'y casse aussi les dents, Escherich!

– Patience, Herr Obergruppenführer! Rien qu'un peu de patience!

– Si les autres là-haut en ont... mais ça ne dépend pas de moi. Allons, creusez-vous un peu les méninges. Peut-être trouverez-vous quelque chose de mieux que ce timide attentisme? *Heil* Hitler! Escherich.

– *Heil* Hitler! Herr Obergruppenführer.

Demeuré seul, le commissaire Escherich resta encore un moment devant le plan, lissant pensivement sa moustache claire. Les choses ne se présentaient pas tout à fait comme il avait voulu le faire croire à son supérieur. Dans cette affaire, il n'était plus tout à fait le policier blasé que plus rien ne peut émouvoir ; il s'était pris d'intérêt pour le stupide auteur de ces cartes, qui lui était encore, hélas, totalement inconnu. Cette façon de se jeter dans un combat presque désespéré avec si peu de ménagements, mais tant de prudence, excitait son intérêt. Cette affaire avait commencé par être un dossier parmi beaucoup d'autres. Puis Escherich s'était pris au jeu : il lui fallait trouver cet homme, qui vivait comme lui sous un des innombrables toits de Berlin. Il fallait tenir, face à face, ce bonhomme qui lui envoyait chaque semaine, à lui, commissaire, deux ou trois cartes postales, avec la régularité d'une machine : le lundi soir ou au plus tard le mardi matin.

Escherich était depuis longtemps fort dépourvu de cette patience qu'il venait de recommander à son supérieur S.S. Il était en chasse ; ce vieux policier était un vrai chasseur. Il avait cela dans le sang et détestait les hommes comme d'autres chasseurs détestent les sangliers. Que les sangliers et les hommes dussent mourir au terme de la chasse, cela ne le troublait pas. C'était la destinée du sanglier de mourir ainsi ; et c'était également le destin des hommes capables d'écrire de telles cartes. Il s'était longtemps creusé la cervelle, pour voir comment il pourrait mettre la main plus rapidement sur le Trouble-Fête ; il n'était pas nécessaire que le général Prall le stimulât. Mais il ne trouvait aucun moyen : seule, en l'occurrence la patience était de mise. On ne pouvait pas, pour une affaire aussi peu importante, mettre en branle tout l'appareil policier, faire fouiller tous les logements de Berlin, (ce qui, d'ailleurs, aurait mis l'agitation dans la ville). Il devait donc patienter encore.

Presque toujours, il se passait quelque chose. Le coupable commettait une faute, ou bien le hasard lui jouait un mauvais tour. Il fallait attendre une de ces deux éventualités : le hasard ou la faute. L'un des deux se produisait toujours – ou presque toujours. Escherich espérait bien que, dans le cas présent, ce ne serait pas « presque toujours ». Il s'intéressait à ce cas; il se passionnait. Au fond, il lui était tout à fait égal de mettre ou non la main au collet d'un criminel. Escherich, on l'a déjà dit, était en chasse. Pas pour la proie, mais parce que la chasse est un plaisir. Il savait bien ce qui se passerait au moment où le gibier serait terrassé, où le coupable serait arrêté et où ses crimes lui seraient démontrés à suffisance : à ce moment précis, Escherich n'éprouverait plus aucun intérêt pour l'affaire. Le gibier terrassé, l'homme mis en détention préventive, la chasse serait terminée. Au suivant!

Escherich détourna du plan son regard atone. Il s'assit à son bureau et mangea lentement et pensivement les tartines de son déjeuner. Quand le téléphone sonna, il tarda à le décrocher. Il écouta avec indifférence :

– Ici, le commissariat de l'avenue de Francfort... le commissaire Escherich?

– C'est moi.

– C'est vous qui traitez le dossier des cartes envoyées par un expéditeur inconnu?

– Oui. Qu'est-ce qu'il y a? Réveillez-vous!

– Nous avons presque certainement mis la main sur le type qui les distribue.

– Pris sur le fait?

– Presque... il nie, naturellement.

– Où est-il?

– Encore ici, au commissariat.

– Gardez-le... je prends ma voiture et j'arrive dans dix minutes. Surtout, ne poursuivez pas l'interrogatoire! Laissez le type en paix! Je veux m'entretenir moi-même avec lui. Compris?

– À vos ordres, monsieur le Commissaire.

– J'arrive.

Pendant un instant, le commissaire Escherich demeura sans un mouvement : le hasard, le bienheureux hasard! Il le savait bien : il suffisait d'avoir de la patience!

Il se mit rapidement en route, pour aller interroger l'homme qui distribuait les cartes.

SIX MOIS PLUS TARD : ENNO KLUGE

Enno Kluge ronge son frein dans l'antichambre d'un médecin, en compagnie de trente à quarante autres patients. Une assistante perpétuellement énervée appelle le numéro dix-huit; or Enno a le numéro vingt-neuf. Il en a donc encore pour une heure au moins, alors qu'on l'attend dans son cabaret habituel.

Il en a assez, de rester assis comme ça! Mais partir avant que le médecin l'ait porté malade, cela fera du grabuge à l'usine. Il ferait bien les cent pas dans l'antichambre, mais il y a beaucoup trop de monde. Reste le palier. Quand l'assistante l'y découvre, elle lui enjoint rudement de retourner là d'où il vient. Alors, il se fait indiquer les toilettes.

Sans le moindre empressement, elle lui montre le chemin et se promet de le tenir à l'œil. Mais plusieurs coups de sonnette l'obligent à recevoir les malades numéros quarante-trois, quarante-quatre et quarante-cinq. Elle doit prendre leurs papiers, remplir leurs fiches, mettre des cachets sur leurs certificats.

C'est comme cela du matin jusqu'à la nuit. Elle est à demi morte, et le médecin aussi. Jamais elle ne quitte cet état d'énervement permanent, qui est son lot depuis des semaines et des semaines. Une véritable haine s'enracine en elle, pour ce flot ininterrompu de malades qui ne lui laissent plus aucun répit. Quand elle arrive à huit heures, ils attendent déjà patiemment à la porte, et à dix heures du soir, ils encombrent encore l'antichambre, la remplissant de leurs mauvaises odeurs : resquilleurs du travail; resquilleurs du front; bonshommes qui veulent s'assurer par ruse, au moyen d'une attestation médicale, un ravitaillement plus abondant. Des individus qui tentent de se soustraire à leurs devoirs. Et elle ne le peut pas. Il lui faut tenir bon, sans se permettre de tomber malade – que ferait le docteur sans elle – elle doit encore être aimable envers tous ces carottiers, qui salissent partout, avec leurs expectorations et leurs vomissements! Les W.-C. sont toujours pleins de mégots et de cendres de cigarettes.

Se souvenant du petit sournois dont elle a abandonné la surveillance, elle bondit, sort en courant, frappe à la porte. Il y est sûrement encore occupé à griller des cigarettes.

– Occupé! crie-t-on de l'intérieur.

– Voulez-vous bien sortir! crie-t-elle comme une furie. Croyez-vous que vous pouvez rester là des heures? Les toilettes sont pour tout le monde.

Kluge s'esquive furtivement. Elle lui jette avec colère :

– Bien sûr, tout est de nouveau enfumé! Je dirai à monsieur le docteur comment vous êtes malade!

Découragé, Enno Kluge s'appuie au mur de l'antichambre, car sa chaise a trouvé preneur pendant son absence. Le médecin en est maintenant au numéro vingt-deux. Au fond, n'est-il pas absurde de continuer à attendre ici? Cette maudite assistante est parfaitement capable de faire ce qu'elle a dit et d'inciter le médecin à ne pas le porter malade. Et cela ferait de fameuses étincelles à l'usine, car il en est de nouveau à son quatrième jour d'absence. Si cela continue, on l'expédiera dans une compagnie disciplinaire ou dans un camp de concentration.

Donc il faut absolument, et aujourd'hui même, décrocher un certificat médical. Dès lors, pour lui, la seule chose intelligente à faire est de continuer à attendre, puisqu'il a commencé depuis longtemps. Chez un autre médecin, il n'y aura pas moins de monde; Enno devra faire la queue jusque tard dans la nuit. Et ce médecin-ci, du moins d'après ce qu'Enno a entendu dire, est assez « coulant » pour les certificats.

Tant pis, on devra se passer de lui aujourd'hui! Il ne jouera pas aux courses...

Désemparé, il s'appuie au mur en toussotant. Jamais il ne s'est complètement remis de son passage à tabac par le S.S. Persicke... Grâce au travail, il s'était rétabli à peu près, au bout de quelques jours, bien que ses mains fussent loin d'avoir retrouvé leur dextérité de jadis; il n'était plus qu'un travailleur de deuxième catégorie, qui ne brillerait plus jamais dans sa spécialité.

C'est peut-être cela qui lui enlevait tout cœur à l'ouvrage. Il ne voyait d'ailleurs ni le sens, ni l'utilité du travail. Pourquoi se fatiguer, puisqu'on pouvait tout aussi bien arriver à vivre sans travailler? Pour la guerre?... Qu'ils la fassent tout seuls, leur sale guerre!... Ça ne l'intéresse pas du tout!... Ils n'ont qu'à envoyer au front leurs grands bonzes. La guerre serait vite finie!

Et il se trouve justement que, pour le moment, Enno peut vivre sans travailler. Il s'est laissé aller à renouer avec les femmes. D'abord avec Tutti, puis avec Lotte. Toutes deux se sont montrées toutes prêtes à secourir pour un temps ce petit homme si câlin.

Mais, dès qu'on fréquente les femmes, adieu tout travail régulier! Au petit matin, quand il réclame son café et son petit déjeuner, ces dames se récrient... Quel sens cela a-t-il? À cette heure-là, tout le monde dort encore!... Qu'il regagne donc tranquillement le lit bien douillet!

On peut soutenir victorieusement un ou deux combats de ce genre. Mais Enno Kluge était bien incapable d'en gagner un troisième; il se rendait, rejoignait sa compagne et s'octroyait allégrement un petit supplément de sommeil.

Bien entendu, quand il se levait si tard, il chômait ce jour-là purement et simplement. Lorsqu'il parvenait à se lever un peu plus tôt, il arrivait à l'usine avec un retard plus ou moins important, bredouillait quelque excuse boiteuse et se faisait copieusement rabrouer (mais il y était habitué depuis si longtemps qu'il n'entendait même plus ce qu'on lui disait). Après quoi, il s'occupait pendant quelques heures. Et quand il rentrait, c'était de nouvelles criailleries... À quoi bon avoir un homme, s'il était parti toute la journée?... Il lui serait certainement beaucoup plus facile de gagner autrement les quelques marks que ce travail lui rapportait. Etc.

Au fond, il aurait été mieux inspiré de rester dans sa petite chambre d'hôtel : les femmes et le travail font rarement bon ménage. Sauf une seule : Eva. Bien entendu, Enno Kluge avait risqué une nouvelle tentative pour trouver refuge chez elle. Mais Frau Gesch lui avait appris qu'Eva était allée chez des parents, quelque part à la campagne. Frau Gesch détenait la clef de l'appartement, mais n'envisageait nullement de la confier à Enno Kluge. Qui payait régulièrement le loyer : lui ou sa femme? Donc, l'appartement était à Frau Kluge, et non à lui. Elle avait déjà eu suffisamment d'ennuis par sa faute. Au surplus, s'il voulait absolument faire quelque chose pour sa femme, il n'avait qu'à se rendre à la Poste. On s'était déjà enquis une ou deux fois de Frau Kluge, et récemment, il était arrivé pour elle une citation à comparaître devant une instance du Parti. Frau Gesch avait simplement renvoyé le document avec la mention : « Partie pour une destination inconnue. » Mais Enno Kluge pourrait arranger cela à la Poste. Sa femme y avait certainement encore quelques droits.

La question de ces droits avait fait dresser l'oreille au tourneur. Après tout, il pouvait prouver sa qualité de mari légal d'Eva. Les droits d'Eva étaient donc un peu les siens.

Mais, à la Poste, les choses allèrent tout autrement, et il eut toutes les peines du monde à tirer son épingle du jeu.

Eva devait avoir gravement manqué au Parti : les dirigeants étaient furieux contre elle. Du coup, il ne fut plus du tout pressé de se réclamer du titre de mari ; au contraire, il s'évertua à démontrer qu'il vivait depuis longtemps séparé d'elle et qu'il ignorait tout de ses faits et gestes.

Ils finirent par le laisser aller. Qu'y avait-il à tirer de ce *minus habens*, toujours prêt à pleurnicher et tremblant à la moindre alerte ? Il pouvait donc disposer et disparaître, quitte à leur envoyer sa femme sur-le-champ, s'il venait à la rencontrer. Mieux encore : il n'avait qu'à leur signaler le lieu de sa résidence, et ils se chargeraient du reste.

En retournant chez Lotte, Enno Kluge ricanait. Ainsi, l'excellente Eva était dans le pétrin. Elle aussi s'était sauvée à la campagne dans sa famille et n'osait plus se montrer à Berlin ! Enno n'avait évidemment pas été stupide au point de révéler aux gens de la Poste le lieu du séjour d'Eva. Il était aussi malin que Frau Gesch. Il lui resterait une dernière issue, pour le cas où tout irait tout à fait mal pour lui à Berlin. Il pourrait chercher refuge chez Eva, qui l'accueillerait peut-être, malgré tout ; devant sa parenté, elle n'oserait pas le recevoir trop fraîchement. Eva tenait encore à la considération et à la bonne réputation. Et puis il y avait les exploits de Karlemann. Jamais elle ne souffrirait qu'il en parlât aux siens ; elle préférerait encore le supporter, lui...

Donc, une dernière issue pour le cas où tout irait vraiment mal ! Mais, pour le moment, il avait encore Lotte, et elle était vraiment très gentille, bien qu'elle ne pût se taire une seconde et qu'elle eût la détestable habitude de ramener constamment des hommes dans sa chambre. Alors il devait se réfugier dans la cuisine pendant la moitié de la nuit (et, souvent même, toute la nuit) ; le lendemain, une fois de plus, pas question de travailler.

Son rendement n'était donc plus fameux et ne le serait d'ailleurs plus jamais... Mais cette guerre finirait peut-être plus vite qu'on ne le croyait.

Bref, il avait repris ses vieilles habitudes : flâneries et absences. Rien qu'à le voir, le chef d'atelier tournait à l'écarlate. Ce qui avait valu à l'ouvrier une deuxième mise en demeure de la direction; mais tout s'était passé très rapidement. Enno Kluge voyait bien ce qu'il en était : ils manquaient de main-d'œuvre et on ne le mettrait donc pas si facilement à la porte.

Après quoi, il s'était offert trois jours d'absence coup sur coup. C'est qu'il avait fait la connaissance d'une veuve séduisante, plus toute jeune, mais qui tranchait nettement sur le genre de femmes qu'il avait connues jusqu'à présent. Et elle tenait un magasin qui marchait très bien, à deux pas de la Porte du Roi : elle vendait des oiseaux, des poissons, des chiens, de la nourriture, des colliers, du sable, des vers de farine. On trouvait chez elle des tortues, des rainettes, des salamandres, des chats... Ses affaires étaient vraiment florissantes, et elle se débrouillait admirablement.

Auprès d'elle, il s'était fait passer pour veuf et lui avait fait croire qu'Enno était son nom de famille; elle l'appelait Hänschen. Pendant trois jours, elle avait été aidée par lui au magasin et avait pu ainsi se rendre compte de sa chance. Un petit homme comme ça, qui ne demandait qu'un peu de tendresse, lui convenait tout à fait. Elle était à l'âge où une femme se demande avec angoisse si elle aura encore un homme pour ses vieux jours. Naturellement elle voudrait l'épouser : peut-être arriverait-il à arranger les choses. N'y avait-il pas maintenant des mariages de guerre, pour lesquels on ne vérifiait pas de si près les papiers? Au sujet d'Eva, il ne devait pas se faire de scrupules. Elle serait enchantée d'être débarrassée de lui pour toujours, et elle se tairait.

Il voulait tout à coup se libérer, une fois pour toutes, de l'usine. Avec ces trois jours d'absence sans explications, il lui fallait absolument jouer au malade. Et voilà qu'il souhaitait être vraiment malade! Pendant cette maladie, il veillerait à régler l'affaire au mieux avec la veuve Hete Häberle. Maintenant Lotte le dégoûtait. Il ne pouvait plus supporter cette liaison, ni les bêtises de sa maîtresse, ni ses hommes, et moins encore sa tendresse quand elle était ivre. Non, il voulait être marié dans les trois ou quatre semaines, avoir un ménage bien en ordre!... Le médecin devait l'aider à obtenir cela.

Numéro vingt-quatre, seulement!... Encore une demi-heure avant que ce soit le tour d'Enno. Machinalement, il enjambe des pieds et se trouve de nouveau sur le palier. Malgré l'assistante hargneuse, il va en griller une aux W.-C. Il a de la chance, on ne l'a pas vu. Mais, à peine a-t-il aspiré les premières bouffées, la garce tambourine sur la porte :

— Vous êtes allé de nouveau fumer aux W.-C.! crie-t-elle. Je sais parfaitement que c'est vous! Voulez-vous bien sortir, ou dois-je aller chercher monsieur le docteur?

Comme elle crie, comme elle crie, de façon dégoûtante! Il préfère céder. Comme toujours : il cède plus volontiers qu'il ne résiste. Se laissant chasser par elle dans l'antichambre, il ne dit pas un mot pour s'excuser et s'appuie de nouveau contre le mur, attendant que son tour arrive. Elle va joliment le charger auprès du médecin, cette maudite vipère!

L'assistante, ayant chassé le petit Enno Kluge, retourne sur le palier. Elle lui a bien fait son affaire, à celui-là!

Son attention est attirée par une carte traînant sur le sol, non loin de la boîte aux lettres. La carte n'était pas là il y a cinq minutes, quand elle a ouvert au dernier malade; elle en est certaine. Et on n'a pas sonné. D'ailleurs, ce n'est pas l'heure de la distribution postale.

Tout cela, l'assistante l'a pensé en un éclair, en se penchant pour ramasser la carte. Et plus tard elle sera non moins certaine qu'avant de tenir en main l'objet, avant même d'avoir vu de quoi il s'agissait, elle avait déjà le sentiment que ce petit homme sournois était mêlé à l'affaire.

Jetant un regard sur le texte, elle en lit quelques mots et se précipite tout en émoi chez le médecin, dans son cabinet :

— Monsieur le docteur! Monsieur le docteur! Voyez ce que je viens de trouver sur notre palier!

Interrompant la consultation, elle obtient que le malade, à moitié déshabillé, soit envoyé dans une chambre attenante; puis elle donne la carte à lire au médecin. Celui-ci n'a pas encore fini sa lecture qu'elle lui fait part de ses soupçons :

— Ce ne peut être que ce petit sournois. Il m'a été anti-pathique d'emblée, avec son regard fuyant qui trahit une mauvaise conscience. Pas un moment il n'a pu se tenir tranquille. Il filait toujours sur le palier; je l'ai chassé deux fois des W.-C. Et la seconde fois, il a laissé tomber la carte der-rière lui sur le parquet. Elle ne peut pas avoir été jetée du dehors, car elle se trouvait beaucoup trop loin de la boîte aux lettres... Monsieur le docteur, appelez immédiatement la police, avant que le gaillard ne s'en aille!... Mon Dieu, il est peut-être déjà parti! Je vais vite voir.

Et elle sort en trombe, laissant la porte grande ouverte derrière elle.

Le médecin tient toujours la carte en main. Il lui est extrê-mement pénible qu'une chose de ce genre se passe pendant sa consultation. Heureusement que l'assistante a trouvé la carte et qu'il peut prouver qu'il n'a pas quitté la pièce depuis deux heures : il n'est pas allé une seule fois aux toilettes!

L'assistante a raison : le mieux à faire est d'appeler immé-diatement la police. Il cherche dans l'annuaire le numéro du commissariat de son quartier.

Pendant ce temps, la jeune fille regarde par la porte restée ouverte.

— Il est encore là, monsieur le docteur, murmure-t-elle... Il croit sans doute pouvoir détourner les soupçons. Mais je suis tout à fait sûre.

— Bien! interrompt le médecin. Veuillez fermer la porte. Je suis en communication avec la police.

Après avoir raconté ce qui s'est passé, le docteur reçoit l'ordre de retenir l'homme à tout prix, jusqu'à ce que quelqu'un arrive du commissariat. Ayant transmis ces instructions à l'assistante, avec ordre de l'appeler immédiatement si l'homme fait mine de s'en aller, il se rassied à son bureau. Mais son état de nervosité ne lui permet pas de continuer ses consultations pour le moment. Il ne lui manquait vraiment plus que cela! Pourquoi fallait-il qu'une chose pareille lui arrive? Il faut être un gaillard sans foi ni loi pour jeter les gens dans les pires ennuis en écrivant ces cartes!

À présent, la police était en route. Peut-être le soupçonnerait-on malgré tout et perquisitionnerait-on. Et alors, dans la chambre de bonne, on trouverait...

Le médecin se leva : il devait au moins *la* mettre au courant.

Puis il se rassit. Comment pourrait-il donc être soupçonné? Au surplus, même si on *la* trouvait!... N'était-elle pas *dame de compagnie*, comme l'établissaient ses papiers? Tout cela avait été mûrement réfléchi et discuté, depuis qu'il avait dû, sous la pression des nazis, divorcer de sa femme, une Juive, il y avait un peu plus d'un an. Il l'avait fait surtout sur la prière de sa femme, pour assurer du moins l'existence des enfants. Plus tard, quand il avait changé de domicile, il avait repris sa femme comme dame de compagnie, avec de faux papiers. Donc il ne pouvait vraiment rien arriver. Elle n'avait pas du tout l'air juif...

Cette funeste carte! Il fallait qu'elle échouât justement chez lui! Mais en quelque endroit qu'elle fût arrivée, elle eût suscité de la crainte et de l'inquiétude. En ces temps-ci, chacun avait quelque chose à dissimuler.

Peut-être était-ce précisément là le but : susciter de la crainte et de l'inquiétude. Peut-être, avec une préméditation diabolique, ces cartes étaient-elles distribuées à ceux sur qui pesaient des soupçons.

De toute façon, il s'était comporté correctement. Cinq minutes après la découverte de la carte, il en avait informé la police, et il pouvait même désigner un suspect... Peut-être un pauvre diable qui n'avait absolument rien à voir dans cette affaire. Mais il n'y pouvait rien : le personnage n'avait qu'à se tirer lui-même du pétrin.

Bien que ces considérations aient rassuré le médecin, il se lève et se fait une petite piqûre de morphine. Elle le mettra en état de rencontrer ces messieurs. Cette seringue est le moyen auquel le médecin recourt fréquemment depuis le scandale de son divorce. Il n'est pas encore morphinomane, loin de là, et passe parfois cinq ou six jours sans se faire de piqûre, mais quand des difficultés surgissent (et celles-ci se multiplient depuis la guerre), il prend de la morphine. C'est la seule chose qui l'aide encore ; sans ce secours artificiel, il perd le contrôle de ses nerfs. Non, il n'est pas encore morphinomane ! Mais il est en excellente voie de le devenir. Ah, si cette guerre finissait ! Qu'on puisse quitter ce malheureux pays ! À l'étranger il se contenterait du plus modeste poste de médecin auxiliaire.

Quelques minutes plus tard, un médecin pâle et quelque peu las reçoit les deux messieurs de la police. L'un n'est qu'un brigadier en uniforme, chargé de surveiller la porte d'entrée, ce qu'il fait immédiatement, prenant la relève de l'assistante. L'autre, le commissaire adjoint Schröder, est en civil. Le médecin, dans son cabinet de consultation, lui remet la carte. Que pourrait-il déclarer ? Pratiquement rien, sinon que depuis plus de deux heures, il a reçu sans interruption des malades : vingt ou vingt-cinq à la queue leu leu. Mais il va convoquer l'assistante.

Elle vient, et elle a beaucoup à dire. Énormément. Elle dépeint ce sournois, comme elle l'appelle, avec une haine tout que ne sauraient justifier ces deux inoffensives séances de tabagie aux W.-C. Le médecin observe attentivement l'énervement de la jeune personne pendant qu'elle dépose ; il lui arrive d'être presque à court de souffle.

« Je dois m'assurer qu'elle se soigne sérieusement pour son goitre. Son état empire constamment. Dans l'état d'excitation où elle se trouve maintenant, elle n'est déjà plus vraiment responsable de ses actes... »

Le commissaire adjoint semble se faire les mêmes réflexions. Il interrompt sèchement les déclarations de la femme :

— Merci. J'en sais assez pour le moment... montrez-moi donc encore, mademoiselle, l'endroit exact où la carte se trouvait sur le parquet.

L'assistante pose alors la carte à un endroit où elle n'aurait pu atterrir si elle avait été jetée par le battant de la boîte aux lettres. Le commissaire adjoint, aidé du brigadier, essaie de la jeter de manière à ce qu'elle tombe le plus près possible de l'endroit indiqué par l'assistante... tout près ; il ne s'en faut que de dix centimètres.

— La carte pourrait bien être venue par là, mademoiselle, fait-il.

La jeune fille est visiblement indignée que le commissaire adjoint ait réussi cette expérience. Elle explique avec énergie :

— Non, il est impossible que la carte se soit trouvée si près de la porte... elle aurait plutôt été encore plus loin que l'endroit que je vous ai indiqué. Je crois maintenant qu'elle était ici, tout près de la chaise.

Et elle désigne un autre endroit, plus éloigné de l'entrée, d'une cinquantaine de centimètres.

— Je suis presque sûre que j'ai heurté cette chaise en me relevant.

— Bon ! dit le policier en dévisageant froidement l'excitée.

En son for intérieur, il fait une croix sur toutes ses déclarations.

« Elle est hystérique, pense-t-il... ce qui lui manque, c'est naturellement un homme. Bien sûr, ils sont tous au front et elle n'est pas tellement séduisante. » Il s'adresse au médecin :

— Je voudrais passer trois minutes dans l'antichambre, comme si j'étais un client, et voir le suspect sans qu'il sache qui je suis. Cela peut-il se faire ?

— Bien sûr, cela peut se faire. Fräulein Kiesow vous dira où il est assis.

— Il est debout ! s'écrie l'assistante. Un type comme celui-là ne s'assied pas. Il marche plutôt sur les pieds des autres... sa mauvaise conscience ne lui laisse pas de répit... ce sournois...

— Alors, dites-moi où il se tient, interrompt de nouveau le commissaire adjoint, et pas très poliment.

— Il était près du miroir, à la fenêtre, répond-elle sans aménité. Mais je ne puis évidemment pas dire où il est maintenant. Agité comme l'est ce type !

— Je le trouverai, conclut le commissaire Schröder. Vous me l'avez bien décrit.

Et il pénètre dans l'antichambre.

Une certaine animation y règne. Depuis plus de vingt minutes, aucun patient n'a plus été appelé. Combien de temps faudra-t-il encore attendre ? Vraisemblablement, le docteur s'occupe par priorité de sa clientèle privée qui a le portefeuille bien garni ; les malades des Mutuelles, eux, peuvent toujours poireauter ici, jusqu'à ce qu'ils prennent racine ! Mais tous les médecins en font autant. On peut aller où on veut. L'argent a partout la priorité.

Pendant que ces avis sur la vénalité du corps médical s'entrecroisent de plus belle, le commissaire adjoint observe silencieusement son homme. Il l'a tout de suite repéré. Ce suspect n'est ni aussi agité ni aussi sournois que l'a dépeint l'assistante. Il se tient paisiblement près du miroir, sans prendre part à la conversation des autres, paraissant même

212

ne pas écouter. Il y a un peu d'hébétude et un peu d'inquiétude dans son regard.

« Un modeste travailleur, décide le commissaire adjoint. Non, un peu mieux... les mains paraissent adroites... des traces de travail, mais pas de travail lourd. Costume et pardessus entretenus avec soin, mais dont l'usure est visible. Au total : rien de l'homme qu'on aurait imaginé, d'après le ton des cartes... Celui-là a un style d'une grande vigueur. Tandis que celui-ci n'est obsédé que par ses propres soucis. »

Mais le commissaire adjoint sait depuis longtemps que les hommes sont souvent tout autres qu'ils ne paraissent. Et celui-ci est si lourdement accablé par le témoignage de l'assistante qu'on doit au moins vérifier son cas. L'auteur des cartes a dû rendre les chefs un peu nerveux. Tout récemment, il y a eu un nouvel ordre (secret ! très secret !) d'analyser sans délai même les plus petits indices en cette affaire.

« Une belle chance, si j'avais un petit succès ici ! pense le commissaire adjoint. Il est grand temps pour moi d'obtenir de l'avancement. »

Dans le brouhaha général, presque sans être remarqué, il va au petit homme du miroir, lui frappe sur l'épaule et dit :

— Venez un moment sur le palier... J'ai quelque chose à vous demander.

Enno Kluge le suit, avec cette docilité qu'il met à exécuter tous les ordres. Pourtant, l'inquiétude s'empare de lui :

« Qu'est-ce que ça veut dire ? Que me veut-il ? Il ressemble à un flic et parle tout à fait comme un flic... Qu'ai-je à faire avec la police ? Je n'ai pourtant rien à me reprocher. »

Au même moment, il se souvient de l'expédition chez la Rosenthal. Pas de doute : Borkhausen l'a dénoncé ! Son inquiétude s'accroît. Il a juré de ne rien dire, et, s'il parle, ce voyou de la S.S. s'occupera de nouveau de lui et l'étrillera encore plus salement ! D'autre part, s'il ne parle pas, c'est le flic qui l'entreprendra, et il finira quand même par se mettre à table... Dans les deux cas, ce sera sa perte. Oh! cette angoisse!

Sur le palier, quatre paires d'yeux le dévisagent. Mais il ne les voit pas. Il ne voit que l'uniforme du policier et il comprend que son inquiétude était justifiée et qu'il se trouve bel et bien coincé!

Et voilà que cette angoisse donne à Enno Kluge des réflexes qu'il n'a pas habituellement : l'esprit de résolution, la force et la rapidité. Il jette contre le policier le commissaire adjoint stupéfait, qui n'aurait jamais attendu ça du petit gringalet, passe en trombe devant le médecin et l'assistante, ouvre brutalement la porte et gagne l'escalier.

Mais, derrière lui, le sifflet du policier donne l'alarme. Kluge n'est pas de taille à se mesurer avec ce gaillard. Presque arrivé en bas, il est rejoint, et le brigadier lui allonge un coup de poing qui le jette sur les marches. Quand il peut de nouveau voir clair, le brigadier lui dit, avec un sourire cordial :

— Allons, tends-moi ta petite patte! Je vais t'offrir un bracelet... la prochaine fois, nous ferons une promenade comme ça ensemble, non?

Et déjà l'étau d'acier s'est refermé sur le poignet d'Enno. Il remonte l'escalier, encadré par le flic silencieux, au regard sombre, et le brigadier arborant un sourire satisfait. Ce petit fuyard ne lui avait fait qu'une blague!

Là-haut, les malades sont tous sur le palier, plus du tout mécontents de cette longue attente chez le docteur, car une arrestation est toujours quelque chose d'intéressant. D'après ce que leur a raconté l'assistante, ce type est même un délinquant politique, un communiste : c'est bien fait pour ces types-là! Une fois arrivé, Kluge passe devant tous ces visages et entre dans la salle de consultation du médecin. Fräulein Kiesow est bien vite renvoyée par le commissaire adjoint, mais le médecin, lui, peut assister à l'interrogatoire.

214

– Voilà, mon gars, assieds-toi d'abord sur cette chaise et remets-toi de cette galopade. Tu es vraiment éreinté. Brigadier, vous pouvez enlever les menottes à monsieur... Il ne nous faussera plus compagnie. Pas vrai?

– Non, non! assure Enno Kluge désespéré, avec des larmes qui coulent déjà sur son visage.

– Je ne te le conseillerais pas. Une autre fois, ça claquerait. Et je suis bon tireur, mon gars.

Le commissaire adjoint s'obstine à dire « mon gars » à Enno Kluge, qui doit bien avoir vingt ans de plus que lui.

– Allons, ne pleure pas comme ça! Ce que tu as fait ne peut pas être bien terrible.

– Je n'ai absolument rien fait, jette Enno Kluge à travers ses larmes... absolument rien!

– Mais bien sûr, mon gars! ponctue le commissaire adjoint. C'est pour cela que tu détales comme un lièvre dès que tu vois l'uniforme d'un brigadier... Docteur, n'avez-vous pas quelque chose qui remettrait un peu d'aplomb ce mur des lamentations?

À présent que tout danger est détourné de sa propre tête, le médecin regarde avec une cordiale compassion ce petit homme malheureux. Encore un vaincu de la vie, que le moindre obstacle désarçonne! Il est tenté de lui consentir une piqûre de morphine à la plus petite dose. Mais il n'ose pas, à cause du policier. Plutôt un peu de brome...

Mais il n'a pas encore fait dissoudre la poudre dans l'eau, qu'Enno Kluge dit :

– Je n'ai besoin de rien. Je ne veux rien avaler. Je ne me laisserai pas empoisonner... je préfère avouer.

– Très bien, dit le commissaire. Je savais bien que tu deviendrais raisonnable, mon gars... alors, raconte.

Et Enno Kluge essuie ses larmes et commence à raconter...

Quand il a commencé à pleurer, c'étaient de vraies larmes, tout simplement parce que ses nerfs l'ont trahi. Mais Enno sait depuis longtemps, par son commerce avec les femmes, que, tout en pleurant, on peut très bien réfléchir. Et ces réflexions l'ont amené à une première conclusion : il est fort peu vraisemblable que ces gens soient venus l'arrêter dans l'antichambre d'un médecin pour un cambriolage. S'ils l'ont vraiment surveillé, ils pouvaient tout aussi bien l'arrêter sur la voie publique ou dans la cage d'escalier ; pas besoin de le laisser passer deux heures dans une antichambre.

Non, l'affaire n'a vraisemblablement pas le moindre rapport avec l'expédition chez Frau Rosenthal. Cette arrestation est sans doute le résultat d'une erreur. Et Enno Kluge pressent confusément que l'acariâtre assistante n'y est pas étrangère.

Mais le voilà bien avancé ! Jamais, il ne pourra faire admettre par un flic que s'il a fui, c'est dans un moment d'affolement ; qu'à la vue d'un uniforme il perd la tête. Un flic n'avalera jamais cela. Enno doit donc avouer quelque chose de plausible, qui résiste à l'examen. Et il trouve sur-le-champ ce qu'il faut : c'est un peu ennuyeux de parler de ça, car il est impossible de prévoir les conséquences d'un tel aveu, mais entre deux maux, il faut choisir le moindre.

Donc, quand il est invité à parler, il sèche ses larmes et commence d'une voix relativement ferme à parler de son travail. Il a été si souvent malade que les directeurs l'ont pris en grippe et veulent maintenant l'expédier dans un camp de concentration ou dans une compagnie disciplinaire. Naturellement, Enno Kluge passe sous silence sa fainéantise ; il se dit que le flic n'aura pas de peine à deviner cet aspect de la question.

Et il ne se trompe pas : le flic voit très bien quel genre de vaurien est Enno Kluge.

– Quand je vous ai vu, monsieur le Commissaire, et quand j'ai vu monsieur le Brigadier en uniforme, alors que j'étais justement chez le docteur pour me faire porter malade, je me suis dit que c'était fichu, qu'on allait me mettre dans un camp de concentration, et je me suis enfui.

— Tiens tiens! dit le commissaire adjoint. Tiens, tiens!

Il réfléchit un moment, puis ajoute :

— Mais il me semble, mon gars, que tu ne crois plus tellement que c'est pour cette affaire que nous sommes ici.

— Non, à la vérité, non, concède Enno Kluge.

— Et pourquoi ne le crois-tu plus, mon gars?

— Parce que vous pouviez m'arrêter beaucoup plus facilement à l'usine ou à mon domicile.

— Ah! tu as donc un domicile?

— Naturellement, monsieur le Commissaire. Ma femme est employée à la Poste. Je suis marié. Mes deux fils sont au front : l'un est à la S.S., en Pologne... J'ai des papiers sur moi, je puis vous prouver tout ce que j'ai dit concernant mon domicile et le lieu de mon travail.

Et Enno Kluge tire un portefeuille poisseux et commence à chercher des papiers.

— Rengaine tes papiers, mon gars, fait le commissaire adjoint. On s'occupera de ça plus tard.

Il se plonge dans ses réflexions. Un silence général s'établit.

Mais le médecin, à son bureau, se met à écrire hâtivement. Peut-être aura-t-il l'occasion de glisser un certificat médical à ce petit bonhomme, qui tombe d'une angoisse dans une autre. Il a parlé de douleurs biliaires. Soit. Ce sont des temps où l'on doit aider son prochain, quand l'occasion se présente.

— Qu'écrivez-vous donc là, docteur? demande le commissaire adjoint, sortant brusquement de ses méditations.

— Une fiche médicale. Je profite de ce répit pour m'avancer un peu. Il y a encore foule dans ma salle d'attente.

— C'est juste, docteur, dit le commissaire adjoint en se levant. Nous ne vous retiendrons pas plus longtemps.

L'histoire que raconte Enno Kluge peut être vraie ; elle est même très probablement vraie ; mais le commissaire adjoint a l'impression qu'il y a encore quelque autre anguille sous roche.

— Allons, viens, mon gars. Tu nous accompagneras bien encore un bout de chemin ? Oh non, pas en prison ! Au commissariat... Aimable comme tu es, je m'entretiendrais encore volontiers un peu avec toi. Et nous ne dérangerons pas plus longtemps le docteur.

Il dit au brigadier :

— Non, pas de menottes... il nous accompagnera bien gentiment. C'est un enfant sage. *Heil* Hitler ! monsieur le Docteur, et grand merci.

Ils sont déjà à la porte. Mais tout d'un coup le commissaire adjoint tire la carte de sa poche, la carte de Quangel, la met sous le nez d'Enno Kluge tout surpris, et lui dit, sur un ton catégorique :

— À propos, lis-nous un peu ça. Mais très vite, sans bafouiller.

Il observe la façon dont Kluge prend la carte. Les yeux grands ouverts deviennent de plus en plus inintelligents. La bouche dit, en bégayant : « *Allemand, n'oublie pas ! C'est avec l'Anschluss autrichien que ça a commencé. Les Sudètes et la Tchécoslovaquie ont suivi. La Pologne a été envahie, la Belgique, la Hollande...* »

Et le commissaire adjoint sait déjà, avec une quasi-certitude, que cet homme n'a encore jamais eu en main la carte, n'a jamais lu son contenu et a encore moins pu l'écrire. (Il a bien trop peur pour faire quelque chose de ce genre.)

Rageusement, il arrache la carte de la main d'Enno Kluge, répète sèchement : *Heil* Hitler ! et quitte le cabinet du médecin, en compagnie du brigadier et de son prisonnier.

Lentement, le médecin déchire le certificat préparé pour Enno Kluge. L'occasion ne s'est pas présentée. Dommage !

Mais ce document n'aurait vraisemblablement servi à rien. Cet homme, qui paraît si peu à même de se mesurer avec les difficultés des temps actuels, était peut-être condamné à disparaître. Insignifiant comme il est, il ne pouvait guère attendre un secours de l'extérieur.

L'INTERROGATOIRE

Le commissaire adjoint avait donc la ferme conviction qu'Enno Kluge ne pouvait être mis en cause, ni pour la rédaction, ni pour la diffusion des cartes. Et pourtant, lorsqu'il avait alerté téléphoniquement le commissaire Escherich, il lui avait dit que Kluge était sans doute le distributeur de ces pamphlets. Il l'avait fait parce qu'un subordonné intelligent ne doit jamais anticiper sur les vues de son supérieur. Fräulein Kiesow, l'assistante faisait peser sur Kluge une accusation grave. C'était au commissaire de décider si ces allégations étaient fondées ou non.

Si elles se révélaient fondées, le commissaire adjoint passerait pour un homme capable et serait assuré de la bienveillance de son supérieur. Mais si elles se révélaient sans fondement, il en découlerait que le commissaire avait plus de flair que son adjoint; et un tel brevet d'intelligence décerné au supérieur est souvent, pour les subordonnés, plus profitable que toute l'habileté du monde.

— Et alors? lança le long et livide Escherisch en pénétrant dans le commissariat... et alors, collègue Schröder, où est votre capture?

— Dans la dernière cellule de gauche, monsieur le Commissaire...

— A-t-il avoué?

— Non, monsieur le Commissaire. Après notre entretien téléphonique, je l'ai fait immédiatement incarcérer.

— Bien, dit Escherich. Que sait-il au sujet des cartes?

Le commissaire adjoint dit prudemment :

— Je lui ai fait lire une fois la carte qu'on avait trouvée...
Le début, du moins.

— Votre impression?

— Je ne peux pas me prononcer, monsieur le Commissaire, dit l'adjoint.

— N'ayez pas peur, collègue Schröder! Votre impression?

— Il me semble peu vraisemblable qu'il soit l'auteur de ces cartes.

— Pourquoi?

— Il n'a pas l'air très astucieux... De plus il est terrorisé.

Mécontent, Escherich tira sur sa moustache :

— Pas très astucieux? Terrorisé? Mon Trouble-Fête est un malin et certainement aussi peu timoré que possible. Alors, pourquoi croyez-vous avoir mis la main sur le coupable? Expliquez-vous.

Le commissaire adjoint obéit. Il rapporta les accusations de l'assistante et insista aussi sur la tentative de fuite :

— Je ne pouvais pas faire autrement, monsieur le Commissaire... Selon les ordres, je devais l'arrêter.

— C'est juste, collègue Schröder. Vous avez très bien fait. Je n'aurais pas agi autrement...

Escherich avait repris du poil de la bête. Ces nouvelles précisions semblaient encourageantes. L'homme n'était peut-être que le distributeur des cartes? Pourtant, le commissaire jusqu'à présent, avait tenu pour certain que l'auteur des cartes travaillait absolument seul.

— Avez-vous déjà examiné ses papiers?

— Les voici. Ils confirment en général ce qu'il a dit. J'ai l'impression, monsieur le Commissaire, que c'est un fainéant. Frousse d'être envoyé au front... pas de goût pour le travail... il parie aux courses. J'ai trouvé sur lui tout un paquet de journaux spécialisés et des calculs... et encore des lettres de femmes de la plus basse classe. Un petit voyou, en somme, mais qui va vers la cinquantaine...

— Bien, bien! dit le commissaire, qui trouvait que les choses n'allaient pas très bien.

Ni l'auteur des cartes, ni un quelconque distributeur, ne pouvaient être des coureurs de jupons. Pour lui, c'était certain. La petite lueur d'espérance vacillait de nouveau dans son esprit. Mais Escherich pensa alors à ses supérieurs, à l'Obergruppenführer Prall et aux gens encore plus haut placés, jusqu'à Himmler, qui allaient lui empoisonner la vie s'il continuait à piétiner. Or, ici, il y avait des données positives : de fortes charges et un comportement suspect. Il pouvait donc persévérer dans cette voie, même si, dans son for intérieur, il ne croyait pas que ce fût la bonne. Il gagnait du temps ; de quoi continuer à attendre patiemment. Personne n'en souffrait. Un *minus habens* de ce genre, quelle importance cela avait-il ?

Escherich se leva :

— Je descends aux cellules, Schröder. Donnez-moi la dernière carte et attendez ici.

Le commissaire avança très doucement, en serrant les clefs dans sa main pour les empêcher de tinter. Il souleva sans bruit le judas et regarda à l'intérieur de la cellule.

Le détenu était assis sur un escabeau. Une main soutenait le visage et le regard était dirigé vers la porte. On avait l'impression que l'homme regardait l'œil inquisiteur du commissaire. Mais l'expression du visage de Kluge révélait qu'il ne voyait rien. Il n'avait pas tressailli quand le judas avait été soulevé et ses traits n'étaient pas tendus, comme c'est le cas pour tous ceux qui se sentent observés.

Il regardait simplement devant lui, perdu dans ses pensées, ou plutôt, plongé dans une somnolence traversée d'idées noires.

Le commissaire avait à présent une certitude absolue : cet homme-là n'était ni l'homme qu'il cherchait, ni même un de ses complices. Malgré les accusations précises et le comportement suspect, c'était simplement une erreur.

Mais Escherich pensa de nouveau à ses supérieurs. Il mordilla sa moustache, se demandant comment faire traîner cette affaire avant qu'on pût découvrir que c'était une fausse piste. Il ne s'agissait pas de s'attirer un blâme.

D'une poussée, il ouvrit la cellule et entra. Au bruit de la serrure, le détenu avait sursauté. Il regarda le visiteur avec embarras, puis fit mine de se lever.

Mais Escherich le fit rasseoir :

— Restez assis, Herr Kluge, restez assis... à notre âge, on ne se relève plus si facilement.

Il eut un rire, et Kluge essaya de sourire, un peu tristement par pure politesse.

Le commissaire rabattit le lit et s'assit. Il regarda attentivement ce visage blême aux lèvres épaisses et aux yeux clairs qui clignaient.

— Eh! bien, Herr Kluge, racontez donc ce que vous avez sur le cœur. Je suis le commissaire Escherich, de la Gestapo.

Il continua sur un ton doucement encourageant, en voyant l'autre tressaillir d'inquiétude :

— N'ayez pas peur. Nous ne mangeons pas les petits enfants... Et vous n'êtes qu'un petit enfant, je le vois bien.

Ces paroles touchèrent Kluge, dont les yeux se remplirent de larmes et dont les mâchoires se mirent à trembler convulsivement.

— Allons, allons! dit Escherich en mettant la main sur celle du petit homme... ce ne sera pas bien terrible. Ou bien, est-ce si grave?

— Tout est perdu! s'écria Enno Kluge avec désespoir. je n'en peux plus... je n'ai pas de certificat médical, et je devrais être au travail. Me voici emprisonné, et on va m'envoyer dans un camp de concentration, où je ne tiendrai pas quinze jours.

— Allons, allons... dit de nouveau le commissaire, comme à un enfant. En ce qui concerne votre usine, cela s'arrangera. Quand nous arrêtons quelqu'un et que nous constatons qu'il est en règle, nous veillons à ce que son arrestation ne lui cause aucun dommage... Et vous êtes certainement en règle, Herr Kluge, non?

De nouveau, le visage de Kluge se contracta, puis il se décida à faire un aveu partiel à cet homme sympathique :

— À leur avis, je ne travaille pas assez.

— Ah! Et quelle est votre opinion à ce sujet, Herr Kluge? Selon vous, travaillez-vous assez? Ou bien...

Kluge réfléchit de nouveau :

— Je suis tellement malade! dit-il plaintivement. Mais ils se contentent de dire que l'époque actuelle est mal choisie pour être malade.

— Quand même, vous n'êtes pas toujours malade? Alors, quand vous ne l'êtes pas et que vous travaillez, en faites-vous assez? Qu'en pensez-vous, Herr Kluge?

Derechef, Kluge se décida :

— Mon Dieu, monsieur le Commissaire, les femmes me courent tellement après!

Il y avait autant de vanité que de plainte dans ces mots.

Le commissaire secoua la tête avec réprobation, comme si c'eût été vraiment grave :

— Ce n'est pas bien, Herr Kluge! dit-il. Mais enfin, à nos âges on ne renonce pas volontiers, n'est-ce pas?

Kluge le regardait avec un faible sourire, heureux d'avoir trouvé de la compréhension chez cet homme.

— Et quel est l'état de vos finances? poursuivit Escherich.

— Je parie un peu de temps en temps, avoua Kluge... pas souvent et pas beaucoup, monsieur le Commissaire. Jamais plus de cinq marks, quand il y a un tuyau absolument sûr... je vous le jure, monsieur le Commissaire.

— Et comment payez-vous ces dépenses, Herr Kluge? Les femmes et les paris? Puisque vous ne travaillez guère?

— Mais voyons, les femmes me paient, monsieur le Commissaire! dit Kluge, presque offensé par tant d'incompréhension.

Il sourit vaniteusement et ajouta :

— Parce que j'ai mes petits talents.

À partir de ce moment, le commissaire Escherich abandonna définitivement l'idée que cet homme pût jouer le moindre rôle dans la rédaction et la diffusion des cartes. Ce Kluge était purement et simplement incapable de se lancer dans une entreprise de ce genre. Mais il fallait bien l'interroger à ce sujet, pour pouvoir dresser un procès-verbal ; un procès-verbal qui incitât les autorités supérieures à se tenir tranquilles et qui permît de marquer un point contre Kluge, en continuant à laisser peser les soupçons sur lui.

Il mit donc la fameuse carte sous les yeux de Kluge :

— Vous connaissez cette carte, Herr Kluge ?

— Oui, dit Kluge étourdiment.

Mais, se reprenant avec effroi, il s'empressa de rectifier :

— C'est-à-dire, évidemment non. J'ai dû la lire tout à l'heure, du moins le début... mais je ne connais pas la carte autrement ! Parole d'honneur, monsieur le Commissaire.

— Allons, allons ! fit Escherich avec scepticisme. Herr Kluge, nous avons éclairci l'affaire importante de votre façon de travailler et du camp de concentration. J'irai moi-même chez votre directeur et arrangerai cette affaire pour vous. Dans ces conditions, j'espère que nous allons tomber d'accord sur une question aussi minime que celle de cette carte.

— Je n'ai rien à voir là-dedans, absolument rien, monsieur le Commissaire.

— Herr Kluge, dit le commissaire, insensible à ces dénégations, je ne vais pas aussi loin que mon collègue, qui vous tient pour l'auteur des cartes et veut vous traîner devant le Tribunal du Peuple... Et alors, le tour est joué, Herr Kluge.

Le petit homme trembla, et une pâleur livide se répandit sur son visage. Mais le commissaire se fit rassurant et tapota à nouveau la main de Kluge :

— Pour ma part, je ne vous considère pas comme l'auteur de cette carte... Mais enfin elle a été trouvée chez le médecin, et vous vous êtes rendu suspect par vos manèges, par votre affolement, par votre fuite. Et il y a de bons témoins... non, Herr Kluge, il vaut mieux que vous me disiez la vérité. Je ne voudrais certes pas que vous fassiez votre propre malheur.

— La carte a dû être jetée du dehors, monsieur le Commissaire... Je n'ai rien à voir là-dedans, parole d'honneur.

— Là où elle se trouvait, elle ne pouvait absolument pas avoir été jetée du dehors. Et elle n'y était pas, cinq minutes plus tôt ; l'assistante l'a affirmé sous serment... Or, dans cet intervalle, vous étiez aux toilettes... Ou bien voulez-vous prétendre que quelqu'un d'autre s'est rendu de l'antichambre aux W.-C. ?

— Non, je ne crois pas, monsieur le Commissaire... non, certainement pas. S'il s'agit de cinq minutes, certainement pas. Je voulais fumer un bon bout de temps, et j'ai donc observé avec attention si un autre allait aux toilettes.

— Vous voyez bien, dit le commissaire, visiblement très satisfait. Vous le dites vous-même : vous seul pouvez avoir déposé la carte.

Kluge le regardait, les yeux de nouveau remplis d'effroi.

— Après avoir avoué cela...

— Je n'ai rien avoué ! Rien du tout ! J'ai seulement dit que personne n'était allé aux W.-C. pendant les cinq minutes qui ont précédé le moment où je m'y suis rendu moi-même.

Ces paroles, Kluge les avait presque criées.

— Voyons, dit le commissaire en secouant la tête avec désapprobation, vous n'allez pas revenir sur un aveu que vous venez de faire à l'instant ! Je devrais enregistrer la rétractation dans le procès-verbal, Herr Kluge, et cela ferait mauvais effet.

Kluge le regarda, désespéré :

— Mais je n'ai rien avoué, murmura-t-il d'une voix blanche.

— Nous allons nous mettre d'accord là-dessus aussi, dit

Escherich, conciliant. Mais dites-moi d'abord qui vous a donné la carte pour que vous la déposiez. Était-ce une connaissance, un ami? Ou bien quelqu'un vous a-t-il entrepris dans la rue, en vous donnant quelques marks pour faire cela?

— Mais non! cria de nouveau Kluge. Je n'ai pas eu la carte en main et je ne l'ai absolument pas vue avant que votre collègue me la donne!

— Mais enfin, Herr Kluge, vous venez d'avouer vous-même que vous aviez déposé la carte.

— Je n'ai rien avoué du tout! Je n'ai jamais rien dit de semblable.

— Non, dit Escherich en lissant sa moustache avec un sourire.

Il éprouvait à présent beaucoup de plaisir à secouer un peu ce chien lâche et geignard. Cela ferait encore un excellent procès-verbal, avec de fortes présomptions, pour les supérieurs.

— Non, dit-il, vous ne l'avez pas dit formellement. Mais vous avez admis que vous seul pouvez avoir mis la carte là, et que personne, en dehors de vous, n'est passé à l'endroit où elle a été trouvée. Ce qui revient au même.

Enno le regardait, les yeux exorbités. Puis il grogna, tout à coup hargneux :

— Cela non plus, je ne l'ai pas dit. D'autres gens que ceux qui étaient dans l'antichambre peuvent être allés aux toilettes.

Il se rassit. Dans son énervement, les fausses accusations l'avaient fait bondir sur ses pieds.

— Je ne dis plus rien... je désire un avocat. Et je ne signerai pas de procès-verbal.

— Herr Kluge, dit Escherich, ai-je exigé de vous que vous signiez un procès-verbal? Ai-je seulement noté ce que vous avez déposé? Ne sommes-nous pas ici tous les deux comme de vieux amis? Ce que nous disons ne regarde personne.

Il se leva et ouvrit toute grande la porte de la cellule :

— Voyez : personne dans le couloir pour écouter! Et vous faites tant d'histoires pour cette niaiserie. Voyez-vous, je n'attache aucune importance à cette carte... celui qui l'a écrite est un pur idiot. Mais puisque l'assistante et mon collègue y attachent tant d'importance, il faut bien que je suive l'affaire. Ne faites pas la bête, Herr Kluge, dites-moi simplement : « Quelqu'un me l'a donnée, avenue de Francfort. Il m'a dit qu'il voulait jouer un tour au docteur. » Et, pour cela, il vous a donné dix marks. Car vous aviez un billet de dix marks tout neuf en poche : je l'ai bien vu. Voyez-vous, si vous me racontez ça maintenant, vous êtes mon homme. Vous ne me créez pas de difficultés, et je puis rentrer tranquillement chez moi.

— Et moi? Où irai-je? En prison! Et ça me coûtera la tête! Non, monsieur le Commissaire. Jamais, au grand jamais, je ne dirai ça.

— Vous demandez où vous irez tandis que je rentrerai chez moi, Herr Kluge? Vous irez chez vous... Vous ne l'avez pas encore compris? Vous êtes libre. D'une façon ou de l'autre, je vous laisse filer.

— Vrai, monsieur le Commissaire! vrai de vrai? Je peux m'en aller sans déposition, sans procès-verbal?

— Mais bien sûr, Herr Kluge! Vous pourrez vous en aller, vous pourrez partir sur-le-champ... mais, avant cela, songez encore à une seule chose.

Et il frappa sur l'épaule de Kluge, qui s'était levé tout excité, déjà tourné vers la porte.

— Voyez, j'arrange vos affaires à l'usine. Je fais ça pour vous faire plaisir. Je vous l'ai promis, et je tiens parole. Mais, de votre côté, songez un instant à moi, Herr Kluge. Songez seulement aux innombrables difficultés que me fera mon collègue, si je vous laisse partir. Il me desservira auprès de mon supérieur, et cela peut me valoir les plus grands ennuis. Il serait vraiment bienséant, Herr Kluge, que vous me contresigniez ce que je vous ai dit, du quidam de l'avenue de Francfort. En faisant cela, vous ne courez aucun risque. De toute façon, cet homme ne pourra pas être trouvé... donc, Herr Kluge...

De sa vie, Enno Kluge n'avait entendu de discours aussi doucement insinuants. Il était là, à hésiter. S'il ne heurtait pas cet homme, la liberté était à portée de la main. Et tout rentrerait dans l'ordre à l'usine. Il avait une peur effroyable de s'aliéner ce commissaire si gentil. Si Enno le froissait, le flic poursuivrait ses investigations et l'amènerait bien un jour à lui avouer de surcroît l'expédition chez la Rosenthal. Et alors Enno Kluge serait perdu : le S.S. Persicke.

Il pouvait donc faire ce plaisir au commissaire. Qu'est-ce qu'il risquait ? Il s'agissait d'une sornette, d'un truc politique. Il n'avait jamais rien eu à voir là-dedans et n'y comprenait rien. De fait, le bonhomme de l'avenue de Francfort demeurerait toujours introuvable, pour la bonne raison qu'il n'existait pas. Allons, il allait faire ce plaisir au commissaire et signer.

Mais sa prudence innée et son inquiétude le reprenaient alors :

— Oui, dit-il et quand j'aurai signé, vous ne me remettrez quand même pas en liberté.

— Pourquoi pas ? dit le commissaire Escherich, tout en voyant que la partie était virtuellement gagnée. Vous garder pour une vétille pareille et alors que vous me rendez un service ! Je vous donne ma parole d'honneur, Herr Kluge, ma parole d'homme et de commissaire : sitôt le procès-verbal signé, vous êtes libre.

— Et si je ne signe pas ?

— Vous êtes naturellement libre aussi...

Enno Kluge se décida :

— Allons, je vais signer, monsieur le Commissaire, pour que vous n'ayez pas d'ennuis et pour vous rendre un petit service. Mais vous n'oubliez pas mon affaire à l'usine.

– Ce sera réglé aujourd'hui même, Herr Kluge... Aujourd'hui même. Allez vous y montrer demain, et surtout abstenez-vous de vous faire bêtement porter malade. Pour une absence d'un jour, disons une fois par semaine, personne ne vous dira plus rien, quand j'aurai parlé à vos chefs... Content comme ça, Herr Kluge?

– Oh oui!... Et je vous suis très reconnaissant, monsieur le Commissaire.

Tout en parlant ainsi, ils avaient suivi le couloir et étaient revenus au bureau, où le commissaire adjoint Schröder attendait, curieux de connaître les résultats de l'interrogatoire. À leur entrée il se leva.

Le commissaire eut un sourire et désigna d'un signe de tête Enno Kluge, qui s'était remis à trembler, tant ce flic lui faisait peur :

– Voilà notre ami. Il vient de m'avouer qu'il a déposé la carte chez le médecin... il l'a reçue d'un monsieur, avenue de Francfort.

Le commissaire adjoint laissa échapper une sorte de soupir :

– Tonnerre! dit-il ensuite. Mais il ne peut pourtant pas...

– Et maintenant, continua le commissaire, imperturbable, et maintenant nous allons rédiger tous les deux ici un petit procès-verbal, puis Herr Kluge rentrera chez lui. Il est libre. D'accord, Herr Kluge?

– Oui, répondit Kluge, mais dans un souffle, car la présence du flic lui inspirait des idées de plus en plus inquiétantes.

Le commissaire adjoint, lui, était stupéfait. Ce Kluge n'avait pas déposé la carte : il en était certain à cent pour cent. Et ce Kluge était pourtant prêt à signer une déposition affirmant le contraire... Quel renard, cet Escherich! Comment avait-il bien pu obtenir cela? Schröder s'avouait, non sans envie, que ce commissaire lui était infiniment supérieur. Et pour comble, après un tel aveu, laisser le gaillard en liberté!

C'était à n'y rien comprendre, à y perdre son latin. Allons, si malin qu'on soit, on trouve toujours plus malin que soi.

— Écoutez, collègue, dit Escherich après avoir savouré la stupéfaction de son adjoint, vous pourriez aller tout de suite pour moi au commissariat central.

— À vos ordres, monsieur le Commissaire.

— Vous savez que je dois régler cette autre affaire... comment s'appelle-t-elle encore au juste? Ah! oui, l'affaire « Trouble-Fête »... vous vous souvenez, collègue?

Leurs regards se croisèrent et ils se comprirent.

— Eh bien, allez pour moi au commissariat central et dites à notre collègue Linke... Mais asseyez-vous donc, Herr Kluge. Et excusez-moi. Je n'ai plus que quelques mots à dire à mon collègue.

Il gagna la porte avec son adjoint, auquel il souffla :

— Demandez deux hommes. Qu'ils viennent ici séance tenante... des types capables de faire une bonne filature. Dès qu'il quittera le commissariat, ce Kluge sera suivi continuellement. Informations sur son compte toutes les deux ou trois heures, par téléphone, à mon bureau de la Gestapo. Nom de code : « Trouble-Fête ». Montrez notre gaillard aux deux hommes; qu'ils se relaient... et revenez ici quand ils seront prêts. À ce moment-là, je lâcherai notre lièvre.

— Ce sera fait, monsieur le Commissaire... *Heil* Hitler!

La porte claqua; le flic était parti. Le commissaire s'assit à côté d'Enno Kluge et dit :

— Nous voilà débarrassés de lui. Vous ne l'aimez pas tellement, n'est-ce pas, Herr Kluge?

— Pas autant que vous, monsieur le Commissaire.

— Avez-vous vu ses yeux, quand il a entendu que je vous laissais partir? Il doit joliment grogner en ce moment. C'est pour ça que je viens de le renvoyer; je n'ai pas besoin de lui pour notre petit procès-verbal. Il se serait mêlé à notre conversation. Je ne vais pas appeler de dactylo; je préfère écrire moi-même ces quelques lignes. Ce n'est qu'un petit arrangement entre nous, question d'être un peu à couvert du côté de mes supérieurs après vous avoir laissé en liberté...

Ayant ainsi rassuré une fois de plus le petit froussard, il prit la plume. Tantôt il lisait à haute et intelligible voix ce qu'il écrivait, tantôt tout se perdait en un ronron confus, et Kluge n'arrivait pas à comprendre ce que le commissaire marmonnait.

Il voyait seulement qu'il s'agissait non pas de quelques lignes, mais plutôt de trois à quatre feuillets. Pour le moment, ça ne l'intéressait pas tellement : ce qui l'intéressait surtout, c'était de savoir si, dans un instant il allait vraiment recouvrer sa liberté. Il regarda la porte. Avec une décision soudaine, il se leva et l'entrouvrit.

— Kluge! appela-t-on derrière lui, mais sur un ton qui n'était pas tellement impérieux... Herr Kluge, de grâce!

— Quoi? demanda-t-il en se retournant. Je ne peux donc pas m'en aller?

Il eut un sourire inquiet. Le commissaire le regarda aimablement, la plume à la main :

— Voilà, vous vous repentez déjà, Herr Kluge, de ce dont nous avons parlé... De ce que vous m'aviez formellement promis... C'est bien : j'ai gâché du carbone en pure perte.

Il déposa la plume avec énergie :

— Mais allez donc, Kluge! Je vois bien à présent que vous n'êtes pas un homme de parole. Partez donc. Je vois bien que vous ne signerez pas. Ça revient au même, en ce qui me concerne.

Et c'est de cette façon que le commissaire arriva à faire signer le procès-verbal par Kluge. Celui-ci ne demanda même pas qu'on le lui lût. Il signa de confiance.

— Je peux m'en aller, à présent, monsieur le Commissaire?

— Bien sûr! Un grand merci, Herr Kluge. C'est parfait. Au revoir... mais plutôt ailleurs qu'ici! Ah, un moment encore, Herr Kluge!

— Je ne peux pas partir?

Kluge eut de nouveau un tremblement.

— Mais certainement! N'avez-vous plus confiance en moi? Quel homme défiant vous êtes, Herr Kluge! Pourtant, il me semble que vous prendrez volontiers avec vous vos papiers et votre argent... Ah! vous voyez! Vérifiez si tout y est, Herr Kluge.

Et ils commencèrent à collationner : carnet de travail, livret militaire, extrait de naissance, carnet de mariage.

— Mais pourquoi traînez-vous tous ces papiers avec vous, Herr Kluge? Si vous les perdiez! Vous ne gagnez pas grand-chose, Herr Kluge... Ah oui, je vois : vous n'avez travaillé que trois ou quatre jours par semaine. Petit resquilleur, va!

— ... Trois lettres...

— Non, laissez : elles ne m'intéressent pas du tout... 37 marks en billets et 65 pfennigs en pièces... Voici aussi le billet de dix marks que vous avez reçu du monsieur. Je le garde plutôt pour le dossier... mais, attendez, vous ne subirez pas de perte. Je vous le remplace par dix marks de ma poche.

Le commissaire fit traîner les choses de la sorte jusqu'au retour du commissaire adjoint Schröder.

— Mission accomplie, monsieur le Commissaire... et je dois vous communiquer que le commissaire Linke voudrait encore vous parler de l'affaire « Trouble-Fête ».

— Bien, bien! Mille mercis, collègue! Oui, nous avons terminé ici. Alors, au revoir, Herr Kluge. Schröder, montrez donc le chemin à Herr Kluge... voilà, Herr Schröder vous accompagne... encore au revoir, Herr Kluge. Je n'oublie pas l'usine. Non, non!... *Heil* Hitler!

— Sans rancune, Herr Kluge, dit Schröder en lui serrant la main. Vous savez, c'est le métier. Nous devons parfois y aller un peu rudement. Mais je vous ai fait enlever immédiatement les menottes. Vous ne vous ressentez plus du coup que le brigadier vous a donné?

– Non, non, plus du tout... et je comprends aussi tout ça. Excusez plutôt la peine que je vous ai donnée, monsieur le Commissaire.

– Ainsi donc, *Heil* Hitler! Herr Kluge.

– *Heil* Hitler! monsieur le Commissaire.

Et le pitoyable petit Enno Kluge s'en alla en trottant. Il fendait au pas gymnastique la cohue de l'avenue de Francfort, et le commissaire adjoint Schröder le suivait des yeux. Il s'assura encore que les deux hommes qu'il avait préposés à la surveillance de l'olibrius étaient bien dans son sillage; puis il regagna son poste.

LE COMMISSAIRE ESCHERICH INSTRUIT
L'AFFAIRE « TROUBLE-FÊTE »

– Tenez, lisez! dit le commissaire Escherich au commissaire adjoint Schröder en lui tendant le procès-verbal.

– Ça alors! s'écria Schröder... Il a donc avoué! Le voilà mûr pour le Tribunal du Peuple et le bourreau.

Il ajouta pensivement :

– Et ce genre d'individu court en liberté!

– C'est vrai, dit le commissaire, tout en glissant le procès-verbal dans une chemise qu'il remit dans sa serviette de cuir. C'est vrai, ce genre d'individu court en liberté. Mais il est étroitement surveillé par nos gens, non?

– Bien sûr! Je m'en suis assuré personnellement. Ils étaient tous les deux dans son sillage.

Le commissaire Escherich poursuivit, en lissant pensivement sa moustache :

– Et le voilà qui va, qui va et vient, et nos gens le suivent à la piste... et un jour (aujourd'hui, ou dans une semaine, ou dans six mois) notre petit Kluge ira chez celui qui écrit les cartes, chez l'homme qui lui a donné mission de les déposer çà et là... Il nous conduira chez ce type-là aussi sûrement que deux et deux font quatre. À ce moment-là, crac, les voilà tous les deux bien à point pour la prison et tout ce qui s'ensuit!

— Monsieur le Commissaire, dit Schröder, je ne peux pas encore croire tout à fait que ce soit ce Kluge qui a déposé la carte. Quand je la lui ai mise en main, j'ai bien vu qu'il ne savait pas du tout de quoi il s'agissait. C'est l'imagination de cette hystérique d'assistante qui a trop travaillé.

— Le fait est pourtant inscrit noir sur blanc dans le procès-verbal, objecta le commissaire, mais sans insister particulièrement. Du reste, je vous conseillerai de ne pas parler, dans votre rapport, de femme hystérique. Pas de jugements anticipés et personnels : uniquement de l'objectivité! Si vous voulez, interrogez le médecin sur le crédit qu'on peut accorder aux dires de son assistante... mais non, laissez plutôt ça aussi. Ce serait encore un jugement anticipé et personnel. Nous pouvons laisser au juge d'instruction le soin d'apprécier les dépositions. Notre travail est purement objectif, n'est-ce pas, Schröder, sans aucun jugement préconçu?

— Bien sûr, monsieur le Commissaire...

— Une déposition est une déposition, et nous nous y tenons. Pourquoi et comment elle a été faite, cela ne nous concerne pas. Nous ne sommes pas des psychologues, nous sommes des policiers. Le crime, Schröder, le crime seul nous intéresse! Et quand quelqu'un avoue qu'il a commis un crime, ça nous suffit. Telle est du moins ma façon de voir les choses. La vôtre est-elle différente?

— Non, bien sûr, monsieur le Commissaire, s'écria Schröder sur un ton qui traduisait un effroi sans bornes, à la pensée qu'il puisse jamais avoir d'autres conceptions que celles de son supérieur. C'est exactement mon avis : le crime seul!

— Je le savais bien, dit le commissaire Escherich en lissant sa moustache. Nous autres, vieux policiers, sommes toujours du même avis... Vous savez, dans notre profession, il y a beaucoup d'« amateurs » pour le moment, mais nous faisons toujours cause commune, et nous y trouvons beaucoup d'avantages... Donc, Schröder, dit-il en reprenant le ton du service, vous me transmettez aujourd'hui même votre rapport sur l'arrestation de Kluge, et le procès-verbal, avec les dépositions de l'assistante et du médecin... Ah, c'est vrai, vous étiez accompagné d'un brigadier !

— Le brigadier Dubberke, de ce commissariat.

— Connais pas. Faites aussi un rapport sur la tentative de fuite de Kluge. Bref et objectif : pas de littérature, pas de jugements anticipés et personnels. Compris, Herr Schröder ?

— À vos ordres, monsieur le Commissaire !...

— Quand vous aurez remis vos rapports, vous ne devrez plus vous occuper de cette affaire. Tout au plus vous demandera-t-on de déposer devant un juge ou chez nous à la Gestapo.

Il regarda pensivement son subordonné :

— Depuis combien de temps êtes-vous commissaire adjoint, Herr Schröder ?

— Depuis trois ans et demi déjà, monsieur le Commissaire.

Le regard du flic, fixé sur celui de son supérieur, avait quelque chose d'émouvant. Mais le commissaire se contenta de dire.

— Ah, alors, il sera temps bientôt !..

Et il quitta le commissariat.

Rue du Prince-Albert, il se fit annoncer aussitôt à son chef immédiat, le S.S. Obergruppenführer Prall. Il dut attendre pendant près d'une heure. Non que Herr Prall fût particulièrement occupé. Ou plutôt, si, il était précisément très occupé ! Escherich entendait le tintement des verres, le bruit des bouchons qui sautaient, des rires et des cris. Une des nombreuses réunions de haut gradés. Réunions, beuveries, détente, délassement, après les grosses fatigues causées par les gens qu'il fallait torturer et envoyer à la potence.

Le commissaire attendait sans impatience, bien qu'il eût encore une journée chargée. Il connaissait les supérieurs en général et ce supérieur-là en particulier. Il n'y avait rien à faire pour activer les choses ; même si la moitié de Berlin eût été en flammes, quand il voulait boire, il buvait. C'était comme ça !

Enfin, Escherich fut introduit. La pièce, en désordre portait les traces visibles d'une beuverie, et Herr Prall, tout empourpré par l'armagnac, affichait les mêmes symptômes. Mais il dit avec affabilité :

— Ah, Escherich ! Versez-vous aussi un verre. Ce sont les fruits de notre victoire sur la France. Du véritable armagnac, dix fois meilleur que le cognac ! Dix fois ? Cent fois ! Pourquoi ne buvez-vous pas ?

— Excusez-moi, Herr Obergruppenführer, j'ai encore beaucoup à faire aujourd'hui et dois garder l'esprit lucide. D'ailleurs je n'ai plus l'habitude de boire.

— Quoi ? Pas habitué ? Esprit lucide... des blagues, tout ça ! Pourquoi devez-vous avoir l'esprit lucide ? Faites faire votre travail par quelqu'un d'autre, et dormez tout votre soûl... À votre santé, Escherich, et à celle de notre Führer.

Escherich trinqua, parce qu'il le fallait. Il trinqua encore une deuxième, puis une troisième fois, tout en se disant que la compagnie de ses pareils et l'alcoo' avaient bien changé son interlocuteur. À la vérité, Prall était généralement très supportable ; pas du tout aussi désagréable que cent autres gaillards qui sillonnaient cet immeuble dans leurs uniformes noirs. Mais, sous l'influence des camarades et de l'alcool, il devenait comme eux : imprévisible dans ses réactions, brutal, versatile et prêt à écraser tout contradicteur, fût-ce pour une simple divergence d'opinion sur la façon de boire le schnaps. Si Escherich avait vraiment refusé l'armagnac, c'en eût été fait de lui, aussi sûrement que s'il avait laissé fuir le pire criminel. En fait, c'eût même été encore plus impardonnable.

Un subordonné qui ne trinquait pas avec le supérieur autant et aussi souvent que ce dernier le souhaitait, cela prenait presque les proportions d'une offense personnelle.

Escherich trinqua donc plusieurs fois.

— Alors, qu'est-ce qu'il y a, Escherich? demanda Prall, en se tenant aussi droit que possible à son bureau — ou plutôt grâce à son bureau. Qu'avez-vous donc?

— Un procès-verbal, dit Escherich. Dressé par moi dans l'affaire de mon « Trouble-Fête ». Quelques autres rapports et procès-verbaux suivront, mais celui-ci est le plus important... Voici, Herr Obergruppenführer.

— « Trouble-Fête »? répéta Prall en réfléchissant intensément. Mais c'est le type aux cartes... Eh bien, êtes-vous sur une piste, Escherich, comme je vous l'avais ordonné?

— Oui, Herr Obergruppenführer... Si Herr Obergruppenführer voulait lire le procès-verbal...

— Lire? Non, pas maintenant... peut-être plus tard... lisez-le-moi plutôt, Escherich.

Mais il interrompit la lecture au bout des trois premières phrases :

— Accordons-nous d'abord encore une rasade... À votre santé, Escherich. *Heil* Hitler!

— *Heil* Hitler! Herr Obergruppenführer.

Après avoir vidé son verre, Escherich reprit sa lecture. Mais Prall, imbibé d'alcool, entreprit de le taquiner. Chaque fois qu'Escherich avait lu trois ou quatre phrases, il l'interrompait par un « À votre santé! » et le commissaire, après avoir trinqué, devait reprendre sa lecture depuis le début. Jamais Prall ne le laissait arriver à la fin de la première page sans l'interrompre par un nouveau « À votre santé! ». Malgré l'ivresse qui le gagnait, il voyait bien que la boisson répugnait à Escherich, au point de lui donner l'envie de planter là le procès-verbal et de s'en aller. Il n'était pas question de le faire, bien sûr, puisque l'autre était le supérieur. Et le général S.S. savourait les efforts que sa victime faisait pour dissimuler sa colère.

— À votre santé, Escherich.

— À vos ordres, Herr Obergruppenführer. À votre santé.

— Allons, poursuivez la lecture, Escherich. Non, reprenez-la plutôt encore une fois au début. Il y a un endroit qui n'est pas encore tout à fait clair pour moi. Mes pensées ont toujours un cours assez lent.

Et Escherich lisait. Mais il était à présent au martyre ; exactement comme il avait mis au martyre, deux heures plus tôt, le pitoyable Kluge. Comme l'autre, il éprouvait le désir lancinant de prendre la porte et de partir. Mais il devait lire ; lire et boire, boire et lire, aussi longtemps que cela plairait à l'autre. Il sentait déjà son cerveau s'embrumer : adieu, son bon travail !... Maudite discipline !

— À votre santé, Escherich.

— À votre santé, Herr Obergruppenführer.

— Allons ! Reprenez encore une fois au début.

Quand Prall fut enfin las de ce jeu, il s'écria grossièrement :

— Mais laissez donc cette lecture stupide ! Vous voyez bien que je suis saoul. Comment pourrais-je saisir le sens de ce que vous lisez ? Vantez-vous donc de votre procès-verbal plein d'esprit ! D'autres rapports suivront, mais ils ne sont pas aussi importants que celui du grand policier Escherich. Quand j'entends des choses pareilles ! Parlons peu, mais parlons bien : avez-vous attrapé celui qui écrit les cartes ?

— Non, Herr Obergruppenführer, mais...

— Alors, pourquoi venez-vous me trouver ? Pourquoi me volez-vous un temps précieux, tout en buvant mon bon armagnac ?

C'était à présent du rugissement à l'état pur :

— Vous êtes devenu tout à fait fou, ma parole ! Mais je vais prendre un autre ton avec vous, monsieur ! J'ai été beaucoup trop bon, je vous ai laissé devenir trop insolent. Compris ?

— Oui, Herr Obergruppenführer.

Et, vite, avant de nouveaux cris, Escherich fonça :

— Mais j'ai mis la main sur quelqu'un qui a distribué les cartes... du moins, je le crois...

Cette nouvelle calma quelque peu Prall. Il regarda fixement le commissaire et dit :

— Amenez-moi cet homme. Il devra me dire qui lui a donné les cartes. Je vais le cuisiner. Je suis justement en pleine forme.

Escherich hésita un instant. Allait-il dire que l'homme n'était pas là, qu'il allait aller le chercher (et il serait vraiment allé le chercher, dans la rue ou chez lui, avec l'aide de ceux qui le surveillaient) ? Ou bien allait-il attendre tranquillement, à distance, que l'Obergruppenführer, en cuvant son alcool, eût tout oublié ?

Escherich n'était pas un lâche. Il eut le courage de dire (advienne que pourra !) :

— J'ai remis l'homme en liberté, Herr Obergruppenführer.

Rugissement. Grands dieux, quel rugissement de fauve ! Prall, d'ordinaire assez correct, s'oublia au point d'empoigner le commissaire et de le secouer d'importance, tout en hurlant :

— Remis en liberté ? Remis en liberté ? Sais-tu ce que je vais faire de toi, salaud ? Je vais te jeter en prison et t'y laisser croupir ! Attends, je suspendrai une lampe de mille watts devant ta moustache, et quand tu t'assoupiras, je te ferai tenir éveillé à coups de trique, charogne !

Il continua sur ce ton pendant un bout de temps. Escherich se laissait secouer et injurier, se tenant absolument coi. Heureusement qu'il avait bu de l'alcool. Un peu abruti par l'armagnac, il ne ressentait que très confusément tout ce qui lui arrivait ; c'était plutôt comme un cauchemar.

« Crie ! pensait-il. Plus fort tu crieras, plus vite tu seras enroué ! Continue à ton aise ! »

De fait, quand il se fut enroué à hurler, Prall lâcha son subordonné. Il se versa un nouveau verre d'armagnac, jeta un regard mauvais à Escherich et grogna :

— Maintenant, ayez l'obligeance de me dire pourquoi vous avez fait cette gaffe monumentale.

— D'abord, dit paisiblement Escherich, je voudrais signaler que l'homme est suivi en permanence par deux des meilleurs limiers du commissariat central. Je crois qu'il cherchera tôt ou tard à se mettre en rapport avec l'auteur des cartes. Pour le moment, il affirme qu'il ne le connaît pas.

— Je lui aurais bien arraché le nom, moi! Cette filature! Ils sont capables de perdre sa trace!

— Pas ceux-là... Ce sont des as.

— Oui, oui!

Visiblement, Prall se rassérénait :

— Je ne veux pas d'initiatives de ce genre. Je préférerais avoir l'homme bien en main.

« Soit! pensait Escherich. Et, au bout d'une demi-heure, tu constaterais qu'il n'a absolument rien à voir avec les cartes, et tu recommencerais à me persécuter! »

Mais il dit à haute voix :

— C'est un *minus habens* terrorisé, Herr Obergruppenführer... Si vous le cuisinez, il vous dira tout ce que vous voudrez, et nous nous empêtrerons dans cent mensonges. Laissé en liberté, il nous conduira tout droit chez l'auteur des cartes.

Le général S.S. dit en riant :

— C'est vrai, vieux renard! Vidons encore un verre.

Et ils burent encore un verre. Puis l'Obergruppenführer regarda le commissaire d'un air interrogateur. Visiblement, son explosion de fureur lui avait fait du bien, l'avait un peu dégrisé. Il dit, au bout d'un moment de réflexion :

— Faites-moi faire quelques copies du procès-verbal.

Escherich remit le document dans la chemise, et la chemise dans sa serviette.

Pendant ce temps-là, l'autre avait fouillé dans un tiroir de son bureau. Il revint, une main derrière le dos :

– Dites donc, Escherich, avez-vous déjà la Croix du Mérite à titre militaire?

– Non, Herr Obergruppenführer.

– Erreur, Escherich! Vous l'avez bel et bien!

Et, ouvrant la main qu'il avait tenu cachée jusque-là, il découvrit la croix.

Le commissaire était si frappé qu'il ne put que bredouiller :

– Mais, Herr Obergruppenführer!... Je n'ai pas mérité... je ne trouve pas de mot...

Pendant la scène qui venait de se dérouler, il s'était attendu à tout, même à quelques jours et quelques nuits de cachot. Mais que la Croix du Mérite lui fût décernée ainsi, presque sans transition!

– En tout cas, je vous remercie très humblement.

Le général S.S. se délectait de la stupéfaction du décoré.

– Eh bien, Escherich, après tout, vous êtes quand même un fonctionnaire extrêmement capable. Il faut seulement vous éperonner un peu de temps à autre, sinon vous vous assoupiriez tout à fait. Trinquons encore une fois. À votre santé, Escherich! À votre croix!

– À votre santé, Herr Obergruppenführer. Et encore mon plus respectueux merci.

Le général S.S. se mit à bavarder :

– En réalité, la croix ne vous était pas du tout destinée. C'est votre collègue Rusch qui devait la recevoir, pour une affaire très épineuse qu'il a pu arranger et à laquelle était mêlée une vieille Juive. Mais vous êtes arrivé avant.

Il bavarda encore un peu, puis il alluma la lumière rouge au-dessus de sa porte, ce qui signifiait : « Conférence importante; ne pas déranger. » Il s'étendit sur un divan pour dormir.

Quand Escherich, sa Croix du Mérite encore à la main, pénétra dans son bureau, son remplaçant était au téléphone et criait :

— Comment?... Quelle affaire « Trouble-Fête » ? Ne faites-vous pas erreur? Il n'y a pas de dossier « Trouble-Fête », ici.

— Passez, dit Escherich en s'emparant de l'écouteur.

Il cria dans l'appareil :

— Oui, ici commissaire Escherich... Quoi de neuf, au sujet de « Trouble-Fête » ?

— Je dois vous annoncer respectueusement, monsieur le Commissaire, que malheureusement nous avons perdu de vue l'homme... C'est-à-dire...

— Qu'est-ce que vous dites?

Escherich allait s'abandonner à un accès de fureur, analogue à celui dont son supérieur lui avait donné le spectacle un quart d'heure plus tôt, mais il se domina :

— Comment avez-vous fait votre compte? Vous me sembliez un homme capable. Et celui que vous deviez surveiller n'est qu'un pauvre type.

— Oh, vous avez beau dire, monsieur le Commissaire!... Il est capable de courir comme un lièvre. Il a brusquement disparu dans la cohue, à la station de métro de l'Alexanderplatz. Il a dû remarquer que nous le suivions.

— Il ne manquait plus que ça! gémit Escherich. Il s'est aperçu que vous le filiez... Imbéciles, vous m'avez gâché toute l'affaire! Et je ne peux même plus vous envoyer, vous, puisqu'il vous connaît! Si j'en mets d'autres, c'est eux qui ne le connaîtront pas!

Il réfléchit rapidement :

— Rentrez au plus vite au commissariat central. Prenez chacun un remplaçant. Et que l'un de vous deux se poste à proximité immédiate de son domicile, mais bien dissimulé... Compris? Qu'il ne vous échappe pas encore une fois. Votre seule mission est de désigner Kluge à votre remplaçant, puis de disparaître... Le second ira à l'usine où il travaille et se fera annoncer à la direction... Attendez donc, gros malin. Il vous faut d'abord l'adresse de Kluge.

Il chercha et donna l'adresse :

– Voilà.

– À présent, vite à vos postes !... Au fait, le remplaçant peut aller seul à l'usine, demain à la première heure. Vous lui montrerez l'homme. Je donnerai mes instructions là-bas. Et dans une heure je serai moi-même chez lui.

Mais il avait encore tant à dicter et à téléphoner qu'il n'arriva que beaucoup plus tard à l'appartement d'Eva Kluge. Il ne vit pas ses sbires et sonna vainement à la porte. En désespoir de cause, il s'en alla sonner chez la voisine, Frau Gesch.

– Herr Kluge? Vous parlez de Herr Kluge? Non, il n'habite pas ici... Seule sa femme habite ici. Il y a longtemps qu'elle ne le laisse plus entrer chez elle. Mais elle est en voyage... Où il habite?... Comment le saurais-je? Il court à droite et à gauche, toujours avec des femmes... Je l'ai du moins entendu dire. Mais je ne m'en mêle pas. Sa femme m'a déjà fait assez d'ennuis comme ça, parce que j'avais aidé son mari à entrer chez elle.

Escherich pénétra dans l'appartement avant qu'elle eût pu lui fermer la porte au nez :

– Écoutez, Frau Gesch, vous allez me raconter bien gentiment tout ce que vous savez sur le compte des Kluge... Je suis le commissaire Escherich, de la Gestapo. Si vous voulez voir mes papiers...

– Non, non! cria Frau Gesch en reculant, toute saisie, contre le mur de la cuisine. Je ne veux rien voir, je ne veux rien entendre. Et quant aux Kluge, je vous ai dit tout ce que j'en sais.

– Je crois que vous devriez bien réfléchir, Frau Gesch. Si vous ne voulez vraiment rien me raconter ici, je devrai vous inviter à un interrogatoire en règle à la Gestapo, rue du Prince-Albert. Et ce ne serait vraiment pas amusant pour vous. Tandis qu'ici nous pouvons nous entretenir le plus gentiment du monde. Et rien ne sera mis par écrit.

— Bien sûr, monsieur le Commissaire... Mais je n'ai vraiment plus rien à dire... Je ne sais presque rien de ces gens-là.

— Comme vous voulez, Frau Gesch. Dans ces conditions, préparez-vous. J'ai deux hommes avec moi; ils sont en bas, et vous pouvez nous accompagner. Et pour votre mari... car vous avez bien un mari? Mais bien sûr, vous avez un mari! Donc, pour votre mari, laissez un billet : « Je suis à la Gestapo : retour indéterminé. » Allons, Frau Gesch, écrivez vite le billet.

Frau Gesch était livide; elle tremblait de tous ses membres et claquait des dents :

— Vous n'allez pas faire ça, cher, cher monsieur! supplia-t-elle.

Il répondit, avec une grossièreté affectée :

— Je le ferai certainement, Frau Gesch, si vous persistez à me refuser tout renseignement. Allons, soyez raisonnable, asseyez-vous ici et racontez-moi tout ce que vous savez des Kluge. Comment est la femme?

Bien entendu, Frau Gesch entendit raison. Au fond, ce monsieur de la Gestapo était tout à fait charmant. Le commissaire Escherich apprit donc tout ce qu'il était possible d'apprendre de Frau Gesch. Elle lui parla même du S.S. Karlemann, puisque ce qu'on savait au cabaret du coin, Frau Gesch le savait aussi. Ça aurait fendu le cœur de la pauvre Eva Kluge, l'ancienne postière, si elle avait entendu comment tout le monde parlait d'elle et de son Karlemann, jadis si chéri.

Quand le commissaire Escherich prit congé de Frau Gesch, il lui abandonna quelques cigares pour son mari; et la Gestapo venait d'acquérir les services d'une indicatrice zélée, aux renseignements inestimables et pourtant gratuits. Elle ne se contenterait pas de surveiller constamment l'appartement des Kluge ; elle aurait encore l'oreille à tout, dans l'immeuble et dans les queues devant les magasins. Si elle apprenait quelque chose, elle en informerait immédiatement le commissaire.

À la suite de cet entretien, Escherich rappela ses deux sbires. Les chances d'attraper Kluge dans l'appartement de sa femme étaient on ne peut plus minces. D'ailleurs, Frau Gesch surveillait les lieux.

Le commissaire se rendit encore à la Poste et à la section locale du Parti et obtint d'autres informations sur cette Frau Kluge. Tout cela pourrait servir un jour. Aux gens de la Poste et du Parti, Escherich aurait pu dire qu'il croyait voir un rapport entre la démission de Frau Kluge et les exploits de son fils en Pologne. Il aurait pu également dévoiler l'adresse de Frau Kluge à la campagne, puisqu'il l'avait notée en voyant la lettre que Frau Kluge avait adressée à Frau Gesch, quand elle lui avait envoyé la clef. Escherich ne le fit pas ; il s'informait beaucoup, mais ne lâchait aucun renseignement. Bien sûr, le Parti et la Poste, c'était quelque chose d'officiel ; mais la Gestapo n'était pas faite pour faire avancer les affaires des autres.

Les dirigeants de l'usine devaient également s'en apercevoir. Ils portaient l'uniforme et étaient certainement, quant au grade et au traitement, beaucoup plus élevés dans la hiérarchie que le pâle commissaire. Pourtant, il s'en tint à sa tactique :

— Non, messieurs, les charges qui pèsent sur Kluge sont uniquement du ressort de la police secrète d'État. Je ne vous en dirai rien. Je vous demande uniquement de laisser Kluge aller et venir comme il l'entend, sans plus le rabrouer ni l'inquiéter. Vous donnerez libre accès dans votre entreprise à mes délégués, et vous faciliterez leur tâche, dans la mesure où ce sera en votre pouvoir. Nous sommes-nous bien compris ?

– Je voudrais une confirmation écrite de ces instructions, dit l'officier. Aujourd'hui même !

– Aujourd'hui ? Il est trop tard... mais peut-être demain... Kluge ne viendra sûrement pas avant demain, si toutefois il revient jamais... *Heil* Hitler ! messieurs.

– Dieu me damne ! grinça l'officier. Ces types deviennent de plus en plus arrogants ! Que le bourreau emporte toute la Gestapo ! Parce qu'ils peuvent emprisonner n'importe quel Allemand, ces gens croient qu'ils peuvent tout se permettre. Mais je suis officier, et même officier de carrière.

La tête d'Escherich réapparut dans l'entrebâillement de la porte :

– J'allais oublier... l'homme a peut-être encore ici des papiers, des lettres, des objets personnels.

– Demandez-le à son chef d'atelier. C'est lui qui a la clef de son armoire.

– Ah ?... Bien ! dit Escherich en se laissant tomber sur une chaise. Demandez-le donc vous-même au chef d'atelier, Herr Oberleutnant ! Et un peu vite, si ça ne vous fatigue pas trop.

Leurs regards se rencontrèrent un instant. Les yeux railleurs du terne Escherich et les yeux de l'Oberleutnant, que la colère assombrissait, engagèrent un combat. Puis l'officier claqua des talons et quitta rapidement la pièce pour aller chercher les renseignements demandés.

– Pauvre cruche ! dit Escherich au bonze du Parti qui, tout à coup, s'affairait à son bureau avec un beau zèle. Vous êtes prêts à envoyer la Gestapo au bourreau : mais je voudrais bien savoir pendant combien de temps vous seriez encore en sécurité ici, si nous n'étions pas là... L'État tout entier, voilà ce qu'est la Gestapo !... Sans nous, tout s'écroulerait, et vous iriez tous au bourreau.

Le commissaire Escherich et ses deux espions auraient été bien étonnés s'ils avaient su que le petit Enno Kluge ne s'était absolument pas douté qu'il était suivi. Dès le moment où le commissaire adjoint l'avait remis définitivement en liberté, il n'avait eu qu'une seule pensée : quitter ces lieux et aller chez Hete. Et il fila droit vers son but, sans remarquer qu'il était escorté.

Enno Kluge avait pris sa décision : il irait encore une fois chez Lotte, pour reprendre ce qui lui appartenait; puis il débarquerait incontinent chez Hete avec sa valise. Il verrait si elle l'aimait vraiment, et lui prouverait qu'il voulait commencer une nouvelle vie.

Il s'engouffra dans la station de métro et prit place dans un compartiment. C'est ainsi qu'il échappa au commissaire Escherich, à la prison et à toute la Gestapo.

Ses « anges gardiens » le perdirent de vue dans la cohue et le médiocre éclairage du métro. S'il était allé à pied chez Hete, les policiers ne l'auraient pas quitté des yeux, et le petit magasin d'animaux aurait été un point de départ pour leurs observations.

Chez Lotte, il eut de la chance : elle était absente. Il s'empressa de mettre dans la valise ses objets personnels et résista à la tentation d'emporter deux ou trois choses qui ne lui appartenaient pas. Non, cette fois, il voulait changer radicalement! Il ne fallait pas recommencer comme jadis, quand il avait échoué dans la chambre étroite du petit hôtel. Cette fois, il était bien décidé à mener une toute autre vie – si Hete voulait bien l'accueillir.

Il ralentissait le pas à mesure qu'il approchait de la boutique. Ce n'était ni le poids de sa valise, ni une chaleur excessive, qui le faisait s'arrêter de plus en plus fréquemment en s'épongeant le front.

Il arriva enfin devant le magasin. Hete s'affairait, et cinq ou six clients attendaient d'être servis. Il se fit reconnaître d'elle et admira les trésors d'amabilité qu'elle prodiguait à la clientèle :

— Il n'y a plus de millet des Indes. Vous savez certainement que l'Inde fait partie de l'Empire britannique... Mais j'ai encore du millet de Bulgarie, et il est nettement meilleur.

Tout en continuant de servir, elle lui dit :

— Ah, Herr Enno, c'est gentil à vous de venir m'aider un peu... Mettez votre valise dans la chambre, puis allez vite à la cave. Il me faut du sable pour les oiseaux, du sable pour les chats et des œufs de fourmis.

Tout en s'acquittant de ces missions et de quelques autres, il se disait :

« Elle a vu tout de suite que j'avais une valise. Elle m'a permis de la mettre dans la chambre : c'est bon signe... mais elle va sûrement me questionner, elle qui prend tout au tragique. Je trouverai bien une histoire à lui raconter. »

Et ce quinquagénaire, ce flâneur, ce fainéant, ce don Juan sur le retour, se prenait à prier comme un écolier :

« Ah, mon Dieu, laissez-moi être heureux encore une fois, une dernière fois ! Je suis absolument décidé à commencer une nouvelle vie. Faites seulement que Hete m'accueille ! »

Ainsi priait-il, mendiait-il. Mais il souhaitait en même temps que l'heure de fermer le magasin fût encore éloignée, car ce serait aussi l'heure où il devrait se confesser à Hete. Il était clair qu'il devait lui avouer quelque chose : sinon, comment pourrait-elle comprendre qu'il fût arrivé avec armes et bagages (et quel misérable bagage !) Devant elle, il avait toujours fait l'imposant.

Maintenant la porte du magasin était fermée depuis longtemps. Il avait encore fallu une demi-heure pour approvisionner en eau et en nourriture les petits pensionnaires et pour mettre un peu d'ordre. Puis ils s'étaient assis l'un en face de l'autre à la table, avaient mangé et bavardé, tout en évitant toujours soigneusement le thème essentiel. Tout à coup, cette femme flétrie leva la tête et demanda :

– Et alors, Hänschen, qu'y a-t-il? Que t'est-il arrivé?

À peine eut-elle dit ces mots, sur un ton pénétré de sollicitude maternelle, que les larmes d'Enno se mirent à couler. Lentement d'abord, puis à torrents, sur son visage terne et émacié, où le nez semblait de plus en plus pointu.

Il soupira :

– Oh, Hete, je n'en peux plus! C'est trop terrible! La Gestapo s'est occupée de moi.

Avec de grands sanglots, il laissa tomber le visage sur l'ample et maternelle poitrine de la femme.

À ces mots, Hete Häberle se redressa, ses yeux brillèrent, sa nuque se raidit, et elle demanda brusquement :

– Qu'est-ce qu'ils te voulaient?

Les mots du petit Enno Kluge avaient porté au-delà de toute espérance. Tout ce qu'il aurait pu imaginer pour exciter la pitié ou pour inspirer l'amour n'aurait pas été aussi efficace que ce seul mot de « Gestapo » Car la veuve Hete Häberle avait horreur du désordre, et elle n'aurait jamais accueilli chez elle un débauché ou un désœuvré. Mais le seul mot de « Gestapo » ouvrait tout grand à Kluge son cœur maternel : un homme traqué par la Gestapo était assuré d'emblée de pouvoir compter sur sa compassion et sur son aide.

C'est que son premier mari, un petit militant communiste, avait été envoyé dans un camp de concentration dès 1934, et elle n'avait plus jamais eu de ses nouvelles. Sauf un colis, contenant quelques-uns de ses effets personnels, souillés et déchirés. Là-dessus, était venu un acte de décès, délivré par le deuxième Bureau de l'état civil d'Oranienburg. Cause du décès : pneumonie. Plus tard, par d'autres détenus qui avaient été libérés, Hete avait appris ce qu'il fallait entendre par « pneumonie » à Oranienburg et dans le camp voisin de Sachsenhausen.

Et voilà qu'elle tenait de nouveau entre ses bras un homme pour lequel elle avait déjà conçu une certaine sympathie, et lui aussi était traqué par la Gestapo!

– Calme-toi, Hänschen! le consolait-elle. Raconte-moi tout... Celui qui est persécuté par la Gestapo peut tout obtenir de moi.

Ces paroles agirent comme un baume. Et Enno Kluge, l'expert en psychologie féminine, profita de cette occasion. À grand renfort de sanglots et de larmes, il composa un étonnant mélange de vérités et de mensonges. Et la haine qu'elle éprouvait pour la Gestapo cacha à Hete Häberle ce que cette histoire pouvait avoir d'invraisemblable. Déjà son amour nimbait d'un éclat rayonnant le vaurien réfugié sur son sein. Elle dit :

– Tu as donc signé le procès-verbal, Hänschen, couvrant ainsi l'auteur du délit... c'est très courageux. Je t'admire. Sur dix hommes, un à peine aurait osé faire cela. Mais, tu sais, s'ils t'attrapent, ce sera terrible pour toi. Car il est évident que, par ce procès-verbal, ils te tiennent solidement.

Il dit, déjà à demi consolé :

– Oh, si tu m'aides, ils ne m'attraperont jamais.

Elle secoua doucement la tête, d'un air pensif :

– Je ne comprends pas pourquoi ils t'ont remis en liberté.

Une idée terrible lui vint tout à coup :

– Mon Dieu, s'ils t'ont fait espionner, pour savoir où tu allais...

Il secoua la tête :

– Je ne crois pas, Hete. Je suis d'abord allé chez... je suis d'abord allé ailleurs qu'ici, pour reprendre quelques affaires... J'aurais bien remarqué si quelqu'un m'avait suivi... Et pourquoi?... Il était plus facile de ne pas me remettre en liberté.

Mais elle avait déjà réfléchi :

– Ils croient que tu connais l'auteur des cartes et que tu les mettras sur la piste. Et peut-être le connais-tu réellement et as-tu toi-même déposé la carte... Mais je ne veux pas le savoir. Tu ne dois jamais me le dire.

Elle se pencha et murmura :

– Je sors une demi-heure, Hänschen, pour observer la maison et voir s'il n'y a pas quelque espion dans le voisinage. Tu resteras bien tranquillement dans la chambre.

Enno lui dit que cette vérification était tout à fait inutile, qu'il était certain de n'avoir été suivi par personne. Mais elle gardait le souvenir terrible de la façon dont les sbires avaient entraîné son mari vers la mort.

Elle fait donc lentement le tour du pâté de maisons, tenant en laisse Blacky, ce qui rendait tout à fait naturelle cette promenade vespérale. Apparemment occupée uniquement de son chien, elle va et vient, les yeux et les oreilles aux aguets.

Pendant ce temps-là, Enno entreprend prudemment un premier et rapide inventaire de la pièce. L'examen ne peut être que très superficiel, puisque la dame a fermé à clé presque tous les meubles. Néanmoins, cette première inspection révèle à Kluge que, de toute sa vie, il n'a jamais connu une telle femme : une femme ayant un compte en banque et même un compte de chèques postaux, avec son nom bel et bien imprimé sur tous les formulaires.

Enno Kluge se jure une fois de plus de commencer une tout autre vie et de se conduire toujours correctement dans cette maison.

La dame revient et dit :

– Non, je n'ai rien vu de suspect... mais peut-être t'ont-ils vu entrer ici et reviendront-ils demain matin. Je réglerai la sonnerie du réveil sur 6 heures et ferai encore un petit tour.

– Ce n'est pas nécessaire, Hete, répète-t-il. Je suis certain que personne ne m'a suivi.

Elle lui prépare une couchette sur le divan et se met au lit. Ayant laissé la porte de communication ouverte entre les deux pièces, elle entend comme il se tourne et retourne, soupire et s'agite, même quand il trouve enfin le sommeil. Plus tard, à peine s'est-elle assoupie elle-même qu'elle se réveille en l'entendant pleurer. Malgré l'obscurité qui règne dans la pièce, Frau Hete distingue nettement le visage de Kluge ; ce visage qui, malgré ses cinquante ans, a toujours quelque chose de puéril – peut-être à cause de la faiblesse du menton et de la bouche très rouge aux lèvres charnues.

Elle écoute un moment ces pleurs dans la nuit, comme si la nuit elle-même pleurait sur toute la misère éparse dans le vaste monde.

Enfin, elle se décide. À tâtons, dans le noir, elle se lève et va vers le divan :

– Ne pleure donc pas comme ça, Hänschen !... Tu es en sécurité, près de moi. Ta petite Hete veille sur toi.

Ainsi le console-t-elle. Mais comme, malgré cela, il ne cesse pas de pleurer, elle se penche sur lui, glisse son bras sous ses épaules, le conduit à son lit, et là, le prend dans ses bras, sur son cœur...

Une femme vieillissante, un homme un peu vieillot, assoiffé de tendresse comme un enfant ; un peu de consolation, un peu de passion, un tout petit reflet de gloire autour de la tête du bien-aimé ; et Frau Hete ne se demande même pas comment ces pleurnicheries peuvent aller de pair avec l'idée qu'on se fait généralement d'un combattant et d'un héros.

– Tout va bien maintenant, n'est-ce pas, Hänschen ?

Mais cette seule question libère de nouveau le fleuve de larmes qui venait seulement d'être endigué. Le voilà derechef tremblant dans ses bras.

– Mais qu'est-ce qu'il y a donc, Hänschen ? As-tu encore des soucis dont tu ne m'as rien dit ?

C'est le moment que ce vieux coureur de femmes a préparé depuis des heures. Car il a décidé, en son for intérieur, qu'il était trop dangereux, et impossible à la longue, de la laisser dans l'ignorance totale de son véritable nom et de son état d'homme marié. Puisqu'il est en veine d'aveux, allons, il avouera encore ça. Elle le prendra très bien et ne l'en aimera pas moins. Surtout maintenant qu'elle l'a pris dans ses bras Comment pourrait-elle le jeter à la porte?

Il avoue donc, en pleurs, désespéré, qu'il ne s'appelle pas du tout Hans Enno, mais bien Enno Kluge, qu'il est marié et qu'il a deux grands fils. Oui, il n'est qu'un vaurien! Il a voulu lui mentir et la tromper; mais il ne peut se résoudre à agir ainsi, envers elle qui a été si bonne pour lui!

Comme toujours, sa confession n'est qu'une confession partielle où un peu de vérité s'entremêle à beaucoup de mensonges. Il fait le portrait de sa femme : cette postière, nazie impitoyable, qui ne peut pas souffrir son mari parce qu'il ne veut pas entrer au Parti... cette femme qui a forcé son fils aîné à rallier les rangs des S.S. Et il parle des exploits monstrueux de Karlemann. Il esquisse un tableau de ce mauvais ménage : l'homme, paisible, patient, supportant tout, et la nazie, méchante et ambitieuse. Ils ne pouvaient pas vivre ensemble : ils devaient fatalement se haïr. À présent, elle l'a jeté à la porte... Voilà pourquoi il a menti à sa petite Hete : par lâcheté, parce qu'il l'aime trop, parce qu'il ne voulait pas lui faire de peine!

Mais à présent il ne pleure plus. Il va se lever, plier bagage et quitter Hete, pour plonger dans le monde hostile. Il se cachera : Dieu sait où si la Gestapo l'attrape quand même, ça n'aura pas grande importance, à présent qu'il a perdu l'amour de Hete, la seule femme qu'il ait réellement aimée dans sa vie!

Enno Kluge, que toutes les femmes se disputent, est vraiment un séducteur-né. Il sait parfaitement comment il faut s'y prendre; aimer et mentir, ces deux choses vont très bien ensemble. Il suffit qu'il y ait un peu de vérité dans tout ce qu'on leur raconte; et surtout, au bon moment, des larmes et de la détresse...

Frau Hete a écouté cette confession avec un véritable effroi. Pourquoi lui a-t-il menti ainsi? Quand ils ont fait connaissance, il n'avait pourtant encore aucune raison de cacher la vérité. C'est sans doute qu'il avait déjà des vues sur elle? Dans ce cas, ces desseins ne pouvaient être que mauvais!

Son intuition la pousse à le renvoyer : un homme capable de tromper d'une façon aussi éhontée sera toujours prêt à mentir encore. Elle a toujours fait excellent ménage avec son premier mari, comment pourrait-elle vivre avec un menteur?

Elle le laisserait donc partir, si ce n'était le jeter *ipso facto* dans les bras de l'ennemi. Car toute cette persécution par la Gestapo, elle la prend pour argent comptant, depuis le récit qu'il lui a fait ce soir. Il ne lui vient pas une seule fois à l'esprit d'en douter.

Et puis, il y a l'épouse... Il est impossible que tout ce qu'il a dit sur le compte de cette femme soit faux : un homme n'invente pas des choses pareilles... Elle croit connaître celui qui est à ses côtés : une créature débile, un enfant, dont le naturel est foncièrement bon, dont on peut tout obtenir avec quelques mots amicaux. Peut-elle vraiment le renvoyer chez cette femme sans cœur, ambitieuse, chez cette nazie? Un homme qui a refusé d'entrer au Parti et qui le déteste même au point de travailler peut-être en secret contre lui...

Elle ne le peut pas, et elle ne le fera pas.

La lumière s'allume. Le voilà près du lit, dans une chemisette bleue beaucoup trop courte. Des larmes coulent silencieusement sur son visage blême. Il se penche vers elle et murmure :

— Adieu, Hete... tu as été très bonne pour moi, mais je ne le mérite pas, je suis un misérable... Adieu! Je m'en vais, à présent...

Elle le retient et murmure :

— Non, reste chez moi. Je te l'ai promis, et je tiens ma promesse... non, ne dis rien! Va sur le divan et tâche de dormir encore un peu... je vais réfléchir à la meilleure façon d'arranger les choses.

Il secoue lentement et tristement la tête :

— Hete, tu es trop bonne... je ferai tout ce que tu diras. Mais, vraiment, il vaut mieux que tu me laisses partir.

Bien sûr, il ne part pas ; il se laisse convaincre de rester. Elle pensera à tout, arrangera tout. Et, naturellement aussi, il obtient que soit levé le bannissement sur le divan. Le voilà de nouveau tout perdu dans la chaleur maternelle ; il s'endort aussitôt.

Frau Hete passe une nuit blanche. Elle écoute le souffle de son compagnon ; son cœur, solitaire depuis si longtemps, s'émeut d'entendre de nouveau un homme respirer à ses côtés, de l'avoir si près d'elle dans son lit. Sa vie n'est plus totalement vide. Certes Enno lui causera peut-être beaucoup de soucis. Qu'importe : elle l'aime !

Frau Hete décide d'être forte pour deux et, avant tout, de préserver Enno des dangers menaçants de la Gestapo. Elle projette de refaire l'éducation de son amant, pour qu'il devienne un homme véritable. Le petit Hänschen ! Ah non, c'est vrai, il s'appelle à présent Enno... Elle le disputera à l'autre femme, la nazie, et mettra ordre et propreté dans cette vie qui repose à présent à côté d'elle.

La pauvre femme ne se doute pas que cet homme d'aspect si faible sera assez fort pour introduire dans sa vie désordre, souffrance, regrets, larmes et périls.

ANGOISSE ET CRAINTE

Depuis cette nuit-là, deux semaines s'étaient écoulées. Frau Hete et Enno Kluge, en vivant ensemble, avaient appris à mieux se connaître. Par peur de la Gestapo, Kluge ne se risquait pas à quitter la maison. Tous deux vivaient comme dans une île, dans leur solitude à deux, ne pouvant ni s'éviter, ni changer d'air ou de société.

Au début, tant qu'elle n'avait pas été absolument certaine qu'aucun espion de la Gestapo ne rôdait aux alentours, elle n'avait pas permis une seule fois à Enno de l'aider au magasin. Il devait se tenir coi et ne se montrer à personne. Hete fut un peu étonnée de voir la résignation avec laquelle il acceptait cette consigne ; pour sa part, elle eût trouvé terrible d'être condamnée à une telle oisiveté entre ces murs étroits. Mais il s'était contenté de dire :

— Ça va. Je vais me soigner un peu.

— Et que feras-tu, Enno ? avait-elle demandé. Toute une journée comme ça, c'est long. Je ne puis guère m'occuper de toi, et la rêvasserie ne vaut rien.

— Faire ? avait-il répété avec un profond étonnement. Faire... comment ça ? Ah ! tu veux dire « travailler ».

Il avait failli ajouter qu'à son avis il avait assez travaillé dans sa vie ; mais, encore très prudent avec elle, il se contenta de dire :

— Bien sûr que je travaillerais volontiers... mais à quoi puis-je travailler ici, dans la chambre ? Ah ! s'il y avait un tour !

Et il éclata de rire.

— Mais j'ai un excellent travail pour toi. Regarde.

Elle apporta une grande boîte de carton, remplie de toutes les graines possibles et imaginables, et la disposa devant une planchette munie d'un rebord. Elle prit un porte-plume dont la plume était fixée à l'envers. L'utilisant comme une petite pelle, elle commença à trier une poignée de semences qu'elle avait éparpillées sur la planchette. Rapide et adroite, la plume allait et venait, triait, poussait dans un coin, séparait à nouveau. Et Frau Hete expliquait :

— Ce sont des restes de nourriture, accumulés dans les coins des cages ou tombés de sachets crevés. J'ai rassemblé tout ça pendant des années. À présent que la nourriture est rare, ça me vient à point. Je les trie.

– Mais pourquoi? C'est un travail fastidieux! Donne-les comme ça aux oiseaux; ils les trieront bien eux-mêmes.

– Et ils en gaspilleront les trois quarts!... Ou bien ils mangeront des graines qui ne leur conviennent pas, et je les verrai dépérir. Non, ce petit travail doit être fait consciencieusement... Je m'y appliquais surtout le soir et le dimanche, quand j'avais un peu de temps. Un dimanche, j'ai trié près de cinq livres, en plus de mes travaux ménagers. Nous verrons bien si tu battras mon record. Tu as beaucoup de temps, à présent. Et puis, on peut réfléchir à son aise en faisant ce travail. Les sujets de réflexion ne te manquent certainement pas... Allons, essaie, Enno.

Elle lui donna la petite pelle et regarda comment il s'y prenait :

– Tu n'es pas maladroit du tout, observa-t-elle. Tu as des mains habiles.

Mais, un instant plus tard :

– Fais attention, Hänschen! Non, je veux dire Enno! Il faut encore que je m'habitue. Regarde : cette graine pointue et luisante, c'est du millet... et celle-ci, arrondie et noire, c'est du colza... il ne faut pas les mélanger. Pour les graines de tournesol, il vaut mieux commencer par elles et les prendre avec les doigts; ça va plus vite qu'avec la plume. Attends; je t'apporte encore des sachets, pour que tu puisses y mettre les semences triées.

Avant que la sonnette du magasin ne tintât pour la première fois, elle s'ingéniait à le pourvoir de travail pour ses longues journées d'ennui. Mais, les clients se succédant sans arrêt, elle ne pouvait plus rendre à Enno que de brèves visites de temps à autre. Et c'était pour le trouver rêvassant devant ses graines. Ou bien, au bruit de la porte, il se glissait furtivement à sa place, comme un gosse pris en flagrant délit de fainéantise.

Elle vit très vite qu'il ne battrait jamais son record de cinq livres ; il n'arriverait même pas à deux livres. Et encore, elle devait tout vérifier, tant il avait mal travaillé.

Un peu déçue, elle dut malgré tout lui donner raison quand il dit, avec un petit rire embarrassé :

— Tu n'es pas très contente, Hete ? Écoute, ce n'est pas là un travail d'homme. Donne-moi un vrai travail, et tu verras ce que j'en abattrai.

Évidemment : il n'avait pas tort. Le lendemain, elle le dispensa de cette corvée.

— Tâche de tuer le temps à ta manière... Ce doit être terrible pour toi. Si tu lisais un peu... j'ai encore dans cette armoire beaucoup de livres de mon mari. Attends, je vais te l'ouvrir.

Elle lui montra les rangées de livres :

— Il était militant du parti communiste. Regarde, j'ai encore sauvé ce Karl Marx pendant une perquisition. Je l'avais fourré dans le poêle... Au moment où un type des S.A. se disposait à ouvrir le poêle, je lui ai vite donné une cigarette, et il n'y a plus pensé.

Elle le regarda :

— Mais ce ne sont sans doute pas des lectures pour toi, chéri. Je dois d'ailleurs t'avouer que, moi-même, je n'ai plus guère parcouru ces livres depuis la mort de mon mari... peut-être est-ce un tort. Chacun devrait s'intéresser à la politique. Si nous l'avions tous fait en temps opportun, nous n'en serions pas au point où nous ont menés les nazis. Walter le disait toujours... mais je ne suis qu'une femme.

Elle s'interrompit ; elle voyait bien qu'il n'avait même pas écouté.

— Là en-dessous, il y a encore quelques romans, qui sont ma propriété.

— Je voudrais surtout un vrai roman policier, avec crimes et assassinats, déclara Enno.

– Je crois qu'il n'y en a pas. Mais voici un bouquin vraiment beau, que j'ai lu et relu. Raabe : *Chronique de la Rue du Moineau*... essaie ça. Ça te plaira.

Quand elle revint dans la chambre, elle vit bien qu'il ne lisait pas ; le livre était ouvert sur la table.

– Il ne te plaît pas ?

– Oh, je ne sais pas ! Tous ces gens sont terriblement bons, et c'est quand même ennuyeux. C'est un vrai bouquin édifiant. Ce n'est pas un livre pour un homme. Nous voulons quelque chose de plus captivant, tu comprends.

– Dommage ! dit-elle... dommage !

Et elle remit le livre dans l'armoire.

Finalement, elle s'irrita, en entrant dans la chambre, de le trouver assis et somnolent, toujours dans le même état d'avachissement. Ou bien il dormait carrément, la tête posée sur la table. Ou bien il était debout à la fenêtre et regardait dans la cour, en sifflotant toujours la même rengaine. Ça irritait fort Frau Hete. Elle avait toujours été une femme active et l'était encore ; une vie sans travail lui aurait paru absurde. Quand le magasin était plein de clients, elle était aux anges et se serait volontiers coupée en quatre.

Et cet homme était là, debout, assis, accroupi, couché, pendant dix heures, douze heures, quatorze heures, sans rien faire, absolument rien ! Que lui manquait-il donc ? Il dormait assez, il mangeait de bon appétit, mais il ne travaillait pas. Une fois, à bout de patience, elle lui dit avec colère :

– Si tu voulais seulement ne pas siffler perpétuellement la même rengaine ! Voilà six, huit heures que tu siffles *Les petites filles devraient aller dormir !*

Il eut un rire embarrassé :

– Ça te dérange, que je siffle ? Je peux changer de répertoire... Veux-tu que je te siffle le *Horst-Wessel-Lied* ?

Et il commença : *Les étendards au vent, les rangs serrés.*

Sans un mot, elle regagna le magasin. Cette fois, il ne l'avait pas seulement irritée ; il l'avait profondément blessée.

Mais cela passa. Elle n'était pas rancunière. Et puis, s'étant rendu compte de sa bévue, il lui avait fait la surprise de bricoler adroitement une nouvelle lampe au-dessus du lit. Car il était capable de travaux de ce genre; quand il le voulait, il ne manquait pas d'habileté. Mais c'était rarissime.

Au surplus, le temps de son exil dans la chambre fut vite révolu. Frau Hete se convainquit qu'aucun espion ne rôdait dans les parages; et Enno put de nouveau l'aider dans la boutique. Jusqu'à nouvel ordre il n'osait pas encore s'aventurer dans la rue : une personne de connaissance aurait pu le voir. Mais il pouvait aider Frau Hete au magasin, et il se révéla de nouveau utile et adroit. Elle constata bientôt qu'il se fatiguait vite du même travail monotone; aussi lui donnait-elle à faire tantôt une chose, tantôt une autre.

Bientôt il l'aida à s'occuper de la clientèle. Celle-ci le voyait d'un bon œil, car il était poli, avait la repartie facile et pouvait même se montrer spirituel.

— Vous avez eu la main heureuse avec ce monsieur, Frau Häberle, disaient les habitués... c'est sans doute un de vos parents.

— Oui, un cousin.

Frau Hete mentait. Mais elle était heureuse de ces louanges décernées à Enno.

Un jour, elle lui dit :

— Enno, je voudrais aller à Dahlem aujourd'hui. Tu sais que Löbe va fermer son magasin d'animaux, parce qu'il a été rappelé à l'armée. Je peux acheter son stock, qui est très important; cela nous viendrait fort à point, à présent que la marchandise se fait rare... crois-tu pouvoir t'en tirer seul au magasin?

— Mais bien sûr, Hete, bien sûr! Ce ne sera qu'un jeu. Combien de temps seras-tu absente?

— Je partirai aussitôt après avoir déjeuné, mais je ne crois pas que je serai rentrée avant l'heure de la fermeture. Je voudrais également passer chez ma couturière.

– Vas-y, Hete. Je te donne la permission de minuit. Pour le magasin, ne te tracasse pas ; je mènerai ça de main de maître.

Il la mit dans le métro à l'heure de midi, pendant la fermeture du magasin. Elle souriait d'aise quand le convoi s'ébranla ; la vie à deux était vraiment bien agréable ! Quel plaisir de pouvoir travailler ainsi en commun !

Et, visiblement, il se donnait de la peine, faisant ce qu'il pouvait. Certes, il n'était ni énergique, ni assidu ; elle devait bien se l'avouer. Quand il avait dû trop courir, il se retirait volontiers dans la chambre, le magasin fût-il plein de monde ; il la laissait se débrouiller avec la clientèle. Ou bien, après de vains appels répétés, elle le trouvait à la cave, assis, tout somnolent, sur le bord du bac de sable. Le petit seau était devant lui, à moitié rempli, et elle l'attendait depuis dix bonnes minutes.

Elle l'apostrophait vigoureusement :

– Eh bien, Enno, que fais-tu donc ? Je t'attends ! Il tressaillait, sautait sur ses pieds, comme un écolier apeuré :

– Je me suis un peu assoupi, murmurait-il avec embarras, en se remettant lentement à puiser le sable. J'arrive, patronne ! Je ne le ferai plus.

Par des boutades de ce genre, il tentait de l'apaiser.

Non, Enno n'était décidément pas une lumière, elle s'en rendait bien compte. Mais il faisait son possible. Et, en même temps, facile à mener, poli, sociable, câlin, sans défauts trop visibles. Elle lui pardonnait de fumer un peu trop de cigarettes ; elle-même fumait volontiers quand elle était énervée.

Ce jour-là, Frau Hete joua de malchance. À son arrivée à Dahlem, le magasin de Herr Löbe était fermé, et on ne put lui dire quand le commerçant reviendrait. Non, il n'était pas encore mobilisé, mais ce rappel lui imposait beaucoup d'allées et venues. Le magasin était toujours ouvert le matin

à partir de 10 heures; elle pourrait peut-être revenir le lendemain matin.

Elle remercia et alla chez sa couturière. Mais une bombe
était tombée dans la nuit, l'immeuble n'était plus que
ruines; elle demeura pétrifiée d'effroi. La plupart des passants se détournaient, ne voulant pas voir le spectacle terri-
fiant de ces destructions, ou craignant peut-être de ne
pouvoir dissimuler leur exaspération. D'autres ralentissaient
le pas, regardant les décombres, les uns avec une curiosité
insouciante, les autres avec un regard sombre, presque menaçant. La police veillait à ce que personne ne stationnât.

À ce moment-là, les Berlinois commençaient à descendre
plus souvent dans leurs caves, et les bombes tombaient de
plus en plus fréquemment. De plus en plus fréquemment
aussi, on citait le mot de Goering :

— Je veux bien m'appeler Meyer si un avion ennemi se
fait voir au-dessus de Berlin.

La nuit précédente, Frau Hete aussi était descendue à la
cave : seule, parce qu'elle ne voulait pas qu'Enno fût déjà
considéré comme son ami en titre et faisant partie du
ménage. Elle avait entendu le ronronnement des avions au-
dessus d'elle, ce vrombissement qui finissait par user les
nerfs. Elle n'avait pas entendu tomber de bombes; jusqu'à
présent, son quartier avait été épargné. Les gens racontaient
que les Anglais n'en voulaient pas aux ouvriers, mais uniquement aux richards du quartier de l'Ouest.

La couturière n'était pas riche; elle avait pourtant écopé.
Frau Hete Häberle tenta de savoir, par un sauveteur, où était
la dame et s'il lui était arrivé quelque chose. Mais l'homme
ne pouvait lui donner aucun renseignement; peut-être pourrait-elle aller au commissariat de police, ou s'informer au
poste de défense antiaérienne le plus proche.

Bien qu'elle eût aimé être fixée sur le sort de la couturière,
Frau Hete n'aspirait qu'à une chose : rentrer chez elle. Après

un spectacle pareil, un réflexe la poussait vers sa maison, pour constater de ses propres yeux qu'il n'était rien arrivé d'analogue.

Malheureusement, quelque chose était arrivé au petit magasin. Rien de tragique, certes. Pourtant, cela bouleversa profondément Frau Häberle; plus profondément que bien des événements depuis nombre d'années. Frau Häberle trouva le volet baissé, une pancarte y était attachée. Une pancarte avec l'inscription stupide : *Je reviens dans un instant.* Signé : *Frau Hedwig Häberle.*

Son nom au bas de cette pancarte!... Son nom obligé de couvrir cette désertion!... Le fait l'atteignait presque aussi profondément que l'abus de confiance dont Enno s'était rendu coupable. Derrière son dos, il s'était esquivé; et c'est aussi derrière son dos qu'il aurait rouvert sans qu'elle le sût. Et, tout cela, stupidement – comme toujours. Car enfin, il était presque certain qu'une de ses clientes habituelles lui demanderait : « Vous aviez une course à faire hier après-midi, Frau Häberle? »

Elle entra dans son appartement par le couloir. Puis elle leva le volet et ouvrit la porte du magasin, attendant le premier client. Non, pour le moment, elle ne souhaitait vraiment pas que Kluge revînt. Derrière son dos, une telle trahison!

Durant toutes les années de son mariage avec Walter, il ne s'était jamais rien passé de semblable. Ils avaient tous deux pleine confiance l'un en l'autre, et jamais l'un d'eux n'aurait trompé cette confiance. Et maintenant, ce mauvais tour!... C'était inexcusable.

La première cliente se présenta. Hete la servit. Mais, quand elle ouvrit le tiroir de la caisse pour lui rendre la monnaie de ses vingt marks, le tiroir était vide. À son départ, il devait y avoir là près de cent marks, en petites coupures et en pièces. Elle se domina, prit de l'argent dans son sac à main et rendit la monnaie.

Oh, comme elle aurait voulu maintenant fermer la boutique et demeurer seule avec elle-même! Tout en servant d'autres clients, elle se souvint que, les jours précédents, elle avait parfois eu l'impression que sa caisse n'était pas juste, que la recette aurait dû être plus importante. Mais elle avait chassé de telles pensées. Qu'est-ce qu'Enno aurait pu faire de l'argent? Il ne quittait jamais la maison, il était constamment sous ses yeux.

Maintenant, elle se souvint tout à coup qu'il avait fumé beaucoup plus de cigarettes qu'il n'avait pu en apporter dans sa petite valise. Sûrement, il avait trouvé dans l'immeuble quelqu'un qui, derrière le dos de Hete, lui apportait des cigarettes achetées au marché noir. Quelle honte et quelle bassesse! Elle l'aurait volontiers ravitaillé en cigarettes; il n'aurait eu qu'à le lui demander!

Durant l'heure et demie qui précéda la réapparition d'Enno, Frau Häberle livra un dur combat contre elle-même. Ces derniers jours, elle s'était habituée à la présence d'un homme dans la maison; elle n'était plus seule, elle avait quelqu'un à soigner, quelqu'un qu'elle aimait. Mais si cet homme était tel qu'il venait de se révéler, alors elle devait arracher de son cœur cet amour. Mieux valait être seule que vivre dans cette méfiance perpétuelle et dans une si terrible angoisse! Elle ne pourrait plus se rendre chez le marchand de légumes du coin sans craindre qu'Enno la trompât de nouveau.

Hete s'en souvint: elle avait eu l'impression qu'on avait dérangé l'ordonnance de son armoire à linge... Non, décidément, elle devait le renvoyer; et aujourd'hui même, si dur que cela pût être. Plus tard, ce serait encore plus dur.

Mais elle songe qu'elle va vers son déclin, que c'est peut-être sa dernière chance d'échapper à une fin de vie solitaire. Après cette expérience avec Enno Kluge, elle ne se décidera plus à tenter un nouvel essai avec un homme... Après cette expérience épouvantable!

– Oui, il y a de nouveau des vers de farine… Combien en désirez-vous, madame?

Une demi-heure avant la fermeture du magasin, arrive Enno. Et c'est seulement alors qu'elle pense aux dangers qu'il a pu courir en se montrant dans la rue. Jusqu'à présent, elle n'y avait pas songé un seul instant, tant elle était obsédée par la trahison qu'il a commise… À quoi bon toutes les mesures de prudence, s'il s'en va tout simplement, dès qu'elle a le dos tourné? Mais toute cette histoire de la Gestapo n'est peut-être, elle aussi, que mensonge et duperie. Avec cet homme, tout est possible.

Quant à lui, il a naturellement compris, en voyant le volet levé, qu'elle est rentrée. Il se glisse avec prudence et circonspection parmi les clients; il sourit, comme s'il ne s'était absolument rien passé, et dit en disparaissant dans la chambre :

– Je vais vous donner un coup de main.

De fait, il revient très vite. Pour sauver les apparences devant la clientèle, Hete doit lui parler, lui donner des indications, ne faire semblant de rien; et pourtant, c'est tout son univers qui s'est écroulé. Mais elle ne laisse rien voir; elle supporte même les petites plaisanteries d'Enno, particulièrement nombreuses aujourd'hui.

Ce n'est que lorsqu'il s'approche de la caisse qu'elle lui dit d'un ton catégorique :

– Laissez. Je m'occupe de la caisse.

Il a un tressaillement et lui jette de biais un regard craintif. Comme un chien battu, pense-t-elle. Mais il retire la main et sourit : il a déjà paré le coup.

– À vos ordres, chef! grasseye-t-il en claquant des talons.

Les clients rient en voyant ce drôle de petit homme qui joue au soldat. Mais Hete n'est pas d'humeur à rire.

Puis c'est la fermeture du magasin. Ils abattent encore de la besogne pendant une heure et quart, s'affairant à l'approvisionnement des bêtes et au nettoyage, sans un mot, ou presque.

Frau Hete va à la cuisine et prépare le souper. Du lard et des pommes de terre appétissantes rissolent dans la poêle. Le lard, elle l'a obtenu d'une de ses clientes, en échange d'un canari du Harz. Elle se réjouissait de pouvoir faire à Enno la surprise d'un tel festin, car il est friand de bonnes choses. Les pommes de terre sont déjà toutes dorées.

Mais non! Elle éteint le gaz sous la poêle. Il lui est tout à coup impossible de différer encore cette explication. Elle fait irruption dans la pièce, s'adosse au poêle et s'écrie, presque menaçante :

— Et alors?

Il est assis à la table qu'il vient de mettre pour leur repas. Il sifflote, à son habitude. Ces deux mots menaçants « Et alors? » le font sursauter; il se lève et contemple la sombre silhouette :

— Qu'y a-t-il, Hete? dit-il. Est-ce qu'on va dîner? J'ai l'estomac dans les talons.

Dans sa colère, elle le battrait, cet homme qui la croit prête à passer sous silence une telle trahison. Il se sent vraiment très sûr de lui, ce monsieur, pour avoir dormi dans son lit! Soudain, elle est prise d'une véritable rage; elle voudrait secouer et frapper le bonhomme, encore et encore!

Mais elle se maîtrise et répète, encore plus menaçante, son : « Et alors? »

— Ah oui, dit-il, c'est de l'argent que tu veux parler, Hete?

Il fouille dans sa poche et en retire une liasse de billets :

— Voilà. Il y a là deux cent dix marks. Et j'avais pris quatre-vingt-douze marks dans la caisse.

Il a un sourire un peu embarrassé :

— Comme ça, je contribue un peu à mon entretien.

— Et comment as-tu tant d'argent?

– Cet après-midi, c'était le grand prix. Je suis encore arrivé à temps pour miser sur Adebar. Adebar a gagné. Je parie volontiers aux courses... les courses, ça me connaît.

Il dit ça avec une fierté dont il n'est pas coutumier.

– Je n'ai pas joué les quatre-vingt-douze marks. Je n'en ai misé que cinquante. La cote était...

– Et qu'aurais-tu fait si le cheval n'avait pas gagné?

– Adebar devait gagner. Il ne pouvait pas en être autrement.

– Et si, malgré cela, il n'avait pas gagné?

Ici, pour une fois, il se sent en état de supériorité. C'est donc en souriant qu'il répond :

– Vois-tu, Hete, tu ne connais rien aux courses. Tandis que moi, c'est vraiment ma partie. Quand je dis qu'Adebar gagnera et que je mise cinquante marks sur lui...

Elle l'interrompit avec véhémence :

– C'est mon argent que tu as risqué! Je ne veux pas de ça! Si tu as besoin d'argent, dis-le. Tu travailles chez moi, et ce n'est pas uniquement pour me défrayer de ton entretien. Mais tu ne dois rien prendre dans la caisse sans mon autorisation. Compris?

Cette agressivité inaccoutumée le remplit à nouveau d'inquiétude. Il dit plaintivement (elle sait qu'il va fondre en larmes, et elle appréhende ces larmes) :

– Mais sur quel ton me parles-tu, Hete? Comme si je n'étais pour toi qu'un employé! Bien sûr, je ne prendrai plus d'argent dans la caisse, à l'avenir. Je croyais te faire plaisir en gagnant de l'argent. J'étais tout à fait certain de gagner.

Elle n'accepte pas du tout ces explications. À ses yeux, l'argent, c'était secondaire. L'important, c'était la confiance trompée. Et voilà qu'il croit que c'est à cause de l'argent qu'elle est fâchée! Quel imbécile! Elle dit :

– C'est donc pour aller jouer aux courses que tu as fermé le magasin, sans autre forme de procès?

– Bien sûr, dit-il. Tu aurais dû le fermer aussi, si je n'avais pas été là.

– Au moment où je suis partie, tu savais déjà que tu allais le fermer ?

– Oui, dit-il stupidement.

Mais il se reprend vite.

– Non, évidemment non, sinon je t'aurais demandé la permission... Je n'ai eu l'idée qu'en passant devant le petit bureau des courses de la Rue Neuve du Roi. Tu connais ? J'ai lu la liste des tuyaux : et quand j'ai vu qu'Adebar était outsider, je me suis décidé immédiatement.

– Je vois, dit-elle.

Elle ne le croit pas. Il avait déjà conçu tout ce plan avant de la conduire au métro. Elle se souvient que, ce matin, il a longuement consulté le journal, puis qu'il a couvert de chiffres un bout de papier. Cela durait encore quand les premiers clients sont arrivés.

– Je vois, répète-t-elle. Et tu vas te promener en ville le plus naturellement du monde, alors qu'il était convenu que, dans toute la mesure du possible, tu ne sortirais pas, à cause de la Gestapo.

– Pourtant tu m'avais permis de t'accompagner au métro.

– Là, nous étions ensemble : Et j'avais bien précisé qu'il s'agissait d'un essai. Ce n'était pas une raison pour aller te promener en ville pendant une demi-journée. Où es-tu donc allé ?

– Dans un petit café que je connais depuis toujours. On n'y voit jamais de types de la Gestapo. On n'y rencontre que des bookmakers et des parieurs.

– Et ces gens te connaissent tous ! Ils peuvent aller raconter partout : « Nous avons vu Enno Kluge à tel endroit. »

– La Gestapo sait aussi que je dois bien être quelque part. Mais l'endroit où je suis, ça, elle ne le sait pas... Ce café est très loin d'ici. Et je n'ai vu personne qui me connaisse et qui puisse me dénoncer.

Il parle avec ardeur et de tout son cœur ; à l'en croire, il est tout à fait dans son droit. Il ne comprend pas le moins du monde combien il a déçu la confiance de Frau Hete, ni le genre de querelle qu'elle lui cherche. L'argent prélevé ? C'était pour lui faire plaisir ! Le magasin fermé ? Elle l'aurait fermé aussi ! Être allé dans un café ? C'était très loin d'ici ! Mais qu'elle se soit inquiétée pour leur amour, il n'y a pas songé. Cette pensée n'a même pas effleuré sa cervelle !

— Ainsi donc, Enno, demande-t-elle, c'est tout ce que tu as à répondre ?

— Mon Dieu, que pourrais-je encore dire, Hete ? Je vois bien que tu es très fâchée, mais je ne trouve vraiment pas que j'aie si mal agi.

Les voilà quand même, les larmes redoutées :

— Oh, Hete, pardonne-moi ! Désormais, je te demanderai toujours la permission avant de faire quoi que ce soit... sans faute ! Aime-moi de nouveau ! Je n'en peux plus.

Mais, cette fois, larmes et prières demeurent sans effet. Elles sonnent faux. Devant ces pleurs, Hete éprouve presque du dégoût.

— Je dois d'abord bien réfléchir, Enno, dit-elle, sur la défensive... tu ne sembles pas du tout comprendre combien tu as déçu la confiance que j'avais en toi.

Et elle passe devant lui pour aller réchauffer les pommes de terre dans la cuisine. Voilà, elle l'a eue, cette explication ! Quel en est le résultat ?... La situation est-elle éclaircie ?... Hete voit-elle mieux ce qu'il convient de faire ?

Pas le moins du monde ! Frau Hete a seulement acquis la conviction que cet homme n'éprouve aucun sentiment de culpabilité, qu'il ment effrontément quand la situation semble l'exiger, sans s'inquiéter de savoir à qui il ment.

Non, un tel homme ne convient pas à Hete ! Elle doit mettre un terme à leurs relations. Malheureusement, elle ne peut plus le mettre à la porte séance tenante. Il ne sait vraiment pas ce qu'il a détruit. Il est pareil à un jeune chien qui a mordillé une paire de chaussures et qui ne comprend pas pourquoi son maître le corrige.

Il faut malgré tout qu'elle lui laisse un jour ou deux pour chercher un nouveau logement. S'expose-t-il à tomber aux mains de la Gestapo? Elle doit en courir le risque; il en a bien couru le risque lui-même – et pour jouer aux courses! Elle doit se débarrasser de lui, elle ne pourra plus jamais avoir confiance en lui. Elle doit vivre seule, pour elle seule, dès à présent et jusqu'à sa mort. Cette pensée la remplit d'angoisse.

Mais, malgré cette angoisse, elle dit, après le dîner :

– J'ai bien réfléchi, Enno. Nous devons nous séparer... Tu es un brave homme, et tu es agréable à fréquenter, mais tu vois les choses avec des yeux trop différents des miens. À la longue, nous ne pourrions plus nous supporter.

Il la regarde fixement, tandis qu'elle donne une sorte de confirmation à ses paroles en lui préparant un lit sur le divan. Il n'en croit d'abord pas ses yeux, puis il éclate en lamentations :

– Mon Dieu, Hete, tu ne peux pas faire ça! Alors que nous nous aimons tellement! Tu ne peux pas vouloir me chasser et me jeter dans les griffes de la Gestapo!

– Oh, dit-elle, cherchant à se tranquilliser, cette affaire de Gestapo ne doit pas être bien terrible. Sinon tu n'aurais pas passé la moitié de ta journée à déambuler en ville.

Mais il tombe à genoux, il se roule littéralement à ses pieds. La peur l'a rendu totalement inconscient :

– Hete! Hete! sanglote-t-il. Tu ne vas pas me tuer. Il faut que tu me gardes ici... où irais-je? Hete, aime-moi un peu! Je suis si malheureux!

Pleurs et cris : un petit chien gémissant de peur!

Il veut embrasser ses jambes, il saisit ses mains. Elle se réfugie dans sa chambre à coucher où elle s'enferme. Mais, toute la nuit, elle l'entend rôder sans répit près de la porte, tenter de l'ouvrir, en gémissant et en suppliant.

Elle ne fait pas un mouvement. Rassemblant toute sa force, pour ne pas céder, pour ne pas se laisser attendrir, elle s'en tient fermement à sa décision. Elle ne peut plus continuer à vivre avec lui.

Au petit déjeuner, ils se font face, le visage défait par cette nuit d'insomnie. Ils ne se parlent guère et font comme s'il n'y avait jamais eu de discussion.

Il sait à quoi s'en tenir, pense-t-elle. Même s'il ne se cherche pas une chambre aujourd'hui, il devra quitter la maison demain soir. Demain à midi, je le lui redirai. Il faut que nous nous séparions.

Frau Häberle est une femme aussi correcte que courageuse. Si, le moment venu, elle ne fait pas ce qu'elle a décidé, si elle ne renvoie pas Enno, cela ne dépend pas d'elle. La faute en est à des hommes qu'elle ne connaît pas encore. Par exemple, le commissaire Escherich et le sieur Borkhausen...

EMIL BORKHAUSEN SE REND UTILE

Tandis qu'Enno Kluge et Frau Häberle s'associaient pour une vie commune qui devait être de si courte durée, le commissaire Escherich, lui, connaissait de mauvais moments. Il n'avait pas caché à son chef qu'Enno Kluge, échappant à la surveillance de ses « anges gardiens », s'était perdu dans la grande ville sans laisser de traces.

Le commissaire avait donc dû laisser pleuvoir sur lui toutes les injures que cet aveu avait rendues inévitables : il était un idiot, il n'y connaissait rien, on le foutrait au trou ce fainéant qui, en près d'un an, n'était même pas parvenu à découvrir un malheureux gribouilleur de cartes postales ! Et quand il tenait enfin une piste, il laissait encore filer le gaillard! Un pauvre type voilà ce qu'il était. En fin de compte, le commissaire Escherich s'était rendu coupable de haute trahison. On s'occuperait de lui en conséquence si, dans les huit jours, il n'amenait pas ce Kluge à l'Obergruppenführer Prall.

Escherich avait écouté ces injures avec résignation. Mais elles avaient produit sur lui un curieux effet. Il savait à suffisance que ce Kluge n'avait absolument rien à voir dans l'affaire des cartes, et ne pourrait pas le faire avancer d'un pas dans la découverte du vrai coupable. Pourtant, toute son attention se concentra tout à coup presque uniquement sur la recherche de l'insignifiant Enno Kluge. Que cette punaise lui eût glissé entre les doigts, alors qu'il aurait tant voulu l'offrir à ses chefs, c'était vraiment trop contrariant! Cette semaine-là, le « Trouble-Fête » avait été particulièrement actif : trois de ses cartes avaient échoué sur le bureau du commissaire. Mais Escherich négligea même de piquer sur son plan de Berlin les petits drapeaux indiquant les endroits où l'on avait fait ces trouvailles.

C'est qu'il voulait avant tout remettre la main sur Kluge. Ses premières recherches le menèrent à la campagne, chez Eva Kluge. Muni à toutes fins utiles d'un mandat d'arrêt, délivré contre elle et son mari, il se rendit bientôt compte que cette femme n'avait vraiment plus rien à voir avec son conjoint et qu'elle ignorait à peu près tout de la vie qu'avait menée celui-ci ces dernières années.

Ce qu'elle savait, elle le raconta au commissaire, sans empressement particulier, avec un détachement total. Ce que son mari devenait, ce qu'il avait fait ou n'avait pas fait, tout ça la laissait visiblement indifférente. Le commissaire n'obtint d'elle que les noms des deux ou trois cafés qu'Enno Kluge avait fréquentés jadis. Il fut mis au courant de la passion qui enflammait Enno pour les paris aux courses, et il apprit également l'adresse d'une certaine Tutti Hebekreuz, dont une lettre était arrivée un jour chez Eva Kluge. Dans cette lettre, Enno était accusé d'avoir volé de l'argent et des cartes de ravitaillement à ladite Hebekreuz... Quand Frau Kluge avait vu son mari pour la dernière fois, elle ne lui avait même pas parlé de la lettre. Elle avait seulement retenu l'adresse ; étant ancienne postière, sa mémoire était particulièrement exercée à retenir ce genre de choses.

Muni de ces maigres renseignements, Escherich était rentré à Berlin. Fidèle à son principe fondamental : poser des questions mais ne jamais donner de renseignement, il s'était gardé de parler à Frau Kluge de l'action que le Parti avait engagée contre elle à Berlin. Il ne ramenait donc qu'un butin dérisoire, mais c'était tout de même un début : la piste d'une piste, en quelque sorte. Et il pouvait du moins prouver à Prall qu'il faisait quelque chose, qu'il ne se contentait pas d'attendre. Or, pour ces messieurs, toute la question était de faire quelque chose, même si cela ne menait nulle part.

L'enquête chez Frau Hebekreuz se révéla infructueuse. Elle avait fait la connaissance de Kluge dans un café et savait où il travaillait. Deux fois, il lui était arrivé de passer quelques semaines chez elle. C'était parfaitement exact : elle lui avait écrit à propos d'argent et de cartes de ravitaillement. Mais, lors de son séjour, il lui avait affirmé que ce n'était pas par lui qu'elle avait été filoutée, mais sans doute par un autre « sous-locataire ». Puis, il avait de nouveau filé à l'anglaise ; apparemment chez une autre femme, car c'était tout à fait le genre d'Enno. Frau Hebekreuz n'avait pas la moindre idée de l'endroit où Kluge était allé. Ce n'était certainement pas dans les environs, sinon elle en aurait entendu parler.

Dans les deux cabarets, Kluge était connu sous le nom d'Enno. Parfaitement... On ne l'avait plus vu depuis longtemps, mais il finissait toujours par revenir... « Certainement, monsieur le Commissaire, nous ne dirons rien à personne. Nous sommes d'honnêtes cabaretiers, nous ne recevons que des gens corrects, s'intéressant au noble sport hippique... Nous vous ferons signe immédiatement, si Enno reparaît... *Heil* Hitler, monsieur le Commissaire. »

Le commissaire Escherich mobilisa dix hommes pour aller s'enquérir d'Enno Kluge chez tous les bookmakers et cabaretiers des quartiers nord et est de Berlin. Tandis qu'il attendait les résultats de cette action, il fit une découverte remarquable : tout à coup, il ne lui sembla plus absolument exclu qu'Enno Kluge eût trempé réellement dans cette affaire des cartes. Le pamphlet trouvé chez le médecin... puis, l'épouse, naguère nazie, qui avait demandé à quitter le Parti, vraisemblablement parce que le fils avait fait à la S.S. quelque chose qui ne plaisait pas à la mère... Enno Kluge était peut-être beaucoup plus rusé que le commissaire ne l'avait cru. Peut-être avait-il également d'autres affaires sur les bras. Oui, il semblait quasi certain qu'il avait des choses louches à cacher !

Tout cela fut ratifié par Schröder, avec qui le commissaire, pour se rafraîchir la mémoire, examina encore longuement tout le dossier. Le commissaire adjoint, lui aussi, avait eu l'impression que Kluge cachait quelque chose. Il y aurait bientôt du nouveau dans cette affaire, le commissaire en avait le sentiment, et son flair le trompait rarement.

Cette fois, il ne fut vraiment pas déçu. Au plus fort de toutes ces contrariétés, il fut informé qu'un certain Borkhausen voulait lui parler.

« Borkhausen ? se demanda le commissaire Escherich... Borkhausen ? Qui cela peut-il bien être ? Ah, j'y suis ! Ce petit mouchard qui trahirait sa mère pour quelques pfennigs... Qu'il entre ! »

Mais quand le Borkhausen fut là, il lui dit :

— Si ce n'est que pour me raconter des histoires sur le compte des Persicke, vous pouvez faire demi-tour immédiatement.

Borkhausen regarda le commissaire et garda le silence.

— Et alors? fit le commissaire... Pourquoi ne faites-vous pas demi-tour, Borkhausen?

— Le Persicke détient bel et bien l'appareil de radio de la Rosenthal, monsieur le Commissaire, dit l'autre d'un air plein de reproches. J'en suis sûr à présent. J'ai...

— La Rosenthal? coupa Escherich... C'est bien la vieille Juive qui s'est jetée par la fenêtre, rue Jablonski?

— C'est elle. Et il lui a tout simplement volé le poste. Ou du moins, puisqu'elle était déjà morte, il a pris l'appareil dans l'appartement.

— Je vais vous dire une chose, Borkhausen, commença Escherich. J'ai parlé de l'affaire avec le commissaire Rusch. Si vous ne cessez pas de chercher noise aux Persicke, nous vous rendrons la monnaie de votre pièce. Nous ne voulons plus entendre parler de cette histoire. Et surtout pas par vous! Vous êtes le dernier à pouvoir vous immiscer dans cette affaire... oui, vous, Borkhausen!

— Mais il a bel et bien volé cette radio! recommença Borkhausen, avec l'obstination stupide que peut seule inspirer une haine aveugle. Et je peux vous le prouver sur-le-champ...

— Sortez immédiatement, Borkhausen. Ou je vous fais conduire dans nos caves.

— Alors je vais au commissariat central, Alexanderplatz, répliqua Borkhausen, ulcéré. Ce qui est juste est juste. Et ce qui est volé est volé!

Mais Escherich pensait à l'affaire « Trouble-Fête », qui ne cessait pour ainsi dire jamais d'occuper son esprit. Il n'écoutait même plus l'idiot:

— Dites-moi, Borkhausen, vous connaissez une foule de gens et vous fréquentez assidûment les cabarets. Ne connaîtriez-vous pas un certain Enno Kluge?

Borkhausen, qui subodorait une bonne affaire, dit, encore chagrin:

— Je connais un certain Enno... s'il s'appelle aussi Kluge, je n'en sais trop rien. J'ai toujours cru qu'Enno était son nom de famille.

— Un petit maigrelet, pâle et timide?

— Ça pourrait concorder avec mon homme, monsieur le Commissaire.

— Pardessus clair, casquette de sport à grands carreaux bruns?

— C'est ça.

— Il a continuellement des histoires de femmes?

— Je ne connais pas d'histoires de femmes à celui dont je parle. Là où je l'ai vu, il n'y a guère de femmes.

— Un petit parieur aux courses de chevaux?

— Exact, monsieur le Commissaire.

— Toujours fourré dans les cafés?

— C'est ça même, monsieur le Commissaire... votre Enno Kluge, c'est mon Enno.

— Eh bien, vous allez me le trouver, Borkhausen! Laissez là toute cette boutique Persicke, qui pourrait vous conduire dans un camp de concentration. Dénichez-moi plutôt Enno Kluge.

— Mais ce n'est pas un poisson pour vous, monsieur le Commissaire! s'écria Borkhausen, sur la défensive. Ce n'est qu'un goujon minuscule! Qu'avez-vous à faire d'un tel idiot, monsieur le Commissaire?

— Ne vous occupez pas de ça, Borkhausen. Ce sont mes affaires. Si je mets la main sur Enno Kluge grâce à vous, vous aurez gagné cinq cents marks.

— Cinq cents marks, monsieur le Commissaire!... Mais dix types du calibre de mon Enno ne valent pas cinq cents marks! Il doit y avoir confusion.

— Peut-être y a-t-il vraiment une erreur là-dedans, mais ça ne vous regarde pas, Borkhausen. Vous toucherez de toute façon vos cinq cents marks.

– Ça va... puisque vous le dites, monsieur le Commissaire, je vais m'occuper de mettre la main sur Enno. Mais je ne ferai que vous montrer le bonhomme. Je ne l'amène pas ici. Je ne parle pas avec ce genre de types.

– Qu'y a-t-il donc eu entre vous deux? En général, tu n'es pourtant pas si regardant, Borkhausen! Vous avez sûrement fait ensemble quelque coup peu reluisant... mais je ne veux pas m'introduire dans vos petits secrets. Déguerpis, et déniche-moi Kluge.

– Je vous demanderais bien un petit acompte, monsieur le Commissaire... non, pas un acompte : plutôt de l'argent pour mes frais de déplacement.

– Quels frais as-tu donc? Cela m'intéresse.

– Je dois prendre des tramways, aller dans trente-six cafés, payer ici un verre et là une tournée... tout ça coûte cher, monsieur le Commissaire. Mais je crois que cinquante marks suffiraient.

– Oui, quand Borkhausen le fastueux est de sortie, tout le monde attend qu'il paie quelque chose! Bon... je te donne dix marks, et fiche-moi le camp. Tu crois sans doute que je n'ai rien d'autre à faire que de bavarder avec toi!

En fait, Borkhausen trouvait qu'un commissaire de ce genre n'avait pas d'autre raison d'être que de tirer les vers du nez des gens et de faire faire son travail par les autres. Mais il se garda bien d'émettre cette opinion et gagna la porte en disant :

– Si je vous fais attraper Enno Kluge, vous devriez m'aider dans l'affaire des Persicke... ces frères-là m'ont par trop tapé sur le système.

En deux enjambées, Escherich le rejoignit, le saisit aux épaules et lui mit le poing sous le nez :

– Vois-tu ça, cria-t-il, hors de lui. Veux-tu en tâter, sale bête? Encore un mot à propos des Persicke, et je t'envoie dans les caves, même si tous les Enno Kluge du monde doivent continuer à courir en liberté.

Il lui allongea au bas du dos un coup de genou qui le précipita dans le couloir et le fit atterrir sur un S.S. de garde, qui lui asséna un nouveau coup.

Au bruit que cela fit, deux autres S.S. surgirent sur le palier. Ils prirent livraison de Borkhausen encore tout chancelant et lui firent dégringoler l'escalier comme un vulgaire sac de pommes de terre.

Comme Borkhausen, gémissant et saignant un peu, restait là, encore tout étourdi par cet assaut, l'un des sbires le prit au collet et hurla :

— Cochon! Crois-tu que nous allons te laisser salir notre beau parquet?

Il le traîna jusqu'à la sortie et le jeta dans la rue.

Le commissaire Escherich contempla avec satisfaction tout le début de cette bagarre, jusqu'à ce que la disposition des lieux lui cachât la suite de l'expulsion.

Les passants se détournèrent craintivement du malheureux qui gisait ainsi, car ils savaient de quelle maison redoutable il avait été expulsé. C'était peut-être déjà un crime, de regarder avec compassion une telle épave! Pas question de lui porter secours...

La sentinelle, arrivant à pas pesants, s'écria :

— Cochon! si dans trois minutes tu n'as pas fini de déshonorer notre trottoir, je te donnerai des jambes!

Cet avertissement fit son effet. Borkhausen se releva et, les membres lourds et meurtris, rentra chez lui en chancelant. Une vaine fureur le consumait, et cette haine lui était plus douloureuse que ses blessures. Il était fermement décidé à ne pas remuer le petit doigt pour ce fourbe de commissaire Escherich : qu'il cherche seul son Enno Kluge!

Cependant, le lendemain, cette colère un peu apaisée et la voix de la raison ayant recommencé à se faire entendre, notre homme se dit qu'il avait reçu dix marks du commissaire Escherich et qu'il devait lui en donner pour son argent, sinon il passerait infailliblement pour un individu douteux. Il se dit également qu'il ne convenait pas de se brouiller avec des gens aussi haut placés. Ceux-ci détenaient le pouvoir, et les petits devaient se soumettre. Quant à l'algarade de la veille, il ne devait s'en prendre qu'à lui-même. S'il n'avait pas heurté le planton, tout se serait passé en douceur. Les sbires avaient vu là l'occasion de faire une bonne blague, et si Borkhausen avait vu quelqu'un d'autre subir le même traitement, il aurait ri de bon cœur. Par exemple, si Enno Kluge avait été expulsé de la même façon...

C'était donc une raison supplémentaire pour que Borkhausen s'acquittât de sa mission. Il pourrait en découdre avec Kluge, qui, par ses beuveries stupides, avait gâché une belle affaire.

Encore que tout endolori, Borkhausen se rendit donc, plein de zèle, dans les deux cafés que le commissaire Escherich avait explorés, puis dans quelques autres. Il ne s'enquérait pas d'Enno auprès des cafetiers; il restait là à badauder. Il buvait lentement, attablé durant plus d'une heure devant un même demi, tout en parlant de chevaux (il s'y connaissait un peu, tant il avait suivi de conversations roulant sur ce sujet, mais il ne pariait jamais). Puis il entrait dans le café suivant, pour se livrer au même manège. Borkhausen avait de la patience; il pouvait passer ainsi toute sa journée, ça ne le dérangeait pas du tout.

Dès le deuxième jour, il aperçut Enno dans son café de prédilection. Il assista au triomphe qu'avait valu au gringalet la victoire d'Adebar, et il en conçut une violente jalousie. Le beau billet de cinquante marks que Kluge avait donné au bookmaker l'étonna. Ce billet n'avait certainement pas été gagné par un travail normal. Borkhausen devina immédiatement que Kluge devait avoir tiré profit d'une bonne fortune exceptionnelle. Sacré petit cachottier!

Borkhausen s'arrangea pour n'être pas vu de Kluge. Ce qui est moins immédiatement compréhensible, c'est que le cabaretier, malgré sa promesse formelle, ne prévint pas le commissaire Escherich. On vivait dans une crainte permanente de la Gestapo, mais pas au point de favoriser ses manœuvres. Sans doute ne poussa-t-on pas la complaisance jusqu'à prévenir Enno Kluge ; mais du moins ne le dénonça-t-on pas.

D'ailleurs, par la suite, le commissaire Escherich n'oublia pas ce coup de téléphone qu'on avait omis de lui donner. Il en informa une certaine section, qui établit sur ce cabaretier une fiche, où l'on lisait les mots : « peu sûr ». Un jour ou l'autre, le cabaretier saurait ce qu'il en coûtait, d'être jugé « peu sûr » par la Gestapo.

Des deux hommes, c'est Borkhausen qui quitta le premier le café. Mais il n'alla pas loin. Il se dissimula derrière une colonne d'affichage et attendit paisiblement la sortie du petit Kluge. Borkhausen n'était pas homme à perdre si facilement de vue sa victime ; et surtout cette victime-là. Il parvint même à se faire entasser avec lui dans la même rame de métro. Et bien que Borkhausen fût grand, Enno ne le vit pas.

Kluge ne pensait qu'au triomphe que lui avait valu Adebar, et à l'argent qui avait fini par tinter de nouveau fastueusement dans sa poche. Puis il pensait à Hete, chez laquelle il se trouvait si bien... Il y pensait avec amour et émotion. Mais il ne se dit pas que, quelques heures plus tôt, il l'avait trompée et volée.

Bien sûr, son humeur s'assombrit quand il fut en vue du magasin et qu'il constata que le volet avait été levé. Hete s'affairait déjà dans la boutique et elle avait visiblement très mal pris la désertion d'Enno. Mais celui-ci, avec ce fatalisme grâce auquel les gens comme lui s'adaptent même au pire, rentra paisiblement, allant au-devant de l'accueil plutôt frais qui l'attendait. Que, tout occupé par ses pensées, il n'eût guère prêté attention au personnage qui le suivait, cela n'étonnera personne.

Borkhausen avait vu son homme disparaître dans le magasin. Il attendit à quelque distance sous une porte cochère, car il croyait que Kluge allait réapparaître, après avoir fait quelque emplette. Mais les clients entraient et sortaient, et Borkhausen devenait de plus en plus nerveux. S'il avait vu sortir Kluge, il aurait déjà senti les cinq cents marks bien à lui, dans sa poche.

Mais on baissa le volet. Enno s'était volatilisé, Dieu sait comment! Peut-être avait-il eu malgré tout l'impression d'être suivi; passant, sous un prétexte quelconque, du magasin dans l'immeuble, il avait fort bien pu sortir par la porte principale. Borkhausen maudit la bévue qu'il avait commise en ne tenant pas à l'œil et la porte du magasin et l'entrée particulière, au lieu de ne surveiller que la boutique. Il se traita d'idiot.

Mais enfin, il restait la possibilité de rencontrer de nouveau Enno au cabaret, le lendemain ou le surlendemain. Après le pactole que la victoire d'Adebar avait rapporté au petit homme, sa passion du jeu n'allait plus lui laisser de repos. Il irait chaque jour au café et parierait jusqu'à ce que tout son argent fût englouti.

Borkhausen se remit en route et repassa devant la petite boutique. Tout à coup il vit, à travers la vitrine (seule la porte était masquée par le volet), qu'une lumière brillait à l'intérieur. Il colla le nez à la vitre. Entre les aquariums et les cages, il distingua deux ombres qui s'affairaient encore dans le magasin : une silhouette féminine et son ami Enno. Celui-ci, ceint d'un tablier bleu et les manches retroussées, faisait la toilette d'un chien, après avoir rempli des mangeoires et des abreuvoirs!...

Quelle veine inouïe, pour un idiot du calibre d'Enno! Qu'est-ce que les femmes pouvaient bien lui trouver de si spécial ? Lui, Borkhausen, avait Otti et cinq moutards sur les bras ; et un vieux débris comme l'autre n'avait qu'à se montrer pour s'installer sur-le-champ dans une boutique florissante, avec femme, poissons et oiseaux !

Borkhausen cracha avec mépris. Quel monde dégoûtant, qui lui refusait toute douceur, pour en combler un idiot de cette espèce !

Mais plus Borkhausen regardait, plus il se rendait compte que l'amour n'ensorcelait certainement pas ces deux êtres. Ils ne se parlaient guère, ils ne se regardaient pour ainsi dire jamais ; peut-être le petit Enno Kluge n'était-il qu'un homme de peine donnant un coup de main à la femme pour le nettoyage du magasin. En ce cas, il allait bientôt sortir, et par la porte de l'immeuble, puisque le volet de la boutique était baissé. Borkhausen regagna son poste d'observation. Mais la lumière s'éteignit dans le magasin ; et Kluge ne sortait toujours pas. Alors Borkhausen se décida : au risque de rencontrer Enno dans l'escalier, il se glissa dans l'immeuble.

Il grava d'abord dans sa mémoire le nom « H. Häberle », puis il gagna furtivement la cour. Il avait de la chance : les lieux étaient bien éclairés, et un store pendu de travers ne l'empêchait nullement de voir ce qui se passait dans la chambre. Ce qu'il y découvrit le surprit tellement qu'il en resta bouche bée.

Enno, à genoux sur le sol, se traînait derrière la grosse femme qui reculait pas à pas devant lui, en ramenant peureusement sa jupe ! L'autre tendait ses petits bras et semblait pleurer et gémir.

Borkhausen en demeura tout saisi :

« Par exemple ! se disait-il, Par exemple !... Quels bouffons, ces deux-là ! Je resterais bien des heures à les contempler ! »

La porte se ferma derrière la vieille, et Enno s'y cramponna, secouant la poignée et paraissant pleurnicher et supplier de plus belle.

« Peut-être n'est-ce pas là un simple petit prélude aux voluptés de la nuit, songeait Borkhausen... peut-être se sont-ils querellés. Ou peut-être Enno a-t-il voulu obtenir d'elle quelque chose qu'elle lui refuse... Mais qu'est-ce que ça peut me faire ? En tout cas, il va passer la nuit ici. Sinon, pourquoi aurait-on mis des draps au divan ? »

Enno Kluge se trouvait précisément devant le divan. Borkhausen pouvait voir distinctement le visage de son ex-complice, dont l'expression avait de quoi l'étonner. Plus de pleurs ni de gémissements ! À présent, l'homme ricanait, regardait vers la porte, ricanait de nouveau.

Il n'avait donc fait que du cinéma pour la vieille !

« Eh bien, bonne chance, jeune homme ! Je crains seulement qu'Escherich ne crache dans ta soupe. »

Kluge avait allumé une cigarette. Il s'approcha de la fenêtre par laquelle Borkhausen l'épiait. Celui-ci, effrayé, eut un mouvement de recul. Le store descendit. L'âme en paix, Borkhausen pouvait abandonner son observatoire pour cette nuit-là. Il ne fallait plus s'attendre à des développements spectaculaires. De toute manière, il ne pouvait plus rien voir.

Il avait été convenu avec le commissaire Escherich que Borkhausen lui téléphonerait dès qu'il aurait découvert Enno Kluge. Mais, à mesure qu'il s'éloignait du magasin, Borkhausen se demandait s'il ne pouvait tirer un meilleur parti de la situation.

L'argent d'Escherich, c'était pour lui une affaire faite. Mais pourquoi n'essaierait-il pas d'en soutirer également un peu à Enno Kluge ? Ce gaillard avait en main plus de deux cents marks, grâce à la victoire d'Adebar. Alors pourquoi lui, Borkhausen, n'en aurait-il pas sa part ? Aucun des deux partis ne serait lésé : ni Escherich, auquel Enno serait tout de même livré, ni Enno, à qui la Gestapo aurait quand même tout pris. Alors ?

Et puis, il y avait cette matrone, derrière laquelle Enno s'était si risiblement traîné à genoux. Celle-là avait sûrement de l'argent, peut-être même un confortable magot. Bien sûr, les pleurnicheries et les reptations de Kluge ne prouvaient pas précisément qu'il existait entre eux une entente parfaite. Pourtant, qui livrerait de gaieté de cœur un amant à la Gestapo, cet amant fût-il éconduit ? Après tout, le fait qu'elle le gardait chez elle ne signifiait-il pas qu'elle tenait encore à ce grison ? Dans ces conditions, elle paierait certainement.

En regagnant son logis et pendant toute une partie de la nuit, Borkhausen rumina ses projets. Finalement ceux-ci ne lui parurent pas sans danger. Escherich n'était pas homme à supporter ce genre d'initiatives arbitraires ; il serait capable de l'envoyer dans un camp de concentration. Or cette seule pensée lui donnait froid dans le dos.

S'il commençait par dormir, avant de prendre un parti dans cette affaire ? La nuit porte conseil ; au petit matin il saurait s'il valait mieux se rendre immédiatement chez Escherich ou s'il était préférable de lorgner un peu du côté de Kluge. Pour le moment, il avait sommeil.

Mais il ne s'endormit pas. Il découvrit que tout seul, il ne pourrait pas mener la chose à bien. Pendant qu'il irait chez Escherich, Kluge demeurerait sans surveillance. Et si Borkhausen se décidait à dire deux mots à la matrone, Kluge pourrait très bien mettre ce moment à profit pour disparaître. Notre homme devait donc s'assurer les services d'un acolyte. Mais qui ? Il ne voyait personne en qui il eût suffisamment confiance. D'ailleurs ce collaborateur réclamerait certainement sa part du butin, et Borkhausen ne tenait pas du tout à partager.

Finalement, il se souvint que, parmi ses cinq moutards, il avait un fils de treize ans. Du moins avait-il toujours cru que ce gamin, répondant aux prénoms très distingués de Kuno-Dieter, était bien de lui. Otti, elle, avait toujours soutenu qu'il était plutôt né des œuvres d'un comte, gros propriétaire foncier de Poméranie. Mais Otti avait toujours été vantarde.

Avec un profond soupir, Borkhausen décida de prendre le garçon comme espion de renfort. Ça ne lui coûterait qu'une petite scène avec Otti et quelques marks pour le gosse.

Ses pensées devinrent graduellement plus confuses, et il finit par perdre conscience.

UNE BELLE PETITE EXTORSION DE FONDS

Ce matin-là, après leur nuit blanche et leur petit déjeuner silencieux, Frau Häberle et Enno Kluge se retrouvèrent dans le magasin.

Frau Häberle se disait qu'Enno devait quitter la maison le lendemain, sans rémission; et Enno croyait qu'il ne serait congédié en aucun cas.

Leur premier client fut un homme de haute taille qui s'adressa à Frau Häberle :

– Vous avez deux perruches dans la vitrine. Combien coûterait un couple? Car je tiens à ce que ce soit un couple. J'ai toujours aimé les couples.

Puis, avec un étonnement feint – et très mal joué – Borkhausen cria à Kluge, qui tentait de se réfugier subrepticement dans l'arrière-boutique :

– Mais voilà Enno! J'hésitais, je me demandais ce qu'Enno pouvait bien faire dans ce petit jardin zoologique. Mais c'est bien toi... que fais-tu donc ici, vieux frère?

La main sur la poignée de la porte, Enno demeurait planté sur place, absolument incapable de faire un pas ou de répondre.

Frau Hete, elle, dévorait des yeux le long personnage qui s'adressait si cordialement à Enno. Ses lèvres eurent un tremblement et ses genoux faiblirent. L'heure du danger avait sonné; tout n'était donc pas mensonge dans ce qu'Enno avait raconté de ses démêlés avec la Gestapo. Car elle ne douta pas un seul instant que ce type au visage à la fois fouineur et brutal ne fût un mouchard de la police.

Maintenant que le danger s'était matérialisé, Frau Hete, tout en tremblant, gardait la tête froide :

« À présent, songeait-elle, quels que puissent être ses torts, il n'est plus question d'abandonner Enno dans ce péril. »

Elle dit à l'individu, fagoté comme un clochard, au regard à la fois perçant et fuyant :

— Vous prendrez bien avec nous une tasse de café, monsieur... au fait, comment vous appelez-vous ?

— Borkhausen, Emil Borkhausen, dit le mouchard. Je suis un vieil ami d'Enno. C'est le sport qui nous a rapprochés. À propos, Frau Häberle, que dites-vous du coup magistral qu'il a réussi hier, en misant sur Adebar ? Nous nous sommes rencontrés au café où se réunissent les sportifs. Il vous l'a sans doute dit.

Frau Hete jeta un regard rapide à Enno. Il était toujours là, la main sur la poignée de la porte, tel que l'avait surpris l'apostrophe de Borkhausen. L'image même de la panique. Non seulement il ne lui avait rien dit de cette rencontre, mais il avait même affirmé n'avoir vu aucune de ses connaissances. Une fois de plus, il lui avait donc menti, et d'ailleurs à son propre détriment. Si Enno avait parlé la veille au soir de cette rencontre, elle aurait déjà pu le mettre en lieu plus sûr.

Mais ce n'était pas le moment de se disputer avec lui ou de lui mettre le nez dans ses mensonges. Il fallait agir. Aussi répéta-t-elle :

— Venez prendre une tasse de café, Herr Borkhausen... il ne vient guère de clients à cette heure-ci. Enno, tu t'occuperas du magasin. Je vais bavarder un peu avec ton ami.

Frau Hete ne tremblait plus. Elle se remémorait seulement ce qui était arrivé jadis à son Walter, et ces souvenirs lui donnaient de la force. Elle savait qu'avec ces gens-là il ne servait à rien de trembler, de se plaindre, de faire appel à la pitié : du cœur, les pourvoyeurs des bourreaux d'Hitler et d'Himmler n'en avaient pas. La seule chose qui pouvait être de quelque utilité, c'était le courage. Ces gens-là croyaient que tous les Allemands étaient des lâches, à l'instar d'Enno : mais elle, Frau Hete, veuve Häberle, leur prouverait le contraire.

Son calme subjuguait les deux hommes. En se dirigeant vers l'arrière-boutique, elle dit encore :

— Et pas de bêtises, Enno ! Pas de fuite irréfléchie ! Songe que ton pardessus est dans la chambre et que tu n'as guère d'argent en poche.

— Vous êtes une femme avisée, dit Borkhausen, tout en s'asseyant à la table et en la regardant servir le café... et vous êtes également énergique. Je ne l'aurais pas cru quand je vous ai vue hier pour la première fois.

Leurs regards se rencontrèrent.

— Au fait, ajouta rapidement Borkhausen, hier soir aussi vous étiez énergique, quand il se traînait à genoux à vos pieds et que vous lui avez fermé la porte au nez... vous ne l'avez sans doute pas rouverte de toute la nuit, non ?

À cette évocation impudente, les joues de Frau Hete s'empourprèrent quelque peu. La scène dégradante, écœurante de la veille avait donc eu un témoin ! Et quel témoin repoussant ! Mais elle se reprit très vite et dit :

— J'ai l'impression que vous êtes également un homme avisé, Herr Borkhausen. Parlons uniquement de l'affaire et non de détails accessoires... je suppose que c'est bien d'une affaire qu'il s'agit ?

— Peut-être, peut-être bien, se hâta d'opiner Borkhausen, involontairement intimidé par la tournure que cette femme imposait à la conversation.

— Vous voulez donc acheter un couple de perruches. Je suppose que c'est pour leur rendre la liberté.

Borkhausen se gratta la tête :

— Frau Häberle, dit-il alors, cette histoire de perruches, c'est trop compliqué pour moi... je ne suis qu'un homme tout simple, et vous êtes sans doute beaucoup plus intelligente que moi. J'espère que vous ne me mettrez pas dedans.

— Et j'espère la même chose pour moi.

— Pas question... je désire parler avec vous à cœur ouvert, sans histoires de perruches. Je vous dis la chose telle qu'elle est : toute la vérité... j'ai reçu mission de la Gestapo... du commissaire Escherich, si vous connaissez...

Frau Hete secoua la tête.

— J'ai donc reçu mission de l'informer de l'endroit où se trouve Enno. Rien de plus. Pourquoi ? Je n'en ai pas la moindre idée. Laissez-moi vous dire quelque chose, Frau Häberle. Je suis un homme tout simple, loyal...

Il se pencha vers elle. Elle le regarda dans les yeux, et le regard de l'homme tout simple, loyal, se détourna.

— Cette mission m'a étonné, Frau Häberle. Je puis vous le dire en toute franchise. Car nous savons tous deux quel genre d'homme est Enno : un pas grand-chose, n'ayant en tête que les paris aux courses et les histoires de femmes. Et c'est cet Enno que pourchasse maintenant la Gestapo ! Et la section politique, encore en plus ! Celle qui s'occupe des cas de haute trahison et des saboteurs. Je ne comprends pas ça... et vous ?

Il la regarda avec une certaine anxiété. De nouveau, leurs yeux se rencontrèrent ; de nouveau, il ne put soutenir le regard de la femme.

— Continuez donc, Herr Borkhausen. Je vous écoute.

— Vous êtes une femme avisée ! déclara Borkhausen... diantrement avisée et énergique ! La scène d'agenouillement d'hier soir...

— Nous devions parler uniquement de notre affaire, Herr Borkhausen.

— C'est vrai. Je ne suis qu'un brave Allemand loyal, et vous vous étonnez peut-être que je sois à la Gestapo... vous le croyez peut-être? Eh bien, non, Frau Häberle, je n'en fais pas partie. Je ne travaille que de temps à autre pour elle. Il faut bien vivre, n'est-ce pas? Et j'ai cinq marmots, dont l'aîné n'a que treize ans... tous ces enfants, je dois les nourrir.

— Notre affaire, Herr Borkhausen.

— Non, Frau Häberle, je ne fais pas partie de la Gestapo, je suis un homme honorable. J'ai appris que la police cherchait mon ami Enno et promettait même une grosse récompense pour sa capture. Moi qui connais Enno de longue date et suis vraiment son ami, bien que nous nous soyons parfois bagarrés, j'ai tout de suite pensé : « Pas possible! Ils cherchent Enno, le petit bon à rien! » Et j'ai pensé, vous comprenez, Frau Häberle : « Si je pouvais seulement le trouver, je pourrais peut-être lui faire un petit signe, pour qu'il file à l'anglaise avant qu'il ne soit trop tard. » Alors j'ai dit au commissaire Escherich : « Pour Enno, ne vous tracassez pas. Je vous l'amènerai, car c'est justement un de mes pires ennemis. » C'est comme ça qu'ils m'ont donné cette mission et une avance pour mes frais. Et me voici chez vous, Frau Häberle! Tout est pour le mieux.

Un moment de silence. Borkhausen attend, Frau Häberle réfléchit. Puis elle dit :

— La Gestapo n'a donc encore reçu de vous aucune information?

— Oh, avec ceux-là, je ne suis pas pressé! Je voulais d'abord alerter mon vieil ami Enno.

Nouveau silence. Frau Hete finit par demander :

— Et quelle récompense la Gestapo vous a-t-elle promise?

— Mille marks. C'est une grosse somme, pour un bon à rien de ce genre. J'avoue que j'en étais sidéré, Frau Häberle. Mais le commissaire Escherich m'a dit : « Amenez-moi Kluge, et je vous paie mille marks. » Voilà ce qu'il m'a dit. Il m'a également octroyé cent marks pour mes frais... ceux-là, je les ai déjà reçus, et ils s'ajouteront aux mille marks.

Après un long silence, Frau Hete reprit :

— C'est à dessein que tout à l'heure j'ai parlé des perruches, Herr Borkhausen. Car si je vous paie mille marks...

— Deux mille marks, Frau Häberle. Entre amis, je dis deux mille marks, auxquels s'ajouteraient les cent marks de frais.

— Soit ! Mais même si je vous payais ça... et vous savez bien que Kluge n'a pas d'argent, et que rien ne me lie à lui.

— Voyons ! Voyons, Frau Häberle ! Vous, une femme si correcte !... Votre ami, qui se traînait à genoux à vos pieds, vous n'allez quand même pas le livrer à la Gestapo pour une misérable question de sous ? J'ai même spécifié qu'il s'agit de la section spéciale : haute trahison et sabotage... vous ne ferez pas ça, Frau Häberle !

Elle aurait pu lui faire remarquer que lui-même, l'honorable Allemand loyal, était précisément sur le point de faire ce qu'elle ne pouvait absolument pas faire en tant que femme correcte : vendre un ami. Mais elle savait bien qu'une telle remarque ne servirait à rien, ce genre d'homme était absolument imperméable à de telles considérations.

Aussi dit-elle seulement :

— Bon ! Mais même si je paie les deux mille cent marks, quelle garantie aurai-je que les perruches ne resteront pas en cage ?

Comme elle voyait qu'il se grattait de nouveau la tête avec embarras, elle se décida à laisser là toute discrétion, elle aussi :

— Donc, qui me garantit que vous n'empocherez pas mes deux mille cent marks, pour aller ensuite chez Escherich et toucher en outre ses mille marks ?

— Mais c'est moi qui vous donne cette garantie-là, Frau Häberle ! Je vous donne ma parole... je suis un homme simple et loyal, et quand je promets quelque chose, je tiens ma promesse. Vous avez bien vu que je suis tout de suite venu prévenir Enno du danger, pour qu'il puisse se mettre à l'abri. Et malgré cela, voilà que l'affaire tourne à l'aigre!

Frau Hete le regarda avec un léger sourire :

– Tout ça est bel et bon, Herr Borkhausen. Mais c'est justement parce qu'Enno est tellement votre ami que vous comprendrez le désir que j'ai d'avoir toutes les assurances à son sujet. Si je puis toutefois réunir l'argent...

Borkhausen eut un geste signifiant que l'argent ne pouvait jamais manquer à une femme comme elle.

Voyant qu'il n'était décidément pas accessible à l'ironie et qu'il fallait lui dire crûment les choses, Frau Hete poursuivit :

– Qui me dit, Herr Borkhausen, que vous ne prendrez pas mon argent maintenant...

Borkhausen se sentit tout ému à la pensée qu'il pourrait recevoir sur-le-champ la somme fabuleuse de deux mille marks.

– ... et qu'il n'y a pas à ma porte un agent de la Gestapo qui cueillera Enno? Il me faut d'autres garanties.

– Mais il n'y a pas d'agent devant la porte, je vous le jure, Frau Häberle! Je suis un honnête homme. Pourquoi vous mentirais-je? J'arrive tout droit de chez moi. Vous pouvez le demander à Otti.

Elle l'interrompit :

– Réfléchissez. Quelle garantie supplémentaire pouvez-vous me donner, en dehors de votre parole?

– Il n'y en a pas. Cette affaire est uniquement une question de confiance... et vous pouvez avoir confiance en moi, Frau Häberle, à présent que je vous ai parlé avec tant de franchise.

– Oui, la confiance! répondit évasivement Frau Häberle.

Il y eut un long silence. Lui se contentait d'attendre ce qu'elle allait décider. Et elle se creusait la tête, se demandant comment elle obtiendrait au moins un minimum de garanties.

Pendant ce temps-là, Enno Kluge s'affairait au magasin. Il servait promptement et sans maladresse des clients de plus en plus nombreux. Il plaisantait même, comme à son ordinaire. La frayeur que lui avait causée la vue de Borkhausen était déjà oubliée. Hete parlait avec lui, et elle arrangerait certainement l'affaire. C'était d'ailleurs la preuve qu'elle ne l'avait pas sérieusement menacé de le mettre à la porte. Il était donc à présent tout rasséréné, au point de donner libre cours à ses petites plaisanteries habituelles.

Dans l'arrière-boutique, Frau Häberle, rompant un long silence, dit résolument :

— Herr Borkhausen, j'ai bien réfléchi... je conclus l'affaire avec vous aux conditions suivantes.

— Parlez, parlez! s'écria avidement Borkhausen.

Il voyait son salaire à portée de la main.

— Je vous donne deux mille marks, mais pas ici... à Munich.

Il ouvrit de grands yeux stupides :

— À Munich? Mais je ne vais jamais à Munich! Qu'est-ce que j'irais y faire?

Elle poursuivit :

— Nous irons ensemble à la Poste. Je ferai un mandat de deux mille marks à votre nom : poste restante à Munich. Puis, je vous conduirai à la gare, vous prendrez le premier train pour cette destination et vous encaisserez le mandat là-bas. À la gare, je vous donnerai encore deux cents marks pour le voyage. Je paierai en outre votre aller et retour.

— Non! cria Borkhausen avec colère. Je ne marche pas, je ne m'embarque pas dans cette aventure-là! Pendant que je roulerai vers Munich, vous irez reprendre votre mandat à la Poste.

— Au départ, je vous donnerai le récépissé. Comme ça, il me sera impossible de faire ce que vous dites.

– À Munich! Pourquoi Munich? Nous sommes entre honnêtes gens... pourquoi ne pas faire ça ici, au magasin, à l'instant même? Aller à Munich et en revenir, ça me prendra au moins deux jours et une nuit. Et pendant ce temps-là Enno se sera naturellement planqué quelque part.

– Mais, Herr Borkhausen, c'est bien de ça que nous sommes convenus et c'est même pour ça que je vous donne l'argent! La perruche ne doit pas rester dans sa cage, je suppose? Je veux dire qu'Enno doit pouvoir se mettre à l'abri. C'est bien pour cela que je vous paie les deux mille marks.

Borkhausen grogna, ne trouvant rien à objecter :

– Et encore cent marks pour mes frais!

– Vous les aurez! Comptant! À la gare!

Mais même cette promesse ne put dérider Borkhausen, qui demeurait renfrogné :

– Munich, Munich, a-t-on jamais vu ça? Tout aurait été si simple! Et Munich, maintenant... Munich, rien que ça! Pourquoi pas Londres, tant que vous y êtes? Comme ça, je pourrais y aller après la guerre! La chose allait toute seule, mais non, il faut tout compliquer! Et pourquoi? Parce que vous n'avez pas confiance en votre prochain, parce que vous êtes pleine de méfiance, Frau Häberle... J'ai été si honnête avec vous!

– Et moi, je suis honnête avec vous... c'est à prendre ou à laisser.

– Bon, dit-il. Alors, je m'en vais.

Il se leva et prit sa casquette. Mais il ne partait pas.

– Pas question de Munich pour moi!

– Ça vous fera un petit voyage très intéressant, dit Frau Häberle. On mange et on boit encore très bien à Munich... de la bière beaucoup plus forte que chez nous, Herr Borkhausen.

– La boisson ne m'intéresse pas, dit-il pensivement.

Frau Hete voyait bien qu'il se creusait la tête pour trouver une issue qui lui permettrait de prendre l'argent tout en livrant quand même Enno. Elle passa encore une fois au crible sa proposition, qui lui parut bonne. Elle écartait Borkhausen pendant deux jours au moins. C'était amplement suffisant pour mettre Enno en lieu sûr, si la maison n'était pas surveillée (et Frau Hete tirerait vite au clair ce point-là).

Borkhausen finit par dire, en la regardant :

— Alors, vous ne changez pas d'avis, Frau Häberle?

— Non, dit-elle. Ce sont mes conditions, et je n'en démordrai pas.

— Alors, il faut bien que j'accepte, dit Borkhausen. Je ne peux pas laisser tomber ces deux mille marks.

Il avait dit cela pour lui-même, pour sa propre justification.

— Entendu, j'irai à Munich... Allons tout de suite à la Poste.

— À l'instant, dit Frau Häberle, en réfléchissant.

Maintenant qu'il avait accepté, elle n'était pas encore satisfaite. Elle avait la conviction qu'il projetait une nouvelle bassesse. Il s'agissait de deviner laquelle.

— Oui, nous y allons, dit-elle. Mais je dois d'abord m'apprêter et fermer le magasin.

Il s'écria :

— Pourquoi voulez-vous fermer le magasin? Enno est là.

— Enno nous accompagnera, dit-elle.

— Mais pourquoi? Il n'a rien à faire dans notre arrangement.

— Parce que je le veux ainsi. Il pourrait arriver qu'Enno soit arrêté au moment où je vous donnerai l'argent. De telles erreurs peuvent se produire, Herr Borkhausen.

— Mais qui donc l'arrêterait?

— Mon Dieu, par exemple l'espion qui est devant la porte.

— Il n'y a pas d'espion devant la porte!

Elle sourit.

– Vous pouvez vous en convaincre, Frau Häberle. Sortez, regardez tous les gens qui sont là... je n'ai pas d'espion devant la porte. Je suis un honnête homme.

Elle dit avec obstination :

– Je prends Enno avec moi... c'est plus sûr.

– Vous êtes entêtée comme une vieille mule, s'écria-t-il avec fureur. Mais enfin, soit, Enno nous accompagnera. Maintenant, dépêchons-nous !

– Nous ne sommes pas si pressés, dit-elle. Le train pour Munich ne part qu'à midi. Nous avons tout le temps. À présent, excusez-moi. J'en ai pour un quart d'heure à m'apprêter.

Elle le regardait, assis à la table, les yeux constamment dirigés vers la porte vitrée à travers laquelle il pouvait observer le magasin.

– Encore quelque chose, Herr Borkhausen. Ne bavardez pas maintenant avec Enno. Il a beaucoup à faire au magasin. Et d'ailleurs...

– Que pourrais-je bien lui dire ? fit Borkhausen, fâché. Je ne parle pas avec un idiot comme celui-là !

Mais il changea docilement de position. Il avait maintenant sous les yeux la porte de la chambre de Frau Häberle et la fenêtre donnant sur la cour.

EXPULSION D'ENNO

Deux heures plus tard, tout était terminé. Le rapide de Munich s'était ébranlé à la gare d'Anhalt, emmenant Borkhausen ; un Borkhausen tout gonflé de son importance, parce qu'il voyageait pour la première fois de sa vie en deuxième classe. Ce petit mouchard avait obtenu à la dernière minute que Frau Häberle lui payât ce supplément. L'avait-elle fait pour le mettre de bonne humeur, ou pour montrer la satisfaction qu'elle avait d'être débarrassée de ce gaillard, au moins pour deux jours?

Tandis que les autres voyageurs sortaient lentement de la gare, elle dit doucement à Enno :

— Attends, Enno. Nous allons nous asseoir un moment dans la salle d'attente, pour voir ce qu'il y a lieu de faire à présent.

Ils s'installèrent de façon à pouvoir surveiller la porte d'entrée. Il n'y avait que peu de monde; après eux, plus personne ne vint.

Frau Hete demanda :

— As-tu fait attention à ce que je t'ai dit, Enno? Crois-tu que nous soyons observés?

Et Enno Kluge, avec son insouciance coutumière dès que le danger le plus pressant était passé :

— Moi? Observé... crois-tu que quelqu'un s'associerait avec un idiot comme ce Borkhausen? Il n'y a pas deux crétins comme lui.

Elle faillit lui dire qu'elle tenait ce Borkhausen pour nettement plus intelligent que le petit homme lâche et étourdi qui se tenait à côté d'elle. Mais elle ne le dit pas. Avant de partir, elle s'était juré de laisser là tous les reproches. La seule mission qu'elle s'assignât encore était de mettre Enno Kluge en sûreté. Cela fait, elle ne le reverrait de sa vie.

Enno exprima alors une pensée qui l'obsédait et le torturait depuis une heure :

— À ta place, je n'aurais pas donné deux mille cent marks à ce gaillard... et encore deux cent cinquante marks pour ses frais de voyage... et encore l'aller et retour... et le supplément de deuxième classe. Tu as donné plus de deux mille cinq cents marks à ce type. Un salaud pareil! Moi je ne l'aurais jamais fait.

Elle demanda :

— Que serais-tu devenu, si je ne l'avais pas fait?

– Si tu m'avais donné à moi deux mille cinq cents marks, tu aurais vu comme je me serais débrouillé! Sois certaine que Borkhausen se serait contenté de cinq cents marks.

– Mais la Gestapo lui en a déjà promis mille!

– Mille? Laisse-moi rire! Comme si ceux de la Gestapo jetaient comme ça les billets de mille! Et à un petit mouchard comme ce Borkhausen, encore en plus! Ils ne se servent de lui que pour lui donner des ordres. Il ne vaut pas plus de cinq marks par jour! Deux mille cinq cents marks! Il t'a bien plumée, Hete!

Il eut un rire ironique.

Cette ingratitude la révolta. Mais elle n'était pas d'humeur à se laisser entraîner dans une discussion. Elle se contenta de dire d'un ton ferme :

– Je ne veux plus parler de tout ça... je ne veux pas. As-tu compris?

Elle le regarda dans le blanc des yeux, jusqu'à ce que le regard atone se détournât.

– Réfléchissons plutôt à ce que nous allons faire de toi.

– Oh! nous avons encore le temps! fit-il. Il ne reviendra pas avant après-demain... retournons au magasin. D'ici là, nous trouverons bien quelque chose.

– Je préfère que tu ne mettes plus les pieds au magasin... ou alors, tout au plus pour faire tes paquets. Je suis inquiète... peut-être sommes-nous espionnés, malgré tout.

– Mais puisque je te dis que nous ne le sommes pas! Je m'entends mieux que toi à ce genre de choses... Borkhausen ne pourrait pas se payer un acolyte : il est toujours à court d'argent.

– La Gestapo peut lui en fournir un.

– Et l'espion de la Gestapo regarde tranquillement Borkhausen partir pour Munich, et moi qui le conduis à la gare! Es-tu aussi bête que ça, Hete?

Elle devait reconnaître que l'objection ne manquait pas de pertinence, mais son inquiétude persistait. Elle demanda :

— L'histoire des cigarettes ne t'a-t-elle pas paru bizarre?

Il ne se souvenait plus. C'est elle qui dut lui rappeler que Borkhausen, à peine avaient-ils quitté la maison, s'était mis à chercher partout des cigarettes. Il lui en fallait absolument. Il en avait mendié à Hete et à Enno, qui n'en avaient pas; Enno avait fumé toutes les siennes pendant la nuit. Mais Borkhausen n'en avait pas démordu : il lui en fallait, il n'y tenait plus, il avait l'habitude d'en griller une le matin. « Empruntant » vingt marks à Hete, il avait interpellé un jeune garçon qui jouait bruyamment dans la rue :

— Où pourrais-tu trouver des cigarettes? Je n'ai pas de cartes de ravitaillement.

— Je connais peut-être un endroit... avez-vous de l'argent?

Le gamin avec lequel Borkhausen avait parlé était un vrai Berlinois, très blond, les yeux bleus :

— Donnez-moi les vingt marks... j'y vais.

— Et tu oublieras de revenir! Non, je t'accompagne. Un moment, Frau Häberle.

Là-dessus, tous les deux avaient disparu dans une maison. Un moment après, Borkhausen était revenu seul et avait rendu spontanément les vingt marks à Frau Hete :

— Ils n'en avaient pas. Ce sale gamin voulait tout simplement me subtiliser les vingt marks. Mais je lui ai flanqué une bonne raclée qui lui a fait voir trente-six chandelles.

Ils avaient continué leur chemin. La Poste, l'agence de voyages...

— Et alors, qu'est-ce que tu trouves d'anormal à ça, Hete? Borkhausen est comme moi; quand il veut fumer, il est capable d'accoster un général dans la rue et de lui demander son mégot.

— Après cela, il n'a plus parlé de cigarettes, bien qu'il n'en eût pas trouvé! Je trouve ça étrange... S'il avait machiné quelque chose avec le gamin...

— Qu'aurait-il bien pu machiner avec le gamin? Il lui a donné une raclée, c'est tout.

– Et si le gamin était un espion?

Enno Kluge lui-même eut un moment de surprise. Mais il se ressaisit avec son insouciance habituelle :

– Que vas-tu imaginer là? Je voudrais n'avoir pas plus de soucis que toi!

Elle garda le silence. Pourtant son inquiétude persista, et elle maintint sa résolution : ils feraient une brève apparition au magasin, pour aller prendre les objets personnels d'Enno, puis elle le conduirait chez une de ses amies, avec le maximum de précautions.

Mais ça ne convenait pas du tout à Enno. Il avait le sentiment qu'elle voulait se débarrasser de lui. Et il ne voulait pas partir. Chez elle, c'était la sécurité, la bonne chère et l'oisiveté, selon son bon plaisir. Amour, chaleur et consolation. Et puis, c'était une brebis si bonne à tondre! Borkhausen venait de lui rafler près de deux mille cinq cents marks. À son tour, à présent!

– Ton amie! dit-il mécontent. Quel genre de femme est-ce? Je ne vais pas volontiers chez des inconnus.

Hete aurait pu lui dire que cette amie était une ancienne collaboratrice de son mari, qu'elle poursuivait très discrètement ses activités, et que tous les persécutés trouvaient refuge chez elle. Mais Frau Häberle se défiait d'Enno, à présent. Elle l'avait vu lâche une ou deux fois. Il ne devait pas trop en savoir.

– Mon amie, dit-elle, c'est une femme comme moi... du même âge... peut-être un peu plus jeune.

– Et qu'est-ce qu'elle fait? De quoi vit-elle?

– Je ne sais pas au juste... elle doit être secrétaire quelque part. En tout cas, elle n'est pas encore mariée.

– Si c'est comme ça, si elle a ton âge, il serait grand temps!

Il eut un rire railleur. Elle tressaillit, mais ne répondit pas.

– Non, Hete, dit-il avec des inflexions pleines de douceur, qu'irais-je faire chez ton amie? Être ensemble, toi et

299

moi, c'est la meilleure solution... Borkhausen ne revient qu'après-demain. Garde-moi chez toi au moins jusque-là.

— Non, Enno. Fais ce que je te dis. J'irai seule chez moi prendre ce qui t'appartient. Pendant ce temps-là, tu peux attendre dans un café... puis, nous irons ensemble chez mon amie.

Il avait encore beaucoup d'objections à formuler, mais il s'inclina, quand elle lui eut dit :

— Tu auras également de l'argent... j'en mettrai dans la valise. Assez pour que tu sois tranquille au début.

L'idée qu'il aurait bientôt de l'argent (et elle ne pouvait vraiment pas lui donner moins qu'à Borkhausen), acheva de le décider. S'il prolongeait son séjour chez elle, ce n'est que le surlendemain qu'elle lui remettrait la somme. Or il voulait savoir tout de suite combien elle lui donnerait.

Frau Hete remarqua tristement ce qui le poussait à s'incliner, et cela acheva de ruiner en elle ce qui lui restait d'estime et d'amour. Mais la vie lui avait appris depuis longtemps que tout devait se payer. Le principal, c'était qu'il s'inclinât.

À proximité de son domicile, Frau Hete Häberle revit le gamin blond aux yeux bleus. Il menait grand bruit dans la rue avec toute une bande de gosses. Prise de peur, elle l'appela :

— Que fais-tu encore ici ? Est-ce justement à cet endroit que tu dois faire tout ce tapage ?

— Mais j'habite ici ! dit-il. Où irais-je donc jouer ?

Elle chercha des traces de coups sur son visage, mais elle n'en vit aucune. Visiblement, le gamin ne l'avait pas reconnue. Pendant sa conversation avec Borkhausen, il ne l'avait certainement pas observée. C'était un argument contre les activités d'espion qu'elle lui supposait.

— Tu habites ici ? Je ne t'ai jamais vu.

— Je ne peux rien faire pour vos yeux, répliqua-t-il effrontément.

Il mit deux doigts près de sa bouche et fit entendre un sifflement strident, puis cria vers les étages d'un immeuble :

– M'man, viens à la fenêtre! Il y a une femme qui ne veut pas croire que tu louches! Maman, louche un peu pour elle!

En riant, Frau Hete se hâta d'entrer chez elle, tout à fait persuadée à présent que, pour ce qui était de ce gosse, elle avait eu des visions.

Mais, en bouclant la valise, elle se demanda si elle faisait bien de conduire Enno chez son amie Anna Schönlein. Certes, Anna risquait tous les jours sa vie pour des inconnus auxquels elle donnait asile. Enno semblait bien être un persécuté politique et non un délinquant de droit commun. Borkhausen lui-même l'avait confirmé. Mais...

Il était si étourdi! Moins par irréflexion que par indifférence totale au sort du prochain. Il ne pensait jamais qu'à lui-même. Il était très capable de venir la retrouver deux fois par jour, sous prétexte qu'il aspirait à la revoir. Or ce serait attirer les pires dangers sur la tête d'Anna. Elle, Hete, avait de l'autorité sur lui, mais Anna n'en aurait pas.

Avec un profond soupir, Frau Hete Häberle mit trois cents marks dans une enveloppe qu'elle déposa dans la valise. Ce jour-là, elle avait dépensé plus d'argent qu'elle n'en avait économisé en deux ans.

Mais elle se résoudrait encore à un autre sacrifice : elle promettrait cent marks à Enno pour chaque jour où il ne quitterait pas la demeure de son amie. Il était malheureusement ainsi fait qu'elle pourrait lui faire une telle proposition sans le couvrir de honte. Tout au plus, au premier moment, ferait-il semblant d'être un peu offensé. Mais ça le ferait rester tranquille; il était si cupide!

La valise à la main, Frau Häberle sortit de chez elle. Le blondin ne jouait plus dans la rue; il était sans doute rentré chez sa loucheuse de mère...

Hete se rendit au café de l'Alexanderplatz où elle devait retrouver Enno.

Il faut dire que Borkhausen s'était senti très à l'aise dans cet express distingué, plein d'officiers, de généraux et de dames parfumées. Son manque d'élégance ne le gênait pas le moins du monde, car les regards peu amènes qu'il s'attirait faisaient partie des vieilles habitudes de sa misérable vie.

Borkhausen savourait à plein ce bref bonheur, qui devait prendre fin à Lichterfelde, où le train s'arrêtait d'abord. C'est sur ce point que Frau Hete s'était trompée dans ses calculs. S'il y avait de l'argent à toucher à Munich, il n'était pas nécessaire d'y aller tout de suite ; on pourrait s'en occuper plus tard, une fois réglées à Berlin les affaires les plus urgentes. Il s'agissait pour l'instant de livrer Enno à Escherich et d'empocher cinq cents marks.

Non sans un léger regret, Emil Borkhausen descendit donc à Lichterfelde. Il eut encore un accrochage assez vif avec le contrôleur, qui ne comprenait pas que l'on changeât si rapidement d'avis. Au demeurant, tout chez Borkhausen semblait très suspect à l'employé. Mais le passager restait inébranlable .

– Appelez donc le commissaire Escherich à la Gestapo, et vous verrez si j'ai raison ! Mais gare à ceux qui m'auront mis des bâtons dans les roues quand je suis en service commandé !

Pour finir, l'homme à la casquette rouge fit rembourser à Borkhausen le prix de son voyage. Tout était possible, par les temps qui couraient, même de voir circuler sous le nom de la Gestapo des individus aussi douteux. Cela n'était pas pour simplifier les choses !

Borkhausen se mit à la recherche de son fils. Il ne le trouva pas devant la boutique de Frau Häberle, qui pourtant était ouverte. Caché derrière une colonne Morris, Borkhausen, les yeux rivés à la porte du magasin, réfléchissait à ce qui avait pu se produire et se demandait s'il devait se présenter encore une fois sans vergogne devant la victime de ses manœuvres, dans l'espoir d'apprendre du nouveau. C'est alors qu'un gamin d'environ neuf ans l'apostropha :

— Dites donc! n'êtes-vous pas le père de Kuno?

— Si, c'est moi. Qu'est-ce qu'il y a!

— Il faut que vous me donniez un mark!

— Pour quoi faire?

— Pour que je vous dise ce que je sais.

Tout en s'écriant : « Il faut servir les gens avant de se faire payer », Borkhausen voulut attraper le gamin, mais ce dernier se faufila sous son bras en criant : « C'est bon, gardez donc vos sous! » Et il rejoignit ses compagnons de jeu, qui se déchaînaient sur la chaussée devant la boutique.

Préférant ne pas se montrer, Borkhausen ne pouvait pas le suivre jusque-là. Il cria et siffla pour faire venir le garçon, qu'il maudissait autant que sa propre ladrerie. Mais l'autre fut assez prudent pour attendre un quart d'heure et, se postant à quelque distance, pour annoncer avec insolence : « Maintenant, c'est deux marks! »

Résigné, Borkhausen lui tendit l'argent. L'autre fit un signe de tête :

— Je vous connais! dit-il. Si je prends l'argent, vous me mettrez le grappin dessus pour m'attraper. Posez-le là sur le pavé.

L'air sombre, sans un mot, Borkhausen s'exécuta. Le garçon se glissa jusqu'au billet, le surveillant du coin de l'œil.

— Et maintenant? demanda l'homme d'un air menaçant.

Le garçon répondit :

— Maintenant, je pourrais être assez vache pour vous demander de l'argent et encore de l'argent, mais ce n'est pas mon genre!

Ayant manifesté sa supériorité morale sur Borkhausen, il ajouta, avant de disparaître : « Allez attendre chez vous des nouvelles de Kuno. »

Loin de calmer la colère de Borkhausen, les deux bonnes heures qu'il dut attendre chez lui ne firent que l'irriter davantage. Les gosses piaillaient, Otti ne cessait d'émettre des remarques sur les tristes sires qui ne savent que fumer des cigarettes et laisser tout le travail à leur femme. Il aurait pu sortir un billet de dix marks et transformer en humeur délicieuse l'odieuse attitude de sa femme, mais cela ne l'intéressait pas. Il avait déjà payé deux marks pour un renseignement stupide qu'il aurait pu se procurer par lui-même, et il était furieux. Kuno-Dieter lui avait collé sur le dos ce petit fumier, qui avait échappé à la raclée. Il se consolait à la pensée que son fils, au moins, ne perdait rien pour attendre.

À ce moment, quelqu'un frappa à la porte. Au lieu du messager attendu apparut un civil, qui avait tout de l'ancien adjudant.

— C'est vous, Borkhausen?

— Oui, qu'est-ce que c'est?

— Le commissaire Escherich vous demande. Préparez-vous, je vous conduis.

— Je ne peux pas venir tout de suite, j'attends un messager. Dites au commissaire que j'ai pris l'oiseau.

— Je suis chargé de vous conduire chez le commissaire, dit l'ancien adjudant d'un air buté.

— Pas maintenant! Je ne laisserai pas des types comme vous gêner mon travail.

Mais Borkhausen se ravisa :

— Dites au commissaire que j'ai pris l'oiseau et que je passerai dans la journée.

— Allez, pas d'histoires, suivez-moi! répéta l'autre avec obstination.

— Ne comprends-tu pas ce que je te dis?... Avec ton « suivez-moi »! Je te répète que je dois rester sur place pour être tenu au courant, sinon l'oiseau va s'envoler. C'est sans doute trop fort pour toi.

– Et, à bout d'arguments, il ajouta : – C'est pour le commissaire que je dois attraper ce gibier, tu saisis?

Toujours imperturbable, l'ancien adjudant répliqua :

– Je ne sais rien de tout ça. Le commissaire m'a dit : « Fritsche, va chercher Borkhausen. » Allez, venez.

– Non, dit Borkhausen, je reste. Est-ce que tu m'arrêtes?

Voyant que l'autre en était bien incapable, il ajouta, en lui claquant la porte au nez : « Alors, fous le camp! »

Dès que l'homme eut disparu par le portail qui donnait sur la rue, Borkhausen fut pris de frayeur, à l'idée des conséquences possibles. Il avait été insolent à l'égard du messager du tout-puissant commissaire. Sa seule excuse était la colère qu'il ressentait envers ce maudit Kuno-Dieter. C'était une honte, de laisser ainsi son père attendre des heures! Il y avait à tous les coins de rues des gamins que l'on pouvait charger d'un message. Borkhausen savourait d'avance la correction qu'il allait administrer à son fils. Il souriait en imaginant ses cris, il se voyait mettre une main sur la bouche de l'enfant, tandis que l'autre continuerait à cogner jusqu'à ce que le garnement fût pris de tremblements et ne sût plus que gémir. Borkhausen ne se lassait pas de se représenter le tableau. Étendu sur son sofa, il en poussait des gémissements de plaisir. L'envoyé de Kuno-Dieter, qui frappait à la porte, arriva presque comme un importun.

– Qu'est-ce que c'est? demanda-t-il.

– Je suis chargé de vous conduire à Kuno.

C'était cette fois un adolescent de quatorze ou quinze ans, en tenue des Jeunesses Hitlériennes.

– Mais donnez-moi d'abord cinq marks.

– Cinq marks! grogna Borkhausen, qui n'osait pas s'opposer ouvertement à ce grand gaillard en chemise brune. L'autre ne le quittait pas des yeux tandis qu'il cherchait dans la liasse.

– J'ai eu des frais de transport, dit le garçon. Et puis, tout le temps que j'ai perdu à traverser la ville pour venir jusqu'ici!

– Et ton temps est précieux, hein ? Borkhausen n'avait pas encore trouvé le billet qu'il fallait. Traverser, dis-tu ! Ça ne doit pas être tout à fait ça. Tu veux dire que tu viens du centre ?

– Eh ben, si vous trouvez que la rue d'Ansbach n'est pas à l'autre bout de Berlin !...

Le garçon s'aperçut trop tard qu'il en avait trop dit. Borkhausen avait déjà rempoché les billets !

– Merci ! dit-il avec un éclat de rire ironique. Inutile de continuer à perdre ton précieux temps. Je trouverai bien tout seul.

– Vous ne me ferez pas ce coup-là ! dit le jeune nazi en s'avançant les poings serrés. Ses yeux sombres jetaient des lueurs de colère. J'ai payé le métro, j'ai...

– Tu as perdu ton précieux temps, je sais ! dit Borkhausen en riant. Décampe, fiston, la bêtise a toujours coûté cher !

Soudain, sa fureur le reprit :

– Qu'est-ce que tu fais encore chez moi ? Dépêche-toi de filer, ou c'est toi qui vas crier à ma place !

Il poussa brutalement dehors le garçon indigné. Durant tout le trajet en métro, Borkhausen ne cessa d'émettre des remarques, tour à tour ironiques et indignées, à l'adresse de ce gaillard qui ne le lâchait pas d'une semelle, mais qui, bien que pâle de colère, ne répondait pas un seul mot.

Lorsqu'ils sortirent du métro, le garçon prit soudain le pas de course, devançant de loin son compagnon de voyage. Borkhausen dut se résoudre à le suivre le plus vite possible. Il ne voulait pas laisser les deux galopins se concerter trop longtemps, car il ignorait si Kuno-Dieter prendrait le parti de son père.

Devant une maison de la rue d'Ansbach, le type en uniforme tenait un discours animé à Kuno-Dieter, qui l'écoutait en baissant la tête. Lorsque Borkhausen s'approcha, le messager s'éloigna d'une dizaine de pas.

– À quoi songes-tu, Kuno-Dieter? commença Bork-hausen d'un air offensé. Tu ne sais que m'envoyer des effrontés qui me réclament de l'argent?

– Personne ne marche sans argent, papa, répondit posément Kuno-Dieter. Tu le sais bien. Et moi aussi, je veux savoir ce que je tirerai de cette affaire. J'ai eu des frais de transport.

– Encore ce refrain! Non, Kuno-Dieter, maintenant, tu vas commencer par dire à ton père ce qui se passe dans cette rue. Ensuite, nous verrons. Je ne suis pas celui qu'on croit. Je ne peux pas souffrir le chantage.

– C'est très joli, reprit Kuno-Dieter, mais j'ai peur qu'après, tu n'oublies de payer ou que tu ne paies avec des claques. Tu as déjà gagné un tas d'argent dans cette affaire, et ce n'est pas fini, je pense. Voilà toute une journée que je fais le poireau ici pour toi, sans manger. J'ai pensé que cinquante marks...

– Quoi!

Borkhausen en avait le souffle coupé.

– Je te donnerai les cinq marks que réclamait ce grand flandrin, et tu me feras le plaisir d'être content.

– Non, papa! riposta Kuno-Dieter en fixant sur Bork-hausen ses yeux bleus. Tu gagnes une fortune, alors que c'est moi qui fais tout le travail. Je ne me laisserai pas fermer le bec pour cinq marks. J'aime mieux ne rien te dire.

– Que prétends-tu donc m'apprendre? Si c'est la présence du nabot dans cet immeuble, je suis déjà au courant. Quant au reste, je le trouverai bien tout seul. Maintenant, rentre à la maison et demande à manger à ta mère. Ton père n'est pas si bête que vous l'imaginez, bande de gros malins!

– Alors je monte dire au nabot que tu le surveilles, dit Kuno-Dieter d'un air décidé.

– Sacré morveux! cria Borkhausen en voulant le frapper.

Mais l'autre courait déjà, entrait dans l'immeuble. Bork-hausen le rattrapa au pied de l'escalier, le jeta à terre et commença à le rouer de coups. C'était presque ce qu'il avait rêvé sur son sofa, avec cette différence que Kuno-Dieter ne criait pas, mais se défendait avec une fureur contenue. La colère de Borkhausen n'en était que plus grande. « Tu verras, salaud ! » haletait-il, frappant très consciemment le visage de son fils et lui donnant des coups de pied dans le ventre. Soudain il se sentit saisi par-derrière, bras et jambes solidement maintenus. C'était le garçon des Jeunesses Hitlériennes ; c'était toute une bande de garnements qui s'était précipitée sur lui. Il dut lâcher Kuno-Dieter pour se défendre.

— Maudit tas de lâches ! cria-t-il en essayant de coincer contre le mur le garçon qui s'agrippait à son dos. Mais ils le firent tomber en lui tirant les jambes.

— Kuno ! dit-il en haletant. Aide ton père ! Ce tas de lâches !...

Mais, loin d'aider son père, ce fut Kuno qui lui porta le premier coup à la figure. On n'entendait plus que le geignement des combattants, le bruit des coups, le raclement des pieds. Ils luttaient sans un mot, avec acharnement. À ce spectacle, une vieille dame, qui descendait l'escalier, resta clouée de stupeur. Cramponnée à la rampe, elle ne savait que dire : « Non, non !... Faire ça dans notre immeuble ! » Puis elle se décida à pousser un long cri d'épouvante.

Les garçons se dégagèrent et disparurent. Borkhausen se mit sur son séant, tout en contemplant la vieille dame d'un air sinistre. Alertés par les cris, quelques voisins avaient surgi et chuchotaient, en regardant l'homme assis par terre.

— Ils se sont battus dans notre immeuble ! piaillait la vieille.

Borkhausen se dit qu'il était grand temps de disparaître, si Enno Kluge habitait là. Lui aussi pouvait surgir à tout moment, pour savoir ce que signifiait ce vacarme.

— J'ai seulement flanqué une petite tripotée à mon fils, expliqua-t-il, en esquissant un sourire crispé à l'adresse des locataires qui le dévisageaient sans mot dire; tout va bien, tout est pour le mieux.

Il se releva et traversa la cour pour gagner la rue, en lissant ses vêtements et en ajustant sa cravate. Il n'y avait naturellement plus trace des garnements. Ce soir, Kuno-Dieter n'aurait qu'à bien se tenir! Se battre contre son propre père, le frapper en pleine figure!... Toutes les Otti du monde ne suffiraient pas à protéger le garnement. Elle pourrait bien recevoir sa part, pour avoir déposé dans le nid ce maudit œuf de coucou.

Tout en surveillant l'immeuble, Borkhausen s'abandonne de plus en plus à sa colère contre Kuno-Dieter. Mais il devient presque fou de rage lorsqu'il s'aperçoit que les garnements lui ont volé la liasse de billets. Il ne reste que quelques marks dans son gilet. Ah les porcs, la sale race! Il voudrait se lancer à leur poursuite, pour les réduire en bouillie et reprendre son argent. Mais il ne peut pas s'éloigner, sans quoi les cinq cents marks vont encore lui filer sous le nez. Il est clair qu'il ne reverra jamais l'argent dérobé par ces vauriens.

Ivre de colère, il va dans un petit café téléphoner au commissaire Escherich. Puis il retourne à son poste d'observation, pour y attendre impatiemment l'arrivée du policier. Hélas, quel désarroi dans son âme! S'être donné tant de peine, pour qu'à la fin tout se retourne contre lui! D'autres réussissent tout ce qu'ils entreprennent; une petite crapule comme Enno dégotte une femme pleine d'argent; mais lui, il a beau faire, rien ne lui réussit. C'est comme le beau linge des Rosenthal, qu'il n'a fait qu'entrevoir!

« Je n'ai pas de chance, bon Dieu! se dit-il, plein d'amertume. Si au moins le commissaire apportait les cinq cents billets! Quant à Kuno, je lui réglerai son compte. Je le laisserai sans manger jusqu'à ce qu'il crève! »

Au téléphone, Borkhausen a prié le commissaire d'apporter l'argent tout de suite. Ce dernier a répondu : « Je vais voir. » « Qu'est-ce que c'est encore que cette histoire ? Ce n'est tout de même pas possible, qu'il veuille me rouler, lui aussi ! »

Après tout, la seule chose qui intéresse Borkhausen dans cette affaire, c'est l'argent. Dès qu'il l'aura, il décampera, et Enno se débrouillera. Frau Häberle a raison, il faut aller à Munich. Toutefois, si Escherich n'apporte pas l'argent, notre homme ne pourra pas prendre son billet. Mais un commissaire qui ne tient pas parole, ça ne peut pas exister ! Ou alors, c'est la fin de tout.

VISITE CHEZ FRÄULEIN ANNA SCHÖNLEIN

Le coup de téléphone de Borkhausen avait plongé le commissaire Escherich dans un profond embarras. Il tenait donc à sa merci celui qu'il cherchait depuis si longtemps ! Durant sa poursuite acharnée, il n'avait pensé qu'à l'instant où il se saisirait de sa proie, sans se demander ce qu'il faudrait en faire. Il était obligé maintenant de se poser la question. L'innocence d'Enno Kluge dans l'affaire des cartes lui semblait plus évidente que jamais. Cette idée s'était pourtant parfois estompée au cours de ses recherches, et le commissaire s'était même laissé aller à dire devant son adjoint Schröder que Kluge avait certainement quelque chose sur la conscience.

Autre chose, peut-être, mais pas les cartes !... en aucun cas !... Si le commissaire arrêtait Kluge, rien ne pourrait empêcher l'Obergruppenführer S.S. d'interroger lui-même celui-ci, et bien des choses viendraient au grand jour, à propos d'une certaine signature extorquée au bas d'un procès-verbal ! Il était décidément impossible d'amener Kluge à la Gestapo !

Mais il était tout aussi impossible de le laisser plus longtemps en liberté, même sous une surveillance de tous les instants ; jamais Prall n'admettrait cela. De toute façon, le général se lasserait assez vite de ces atermoiements, même si Escherich lui cachait provisoirement la découverte de Kluge. Il avait déjà laissé entendre sans détour qu'il allait confier toute l'affaire à quelqu'un de plus adroit. Ainsi le commissaire ne pouvait pas se laisser ridiculiser – d'autant moins qu'il avait fini par s'attacher à cette enquête et qu'elle avait pris une grande place dans sa vie.

Le temps passe tandis qu'Escherich reste assis, à ruminer ses pensées. Qu'il aille au diable, ce Borkhausen ! Qu'il continue à surveiller l'immeuble ; il a bien le temps ! Mais si Enno lui file entre les pattes, je lui arracherai les entrailles, morceau par morceau. « Cinq cents marks tout de suite !... Cinq cents Enno ne les valent pas ! Je lui ferai ravaler ses paroles, à ce chien de Borkhausen, à cet imbécile ! Que m'importe Kluge, c'est l'auteur des cartes qu'il me faut ! »

Mais voilà qu'il semble changer d'avis au sujet de Borkhausen. En tout cas, il se lève, va se faire donner cinq cents marks à la comptabilité et revient dans son bureau. Il donne l'ordre de tenir la voiture prête avec deux hommes, puis annule cet ordre : il n'a besoin ni d'hommes ni de voiture.

Peut-être Escherich n'a-t-il pas changé d'avis pour le seul Borkhausen ; il semble avoir également une idée de derrière la tête en ce qui concerne Kluge. Il tire de sa poche son gros revolver de service, pour le remplacer par un léger pistolet, provenant d'une récente réquisition. Il l'a déjà essayé ; c'est une petite arme très maniable et précise.

Au moment de quitter son bureau, le commissaire se retourne encore une fois. Sans le vouloir, il fait à la pièce un étrange signe d'adieu. Un obscur pressentiment lui dit qu'il ne sera plus le même lorsqu'il la reverra. Il a été jusqu'à présent un fonctionnaire faisant la chasse aux êtres humains, comme d'autres vendent des timbres, avec un respect scrupuleux des règlements en vigueur. Mais lorsqu'il reviendra, il ne sera peut-être plus le même. Il aura sur la conscience quelque chose d'inoubliable, un secret qu'il sera seul à connaître et qu'il ne pourra confier à personne pour l'alléger. Mais tout peut encore changer, il faut d'abord parler à Kluge...

— Eh bien, vous savez faire attendre les gens! grogne Borkhausen, plein de rancœur, en apercevant le commissaire. Je n'ai rien mangé de la journée! Avez-vous apporté mon argent, commissaire?

— Silence!

Mais Borkhausen, dans cette réponse aimable, flaire à juste titre une confirmation. Son cœur recommence à battre plus joyeusement : de l'argent en vue!...

— À quel étage loge Kluge? demande le commissaire.

— Ça, je n'en sais rien! répond Borkhausen, s'empressant de prendre la mouche pour prévenir d'éventuels reproches. Étant connu de lui, je ne peux tout de même pas entrer dans l'immeuble pour demander où il se trouve! Je pense qu'il habite côté cour. Vous le trouverez bien vous-même. Commissaire, j'ai fait mon travail. Maintenant, je voudrais mon argent.

Escherich ne relève même pas le propos. Il demande à Borkhausen comment il a trouvé la trace d'Enno. Celui-ci est obligé de donner des détails; et le commissaire prend des notes concernant Frau Häberle, son commerce, la scène des supplications... Il écrit tout cela. Naturellement, le rapport de Borkhausen n'est pas tout à fait complet; il ne faut pas en demander tant. Si Escherich était en meilleure forme, il serait frappé par quelques contradictions; mais une foule d'autres pensées lui occupent encore l'esprit, et il aimerait pouvoir tout de suite congédier son espion. Comme il en a encore besoin un moment, il lui dit d'attendre sur place. Puis il pénètre dans l'immeuble.

Il commence par prendre des renseignements chez le concierge, avant de monter lentement au quatrième, en

compagnie de ce dernier. Le concierge connaît naturellement tous les locataires, pour la bonne raison qu'il est chargé
de distribuer les cartes d'alimentation. Par exemple, Fräulein
Anna Schönlein, au quatrième, est parfaitement capable
d'héberger un homme de cette espèce. Toutes sortes de gens
ne cessent de passer la nuit chez elle ; et le receveur des
Postes de l'appartement au-dessous jure ses grands dieux que
la nuit elle écoute des postes étrangers. Le concierge voulait
en parler au chef de bloc ; mais s'il le dit au commissaire dès
maintenant, cela revient au même. En général, l'immeuble
n'est pourtant habité que par des gens corrects.

— C'est ici, chuchote le concierge.

— Restez où vous êtes, de façon à ce qu'on vous voie par
le judas, chuchote à son tour le commissaire. Dites
n'importe quoi. Que vous venez pour les vieux métaux, ou
pour le Secours d'Hiver.

— D'accord ! fait le concierge en sonnant.

Aucun résultat. Le concierge sonne une deuxième fois,
puis une troisième. Mais, dans l'appartement, c'est toujours
le silence.

— Elle n'est pas chez elle ? murmure le commissaire.

— Cela m'étonnerait, je ne l'ai pas encore vue descendre
aujourd'hui.

Et il sonne une quatrième fois.

Soudain la porte s'ouvre, sans qu'ils aient entendu le
moindre bruit de pas. Une grande femme desséchée se
trouve devant eux, vêtue d'un pantalon de sport défraîchi et
d'un pull-over jaune serin à boutons rouges. Son visage
maigre est marqué des taches rouges qu'ont souvent les
tuberculeux. Ses yeux luisent d'un reflet fiévreux.

— Qu'est-ce que c'est ? demande-t-elle, sans laisser
paraître la moindre peur, lorsque le commissaire s'avance
dans l'entrée, dont elle ne peut plus refermer la porte.

— J'aimerais vous dire quelques mots, Fräulein Schönlein.
Je suis le commissaire Escherich, de la Gestapo.

Toujours sans le moindre signe de frayeur, elle l'invite à la suivre dans l'appartement.

— Restez à la porte, chuchote le commissaire au concierge. Si quelqu'un veut entrer ou sortir, vous m'appelez.

La demoiselle a conduit le commissaire dans une pièce poussiéreuse et mal rangée où flotte une odeur de tabac. Quelques mégots gisent dans le cendrier.

— De quoi s'agit-il? demande Fräulein Schönlein, qui s'est arrêtée devant la table, sans inviter le commissaire à s'asseoir.

Mais celui-ci s'installe quand même et tire de sa poche un paquet de cigarettes. Il montre un portrait.

— Qui est-ce?

— Mon père, dit la femme, qui répète : De quoi s'agit-il?

— J'ai quelques questions à vous poser, Fräulein, dit le commissaire en lui présentant le paquet de cigarettes.

— Je ne fume jamais.

— Un, deux, trois, quatre, fait Escherich, comptant les mégots du cendrier. Et de la fumée dans la pièce. Vous recevez une visite, Fräulein Schönlein?

Elle le regarde sans sourciller :

— Je n'avoue jamais que je fume, parce que le docteur me l'a interdit pour mes poumons.

— Vous n'avez donc pas de visite?

— Je n'ai pas de visite.

— Je vais examiner rapidement votre appartement, déclare le commissaire en se levant. Non, je vous en prie, ne vous dérangez pas, je m'y retrouverai bien.

Traversant les deux autres pièces, bourrées de meubles, il s'arrête devant une armoire et tend l'oreille en souriant. Puis il retourne auprès de Fräulein Schönlein, toujours debout devant la table.

— On m'a dit, poursuit-il en se rasseyant, que vous recevez beaucoup de visites, des gens qui, la plupart du temps, restent quelques nuits chez vous, mais que vous ne déclarez jamais. Vous connaissez les instructions à ce sujet?

— Il ne s'agit que de neveux et de nièces, qui restent tout au plus deux nuits chez moi. Je crois que la déclaration n'est obligatoire qu'à partir de la quatrième nuit.

— Vous devez avoir une très grande famille, Fräulein Schönlein, dit le commissaire d'un air songeur. Presque chaque nuit, une, deux, parfois trois personnes, campent chez vous.

— C'est fort exagéré. Du reste, j'ai en effet une très grande famille. Six frères et sœurs, tous mariés avec beaucoup d'enfants.

— Et vos neveux et nièces sont parfois de dignes personnes âgées.

— Leurs parents, naturellement, viennent me voir aussi, de temps en temps.

— Grande famille, et qui aime voyager!... À propos, je voulais aussi vous demander où se trouve votre poste de radio. Je n'en ai pas vu.

Elle serra les lèvres :

— Je n'ai pas la radio.

— Bien sûr. Exactement comme vous ne fumez pas... Pourtant la musique de la radio ne nuit pas aux poumons.

— Elle nuit aux convictions politiques, répondit-elle, non sans ironie. Non, je n'ai pas de poste de radio. Si l'on a entendu de la musique chez moi, il s'agit d'un phono, qui est sur l'étagère derrière votre dos.

— Et qui émet des sons étrangers?

— J'ai beaucoup de disques de danses de divers pays. Je ne crois pas qu'il soit criminel de les passer, à l'occasion, devant mes invités.

— Vos neveux et nièces? Non, ce ne serait vraiment pas un crime. Et soudain brutal : Si je vous emmenais, en laissant une sentinelle dans votre appartement? Vos neveux et nièces trouveraient quelqu'un pour les accueillir et contrôler leurs papiers. Peut-être l'un de ces visiteurs apporte-t-il un poste de radio. Qu'en dites-vous ?

— Je pense, dit Fräulein Schönlein, impassible, que vous aviez dès l'abord l'intention de m'arrêter. Ce que je dis importe donc peu. Puis-je passer une robe ?

— Un instant encore, Fräulein, cria le commissaire alors qu'elle s'éloignait. Avant de partir vous feriez bien de libérer l'homme qui est dans la penderie. Il m'a paru manquer d'air, au moment où je traversais votre chambre.

Elle le regardait, blanche comme un linge. Les taches rouges de son visage avaient disparu.

Il secoua la tête :

— Enfants que vous êtes ! dit-il sur un ton de reproche ironique. Et vous voulez jouer aux conjurés... vous ne faites du tort qu'à vous-mêmes !

Elle le regardait toujours. La bouche était serrée, les yeux fiévreux, et la main était restée sur la poignée de porte.

— Vous avez de la chance, poursuivit le commissaire, sur le même ton de supériorité méprisante, dans la mesure où vous ne m'intéressez pas du tout aujourd'hui. Seul m'importe ce monsieur de la penderie. Peut-être, quand je réfléchirai à votre cas dans mon bureau, me sentirai-je tenu de faire un rapport sur vous à l'autorité compétente. Peut-être votre cas me semblera-t-il négligeable. En particulier, si je considère vos ennuis pulmonaires...

Soudain, elle n'y tint plus :

— Je ne veux pas de votre indulgence, et je déteste votre compassion ! Mon cas n'est pas négligeable. Oui, j'ai hébergé souvent des suspects politiques, j'ai écouté des postes étrangers ! Vous voilà au courant, vous ne pouvez plus m'épargner, malgré mes poumons !

— Pauvre enfant ! dit-il ironiquement, tout en regardant presque avec pitié la vieille fille dans son étrange accoutrement. Ce ne sont pas seulement vos poumons, mais aussi vos nerfs. Une demi-heure d'interrogatoire chez nous, et vous seriez étonnée de voir quel triste tas de chair hurlante est votre corps. Cette découverte est très désagréable. Bien des gens ne se remettent jamais de cette atteinte à l'idée qu'ils se font d'eux-mêmes. Et ils finissent par se pendre.

Il la regarda encore une fois, hocha la tête d'un air songeur et dit avec mépris :

— Et ça prétend jouer les conspirateurs !

Elle tressaillit sous l'injure cinglante, mais ne répondit pas. Escherich reprit :

— Je crois que cet aimable entretien nous fait oublier votre visiteur de la penderie. Si nous ne le libérons pas sans tarder, il va trépasser.

Enno Kluge, lorsque le commissaire le tira de l'armoire, était réellement à deux doigts de l'asphyxie. Escherich déposa le petit homme sur une chaise longue et lui fit faire quelques mouvements respiratoires.

— Et maintenant, Fräulein Schönlein, dit-il, le mieux est que vous me laissiez seul un quart d'heure avec Herr Kluge. Vous pouvez vous installer dans la cuisine, d'où vous nous entendrez fort mal.

Il lui fit encore un signe de tête et s'assura qu'elle allait bien où il avait dit. Puis il se tourna vers Kluge, qui était maintenant assis sur le sofa et fixait sur lui des yeux anxieux, tandis que des larmes commençaient déjà à rouler sur son visage.

— Eh bien, Herr Kluge ! dit le commissaire avec aménité. Vous êtes content de revoir ce vieux commissaire Escherich ? Je vous ai donc bien manqué ?... À dire vrai, vous m'avez manqué aussi, et je suis heureux de vous avoir retrouvé. Rien ne saurait plus nous séparer maintenant, cher Herr Kluge.

Les larmes d'Enno coulaient à flots. Il sanglota :

— Monsieur le Commissaire, vous m'aviez pourtant bien promis de me laisser libre.

– Ne vous ai-je donc pas laissé libre? demanda le commissaire, qui feignait l'étonnement. Mais cela n'exclut pas que je puisse toujours vous arrêter quand vous me manquez. Peut-être ai-je autre chose à vous faire signer, Herr Kluge. Un ami comme vous ne me refusera pas ce petit service, n'est-ce pas?

Enno fut pris de frissons, sous le regard sarcastique qui pesait sur lui. Il savait que ces yeux-là lui feraient dire n'importe quoi, jusqu'à ce qu'il fût définitivement perdu, d'une façon ou de l'autre.

ESCHERICH ET KLUGE VONT EN PROMENADE

Il faisait déjà tout à fait nuit lorsque, flanqué d'Enno Kluge, le commissaire Escherich quitta l'immeuble de la rue d'Ansbach. Il n'avait pu se résoudre à négliger le cas de Fräulein Schönlein, car la vieille fille semblait donner l'hospitalité au premier criminel venu, sans même se soucier de ses origines. C'est ainsi qu'elle avait caché Enno Kluge sans savoir son nom, pour la seule raison qu'il avait été amené par une amie.

« Il faudra aussi étudier de près cette Frau Häberle, songe Escherich. Ce peuple est vraiment lamentable! Alors que son bonheur futur est en jeu dans une guerre d'une ampleur inouïe, il trouve encore le moyen de regimber. Rares sont ceux qui ont la conscience pure. À l'exception, bien entendu, des membres du Parti. Mieux vaut d'ailleurs se garder d'aller mettre le nez dans les affaires de ces derniers. »

Tenant Enno Kluge par le bras, le commissaire se dirige vers la colonne derrière laquelle est planté Borkhausen et que ce dernier contourne, dans l'espoir d'échapper au regard de son ancien camarade. Mais le commissaire déjoue sa manœuvre en faisant demi-tour, si bien qu'Emil et Enno se trouvent nez à nez.

– Bonsoir, Enno, dit Borkhausen, en tendant une main, que Kluge refuse.

Un reste d'indignation se fait jour au fond de cette créature lamentable. Il déteste ce Borkhausen, qui l'a entraîné dans un cambriolage où il n'a reçu que des coups, ce Borkhausen qui ce matin encore extorquait à Hete des milliers de marks, et qui l'a pourtant trahi.

– Monsieur le Commissaire, s'empresse de dire Kluge, Borkhausen ne vous a-t-il pas dit qu'il a extorqué ce matin deux mille cinq cents marks à mon amie Frau Häberle? C'était le prix qu'il demandait pour me laisser filer. Et maintenant...

Le commissaire n'est venu retrouver Borkhausen que pour lui donner son argent et le renvoyer chez lui. Mais il lâche maintenant la liasse de billets qu'il tenait dans sa poche et il écoute avec amusement la réponse grossière de Borkhausen :

– Ne t'ai-je pas laissé filer, Enno? Si tu es assez lourd pour te faire remettre la main dessus aussitôt, je n'y peux rien. J'ai tenu ma promesse.

– Bon, nous en reparlerons, dit le commissaire. Maintenant, rentrez chez vous.

– Mais avant ça je veux mon argent! Vous m'avez promis cinq cents billets si je vous donnais Enno. Maintenant que vous le tenez, c'est le moment de cracher.

– Vous ne serez pas payé deux fois pour la même affaire, Borkhausen.

– Mais je n'ai pas la moindre trace de cet argent! proteste l'autre, que sa nouvelle déception fait presque crier. Elle l'a envoyé poste restante à Munich, pour que je ne les gêne pas ici.

– Voilà une femme de tête! dit le commissaire, admiratif. Ou bien était-ce une idée de vous, Herr Kluge?

– Il ment, encore une fois! crie Enno avec amertume. Hete a envoyé deux mille marks à Munich. Mais il en a reçu comptant cinq cents et plus. Fouillez-le, monsieur le Commissaire.

— On me les a fauchés. Une bande de jeunes voyous m'est tombée dessus et m'a raflé tout l'argent. Vous pouvez me fouiller. Il ne me reste plus que quelques marks que j'avais par hasard dans mon gilet.

— On ne peut pas vous confier d'argent, Borkhausen, dit le commissaire en secouant la tête.

Borkhausen recommence à supplier et à discuter, mais le commissaire se montre impérieux :

— Rentrez chez vous, Borkhausen.

— Mais, commissaire, vous m'avez pourtant bien promis...

— Si vous ne disparaissez pas immédiatement dans le métro, je vous remets à cet agent, qui vous arrêtera sur-le-champ pour extorsion de fonds.

En même temps, le commissaire se dirige vers l'agent. Borkhausen, ce criminel de papier mâché qui voit toujours échapper son avantage à deux pas de la victoire, se dépêche de disparaître en ravalant sa colère. (« Attends un peu, Kuno-Dieter, que j'arrive à la maison ! »)

Le commissaire donne à l'agent l'ordre d'arrêter Fräulein Schönlein, pour avoir écouté des postes ennemis.

— Et surtout, pas d'interrogatoire ! La Gestapo viendra la chercher demain. Bonsoir, brigadier.

— *Heil* Hitler, monsieur le Commissaire.

— Que faisons-nous maintenant ? dit le commissaire en poursuivant son chemin avec son prisonnier. J'ai faim, c'est l'heure où je dîne. Tenez, je vous invite. Vous n'êtes pas tellement pressé de retrouver les bâtiments de la Gestapo. Je crains que la nourriture n'y laisse à désirer. Et le personnel y est si négligent qu'il lui arrive de ne rien apporter aux gens durant deux ou trois jours, pas même de l'eau. Mauvaise organisation ! Qu'en dites-vous, Herr Kluge ?

Tout en bavardant, le commissaire a entraîné un Kluge désemparé dans un petit débit de boissons où il semble être connu. Rien ne manque, ici, et d'ailleurs, Escherich déclare sans vergogne :

— N'allez pas croire que c'est moi qui paie, Kluge. Tout passe au compte de Borkhausen, car je paie avec l'argent qui lui était destiné. N'est-il pas joli, que vous vous remplissiez le ventre avec la récompense promise pour votre capture ? C'est ce qu'on appelle la justice compensatrice.

Le commissaire ne cesse de parler, et peut-être avec moins de réflexion qu'il n'en a l'air. Il a peu mangé, mais a bu vite et beaucoup. Il est nerveux et agité. Tout en jouant avec des boulettes de pain, il tâte rapidement sa poche-revolver, où se trouve le petit pistolet, et il regarde Kluge à la dérobée. Enno est assez absent. Il a beaucoup mangé, mais peu bu, et il ne comprend toujours pas s'il est arrêté ou non.

Escherich le lui explique :

— Je suis en train de vous étonner, Herr Kluge. J'ai bluffé, naturellement, je n'avais pas tellement faim, je ne veux que tuer le temps jusqu'à dix heures. Il faut que nous fassions une petite promenade, puis nous verrons bien ce que je devrai faire de vous. Oui – nous – verrons – bien – alors...

Le commissaire a parlé de plus en plus bas et de plus en plus lentement, et Enno Kluge lui jette un regard méfiant. Une nouvelle machination se cache derrière la petite promenade. Mais laquelle ? Et comment y échapper alors qu'Escherich ne le laisse même pas aller seul aux toilettes ?

Le commissaire continue :

— Je ne trouverai mon homme chez lui qu'après dix heures. Il habite à Schlachtensee, vous comprenez. Voilà pourquoi je parle de petite promenade.

— Qu'ai-je à faire là ? Je ne connais personne dans ce quartier.

— Je pense que vous connaissez peut-être cet homme. Je voudrais que vous puissiez le rencontrer.

– Et s'il se confirme que je ne le connais pas, que ferai-je ensuite?

Le commissaire a un geste évasif.

– On verra. Mais je pense bien que vous le connaissez.

Ils se taisent tous les deux, puis Enno Kluge demande :

– Est-ce encore en rapport avec cette maudite histoire de cartes postales? Je voudrais n'avoir jamais signé ce procès-verbal. Je n'aurais pas dû vous faire ce plaisir.

– Je ne suis pas loin de vous donner raison. Pour vous comme pour moi, il vaudrait mieux que vous n'ayez jamais signé, Herr Kluge! Il le regarde d'un œil si sombre qu'Enno est à nouveau saisi de frayeur. Le commissaire s'en aperçoit. – Enfin, ajoute-t-il d'un ton apaisant, nous verrons bien. Je propose que nous buvions encore un schnaps avant de partir. Pour rentrer en ville, j'aimerais prendre le dernier train.

– Et moi? demande Kluge, les lèvres tremblantes. Devrai-je rester... là-bas?

– Vous? dit le commissaire en riant. Vous reviendrez naturellement avec moi, Herr Kluge. Pourquoi me regardez-vous de cet air épouvanté? Bien sûr, nous rentrerons tous les deux en ville. Voici le garçon avec notre schnaps.

Quand ils arrivèrent à Schlachtensee, la nuit était si sombre qu'ils restèrent un instant désorientés sur la place de la gare, la défense passive ayant fait supprimer tout éclairage. Ils avancèrent quelque temps à l'aveuglette, et ils commencèrent à y voir un peu.

– Vous voyez, Herr Kluge, dit le commissaire, je savais bien que je pouvais me fier à mon sens de l'orientation. Voici déjà le lac.

Kluge se taisant, ils continuèrent en silence. C'était une nuit d'un calme absolu, sans la moindre brise. Ils ne rencontrèrent personne. L'eau du lac, qu'ils devinaient plus qu'ils ne la voyaient, semblait irradier une clarté grise, comme si elle avait rejeté peu à peu la clarté absorbée durant le jour. Le commissaire se racla la gorge, comme s'il avait voulu parler, mais il garda le silence.

Soudain, Enno Kluge s'arrêta. Dégageant brusquement son bras de celui de son compagnon, il cria :

— Je n'irai pas plus loin! Si vous voulez me faire quelque chose, vous pouvez le faire ici, aussi bien que dans un quart d'heure. Il n'y a personne, il doit être minuit.

— Venez, dit le commissaire, nous n'avons plus que cinq minutes à marcher.

Il saisit le bras de Kluge, qui se libéra avec une énergie surprenante :

— J'ai dit que je n'irais pas plus loin. Je ne ferai pas un pas de plus.

La frayeur altérait sa voix. Une poule d'eau effarouchée s'agita dans les roseaux et s'éloigna, d'un vol pesant.

— Ne criez donc pas comme ça, dit le commissaire agacé, vous mettez tout le lac sens dessus dessous! Puis il se ravisa . Bon, reposez-vous un instant, vous serez plus raisonnable ensuite. Où pouvons-nous nous asseoir?

De nouveau, il voulut s'emparer du bras de Kluge qui lui frappa la main.

— Vous ne me toucherez plus! Faites-moi ce que vous voulez, mais ne me touchez pas.

Le commissaire dit d'un ton cassant :

— Ce n'est pas ainsi que l'on me parle, Kluge! Qu'es-tu donc? Un lâche petit chien crotteux!

Escherich commençait à s'énerver, lui aussi.

— Et vous? cria Kluge à son tour, qu'êtes-vous donc? Vous êtes un assassin, un vulgaire meurtrier!

Effrayé par ce qu'il venait de dire, il ajouta :

— Excusez-moi, commissaire, ce n'est pas ce que je voulais dire.

— Ce sont les nerfs, dit le commissaire. Vous devriez changer de vie, Kluge, vos nerfs n'en peuvent plus. Asseyons-nous sur cette passerelle. Ne craignez rien, je ne vous touche-rai plus, puisque je vous fais si peur.

Mais, de nouveau, Kluge refusait. Lui qui venait de faire preuve d'un certain courage, il se mit à geindre soudain :

— Je n'irai pas plus loin. Ayez pitié de moi !... Ne me noyez pas, je ne sais pas nager, je vous préviens. Je vous signerai n'importe quel procès-verbal. Au secours ! Au secours ! Au...

Le commissaire avait saisi le petit bonhomme qui se débattait. Il avait serré le visage d'Enno contre sa poitrine pour l'empêcher de crier. L'ayant porté jusqu'au bout de la passerelle, il le maintint un moment au-dessus de l'eau.

— Chien, si tu cries encore une fois, je te jette dedans !

Un profond sanglot s'échappa de la gorge d'Enno.

— Je ne crierai plus, murmura-t-il. Mais je suis fichu. Vous pouvez me jeter dedans, je n'en peux plus.

Le commissaire le déposa sur la passerelle et s'assit à côté de lui :

— À présent, tu as vu que je peux te jeter dans le lac et que je ne le fais pas. Tu admettras peut-être que je ne suis pas un assassin, Kluge ?

Ce dernier bredouilla quelque chose, mais ses dents s'entrechoquaient.

— Bon. Maintenant, écoute ce que j'ai à te dire. L'histoire de l'homme que tu devais reconnaître ici à Schlachtensee, c'est naturellement du bluff.

— Mais pourquoi ?

— Attends. Et je sais également que tu n'as rien à voir avec l'auteur des cartes postales. J'ai cru que le procès-verbal était une bonne solution, qui me permettrait de faire patienter mes supérieurs, en attendant que j'aie mis la main sur le vrai coupable. Mais la solution n'était pas bonne. C'est toi, Kluge, que les chefs S.S. veulent avoir maintenant, et ils veulent s'occuper de toi à leur façon. Ils croient au procès-verbal et te prennent pour l'auteur, ou au moins pour son distributeur. Et avec leur façon d'interroger, ils te feront dire tout ce qu'ils voudront. Ils te presseront comme un citron, puis ils te feront mourir sous leurs coups. Ou bien ils te traîneront en Haute Cour, ce qui revient au même et ne ferait que prolonger tes tourments de quelques semaines.

Le commissaire s'arrêta, tandis qu'Enno, transi de frayeur, se blottissait contre lui, pour chercher de l'aide auprès de celui qu'il venait de traiter d'assassin.

— Vous savez bien que ce n'est pas moi! balbutia-t-il. Ne me remettez pas entre leurs mains! Je ne tiendrai pas jusqu'au bout, je crierai.

— Oui, tu crieras, mais cela leur est égal, cela ne fait que les amuser. Ils te feront asseoir sur un tabouret, un puissant projecteur braqué sur ta figure. La chaleur et la clarté t'épuiseront, et ils t'interrogeront pendant des heures en se relayant, mais toi tu resteras seul, quelle que soit ta fatigue. Et quand tu tomberas, à bout de forces, ils te relèveront à coups de pied et de cravache, et te donneront à boire de l'eau salée. Si tout cela ne suffit pas, ils te disjoindront une par une les articulations des doigts. Ils te verseront de l'acide sur les pieds...

— Arrêtez, je vous en supplie! Je ne peux pas entendre cela...

— Tu ne feras pas que l'entendre, tu devras l'endurer, Kluge! Un jour, deux jours, cinq jours durant – sans cesse, jour et nuit. Et ils te laisseront affamé jusqu'à ce que ton estomac se torde et que tu croies mourir. Mais tu ne mourras pas, ils ne lâchent pas si facilement celui qui est entre leurs griffes. Ils te...

— Non, non, non! cria le petit Enno en se bouchant les oreilles. Taisez-vous! Je préfère mourir tout de suite!

Un silence absolu s'établit quelques instants entre les deux hommes. Puis le petit Enno dit, avec un frisson :

– Mais je ne veux pas me jeter à l'eau.

– Il n'en est pas question non plus, dit le commissaire avec bienveillance. Tenez, j'ai apporté autre chose, un joli petit pistolet. Il suffit que vous l'appuyiez contre votre tempe. N'ayez pas peur, je vous tiendrai la main pour qu'elle ne tremble pas. Puis vous plierez seulement un peu le doigt... vous ne souffrirez pas, et soudain, vous serez loin de tous ces tourments, vous connaîtrez enfin la paix et le repos...

– Et la liberté, dit le petit Enno, songeur. C'est exactement ce que vous m'avez promis pour le procès-verbal. Savoir si ce sera vrai, cette fois-ci... qu'en penses-tu?

– Mais naturellement, Kluge, c'est la seule liberté véritable qui puisse exister! Je ne pourrai plus te rattraper pour te tourmenter de nouveau. Plus personne ne le pourra. Tu te moqueras de nous tous...

– Et après le calme et la liberté, y a-t-il encore quelque chose, à ton avis?

– Je ne crois pas que quelque chose vienne encore après, ni jugement dernier, ni enfer. Il n'y aura là que le calme et la liberté.

– Et pour quoi aurai-je donc vécu? Quel sens donner à tout ce que j'ai enduré? Je n'ai rien créé, jamais je n'ai été une source de joie pour personne, jamais je n'ai vraiment aimé quelqu'un.

– Ma foi, dit le commissaire, tu n'as pas été un héros, Kluge. Et tu ne t'es jamais non plus rendu utile, de quelque façon que ce soit. Mais ce n'est plus le moment d'y songer. De toute manière, il est trop tard, que tu fasses ce que je te propose ou que tu reviennes avec moi à la Gestapo. Je te le répète, Kluge, dès la première demi-heure tu demanderas à genoux la grâce de recevoir une balle dans la tête. En vain! Il faudra de nombreuses heures avant que tu meures sous leurs tortures.

– Non, non, dit Enno Kluge, je n'irai pas. Passe-moi le pistolet. Est-ce que je le tiens comme il faut?

– Oui.

– Et ensuite, il faut poser le doigt sur la détente? Non, pas encore!... Je voudrais encore parler un peu avec toi.

Il eut un frisson. Se penchant vers le commissaire, il chuchota :

– Veux-tu me promettre quelque chose, Escherich?

– Oui, quoi donc?

– Mais il faut que tu tiennes ta promesse!

– Bien sûr, si je peux.

– Ne me fais pas glisser dans l'eau, quand je serai mort, promets-le. J'ai peur de l'eau. Laisse-moi ici, au sec, sur la passerelle.

– Entendu. Je te le promets.

– Et tu ne me tromperas pas, Escherich? Tu vois, je ne suis qu'une misérable petite charogne. Me tromper, cela n'a guère d'importance. Mais tu ne le feras pas?

– Certainement pas, Kluge!

– Passe-moi encore une fois le revolver. Est-il armé maintenant?

– Non, pas encore. Seulement quand tu le diras.

– L'ai-je bien placé comme ça? C'est à peine si je sens le froid du canon, tant je suis glacé. Tu sais que j'ai une femme et des enfants?

– J'ai même déjà parlé à ta femme, Kluge.

– Ah! Intéressé, il abaissa le pistolet. Est-elle à Berlin?... J'aimerais lui parler encore une fois.

– Non, elle n'est pas ici, répondit le commissaire, qui regrettait d'avoir failli à son principe de ne jamais livrer un renseignement. Elle est toujours à la campagne, dans sa famille. Et il vaut mieux que tu n'aies pas affaire à elle, Kluge. Elle est très montée contre toi.

– Dommage! dit le petit homme, dommage! C'est bizarre, Escherich, je ne suis pourtant qu'un zéro que personne ne peut aimer, mais beaucoup de gens me haïssent.

— Je ne sais pas si, chez ta femme, c'est de la haine. Je crois simplement qu'elle ne veut plus entendre parler de toi.

— Le revolver est bien au cran de sûreté?

— Oui, répondit l'autre, étonné de percevoir soudain tant de nervosité dans la voix de Kluge.

L'éclair de la détonation passa si près des yeux du commissaire qu'il tomba en arrière sur la passerelle avec un gémissement. Kluge chuchotait à son oreille :

— Je savais qu'il n'était pas au cran de sûreté. Tu as encore une fois voulu me tromper.

— Je vais te flanquer à l'eau, salaud! Ce sera de la légitime défense toute pure! répondit Escherich, en saisissant le petit homme par l'épaule.

— Non, non, pitié!... Je vais faire ce que tu m'as dit, mais ne me fais pas tomber à l'eau, tu me l'as promis solennellement.

— Allez, fini les pleurnicheries! Tu n'en auras jamais le courage... à l'eau!

Deux coups claquèrent. Le commissaire sentit l'homme s'affaisser entre ses mains. En voyant le cadavre glisser de la passerelle, Escherich eut un geste comme pour le retenir; puis, haussant les épaules, il vit la masse inerte fouetter l'eau et disparaître aussitôt.

« Cela vaut mieux ainsi! se dit-il en passant sa langue sur ses lèvres desséchées. Moins de pièces à conviction. »

La gare étant fermée, le commissaire s'apprêta avec flegme à parcourir à pied la longue distance qui le séparait de Berlin. Il entendit sonner minuit. « Je me demande quel effet cette paix va lui faire, se dit-il. Je voudrais bien savoir s'il va encore une fois s'estimer trompé. Charogne, petite charogne geignarde! »

Troisième partie

LES CHOSES SE GÂTENT POUR
LES QUANGEL

TRUDEL HERGESELL

Les Hergesell s'en allaient à Berlin par le train de banlieue. En effet, il n'y avait plus de Trudel Baumann; l'amour patient de Karl avait été vainqueur, ils s'étaient mariés; et en cet an de malheur 1942, Trudel en était à son cinquième mois de grossesse.

Ils avaient quitté leur travail à la fabrique d'uniformes, où ils se sentaient mal à l'aise depuis leur inquiétante aventure avec Grigoleit. Karl travaillait maintenant dans une usine de produits chimiques, tandis que Trudel gagnait quelques marks supplémentaires en cousant chez elle. Ils éprouvaient une légère honte en pensant à l'époque de leurs activités illégales. Tous les deux se rendaient parfaitement compte qu'ils avaient reculé devant le danger; mais ils savaient également qu'ils n'étaient pas faits pour un combat qui, comme celui-là, exigeait un oubli total des problèmes personnels. Ils ne vivaient plus que pour leur bonheur en ménage, tout entiers à la joie d'attendre un enfant.

En quittant Berlin pour la banlieue, ils avaient cru pouvoir y vivre parfaitement au calme. Mais, comme beaucoup de citadins, ils avaient dû constater que l'espionnage et le mouchardage étaient dix fois plus redoutables dans une petite ville que dans la grande.

Comme ils n'étaient ni l'un ni l'autre inscrits au Parti, comme ils donnaient le minimum à toutes les collectes, comme ils manifestaient tous deux du goût pour la vie à l'écart, comme ils préféraient lire qu'aller à une réunion, comme Hergesell, avec ses yeux noirs et ardents et ses longs cheveux bruns toujours en désordre, avait l'air d'un vrai socialiste et d'un pacifiste (tel était l'avis unanime des membres du Parti), comme Trudel avait dit un jour que les Juifs faisaient pitié – ils ne tardèrent pas à être considérés comme des suspects politiques. Chacun de leurs pas était surveillé, chacune de leurs paroles était rapportée.

Les Hergesell supportaient avec peine cette atmosphère dans laquelle il leur fallait vivre. Mais ils se répétaient que rien ne pouvait leur arriver, puisqu'ils n'entreprenaient rien contre l'État. « Les pensées sont libres », disaient-ils. Mais ils auraient dû savoir que ce n'était même plus le cas sous ce régime.

C'est ainsi qu'ils se réfugiaient de plus en plus dans le bonheur d'aimer. Ils n'avaient pas encore compris que cette Allemagne en guerre ne tolérait plus la moindre vie privée. Il fallait que chaque Allemand partageât le sort de son pays ; de même que, de plus en plus nombreuses, les bombes tombaient aussi bien sur les justes que sur les méchants.

Les Hergesell se quittèrent Alexanderplatz. Trudel devait livrer un vêtement dans le quartier, tandis que Karl irait examiner une voiture d'enfant qu'on leur avait proposée dans les échanges des petites annonces. Ils convinrent de se retrouver à la gare à midi, et chacun suivit son chemin. Trudel, qui connaissait maintenant le bonheur et la confiance du cinquième mois, après les malaises des débuts de grossesse, eut vite fait d'entrer dans l'immeuble de sa cliente.

Devant elle, un homme montait l'escalier. Elle ne le voyait que de dos, mais elle le reconnut aussitôt à son port de tête, à la raideur de sa nuque, à sa grande taille et à ses épaules rentrées : c'était Otto Quangel, le père de son ancien fiancé, celui à qui elle avait un jour confié le secret de son organisation clandestine.

Son premier mouvement fut de rester sur la réserve. Elle voyait bien que Quangel ne s'était pas encore aperçu de sa présence. Il montait les escaliers sans se hâter. Elle le suivait à distance, prête à s'arrêter dès que Quangel aurait sonné à l'une des nombreuses portes de cet immeuble occupé par des bureaux.

Mais il ne sonnait toujours pas. Trudel le vit s'arrêter près d'une fenêtre de l'escalier, tirer une carte de sa poche et la poser sur le rebord de la fenêtre. Comme il faisait ces gestes, son regard rencontra celui de Trudel qui l'observait. Mais qu'il l'eût ou non reconnue, il passa devant elle, descendant l'escalier sans la regarder.

Elle s'approcha de la fenêtre et prit la carte dont elle ne lut que les premiers mots : « *N'avez-vous donc pas encore compris que le Führer vous a honteusement trompés, en affirmant que la Russie se préparait à attaquer l'Allemagne ?* »

Elle courut derrière Quangel, qu'elle atteignit au moment où il sortait de l'immeuble. Se rapprochant de lui, elle dit :

— Ne m'as-tu pas reconnue, Père ? C'est moi Trudel, la Trudel d'Otto !

Il tourna vers elle sa tête, qui ne lui avait jamais paru si semblable à celle d'un rapace, et dit :

— Tu as bonne mine, petite.

— Oui, dit-elle, les yeux rayonnants, et je me sens plus forte et plus heureuse que jamais. J'attends un bébé, je me suis mariée. Tu ne m'en veux pas, Père ?

— Pourquoi t'en voudrais-je ? Ne sois pas sotte, Trudel. Tu es jeune, et voilà bientôt deux ans qu'Otto est mort. Anna elle-même ne te reprocherait pas ton mariage. Et pourtant, elle pense encore tous les jours à son fils.

– Comment va-t-elle, mère?

– Comme toujours, Trudel. Rien ne change plus chez des vieux comme nous.

– Si! dit-elle en s'arrêtant. Si! Son visage s'était assombri. Beaucoup de choses ont changé chez vous. Te rappelles-tu lorsque nous étions dans le couloir de la fabrique d'uniformes, devant les avis d'exécutions? Ce jour-là, tu m'as mise en garde... Aujourd'hui, c'est mon tour, Père, poursuivit-elle tout bas, mais avec d'autant plus de conviction. Je t'ai vu déposer cette terrible carte qui est maintenant dans mon sac.

Il fixait sur elle ses yeux froids, qui semblaient avoir pris un reflet méchant. Elle chuchota :

– Père, il y va de ta tête. D'autres ont pu t'observer comme je viens de le faire. Mère sait-elle ce que tu fais là? Le fais-tu souvent?

– Tu sais bien, Trudel, que je ne fais rien sans elle.

– Oh! s'écria-t-elle, tandis que les larmes lui montaient aux yeux. C'est ce que je craignais! Tu l'entraînes aussi!

– Elle a perdu son fils et ne s'en est pas encore remise. N'oublie pas cela, Trudel.

Elle rougit, comme s'il lui avait fait un reproche.

– Je ne crois pas, murmura-t-elle, qu'Otto serait d'accord, s'il voyait sa mère agir ainsi.

– Chacun suit sa voie, Trudel, répondit Otto Quangel en rejetant brusquement la tête d'arrière en avant, comme un oiseau qui donne un coup de bec. Et maintenant, il faut que nous nous quittions. Bonne chance pour ton petit, Trudel. Je dirai bonjour à la mère de ta part. Peut-être.

Il s'éloignait déjà, mais il revint sur ses pas.

– Cette carte, dit-il, tu ne vas pas la conserver dans ton sac, tu comprends? Tu la déposeras n'importe où, comme j'ai fait. Et pas un mot à ton mari. Tu me le promets, Trudel?

Elle fit un signe affirmatif, en le regardant d'un air anxieux.

– Puis tu nous oublieras. Tu ne sais plus rien des Quangel. Si tu me revois, tu ne me connais pas. Compris?

De nouveau, elle ne put qu'acquiescer.

– Bonne chance! dit-il encore, en s'éloignant pour de bon, alors qu'elle aurait eu encore tant de choses à lui dire.

En déposant la carte d'Otto Quangel, Trudel éprouva toutes les frayeurs d'un criminel qui craint d'être pris sur le fait. Elle n'avait pas pu se résoudre à en poursuivre la lecture. Tragique destin de ces cartes! Même celle-ci avait été écrite en vain; celle qui la détenait n'avait songé qu'à s'en défaire le plus rapidement possible.

Lorsque Trudel eut déposé la carte sur le rebord de fenêtre qu'avait choisi Quangel (jamais elle n'aurait songé qu'un autre endroit pût convenir), elle se dépêcha de monter les dernières marches, qui menaient au bureau de l'avocat pour la secrétaire duquel elle avait confectionné la robe. Pendant l'essayage, elle fut prise d'un malaise. Et elle songeait, tandis que l'on s'occupait d'elle avec empressement : « Il a raison. Il ne faut pas que j'en parle jamais à Karl. Pourvu que ça ne fasse pas tort au bébé! Je suis terriblement énervée. Père ne devrait pas faire ça! Ne pense-t-il pas aux inquiétudes qu'il cause à son entourage? La vie est assez compliquée sans cela! »

Quand elle redescendit l'escalier, la carte avait disparu. La jeune femme poussa un soupir de soulagement. Mais ensuite elle ne put s'empêcher de se demander qui avait bien pu cette fois trouver l'objet. Son esprit y revenait sans cesse. Elle avait quelques courses à faire, mais elle n'en trouva pas la force. À la gare elle s'assit dans la salle d'attente, en espérant que Karl ne tarderait pas. Seule sa présence pourrait chasser la peur qui la tenaillait encore. Et pourtant elle ne pouvait rien lui dire... Elle sourit et ferma les yeux.

« Brave Karl! pensait-elle. Mon unique amour! »
Elle s'endormit.

KARL HERGESELL ET GRIGOLEIT

Karl Hergesell n'avait pas pu acquérir la voiture d'enfant. On lui proposait un modèle d'avant le déluge, et la vieille femme en exigeait une livre de beurre et une livre de lard, faisant preuve d'une obstination étonnante, sous prétexte que « vous autres à la campagne, vous nagez dans les matières grasses ». Hergesell avait eu beau lui expliquer que sa banlieue n'avait rien de commun avec la campagne et qu'on n'y touchait pas un gramme de graisse de plus qu'à Berlin, il n'aurait pas pris le landau pour cinquante marks. Il dit à la femme qu'elle était bien effrontée, ajoutant qu'elle était passible de poursuites, car il était interdit d'exiger des matières grasses en échange de marchandises.

— Des poursuites! Essayez un peu de me dénoncer, jeune homme! Mon mari est brigadier-chef dans la police. Il n'y a pas de poursuites contre nous. Et maintenant, décampez de chez moi. Je compte jusqu'à trois, et si vous n'êtes pas sorti, je vous dénonce pour violation de domicile.

Avant de quitter les lieux, Karl lui avait fait savoir sans ambages ce qu'il pensait des Allemands qui cherchaient à profiter des difficultés de leurs compatriotes pour s'engraisser. Mais sa fureur ne s'était pas calmée pour autant.

C'est dans ces dispositions qu'il avait rencontré Grigoleit, ami du temps où il luttait encore pour un avenir meilleur.

Le grand gaillard était chargé de deux valises et d'un porte-documents.

— Tiens! Te revoilà à Berlin? Karl prit une des deux valises : Bon sang, elle est joliment lourde!... Tu vas à l'Alex? Moi aussi. Je te porte ça jusque-là.

Grigoleit eut un pâle sourire.

— C'est gentil à toi, Hergesell. Je vois que tu es encore le camarade serviable d'autrefois. Qu'est-ce que tu deviens? Et la jolie petite, comment s'appelait-elle donc?

— Trudel Baumann. Je l'ai épousée et nous attendons un enfant.

— C'était à prévoir. Tous mes vœux.

Le changement de vie des Hergesell semblait laisser Grigoleit assez indifférent.

— Et que fais-tu, Hergesell? demanda-t-il encore.

— Je suis électricien dans une usine de produits chimiques, à Erkner.

— Non, je veux dire, que fais-tu réellement... pour notre avenir?

— Rien, Grigoleit, répondit Hergesell, d'un air un peu coupable. Il ajouta en guise d'excuse : Tu vois, nous sommes jeunes mariés. Que nous importe le monde extérieur, avec leur putain de guerre? Nous sommes heureux d'attendre un enfant. C'est déjà quelque chose, si nous nous efforçons de rester propres, et de faire de notre enfant quelqu'un de propre.

— Cela risque d'être bougrement difficile, dans l'univers que les seigneurs à chemises brunes sont en train de nous préparer! Enfin, Hergesell, il ne fallait pas attendre de toi autre chose. Tu as toujours pensé plus avec le bas-ventre qu'avec la tête.

Hergesell devint rouge de colère. Pourtant, Grigoleit ne semblait pas avoir eu l'intention de le vexer, car il poursuivit, avec le même calme, sans remarquer l'émotion de son ancien camarade :

— Je continue, et le « jouvenceau » aussi. Je suis toujours en route. Je fais un peu le messager...

— Et vous en attendez vraiment quelque chose? Quelques nains contre cette machine gigantesque!

— Premièrement, nous ne sommes pas qu'une poignée. Tout Allemand propre, et il y en a quand même deux ou trois millions, travaillera un jour avec nous, dès l'instant où il aura surmonté sa peur. Pour l'instant, ils craignent davantage les menaces immédiates que l'avenir dont les bonzes de la terreur brune vont nous gratifier. Hitler va encore remporter quelques victoires. Puis viendront les ripostes, qui causeront sa perte. Et les bombardements seront de plus en plus massifs.

— Et deuxièmement? questionna Hergesell, que les pronostics de Grigoleit ennuyaient franchement.

— Deuxièmement, tu devrais savoir que l'important, ce n'est pas qu'on lutte à quelques-uns seulement contre la masse. Quand on a compris de quel côté se trouve la bonne cause, il faut lutter pour elle. Que le succès soit pour toi, ou pour celui qui t'a remplacé, c'est tout à fait secondaire. Je peux pas me croiser les bras en me contentant de dire : « Ce sont des salauds, mais ça ne me regarde pas. »

— Oui, dit Hergesell, mais tu n'es pas marié. Tu n'as personne à ta charge.

— Oh, bougre d'âne! cria Grigoleit écœuré, cesse donc ces maudites jérémiades, dont tu ne crois pas un mot! J'aurais pu me marier vingt fois si j'avais cherché à fonder une famille! Mais je me dis que je n'ai pas le droit d'être heureux en privé, tant qu'il n'y aura pas de place sur terre pour ce genre de bonheur.

— Nous nous sommes beaucoup éloignés l'un de l'autre, murmura Karl Hergesell d'un air gêné. Mon bonheur ne fait de tort à personne.

— Si, tu es un voleur! Tu enlèves des fils à leur mère, des hommes à leur femme, aussi longtemps que tu tolères qu'on les fusille par milliers chaque jour et que tu ne remues pas le petit doigt pour faire cesser le carnage. Tout cela, tu le sais parfaitement, et je me demande si au fond tu n'es pas pire qu'un nazi bon teint. Les nazis sont trop bêtes pour savoir quel crime ils commettent. Mais toi, tu le sais, et pourtant tu ne fais rien pour t'y opposer.

— Nous voici à la gare, Dieu merci, dit Hergesell en déposant la lourde valise. Je n'ai plus envie de me laisser engueuler. Si nous étions restés ensemble plus longtemps, tu aurais découvert que ce n'est pas Hitler, mais moi, Hergesell, qui suis cause de la guerre.

— C'est bien vrai. Au sens figuré, naturellement. À y bien regarder, seule ta tiédeur a tout rendu possible.

Hergesell ne put s'empêcher d'éclater de rire; et Grigoleit lui-même alla jusqu'à esquisser un rictus en voyant ce visage éclairé par la joie.

— Bon, laissons cela! dit-il. Nous ne nous comprendrons jamais. Il passa la main sur son vaste front : mais tu pourrais me rendre un petit service, Hergesell.

— Volontiers.

— C'est à propos de cette sacrée valise, si lourde, que tu viens de porter. Dans une heure, je dois repartir pour Königsberg, où je n'en ai pas du tout besoin. Tu ne pourrais pas la garder chez toi pendant ce temps-là?

— J'habite à Erkner, dit Hergesell en regardant la valise avec répugnance. C'est une fameuse corvée de transporter ta valise jusque-là. Pourquoi ne la laisses-tu pas tout simplement à la consigne?

— Parce que je n'ai pas confiance en ces gars-là. J'ai dedans tout mon linge, mes chaussures et mon meilleur complet. Il y a tant de vols! Sans compter les Tommies, qui aiment tant viser les gares... Après ça je pourrai dire adieu à tout ce que je possède. Rends-moi ce service, Hergesell!

— Bon. Parce que c'est toi.

— Je passerai chercher la valise dans une semaine, à peu près. Donne-moi ton adresse... À bientôt.

— Au revoir, Grigoleit.

Karl Hergesell entra dans la salle d'attente pour y chercher Trudel. Il la trouva blottie dans un coin sombre, dormant profondément. Il la regarda un instant : son souffle était calme, sa bouche légèrement entrouverte, mais son visage très pâle semblait refléter de grands soucis. Sur le front de la jeune femme perlaient des gouttes de sueur, comme si elle avait fait un gros effort.

Karl regarda sa bien-aimée. Puis, se décidant soudain, il prit la valise de Grigoleit pour la porter à la consigne. La seule chose importante au monde était maintenant d'épargner à Trudel les soucis et les émotions. S'il emportait la valise chez eux, il devrait parler à sa femme de Grigoleit, et il savait combien le souvenir de cette époque la bouleversait.

Lorsque Hergesell revient dans la salle d'attente, le bulletin de consigne dans son portefeuille, Trudel s'est réveillée ; elle est en train de se poudrer la frimousse. Un peu pâle, elle demande en souriant :

– Que faisais-tu avec cette énorme valise ? Il n'y avait sûrement pas de voiture d'enfant dedans.

– Une énorme valise ? répond-il d'un air surpris. Mais je n'ai pas d'énorme valise ! J'arrive à l'instant. Et pour ce qui est de la voiture d'enfant, c'est raté, Trudel.

Elle le regarde avec étonnement. Son mari la tromperait-il ? Mais pourquoi donc ? Qu'a-t-il à lui cacher ?... Elle vient pourtant de le voir nettement près de cette table, la valise à la main, puis il a fait demi-tour pour sortir. Elle souffre de ce mensonge, mais sa souffrance s'accroît encore à l'idée qu'elle aussi lui cache quelque chose. Elle a promis à Otto Quangel qu'elle ne parlerait pas de leur rencontre à son mari, et encore moins de la carte. Mais des époux ne doivent pas avoir de secret l'un pour l'autre, et voici que lui aussi en a pour elle !

Karl Hergesell a honte aussi. Il se demande s'il ne ferait pas mieux de lui parler de Grigoleit. Mais il décide que non, cela ne ferait que l'inquiéter davantage.

– Trudel, dit-il, cette histoire de voiture d'enfant m'a mis hors de moi. Écoute...

LE PREMIER AVERTISSEMENT

En attaquant la Russie, Hitler avait fourni de nouveaux arguments à la haine de Quangel contre le tyran. Cette fois, le contremaître avait suivi de près les événements, et rien ne l'avait surpris, depuis les premières concentrations de troupes « à nos frontières » jusqu'à l'invasion. Dès l'abord, il avait su que chaque parole de Goebbels et d'Hitler était un mensonge. Son indignation lui avait fait écrire sur l'une de ses cartes :

« Que faisaient donc les soldats russes lorsque Hitler les a attaqués ! Ils jouaient aux cartes. Personne en Russie ne songeait à la guerre ! »

À l'atelier, quand il s'approchait maintenant d'un groupe de bavards qui parlaient politique, il lui arrivait de souhaiter que la discussion continuât. À présent il aimait écouter ce que les autres disaient de la guerre. Mais ils se retranchaient aussitôt dans un silence bougon. Bavarder était devenu très dangereux. Onze ouvriers, parmi lesquels deux hommes qui avaient plus de vingt ans de présence dans l'usine, avaient disparu tour à tour sans laisser de traces. Jamais on n'apprenait ce qu'ils étaient devenus ; c'était une preuve de plus qu'ils avaient un jour prononcé un mot de trop, qui les avait conduits dans un camp de concentration.

Souvent le contremaître se demandait si les onze nouveaux qui avaient remplacé ces onze hommes n'étaient pas autant d'espions, et si finalement une moitié de l'atelier n'était pas là pour épier l'autre, et inversement. Dans cette atmosphère de trahison perpétuelle, les gens semblaient devenir de plus en plus indifférents à tout, comme s'ils n'avaient été rien de plus que des pièces de leurs machines. Mais parfois, une colère terrible explosait sous cette apathie ; comme le jour où un ouvrier avait pressé son bras contre la scie en criant : « Hitler peut crever, et il crèvera ! Aussi vrai que je me scie le bras ! »

À grand-peine on avait écarté ce dément de la machine. Et naturellement on n'avait jamais plus entendu parler de lui. Il était sans doute mort depuis longtemps, c'est ce qu'on pouvait espérer de mieux. Il fallait vraiment faire preuve d'une prudence inouïe, car tout le monde n'avait pas la chance d'être aussi peu suspect que ce vieil Otto Quangel, abruti par le travail, et que seule la norme de cercueils à fabriquer par jour semblait encore intéresser. Car, après les caisses à bombes, ils étaient passés aux cercueils, en bois de rebut que l'on barbouillait de brun. L'atelier fabriquait ces cercueils par dizaines de milliers ; de quoi remplir des trains de marchandises et des gares de triage.

Quangel, la tête tendue vers chaque machine, pensait souvent à toutes les vies que l'on porterait en terre dans ces cercueils. Victimes inutiles des bombardements aériens, vieilles gens, mères et enfants... Ou bien ces cercueils prendraient le chemin des camps de concentration ; dans un seul de ces camps, quelques milliers par semaine, pour des hommes qui n'avaient pas su cacher leurs convictions. Ou peut-être ces trains pleins de cercueils allaient-ils réellement vers les divers fronts. Otto Quangel ne le croyait pas : qu'importaient aux dirigeants les soldats morts ! Un soldat mort n'avait pour eux pas plus de valeur qu'une taupe crevée.

L'œil froid de rapace a des reflets durs et méchants sous la lumière électrique ; la tête se meut par à-coups ; la bouche aux lèvres fines reste serrée. Personne ne pressent la révolte ni le dégoût qui emplissent la poitrine de cet homme. Mais lui sait qu'il a encore beaucoup à faire ; il sait qu'il est appelé à une grande tâche. D'ailleurs il ne se contente plus d'écrire seulement le dimanche, il le fait également en semaine, avant de partir pour l'atelier. Depuis l'attaque de la Russie, il écrit parfois des lettres, qui lui demandent plusieurs jours de travail. Il faut qu'il donne libre cours à sa colère.

Quangel se rend compte qu'il ne s'impose plus la même prudence. Il y a maintenant deux ans qu'il échappe à toutes les recherches sans jamais éveiller le moindre soupçon. Il se sent en parfaite sécurité.

La rencontre de Trudel agit comme un premier avertissement. Quelqu'un d'autre aurait pu l'observer, et c'en était fait de lui et d'Anna. Mais là n'est pas la question; il faut que son travail se poursuive, c'est pour cela qu'il doit redevenir plus prudent.

Otto Quangel ne se doute pas que le commissaire Escherich a déjà obtenu, à deux reprises, une description de sa personne. Deux femmes l'ont vu déposer ses cartes, mais elles n'ont pas donné l'alarme assez vite pour que l'on pût arrêter le coupable dans l'immeuble. De plus, leurs descriptions s'écartent l'une de l'autre sur tous les points, ne concordant que sur l'aspect tout à fait insolite du visage. Les deux témoins n'ont pas été en mesure d'en dire davantage.

Quangel s'était longtemps demandé s'il devait raconter à Anna sa rencontre avec Trudel. Il finit par s'y résoudre, pour ne pas avoir pour son épouse le moindre secret. Il évoqua la scène sans rien cacher de la légèreté dont il avait fait preuve. La réaction d'Anna fut caractéristique : ni Trudel, ni son mariage, ni l'enfant qu'elle attendait ne l'intéressèrent le moins du monde; mais elle murmura d'un air horrifié :

— Mais, Otto, songe que quelqu'un d'autre aurait pu être là! Un S.A., par exemple!

Il eut un sourire de mépris :

— C'était Trudel, heureusement. Et désormais, je recommencerai à être prudent.

— Non! Non! s'écria-t-elle. Désormais, c'est moi qui porterai les cartes. Personne ne fait attention à une vieille femme. Tandis que toi, tout le monde te remarque.

— Il y a deux ans que personne ne m'a remarqué. Il n'est pas question que tu te charges toute seule de ce dangereux travail. J'aurais l'impression de me cacher derrière ton tablier.

— Voilà bien un raisonnement d'homme! Je n'ignore pas que tu as du courage. Mais que tu sois capable d'être imprudent, je viens de l'apprendre, et je sais ce qu'il me reste à faire. Tu peux dire ce que tu voudras.

— Anna, dit-il en lui prenant la main, il ne faut pas que tu te mettes à m'adresser toujours le même reproche, comme font les femmes. Je t'ai dit que je serai prudent, et tu dois me croire. Depuis deux ans, je ne m'en suis pas mal tiré. Pourquoi veux-tu que ça ne continue pas?

Elle insista :

— Je ne vois pas pourquoi je ne déposerais pas les cartes à mon tour. Jusqu'ici, j'ai bien eu le droit de le faire de temps en temps.

— Il n'y a rien de changé. Tu le feras quand nous en aurons trop, ou quand j'aurai mes douleurs.

— J'ai plus de temps que toi. Et surtout, je n'attire pas tant l'attention. Et mes jambes sont plus jeunes. Enfin je ne veux pas mourir de peur ici tous les jours, quand je sais que tu es en route.

— Et tu crois que moi, je resterai bien tranquille à la maison en te sachant occupée à ce genre de promenade? J'aurais honte, si tu courais plus de risques que moi. Non, Anna, tu ne peux pas me demander ça!

— Alors, allons-y ensemble. On voit mieux avec quatre yeux qu'avec deux.

— À deux, nous nous ferions remarquer davantage. Et chacun de nous finirait par s'en remettre à l'autre. Surtout,

Anna, ne m'en veuille pas, mais cela m'énervait, de te savoir à côté de moi. Et je crois que ce serait la même chose pour toi.

— Ah, Otto, je sais bien que tu finis toujours par avoir raison ! Mais je vais mourir de peur, maintenant que je connais le danger que tu cours.

— Le danger n'est pas plus grand que lorsque j'ai déposé la première carte. Il y a toujours du danger pour celui qui fait ce que nous faisons. Ou alors, voudrais-tu que nous cessions complètement ?

— Non ! s'écria-t-elle. Non ! Sans cartes, je ne tiendrais pas deux semaines. Quelle raison de vivre aurions-nous encore ?

Il eut un triste sourire, la regardant avec une sombre fierté.

— Tu vois, dit-il ensuite, c'est comme ça que je t'aime. Nous n'avons pas peur, nous savons quel risque nous courons, et à chaque heure nous sommes prêts. Mais espérons que ça se produira le plus tard possible.

— Non, dit-elle, non, je pense toujours que ça n'arrivera pas ! Nous survivrons à la guerre, nous survivrons aux nazis.

— Et alors...

— Alors ? répétait-il car ils entrevoyaient soudain une vie totalement vide, faisant suite à la victoire tant espérée...

— Eh bien, dit-elle, alors je pense que nous trouverons une cause pour laquelle on puisse lutter. Peut-être à visage découvert, avec moins de risques.

— Des risques, il y en a toujours. Sinon ce n'est plus un combat. Parfois je pense que ce n'est pas en déposant les cartes que je me ferai prendre, et je reste allongé pendant des heures, cherchant quel péril j'ai peut-être encore négligé. Je me creuse la tête sans rien trouver. Et pourtant ce péril existe quelque part, je le sens. Qu'avons-nous pu oublier, Anna ?

— Rien, si tu es prudent lorsque tu déposes les cartes.

Il secoua la tête d'un air agacé.

— Non, ce n'est pas ce que je veux dire. Le danger n'est pas dans les escaliers, ou ici lorsque j'écris. Il est ailleurs, là où je ne peux pas regarder. Soudain, nous nous réveillerons, et nous saurons qu'il a toujours été là, mais que nous ne l'avions pas vu. Et alors, il sera trop tard.

Elle ne le comprenait pas davantage.

— Je ne sais pas pourquoi tu te fais soudain tant de souci, Otto, dit-elle. Nous avons cent fois réfléchi à tout, et tout prévu. Si nous sommes bien prudents...

— Prudents! s'écria-t-il, lassé de ce manque de compréhension. Comment peut-on prévoir une chose qui nous échappe! Ah, Anna, tu ne me comprends pas! On ne peut pas tout calculer dans la vie.

— Non, je ne te comprends pas, dit-elle en secouant la tête. Je crois que tu te fais du souci inutilement. Je crois que tu dors trop peu, Otto.

Il ne répondit pas. Au bout d'un moment, elle demanda :

— Sais-tu comment Trudel Baumann s'appelle maintenant, et où elle habite?

— Je ne le sais pas, et je ne veux pas le savoir.

— Mais moi, je voudrais le savoir, dit-elle avec entêtement. Je veux savoir si elle n'a pas eu de difficultés pour déposer la carte. Tu n'aurais pas dû la charger de ça, Otto. C'est une enfant qui ne sait pas ce qu'elle fait. Peut-être l'a-t-elle déposée sans se cacher, alors qu'on la regardait. Et le jour où ils auront une jeune femme comme elle entre leurs griffes, ils ne tarderont pas à apprendre le nom de Quangel.

— Je sais qu'il n'y a pas de danger du côté de Trudel.

— Mais je voudrais en être sûre! s'écria Frau Quangel.

La voyant prête à insister, il ajouta :

— Crois-moi, il est inutile de continuer à parler de Trudel. Tout est réglé de ce côté. Mais, poursuivit-il plus bas, quand je ne dors pas la nuit, je pense souvent que nous ne nous en tirerons pas sains et saufs.

Elle le regarda, les yeux effarés.

— Et alors, j'imagine tout ce qui va se produire. Il est bon d'y penser d'avance, ainsi rien ne peut plus nous surprendre. T'arrive-t-il de faire cela ?

— Je ne sais pas au juste de quoi tu parles, dit Anna Quangel, pour détourner la conversation.

Il était debout, appuyé à l'étagère où étaient rangés les livres d'Otto ; une de ses épaules frôlant le manuel de brico-lage-radio du garçon. Il regardait sa femme droit dans les yeux.

— Dès qu'ils nous auront arrêtés, nous serons séparés. Nous nous verrons peut-être encore deux ou trois fois, pendant l'interrogatoire, pendant l'instruction, peut-être encore une fois plus tard, une demi-heure avant l'exécution.

— Non ! non ! non ! cria-t-elle. Je ne veux pas que tu parles de cela ! Nous nous en tirerons, Otto, il faut que nous nous en tirions !

Il posa sa grosse main usée par le travail sur la petite main chaude et tremblante.

— Et si nous ne nous en tirons pas ? Regretteras-tu quoi que ce soit de ce que nous avons fait ?

— Absolument rien !... Mais nous ne serons pas pris, Otto, je le sens.

— Tu vois, Anna, dit-il, sans prêter attention à ces derniers mots, c'est ce que je voulais t'entendre dire. Jamais nous ne regretterons rien de ce que nous avons fait, même s'ils nous torturent.

Elle le regarda, essayant vainement de réprimer un frisson.

— Ah, Otto, s'écria-t-elle en sanglotant, pourquoi faut-il que tu parles ainsi ? Tu vas attirer le malheur sur nous.

— Je ne sais pas ce que j'ai aujourd'hui, dit-il en s'éloi-gnant de l'étagère aux livres. Sans doute ne te parlerai-je plus jamais de cela, mais j'avais besoin de le faire. Il faut que tu saches combien nous serons seuls dans nos cellules, nous qui avons passé plus de vingt ans sans être un seul jour séparés. Cela nous sera très dur, mais chacun de nous saura que l'autre tient bon, que nous pouvons avoir confiance l'un en l'autre, dans la mort comme dans la vie. Car nous devrons mourir seuls, Anna.

— Otto, tu parles comme si c'était arrivé! Et pourtant, nous sommes libres et à l'abri de tout soupçon. Je ne veux pas que tu parles comme s'ils nous avaient déjà pris et que nous n'ayons plus qu'à mourir. Je ne veux pas mourir, Otto, je veux vivre avec toi.

— Connais-tu quelqu'un qui veuille mourir? Tout le monde veut vivre, sans exception. Même le plus misérable vermisseau aspire à la vie. Moi aussi, je veux vivre. Mais peut-être est-il bon, en pleine vie tranquille, de penser à une mort difficile et de s'y préparer. De savoir qu'on mourra décemment, sans cris ni lamentations.

Ils restèrent un moment silencieux. Puis Anna Quangel dit tout bas :

— Tu peux avoir confiance en moi, Otto, je ne te ferai pas honte.

LA DISGRÂCE DU COMMISSAIRE ESCHERICH

L'année qui avait suivi le « suicide » du petit Enno Kluge avait été relativement calme pour le commissaire Escherich. Ses supérieurs ne lui avaient pas trop compliqué la vie par leur impatience ; lorsqu'il était apparu que le suspect s'était soustrait aux interrogatoires des S.S. et de la Gestapo, il y avait naturellement eu plus d'un orage chez l'Obergruppenführer Prall. Mais le temps avait fait son œuvre, et il fallait maintenant attendre de nouveaux indices.

Du reste, ce « Trouble-Fête » avait perdu de son importance. Son obstination à écrire des cartes d'un contenu assez monotone, que personne ne lisait ni ne voulait lire, et qui plongeait tout le monde dans l'embarras ou dans l'angoisse, lui prêtait une apparence ridicule et stupide. Sans doute Escherich continuait-il à planter ses drapeaux sur le plan de Berlin, et il remarquait avec quelque satisfaction que la densité de ces signes augmentait toujours au nord de l'Alexanderplatz – c'était donc par là que l'oiseau devait nicher. Cette affaire serait à coup sûr élucidée quelque jour...

« Tu te rapproches de plus en plus, c'est inévitable! », se disait le commissaire en se frottant les mains. Mais ensuite, il retournait à d'autres travaux. Il y avait des cas plus importants et plus urgents. Une espèce de fou, nazi convaincu à l'en croire, retenait justement l'attention en écrivant tous les jours à Goebbels une lettre grossièrement injurieuse et souvent pornographique. Ces lettres avaient d'abord amusé le ministre, puis elles l'avaient irrité et finalement mis en rage. Il exigeait sa victime; sa vanité était mortellement atteinte. Le commissaire Escherich avait eu la chance, en l'espace d'un trimestre, de résoudre ce problème, qu'il avait baptisé « l'Affaire Polisson ». L'auteur des lettres, qui avait d'ailleurs vraiment été inscrit au Parti, avait été remis à Goebbels; et pour Escherich l'affaire était classée. Il savait qu'il n'entendrait jamais plus parler du « polisson »; le ministre ne pardonnait jamais une offense à sa personne.

Puis vinrent d'autres cas, notamment celui d'un homme qui envoyait à certaines personnalités des encycliques du pape et des discours radiophoniques de Thomas Mann. Cet individu, très adroit, n'avait pas été facile à capturer; mais Escherich avait fini par lui faire prendre le chemin de la cellule des condamnés à mort.

Le commissaire avait vraiment remporté quelques succès spectaculaires; parmi les collègues, on parlait déjà de sa promotion hors-classe. Cette année qui avait suivi le « suicide » du petit Kluge avait vraiment été tout à fait satisfaisante pour lui.

Mais ensuite vint une période où ses supérieurs recommencèrent soudain à tomber en arrêt devant le plan « Trouble-Fête ». Ils se faisaient expliquer par Escherich l'implantation des drapeaux, écoutaient ses commentaires d'un air songeur. Puis ils disaient : « Et quels sont les indices dont vous disposez maintenant ? Quelle tactique avez-vous élaborée pour mettre la main sur ce personnage ? Depuis l'invasion de la Russie, le gaillard déploie une activité étonnante. La semaine dernière, n'a-t-on pas trouvé cinq lettres ou cartes postales de lui ?

— En effet, avouait le commissaire. Et cette semaine, il y en a déjà trois.

— Alors, où en sommes-nous, Escherich ? Songez que cet homme écrit depuis longtemps. Il ne faut pas que cela continue. Nous ne sommes pas un bureau de statistique, chargé d'enregistrer des cartes qui relèvent de la haute trahison. Vous êtes un spécialiste de la recherche, mon cher !... Alors, quels sont vos indices ?

Ainsi pressé de questions, le commissaire se plaignait amèrement de la bêtise des deux femmes qui avaient vu l'homme sans le retenir et n'étaient même pas capables de le décrire.

— Bien sûr, bien sûr ! Mais nous ne sommes pas ici pour parler de la bêtise des témoins. Nous étudions les indices qu'a relevés votre astuce professionnelle.

Sur quoi le commissaire reconduisait ces messieurs devant la carte murale, pour leur montrer qu'au nord de l'Alexanderplatz, seule une zone assez restreinte était totalement dépourvue de drapeaux.

— C'est dans cette zone que se cache mon « Trouble-Fête ». Il n'y dépose pas de cartes parce qu'il y est trop connu et qu'il craindrait d'être vu par un voisin.

— Et pourquoi n'avez-vous pas ordonné de perquisitions dans ces quelques rues ? Nous ne vous comprenons pas, Escherich ! D'ordinaire, vous êtes vraiment tout à fait efficace, mais dans cette affaire, vous faites bêtise sur bêtise. Songez à ce Kluge, que vous avez laissé filer, malgré ses aveux! Vous ne vous êtes plus soucié de lui, et vous l'avez laissé se suicider, juste au moment où il nous aurait rendu le plus de services. Rien que des bêtises!

Tordant nerveusement sa moustache, le commissaire Escherich se permet de faire remarquer que Kluge n'avait certainement rien à voir avec l'auteur des cartes puisque ces dernières ont continué d'apparaître après sa mort.

— Je considère comme absolument plausible sa déclaration selon laquelle c'est un inconnu qui lui aurait donné la carte à déposer.

— Si vous voulez. Mais nous considérons comme indispensable que vous arriviez enfin à quelque chose. Peu nous importe comment, mais nous voulons maintenant des résultats. Commencez donc par une perquisition générale dans ces quelques rues, on verra ce qui en sortira. Il y a toujours quelque chose à découvrir, la pourriture est partout.

Le commissaire fait observer très humblement que ces quelques rues comptent près de mille logements.

— Cela inquiéterait beaucoup la population. Les gens sont déjà très énervés par la recrudescence des attaques aériennes. Ne leur donnons pas de nouvelles raisons de regimber. Du reste, que peut-on attendre d'une perquisition de ce genre? À cet homme, pour mener son activité criminelle, il suffit d'un porte-plume — il y en a dans chaque ménage — d'une bouteille d'encre — dito — de quelques cartes postales — dito. Je ne saurais quelles directives donner à mes gens pour leurs recherches.

— Mais cher, mais excellent Escherich, nous ne vous comprenons vraiment plus! Vous ne faites que des objections, jamais une seule proposition constructive. Il faut pourtant que nous mettions la main sur cet homme, et sans tarder!

— Nous y parviendrons, c'est sûr, dit le commissaire avec un sourire. Mais, sans tarder, je ne peux pas le garantir. De toute façon, je ne crois pas qu'il écrira encore des cartes postales pendant deux ans. Car le temps travaille contre lui. Regardez ces drapeaux. Encore cent, et nous y verrons infiniment plus clair. Mon « Trouble-Fête » est un homme diablement tenace et froid, mais il a eu jusqu'ici une chance incroyable. C'est exactement comme au jeu de cartes, messieurs. Les cartes peuvent un certain temps favoriser l'un des joueurs, mais bientôt la chance tourne subitement. Un jour, la situation se retournera contre notre individu, et nous aurons les atouts en main.

— Tout cela est bel et bon, Escherich ! C'est de l'excellente criminalistique. Mais nous ne sommes pas tellement férus de théorie. Il ressort de vos dires qu'il faudra peut-être attendre encore deux ans pour que vous vous décidiez à agir. Là, nous ne vous suivons plus ! Nous vous demandons d'étudier encore une fois à fond cette affaire, et de nous proposer une solution, mettons dans une semaine. Nous verrons alors si vous êtes ou non l'homme de la situation. *Heil* Hitler ! Escherich.

Le général S.S. Prall, que la présence de deux supérieurs avait contraint à la discrétion, revint précipitamment dans le bureau d'Escherich :

— Abruti ! Idiot ! Vous vous imaginez que je vais laisser déshonorer ma section par un pauvre type comme vous ? Vous avez une semaine ! Il brandissait furieusement les poings. Que le ciel vous protège si vous n'êtes pas mieux inspiré cette semaine ! Vous verrez de quel bois je me chauffe !

Il continua si bien sur ce ton qu'Escherich cessa de l'écouter.

Durant la semaine qui suivit, le commissaire Escherich se garda de s'occuper du cas « Trouble-Fête ». Il s'était déjà une fois laissé distraire de sa tactique attentiste, et ce bougre d'Enno Kluge lui avait attiré bien des complications, jusqu'à ce qu'il eût pu le faire taire définitivement. Le commissaire avait été très agité pendant cette nuit à laquelle il n'aimait pas penser – car cet homme tout en longueur détestait ce genre d'agitation.

Même les supérieurs les plus haut placés ne le détourneraient pas de sa patience obstinée. Que pouvait-il lui arriver ? Escherich leur était indispensable pour bien des choses. Ils jureraient et se déchaîneraient, mais ils finiraient par admettre la seule solution : attendre patiemment. Non, Escherich n'avait pas de proposition à faire...

Ce fut une séance mémorable. Elle n'eut pas lieu cette fois dans le bureau d'Escherich, mais dans la grande salle de réunion, et sous la présidence d'un des plus grands chefs. Le programme comportait, outre l'affaire « Trouble-Fête », beaucoup d'autres affaires, relevant d'autres sections. On blâma, on hurla, on affecta l'ironie méprisante. Puis vint l'affaire en question :

– Commissaire Escherich, veuillez maintenant nous faire part de ce que vous avez à nous dire sur l'auteur des cartes postales ?

Le commissaire exposa les éléments rassemblés jusqu'à cette date. Il fut excellent, bref, précis, non sans humour, et tout en caressant sa moustache d'un air songeur. Puis vint la question du président :

– Et quelles propositions avez-vous à faire, pour venir à bout de cette affaire qui demeure en suspens depuis deux ans, commissaire Escherich ?

– Je ne peux que recommander encore d'attendre patiemment, il n'y a pas d'autre solution. Mais peut-être pourrait-on soumettre l'affaire pour examen au « conseiller criminel » Zott.

Un silence de mort s'établit pendant quelques instants. Puis des rires moqueurs fusèrent çà et là. Une voix cria :

– On gâche le travail, puis on le passe au voisin !

De toutes ses forces, le général Prall frappa du poing sur la table.

– Tu auras de mes nouvelles, fumier !

– Je demande le silence absolu !

La voix du président trahissait une légère répulsion. Le silence se fit.

– Messieurs, nous avons été témoins d'un comportement qui est presque à mettre au rang de la désertion. Je le regrette pour vous, Escherich. Je vous dispense d'assister à la suite de cette séance. Vous attendrez mes ordres dans votre bureau.

Livide, le commissaire s'inclina. Il ne s'était attendu à rien de semblable. Il se dirigea vers la porte, y claqua les talons en hurlant, le bras tendu : « *Heil* Hitler ! » Personne ne fit attention à lui et il se rendit dans son bureau.

Les ordres annoncés apparurent d'abord sous la forme de deux S.S. qui le regardèrent d'un œil sombre, et dont l'un dit ensuite, d'une voix menaçante :

– Vous n'avez plus rien à faire ici, c'est compris ?

Escherich tourna lentement la tête vers l'homme qui lui parlait ainsi. Jamais on ne lui avait parlé sur ce ton. Le gaillard étant un simple S.S., son cas devait être grave.

« Visage brutal, nez écrasé, hypertrophie du maxillaire inférieur ; tendance à la brutalité ; intelligence au-dessous de la moyenne ; dangereux en état d'ivresse », conclut Escherich. Qu'avait dit le grand chef, tout à l'heure ? Désertion ? Ridicule ! Mais c'était bien leur genre : toujours les grands mots à la bouche, puis plus rien !

L'Obergruppenführer Prall et le conseiller criminel Zott entrèrent.

« Eh bien, voilà qu'ils ont fini par accepter ma proposition ! C'est ce qu'ils pouvaient faire de plus raisonnable. Pourtant je ne crois pas que ce rusé coupeur de cheveux en quatre pourra tirer quoi que ce soit de la situation. »

Escherich s'apprêta à saluer chaleureusement le conseiller criminel Zott, ne fût-ce que pour lui montrer qu'il n'était pas le moins du monde vexé de voir qu'on avait remis l'affaire entre ses mains. Mais, brutalement écarté par les deux S.S., il ne put que balbutier :

— Mon général, puis-je vous dire... ?

— Faites fermer la gueule à ce fumier! rugit Prall, qui, sans doute, lui aussi, en avait pris pour son grade.

Escherich reçut un coup de poing sur la bouche. Il sentit une douleur violente, et le goût écœurant du sang. Il se pencha pour cracher quelques dents sur le tapis. En même temps il se dit : « Il faut que je tire immédiatement cela au clair. Naturellement, je suis prêt à tout : perquisitions dans tout Berlin, espions dans tous les immeubles habités par des avocats et par des médecins. Je ferai tout ce que vous voudrez, mais vous ne pouvez tout de même pas m'abîmer ainsi le portrait, moi qui suis un vieux fonctionnaire de la police criminelle et titulaire de la croix de guerre! »

Pourtant, le général Prall avait bondi devant lui, et le tenant par les revers de son veston, lui hurlait au visage :

— Eh bien, cette fois nous te possédons, toi qui te croyais si malin! Tu ne te prenais pas pour une merde, hein, quand tu m'exposais tes raisonnements? Tu crois peut-être que je n'ai pas senti que tu me considérais comme le dernier des idiots? Tu vas voir maintenant de quel bois je me chauffe!

Un instant, presque ivre de colère, le S.S. Prall contempla le commissaire, qui perdait son sang. Il cria :

— As-tu fini de couvrir mon tapis de tes crachats puants? Ravale-moi ça, chien, ou je te cogne moi-même sur la gueule!

Et le commissaire Escherich, ou plutôt le lamentable petit homme qu'il était devenu, alors qu'une heure plus tôt il était encore un puissant fonctionnaire de la Gestapo, s'efforça, la sueur de l'angoisse au front, d'avaler, pour ne pas salir le tapis, le flot de sang qui lui soulevait le cœur...

Le général S.S. Prall avait observé d'un œil avide ce comportement pitoyable. Il se détourna d'Escherich en haussant les épaules et demanda au conseiller criminel :

— Avez-vous encore besoin de cet individu pour un éclaircissement quelconque, Herr Zott?

Une loi non écrite faisait que tous les anciens de la police criminelle mutés à la Gestapo gardaient l'esprit de corps, comme les S.S. le gardaient eux-mêmes contre les fonctionnaires de la criminelle. Jamais il ne serait venu à l'esprit d'Escherich de livrer un collègue aux S.S., quelles que fussent les charges qui pesaient sur ce collègue; il se serait plutôt efforcé de leur cacher même la pire infamie. Mais il dut entendre le conseiller criminel dire froidement, après lui avoir jeté un regard :

— Cet individu? Pour un éclaircissement? Merci, mon général, j'aime mieux faire la lumière moi-même.

— À dégager! cria le général. Et qu'il se grouille un peu!

Rapidement, les deux S.S. entraînèrent Escherich dans le même couloir où, un an plus tôt, il avait expédié Borkhausen d'un coup de pied, en riant de cette excellente plaisanterie. On le précipita au bas des mêmes marches de pierre, et il resta dans son sang à l'endroit même où Borkhausen y était resté. On le fit relever à coups de pied pour le jeter au cachot...

Il avait mal à tous les membres. Il dut quitter ses vêtements civils pour revêtir la tenue zébrée, voir les S.S. partager cyniquement ce qu'il avait sur lui et subir sans cesse les bourrades, les brutalités, les menaces...

Certes, durant les années précédentes, le commissaire Escherich avait été témoin de ces choses sans rien y trouver d'étonnant ni de répréhensible, car il s'agissait de châtier les criminels. Mais il ne pouvait comprendre qu'on voulût maintenant le ranger parmi ces gens sans foi ni loi. Il n'avait pas commis de crime. Il avait seulement proposé qu'on lui retirât une affaire, au sujet de laquelle ses supérieurs étaient incapables de faire la moindre suggestion utile. La lumière se ferait; ils ne pourraient manquer de venir le chercher! Jusqu'à ce jour, il fallait rester digne, ne pas montrer combien on souffrait.

LE SECOND AVERTISSEMENT

Un dimanche matin, Frau Anna dit, en hésitant un peu :

— Otto, je crois qu'il faudrait que nous allions chez mon frère Ulrich. Tu sais que c'est notre tour. Voilà huit semaines que nous n'avons pas vu les Heffke.

Plongé dans sa calligraphie, Otto Quangel leva les yeux pour répondre :

— Bon, Anna. Alors dimanche prochain. D'accord?

— J'aimerais mieux que tu t'arranges pour y aller aujourd'hui. Je crois qu'ils nous attendent.

— Pour eux, un dimanche en vaut un autre. Ils n'ont pas de travail supplémentaire comme nous, ces froussards!

— C'était l'anniversaire d'Ulrich vendredi dernier, objecta Frau Quangel. Je lui ai fait un petit gâteau, et je voudrais le lui porter aujourd'hui. Ils nous attendent certainement.

— Je voudrais écrire une lettre, en plus de cette carte, dit Quangel, contrarié. C'est ce que j'avais prévu, et je n'aime pas bouleverser mon programme.

— Je t'en prie, Otto!

— Ne peux-tu pas y aller toute seule et leur dire que j'ai mes douleurs? Tu l'as déjà fait une fois.

— C'est justement pour cette raison que je voudrais bien ne pas recommencer, insista Anna. Justement pour son anniversaire...

Quangel vit le regard implorant de sa femme. Il eut envie de lui faire plaisir; mais ça ne lui disait rien, de quitter son appartement ce jour-là.

— La lettre, c'est important, Anna, j'ai pensé à quelque chose qui fera certainement grand effet. Et puis je connais par cœur toutes vos histoires. Les Heffke sont si ennuyeux! Je n'ai rien à leur dire. Nous n'aurions jamais dû commencer à les fréquenter. La famille est une chose épouvantable. Nous nous suffisons parfaitement tous les deux.

— Eh bien, ce sera notre dernière visite! Je te promets de ne plus te demander cet effort. Fais-le encore une seule fois, Otto?

— C'est justement aujourd'hui que ça m'embête. Mais, vaincu par son air suppliant, il finit par grommeler : Je vais réfléchir. Si je réussis à faire deux cartes d'ici à midi...

Vers trois heures, les Quangel se mirent en route, les deux cartes dans la poche d'Otto. À proximité du quartier des Heffke, du côté de la place Nollendorf, ils se mirent en quête d'un immeuble qui convînt à la chose.

Anna restée dans la rue, les minutes commencèrent à s'écouler lancinantes, comme chaque fois qu'elle attendait son mari sans rien pouvoir faire d'autre.

« Mon Dieu! pensait-elle, cet immeuble n'est pas du tout rassurant! Pourvu que tout se passe bien!.. Je n'aurais peut-être pas dû insister tant pour qu'il vienne par ici aujourd'hui. J'ai bien vu qu'il n'y tenait pas. Et ce n'était pas seulement à cause de la lettre qu'il voulait écrire. S'il lui arrive quelque chose, je me le reprocherai éternellement. Voilà Otto... »

Mais ce n'était pas Otto qui sortait de l'immeuble, c'était une dame, qui passa près d'Anna en la dévisageant.

« Il m'a semblé qu'elle me jetait un regard méfiant. Se serait-il passé quelque chose à l'intérieur? Voilà bien dix minutes qu'Otto y est! C'est vrai que, lorsque j'attends comme ça, le temps semble n'en pas finir. Dieu soit loué, cette fois c'est bien lui! »

Elle allait s'avancer vers son mari, lorsqu'elle y renonça...

Otto n'était pas sorti seul, mais accompagné d'un monsieur très grand, vêtu d'un pardessus noir à col de velours;

un monsieur dont une moitié du visage était déformée par de multiples cicatrices. Ce monsieur portait une grosse serviette noire. Sans dire un mot, ils passèrent tous deux devant Anna dont le cœur s'était arrêté de battre. Elle les suivit, les jambes lourdes comme du plomb.

Soudain, elle n'y tint plus. Avec un esprit de décision très rare chez elle, elle rattrapa les deux hommes et tendit la main à Otto en s'écriant :

— Bonjour, Herr Berndt ! Quelle chance de vous trouver ! Il faut que vous veniez tout de suite chez nous. Nous avons une rupture de canalisation, toute la cuisine est déjà inondée...

Elle n'en dit pas plus, l'homme aux cicatrices la regardait d'un air très bizarre, à la fois ironique et méprisant. Mais Otto répondit :

— Je viens tout de suite. Le temps de conduire le docteur auprès de ma femme.

— Je peux y aller seul, dit l'homme. Vous dites 17 rue Von Einem ? Bon, j'espère que vous ne tarderez pas.

— Dans un quart d'heure, docteur, au plus tard. Le temps de fermer le robinet d'arrivée.

Dix pas plus loin, il serrait le bras d'Anna contre sa poitrine, avec une tendresse tout à fait inaccoutumée.

— Tu as été magnifique. Je me demandais comment me débarrasser de lui. Comment as-tu donc eu cette idée ?

— C'était un médecin ? Je pensais que c'était un type de la Gestapo. Mais je n'ai pas pu rester plus longtemps dans l'incertitude. Marche moins vite, Otto. Je tremble de tous mes membres. Tout à l'heure, je ne tremblais pas, mais maintenant ! Qu'est-il donc arrivé ? Sait-il quelque chose ?

— Non. Rassure-toi, il ne sait rien du tout. Depuis ce matin, quand tu m'as dit que nous devions aller chez ton frère, je n'ai pas cessé d'être mal à l'aise. Je croyais que c'était parce que je devais renoncer à écrire ma lettre et parce que je m'ennuie chez les Heffke. Mais maintenant je comprends que je pressentais qu'il se passerait quelque chose aujourd'hui et qu'il valait mieux ne pas sortir.

— Il s'est donc passé quelque chose, Otto?

— Non, rien du tout, je te l'ai déjà dit. J'ai monté l'escalier, et je m'apprêtais à déposer ma carte lorsque cet homme est sorti de chez lui en courant. « Que faites-vous ici? » m'a-t-il demandé. Tu sais que j'ai l'habitude de relever toujours un nom sur les plaques de l'entrée. J'ai répondu que je cherchais le Dr Boll. « C'est moi, vous avez un malade chez vous? » Je ne pouvais qu'inventer une histoire. J'ai dit que tu étais malade et qu'il fallait qu'il passe chez nous. Heureusement, je me suis rappelé le nom d'une rue. Je pensais qu'il irait ce soir ou demain matin, mais il s'est écrié : « Ça tombe très bien, c'est exactement sur mon chemin. Je vous suis. »

— Dépêchons-nous, reprit Anna. Le temps qu'il nous cherche dans la rue Von Einem, nous serons depuis longtemps chez les Heffke. Mais elle s'arrêta : Otto, cette fois, c'est moi qui préfère ne pas y aller. J'ai vraiment l'impression que c'est un mauvais jour. Rentrons à la maison, je porterai les cartes demain.

Il secoua la tête en souriant.

— Non, non, Anna. Maintenant que nous sommes là, autant nous débarrasser de cette visite, puisque ce sera la dernière. Et puis j'aime mieux ne pas risquer de tomber sur ce médecin.

— Alors, donne-moi au moins les cartes. Ça ne me plaît pas, que tu te promènes avec ça dans la poche.

Il finit par lui remettre les deux cartes postales.

— Ce n'est vraiment pas un bon dimanche, Otto!

Chez les Heffke, ils oublièrent pourtant leurs sombres pressentiments. Ils étaient vraiment attendus; la belle-sœur taciturne avait, elle aussi, préparé un gâteau; et lorsqu'ils eurent mangé toute la pâtisserie en buvant du succédané de café, Ulrich Heffke sortit une bouteille de schnaps, que ses camarades de l'usine lui avaient offerte.

Ils dégustèrent la liqueur, qui les rendit tout doucement plus expansifs qu'à l'ordinaire. Pour finir – la bouteille était presque vide – le petit bossu au doux regard se mit à chanter des cantiques. Il chanta les treize strophes de *Il n'est pas facile d'être chrétien* et de *Sois l'hôte de mon cœur*. Il avait une voix de tête très haute, claire et recueillie, et Otto Quangel lui-même se sentait reporté aux jours de son enfance, époque où ces chants avaient encore un sens pour lui. Alors la vie était simple. Il croyait non seulement en Dieu, mais en l'homme. Il s'imaginait que des préceptes comme « Aimez vos ennemis » et « Bienheureux les pacifiques » avaient une valeur sur terre. Les choses avaient bien changé depuis, et certainement pas dans le bon sens! Plus personne ne pouvait croire en Dieu. Il était impossible qu'un Dieu de bonté tolérât la honte qui était répandue sur le monde. Et pour ce qui était des hommes, ces porcs!

Les Quangel refusèrent fermement de rester à dîner, malgré l'insistance des Heffke que ce départ vexait, en dépit de toutes les bonnes raisons invoquées. Dans la rue, Anna dit :

– Tu as vu? Ulrich a pris un air pincé, et sa femme aussi!

– Tant pis pour eux. De toute façon, c'était notre dernière visite.

– Mais, cette fois, ça s'est très bien passé. C'est bien aussi ton avis, Otto?

– Certainement. Le schnaps y a largement contribué.

– Et Ulrich a si joliment chanté. C'est ton avis aussi?

— Oui, c'est vrai. Drôle de numéro! Je suis sûr qu'il fait encore sa prière tous les soirs dans son lit.

— Laisse-le donc, Otto! De nos jours, les dévots dans son genre souffrent moins que les autres. Ils croient que tout ce carnage a un sens.

— Merci bien! fit Quangel, soudain mauvais. Un sens! Tout ça n'en a aucun! Parce qu'ils croient au ciel, ils ne veulent rien changer sur terre! Toujours ramper et se dénier! Au ciel, tout s'arrangera. Dieu connaît le pourquoi des événements, et nous l'apprendrons au jugement dernier... Non, merci!

Quangel avait parlé précipitamment et avec rancœur. L'alcool, auquel il n'était pas accoutumé, faisait son effet. Soudain il s'arrêta.

— Voilà l'immeuble qu'il me faut, dit-il. C'est là que je veux entrer. Donne-moi une carte, Anna.

— Oh non, Otto, ne fais pas cela! Nous étions convenus de ne plus rien faire aujourd'hui. C'est un mauvais jour, tu le sais.

— Plus maintenant. Donne la carte.

Elle la donna avec réticence.

— Pourvu que ça ne finisse pas mal! J'ai tellement peur!

Mais il était déjà parti, sans faire attention à ces paroles. Elle attendit. Cette fois, Otto revint sans tarder.

— Voilà, dit-il en lui prenant le bras. Tu vois comme c'est simple!... Il ne faut pas s'arrêter à ces pressentiments.

Ils avaient à peine fait quelques pas qu'un homme se précipita sur eux. Il tenait à la main la carte de Quangel.

— Hé, dites donc! criait-il, hors de lui. C'est vous qui venez de déposer cette carte devant ma porte! Je vous ai bien vu! Police! Police!

Il criait de plus en plus fort, si bien qu'un groupe de curieux se forma, tandis qu'un agent s'empressait de traverser la chaussée.

Aucun doute n'était plus possible ; la situation se retournait soudain contre les Quangel, au bout de deux ans de travail sans à-coups. L'ancien commissaire Escherich avait eu raison sur ce point : on ne peut pas avoir toujours de la chance, et c'est ce qu'Otto Quangel avait oublié. Il n'avait pas pensé à tous les petits hasards malencontreux que la vie tient toujours en réserve, que l'on ne peut prévoir et dont on devrait pourtant tenir compte.

Le hasard était apparu cette fois-ci sous l'aspect d'un petit fonctionnaire vindicatif, qui avait passé son dimanche à espionner la locataire du dessus. Il la soupçonnait d'amener des « types » dans son appartement ; si c'était exact, il lui rendrait la vie impossible dans l'immeuble, il irait dire au propriétaire qu'une pareille garce ne pouvait continuer à vivre dans une maison correcte.

Il y avait trois heures qu'il faisait le guet derrière son judas lorsque Otto Quangel avait gravi l'escalier. Le fonctionnaire l'avait vu, de ses propres yeux, déposer la carte sur une marche, ce qu'il lui arrivait de faire lorsque les fenêtres de l'escalier n'avaient pas de rebord.

L'homme brandissait maintenant la carte en criant au policier :

— Lisez vous-même, brigadier. C'est de la haute trahison. Cet individu est bon pour la potence.

— Ne criez donc pas si fort, disait l'agent. Vous voyez bien que ce monsieur est parfaitement calme, il ne va pas s'enfuir. Eh bien, est-ce exact, ce que ce monsieur prétend ?

— Ridicule ! répondit Quangel d'un air sombre. Il me confond avec un autre. Je reviens de chez mon beau-frère, rue Golz. Je n'ai pas mis les pieds dans une seule maison de la rue Maaszen. Demandez donc à ma femme.

Il la chercha des yeux. Anna était en train de se frayer un chemin à travers le cercle des curieux. Elle avait aussitôt pensé à la seconde carte qui se trouvait dans son sac. Le plus urgent était de s'en débarrasser à tout prix. Alors que l'on n'avait d'yeux que pour le délateur hurlant, elle avait glissé la seconde carte dans une boîte aux lettres. Elle était maintenant près de son mari et lui souriait pour l'encourager. Pendant ce temps, l'agent avait fini de lire la carte. Très rembruni, il la glissa dans le revers de sa manche. Il était au courant : ces cartes avaient été signalées bien des fois, à tous les commissariats. On était tenu de relever la moindre trace.

— Suivez-moi tous les deux au poste, décida-t-il.

— Et moi? s'écria Anna Quangel d'un air indigné en glissant son bras sous celui de son mari. J'y vais aussi. Je ne laisserai pas mon mari y aller seul.

— Tu as raison, la petite mère! fit une voix de basse parmi les spectateurs. Chez ces gars-là, on ne sait jamais. Fais gaffe à ton vieux!

— Silence! cria le brigadier. Reculez! Dispersez-vous! Il n'y a rien à voir. Puis il interrogea l'indicateur en émoi : Êtes-vous sûr de ne pas vous tromper? La femme était-elle dans l'escalier?

— Non, elle n'était pas là. Mais je ne me trompe sûrement pas, brigadier! Il criait de plus belle : Je l'ai vu de mes propres yeux, j'étais assis depuis trois heures derrière mon judas...

— Alors, venez tous les trois, ordonna le brigadier.

Au commissariat, ils durent attendre cinq minutes avant d'être appelés dans le bureau de l'officier de police, un homme de haute taille, au visage ouvert et basané. La carte de Quangel était posée sur la table.

Otto Quangel nia ce dont on l'accusait. Il n'avait fait qu'aller voir son beau-frère rue Goltz, et jamais il n'avait mis les pieds dans un immeuble de la rue Maaszen. Il parlait sans aucun énervement, ce vieux contremaître, et il offrait à l'officier de police un contraste agréable, en comparaison du délateur hurlant, crachant et toujours hors de lui.

— Mais enfin, dit lentement le policier à ce dernier, comment se fait-il que vous ayez passé trois heures derrière votre judas? Vous ne pouviez pas savoir que quelqu'un viendrait avec cette carte. Ou alors...

— C'est que nous avons une garce dans notre immeuble! Elle circule toujours en pantalon et fait marcher la radio toute la nuit. Je voulais voir quelle sorte de types elle attire chez elle. Et voilà que cet homme...

— Je n'ai jamais mis les pieds dans cet immeuble, répéta Quangel.

— Croyez-vous que je tolérerais que mon mari fasse des choses pareilles? s'écria Anna. Voilà plus de vingt ans que nous sommes mariés, et on n'a jamais rien pu lui reprocher.

L'officier de police jeta un regard furtif vers la tête de rapace. « On peut s'attendre à tout de lui! se dit-il rapidement. Mais qu'il puisse écrire ce genre de carte... »

Il se tourna vers le délateur :

— Votre nom? Millek. Vous êtes quelque chose à la Poste, c'est ça?

— Secrétaire principal. C'est exact.

— Et c'est vous le Millek dont nous recevons à peu près deux lettres de dénonciation par semaine? Parce que les commerçants ne donnent pas le poids exact, parce qu'on a battu les tapis le jeudi, parce que quelqu'un fait ses besoins devant votre porte, etc., etc. C'est bien vous?

— Les gens sont si méchants! Ils font tout pour me nuire. Vous pouvez me croire.

— Cet après-midi, vous avez donc guetté une femme, que vous qualifiez de garce. Et maintenant, vous dénoncez ce monsieur...

Le secrétaire assura qu'il ne faisait que son devoir, qu'il s'agissait de haute trahison.

— Ah, ah! fit le policier. Un instant, nous allons voir...

Il fit semblant de relire la carte, qu'il avait déjà lue trois fois. Il était convaincu que Quangel était un vieil ouvrier franc comme l'or, et Millek, en revanche, un empoisonneur dont les dénonciations n'étaient jamais confirmées par les faits. Il les aurait volontiers renvoyés chez eux tous les trois.

Pourtant, il fallait tenir compte de la découverte de cette carte, et de la consigne qui ordonnait de relever la moindre trace à ce sujet. Il ne s'agissait pas de s'attirer des histoires, surtout lorsqu'on n'était déjà pas très bien vu en haut lieu. Suspect de sentimentalisme et de sympathie secrète pour les Juifs et les asociaux, le chef de poste devait se montrer très prudent. Au fond, que pouvait-il arriver à cette femme et à cet homme s'il les remettait à la Gestapo? S'ils étaient innocents, on les laisserait filer au bout de quelques heures; quant à l'indicateur mal avisé, il se ferait remettre en place, pour avoir dérangé inutilement la police.

Avant de téléphoner au commissaire Escherich, il fit pratiquer une fouille, qui ne donna pas de résultats. Otto Quangel, qui ignorait encore la présence d'esprit dont sa femme avait fait preuve, ne comprenait pas où elle avait pu faire disparaître la seconde carte. Quant à leurs papiers, il confirmaient leurs dires. En revanche, on avait trouvé dans la poche de Millek une lettre de dénonciation, adressée au commissariat à propos d'une certaine Frau von Tressow, domiciliée 17 rue Maaszen, sous prétexte qu'elle laissait errer en liberté son chien méchant. Ce chien avait déjà grogné de façon menaçante en présence du receveur principal, qui craignait pour ses pantalons, devenus irremplaçables en raison des hostilités.

— Vous en avez des soucis! dit le chef de poste. Vous croyez que nous n'avons rien d'autre à faire, après trois ans de guerre? Brigadier, faites sortir ces trois personnes. Je dois téléphoner.

— Est-ce à dire que je suis arrêté aussi? s'écria d'un air indigné le receveur principal des Postes.

— Qui a parlé d'arrestation? Brigadier, emmenez-les.

Le chef de poste prit le téléphone et déclina sa qualité.

— Je voudrais parler au commissaire Escherich, au sujet de l'affaire des cartes postales.

— Le commissaire Escherich est fini, parti! cria une voix vulgaire. C'est le conseiller criminel Zott qui s'occupe maintenant de cette affaire.

— Passez-le-moi.

— Ici, Zott.

— Ici le chef de poste Kraus. Monsieur le Conseiller criminel, on nous a livré un homme dont on prétend qu'il est pour quelque chose dans l'affaire des cartes postales. Êtes-vous au courant?

— Je sais! Affaire « Trouble-Fête »! Quelle est la profession de cet homme?

— Menuisier. Contremaître dans une fabrique de meubles.

— Alors, ce n'est pas le bon. Le bon travaille au tramway. Relâchez cet homme.

C'est ainsi que les Quangel furent relâchés, à leur grande surprise, car ils s'attendaient pour le moins à quelques interrogatoires approfondis et à une perquisition.

LE CONSEILLER CRIMINEL ZOTT

Le conseiller criminel, bouc et bedaine, semblait résulter d'un mélange de papier, de poussière d'archives, d'encre et de beaucoup de subtilité. Dédaignant les méthodes habituelles, il ne procédait presque jamais à un interrogatoire, et la vue de la victime d'un meurtre le rendait malade.

Il aimait par-dessus tout se pencher sur les documents d'autrui, comparer, rechercher, recouvrir des pages entières de notes, et sa marotte était de se fabriquer en toute chose des tableaux synoptiques, dont il tirait ses savantes conclusions. Comme ce travail purement intellectuel lui avait valu quelques succès étonnants, dans des affaires qui semblaient sans espoir, on avait pris l'habitude de le consulter lorsqu'on se trouvait dans une impasse. Si Zott n'aboutissait pas, il était inutile d'insister. C'est pourquoi le seul tort d'Escherich, proposant de confier au conseiller criminel l'affaire « Trouble-Fête », avait été de ne pas laisser à ses supérieurs le soin de faire cette proposition ; venant de sa part, elle ne pouvait être taxée que d'insolence, ou plutôt de lâcheté devant l'ennemi et de désertion...

Zott s'était enfermé trois jours durant avec les archives de l'affaire en question, avant de demander audience au général S.S. Impatient d'aboutir, celui-ci s'était rendu immédiatement auprès de Zott.

— Alors, monsieur le Conseiller criminel, qu'avez-vous donc flairé cette fois ? Je suis persuadé que vous tenez déjà le gaillard. Cet âne d'Escherich...

Suivit une longue diatribe contre celui qui avait tout gâché, discours que le conseiller écouta, impassible.

Lorsque l'autre se fut calmé, Zott prit la parole :

— Mon général, voici donc cet auteur des cartes postales, homme simple et assez inculte qui éprouve quelque peine à s'exprimer par écrit. Il est, à n'en pas douter, veuf ou célibataire, sans quoi sa femme l'aurait certainement surpris en train d'écrire, au cours de ces deux ans. Le fait que l'on n'a jamais obtenu de détails sur sa personne, bien que tout porte à croire que l'on parle beaucoup de ces cartes au nord de l'Alexanderplatz, démontre que personne ne l'a jamais vu les écrire. Il doit vivre absolument seul. Ce doit être un homme assez âgé – un plus jeune se serait lassé depuis longtemps d'écrire ainsi, sans effet visible, et il aurait entrepris autre chose. De plus, l'individu ne possède pas de poste de radio...

— Fort bien, monsieur le Conseiller criminel, dit le général Prall en l'interrompant avec impatience. Il y a belle lurette que cet idiot d'Escherich m'a exposé tout cela dans les mêmes termes. Il me faut maintenant une nouvelle interprétation des documents; une interprétation qui me permette de mettre la main sur le gaillard. Je vois que vous avez dressé un tableau. Alors?

Sans laisser paraître combien Prall l'avait vexé en déclarant que toutes ses subtiles déductions avaient déjà été faites par Escherich, Zott répondit :

— J'ai noté là toutes les heures où furent trouvées les cartes, soit jusqu'à ce jour deux cent trente-trois cartes et huit lettres. Jamais une carte n'a été déposée après huit heures du soir ni avant neuf heures du matin...

— Mais cela tombe sous le sens! s'écria le général, avec la même impatience. Dans cet intervalle de temps, tous les immeubles sont fermés.

— Un instant, je vous prie, dit Zott, dont la voix trahissait maintenant tout l'agacement. Je n'étais pas au terme de mon exposé. Du reste, on n'ouvre pas les immeubles à neuf heures du matin, mais dès sept heures, et souvent dès six heures. Je continue : quatre-vingts pour cent des cartes ont été déposées entre neuf heures et midi. Pas une seule entre midi et quatorze heures; puis vingt pour cent entre quatorze et vingt heures. Il en résulte que l'auteur des cartes, qui est certainement le même homme que leur distributeur, mange régulièrement entre midi et quatorze heures, qu'il travaille la nuit, en tout cas, jamais dans la matinée et rarement l'après-midi. Si je prends un endroit où on a trouvé des cartes, par exemple l'Alexanderplatz, je constate que l'objet a été déposé à onze heures quinze, et si je considère la distance qu'un homme peut parcourir en quarante-cinq minutes, soit jusqu'à midi, traçant au compas un cercle autour du lieu de la découverte je rencontre toujours au nord cette tache dépourvue de drapeaux. Cela vaut pour tous les endroits où furent trouvées les cartes, compte tenu de quelques exceptions, qui s'expliquent par le fait que les heures où on les a trouvées ne sont pas toujours identiques à celles où elles ont été déposées. J'en conclus premièrement : que cet homme est très ponctuel. Deuxièmement : qu'il n'aime pas utiliser les transports en commun. Il habite dans un triangle délimité par les rues de Greifswald, de Danzig et de Preslau, et plus exactement dans la pointe nord de ce triangle, probablement dans les rues Chodowiecki, Jablonski ou de Christburg.

— Parfait, monsieur le Conseiller criminel, fit le général, de plus en plus déçu. D'ailleurs, je me rappelle qu'Escherich a déjà cité ces rues. Mais il estimait toute perquisition inutile. Qu'en pensez-vous ?

— Un instant, je vous prie, répéta Zott, cette fois profondément blessé. Je voudrais vous exposer avec précision les résultats auxquels je suis parvenu, afin que vous puissiez juger vous-même de l'opportunité des mesures que je vais proposer.

« Le vieux renard veut assurer ses arrières ? pensa Prall. Attends ! Avec moi, il n'y a pas d'assurances, et si je veux te montrer de quel bois je me chauffe, tu y passeras ! »

Le conseiller criminel poursuivait son exposé magistral :

— Une étude plus approfondie de ce tableau nous enseigne que les cartes ont été déposées en semaine. Nous sommes amenés à en conclure que l'homme ne quitte pas son domicile le dimanche, jour où il écrit. Il a toujours hâte de se débarrasser de ces pièces à conviction, puisque la plupart des cartes furent trouvées le lundi ou le mardi.

Zott marqua un temps d'arrêt, en regardant le général S.S. comme s'il s'attendait à être félicité. Mais celui-ci se contenta de dire :

— Voilà qui est certainement très perspicace. Mais je ne vois pas en quoi cela nous avance.

— Un peu pourtant, mon général. Je vais naturellement faire procéder dans les rues en question à des recherches très discrètes, pour savoir s'il ne s'y trouve pas un habitant qui corresponde à mes déductions.

— Ah, c'est quelque chose! s'écria Prall, un peu soulagé. Et à part ça?

Le conseiller criminel triomphait intérieurement. Il poursuivit :

— J'ai confectionné un second tableau, sur lequel j'ai tracé des cercles de cinq cents mètres de rayon autour des onze principaux points où furent découvertes les cartes. Il se trouve que ces points sont situés à proximité de stations de tramway. Voyez vous-même, mon général. Là, là et encore là, vous avez toujours la station à l'intérieur du cercle.

Zott regarda l'Obergruppenführer d'un air presque suppliant :

— Il ne peut s'agir d'un hasard, dit-il. Ce genre de hasard n'existe pas en criminalistique. Mon général, cet homme est indubitablement en rapport avec le tramway. Le contraire est absolument impossible. Il y travaille la nuit, parfois l'après-midi. Par le témoignage des deux femmes qui l'ont vu déposer des cartes, nous savons qu'il ne porte pas d'uniforme. Je vous demande l'autorisation de placer un homme très sûr dans chacune de ces stations. J'en attends encore plus que de l'enquête dans les immeubles. Mais, menés jusqu'à leur terme, ces deux procédés nous conduiront certainement au succès.

— Rusé renard! s'écria le général S.S., maintenant tout à fait rasséréné, tout en donnant une bourrade au petit homme qui manqua de s'affaisser. Ce coup des gares de tramways est sensationnel! Escherich est un bœuf. C'est à ça qu'il aurait dû penser. Vous avez naturellement mon autorisation. Ne perdez pas de temps, et d'ici deux ou trois jours, vous m'annoncerez que le bonhomme est fait comme un rat. Je veux envoyer moi-même la nouvelle dans les dents de ce bœuf d'Escherich.

Le général quitta le bureau avec un sourire de satisfaction. Resté seul, le conseiller criminel Zott toussota. Il s'assit sur son bureau devant ses tableaux, lança vers la porte un regard en biais à travers ses lunettes et toussota encore une fois. Il avait horreur de ces braillards sans cervelle, et en particulier de ce singe stupide qui venait de sortir et n'avait fait que lui citer Escherich. De plus, le général S.S. lui avait tapé sur l'épaule, et le conseiller criminel abhorrait le moindre contact physique. Enfin, il fallait savoir attendre!... Ces messieurs n'étaient pas si solidement en selle et leurs hurlements dissimulaient mal la peur de se voir un jour déchus. Quelles que fussent leur morgue et leur assurance, ils savaient fort bien au fond d'eux-mêmes qu'ils étaient des zéros et des incapables. Zott avait été contraint de révéler sa grande découverte des stations de tramway à un pareil imbécile, hors d'état de mesurer la perspicacité qu'il fallait pour parvenir à cette conclusion! Toujours la même chanson! Des perles qu'on jette aux pourceaux...

Mais ensuite, le conseiller criminel retourna à ses documents. Sa tête était bien ordonnée : quand il y fermait un tiroir, il ne savait plus ce qu'il y avait dedans. Il ouvrit le tiroir des stations de tramway et commença à réfléchir au poste que pouvait bien occuper l'auteur des cartes. Il appela la direction des transports en commun, bureau du personnel, et se fit donner une liste sans fin des professions qu'exerçaient toutes les personnes occupées au tramway. De temps en temps, il prenait des notes.

Il était maintenant convaincu que le coupable était en relation avec le tramway. Le conseiller criminel était si fier de sa découverte que sa déception n'aurait pas eu de bornes si on lui avait amené maintenant Quangel, contremaître dans une fabrique de meubles.

Voilà pourquoi, un ou deux jours plus tard, en pleine période de recherches dans les immeubles et dans les stations de tramway, il se contenta de demander la profession du suspect, lorsque le chef de poste lui fit savoir qu'on tenait peut-être le coupable. Dès qu'il fut question de menuisier, le suspect cessa de l'être à ses yeux. Il fallait qu'il travaillât au tramway! Le conseiller criminel ne releva même pas le numéro du poste de police. Ces imbéciles ne faisaient que des bêtises!

C'est ainsi que les Quangel retrouvèrent la liberté.

OTTO QUANGEL PERD SON ASSURANCE

Ce dimanche soir, les Quangel sont rentrés chez eux sans échanger un mot, et ils ont dîné de même. Anna, tout à l'heure si courageuse et si décidée, a versé quelques larmes furtives dans la cuisine, mais elle ne veut pas qu'Otto le sache. L'angoisse et la peur l'ont gagnée après coup. Pour un peu, tout aurait mal tourné, et c'eût été la fin. Il suffisait que ce Millek n'eût pas été pareil empoisonneur public, qu'Anna n'eût pas pu se débarrasser de la seconde carte, que le chef de poste eût été un autre homme, car on voyait bien qu'il ne pouvait souffrir ce dénonciateur. Encore une fois, tout s'est bien passé, mais jamais, jamais plus, Otto ne devra courir un pareil danger.

Elle se rend dans la salle où va et vient son mari désemparé. Ils ont éteint la lumière, et il a relevé le dispositif de camouflage antiaérien. C'est le clair de lune.

– Otto...

– Oui?

Il s'arrête brusquement et regarde sa femme, qui s'est assise au coin du sofa, à peine visible dans le clair de lune pâle et blême qui se glisse dans la pièce.

– Otto, je crois que nous ferions mieux de rester tranquilles un moment. Nous n'avons pas de chance ces temps-ci.

— Impossible, Anna. Cela attirerait l'attention, juste au moment où ils ont failli nous prendre. Ils ne sont pas bêtes à ce point-là. Ils remarqueraient qu'il existe un rapport entre nous et les cartes, qui soudain n'apparaîtraient plus. Il faut continuer, que nous le voulions ou non.

Il ajouta, en serrant les dents :

— Et je le veux!

Elle soupira profondément. Bien qu'il l'eût convaincue, elle n'avait pas le courage de lui donner raison. Il n'y avait ni halte ni retour en arrière sur la voie qu'ils avaient choisie. Au bout d'un moment de réflexion, elle dit :

— Alors, maintenant laisse-moi porter les cartes. Tu n'as plus de chance avec elles.

— Je n'y peux rien, si ce genre de mouchard passe trois heures derrière son judas, dit-il avec rancœur. J'ai bien regardé partout, j'étais prudent. Mais où as-tu fourré la seconde carte?

— Je l'ai jetée dans une boîte aux lettres de la place, en profitant de l'afflux de curieux.

— Une boîte aux lettres? Tu as bien fait. Au cours des prochaines semaines, nous en jetterons dans toutes celles que nous trouverons sur notre chemin, afin que la première n'attire pas trop l'attention. Il n'y a pas que des nazis dans les Postes, et les risques sont moins grands.

— Je t'en prie, Otto, laisse-moi distribuer les cartes doré-navant, répéta-t-elle.

— Ne crois pas que j'aie commis une erreur que tu aurais pu éviter. Il s'agit d'un hasard, d'un de ceux que j'ai toujours redoutés, parce qu'ils sont imprévisibles. On peut aussi se trouver mal, ou se casser une jambe en tombant; aussitôt, on fouille dans vos poches, et on trouve une carte!... Tu vois, Anna, il n'y a rien à faire contre le hasard.

— Je serais tellement plus tranquille, si tu me laissais faire la distribution, reprit-elle.

— Je ne dis pas non. À la vérité, je me sens tout d'un coup mal assuré. J'ai l'impression d'avoir les yeux fixés sur un point où il n'y a rien à craindre, alors que les ennemis sont tout autour de moi sans que je sois capable de les apercevoir.

— Tu es devenu nerveux, Otto. Il y a trop longtemps que ça dure. Si seulement nous pouvions nous arrêter quelques semaines! Mais tu as raison, c'est impossible. En tout cas, maintenant je porterai les cartes moi-même.

— Je ne dis pas non. Je n'ai pas peur, mais tu as raison, je suis nerveux. Nous avons longtemps eu de la chance. Maintenant on dirait que ça change un peu...

— Ça s'est pourtant encore une fois bien terminé, dit-elle pour le rassurer.

— Mais ils ont notre adresse. Ils peuvent à tout moment remettre la main sur nous. Cette maudite famille, j'ai toujours dit qu'elle ne valait rien!

— Ne sois pas injuste, Otto, Ulrich n'est pour rien dans tout ça.

— Il n'y est pour rien, naturellement. Personne ne dit le contraire. Mais s'il n'existait pas, nous ne serions pas allés de ce côté-là. Il ne faut pas s'attacher aux gens, Anna, ça ne sert qu'à tout compliquer. Maintenant nous sommes suspects.

— Si nous l'étions vraiment, ils ne nous auraient pas relâchés.

— L'encre! dit-il, s'arrêtant soudain. Nous avons encore ici l'encre avec laquelle j'ai écrit la carte. Il s'habillait déjà. Il faut faire disparaître ce flacon. Demain nous en achèterons un d'une autre sorte. Pendant ce temps, tu brûles le porte-plume. Et surtout les cartes et le vieux papier à lettres. Il faut tout brûler. Regarde dans chaque tiroir. Il ne doit plus rien rester chez nous de tout l'attirail que nous avons employé jusqu'ici.

En rentrant il était plus calme.

— Tu as tout brûlé?

– Oui.

– Vraiment tout? Tout vérifié et tout brûlé?

– Puisque je te le dis, Otto!

– Bien sûr, Anna! Mais, c'est drôle, il me semble encore une fois que je suis incapable de voir l'ennemi là où il se cache.

Il se passa la main sur le front, la regardant pensivement.

– Rassure-toi, Otto, tu n'as certainement rien oublié. Il n'y a plus rien dans l'appartement.

– Dieu soit loué! Comprends-moi. Je songe aux ennemis que je ne peux pas voir. Je n'ai pas peur, mais je ne voudrais pas que l'on nous découvre trop tôt. Je voudrais poursuivre ce travail le plus longtemps possible. J'aimerais assister à l'effondrement de ce régime. Nous aussi, nous y aurions contribué un peu.

Cette fois, c'est Anna qui le consola :

– Oui, tu y assisteras, nous y assisterons tous les deux. Au fond, que s'est-il passé? Le danger était grand, mais quand tu dis que la chance s'est retournée contre nous, je crois plutôt qu'elle nous est restée fidèle, et le danger s'est éloigné. Nous voilà chez nous.

– Oui, dit Otto Quangel. Nous sommes ici, nous sommes libres. Nous le sommes encore. Et j'espère que nous le serons encore longtemps, longtemps...

LE VIEUX NAZI PERSICKE

L'espion du conseiller criminel Zott, un certain Klebs, était chargé de découvrir dans la rue Jablonski le vieil homme solitaire dont la capture était impatiemment attendue par la Gestapo. Klebs avait en poche une liste portant, pour chaque immeuble, le nom d'un membre sûr du Parti. Et parmi ces noms se trouvait celui de Persicke.

Petit, mal payé et mal nourri, les jambes arquées, la peau sale et les dents cariées, Klebs faisait songer à un rat ; et il s'acquittait d'ailleurs du train-train de sa besogne d'espion comme un rat fouille dans les tas d'ordures. Il était toujours prêt à accepter un quignon de pain, à demander quelque chose à boire ou à fumer, et sa voix plaintive et glapissante sifflait un peu lorsqu'il mendiait, comme si le malheureux eût été sur le point de rendre le dernier soupir.

Ce fut le vieux Persicke qui lui ouvrit la porte. Il avait un visage ravagé, les cheveux gris en bataille, le visage bouffi, les yeux rouges, et il donnait de la bande comme un navire dans la tempête.

— Qu'est-ce qu'y a ?

— Seulement un petit renseignement, pour le Parti.

Toute mention de la Gestapo était strictement interdite à ces espions. L'enquête devait garder un air parfaitement anodin.

Dans le cerveau du vieux Persicke, embrumé de vapeurs d'alcool, la conscience revint un instant, et avec elle l'angoisse. Il se ressaisit et dit :

— Entre !

Le rat obéit en silence. Il fixait sur le vieillard un regard furtif et perçant auquel rien n'échappait. La pièce avait l'aspect d'un champ de bataille : chaises renversées, bouteilles tombées, dont les goulots laissaient s'échapper des restes de schnaps qui s'évaporaient sur le sol. Sous le miroir qu'un coup avait marqué comme d'une toile d'araignée, un monceau de débris de verre. Une moitié de rideau tirée, l'autre arrachée. Et partout, des mégots jonchant le sol, des paquets de cigarettes à demi entamés.

Klebs sentit des démangeaisons dans ses doigts de voleur. Le mieux aurait été de faire immédiatement main basse sur le schnaps, sur le tabac et même sur la montre qui pendait du gilet accroché à une chaise. Mais, n'étant là que l'envoyé de la Gestapo ou du Parti, notre homme prit un siège bien sagement et piailla d'un ton joyeux :

— Eh bien, voilà de quoi boire et fumer! Tu as la belle vie, Persicke.

Le vieux le dévisagea de son regard voilé, puis poussa brusquement une bouteille de schnaps à moitié pleine en direction du visiteur, assis de l'autre côté de la table. Klebs n'eut que le temps d'empêcher la bouteille de tomber.

— Cherche de quoi fumer, murmura Persicke en jetant un regard circulaire dans la pièce. Et il ajouta, la langue lourde : mais je n'ai pas de feu.

— Ne t'inquiète pas, Persicke, couina Klebs.

Comme s'ils avaient été de vieilles connaissances, il se glissa dans la cuisine où il trouva le fourneau à gaz. Il avait empoché trois paquets de cigarettes entamés; jetant un regard dans les autres pièces, il vit partout le même désordre. Le vieil homme était seul dans l'appartement, comme Klebs l'avait deviné aussitôt; l'occasion promettait plus qu'un peu de schnaps et quelques cigarettes.

Persicke était encore assis près de la table où l'avait quitté Klebs, qui s'installa avec un soupir de satisfaction, souffla sa fumée à la figure du vieux, se versa une rasade et demanda, d'un air tout à fait inoffensif :

— Eh bien, qu'as-tu sur le cœur, mon vieux? Allez, déboutonne-toi, ou on te colle au poteau.

À ces derniers mots, le vieillard tressaillit. Il n'avait pas compris la plaisanterie.

— Non, non! murmura-t-il, effrayé. Ne tirez pas! Baldur va venir. Baldur va tout arranger.

Pour l'instant, le rat ne chercha pas à savoir quel était ce Baldur, capable de tout arranger.

— Oui, Persicke, dit-il prudemment, pourvu que tu puisses tout arranger! Comme le regard de l'autre se fixait sur lui avec méfiance, il ajouta, d'un air conciliant : Mais, bien sûr, quand Baldur sera là.

Le vieillard le contemplait toujours en silence. Soudain il dit, dans un de ces moments de lucidité qu'ont de temps à autre les ivrognes, la voix cette fois bien assurée :

– Qui êtes-vous, au juste? Que me voulez-vous? Je ne vous connais en aucune façon!

Le rat regarda prudemment l'adversaire, devenu soudain lucide. À ce stade, les ivrognes cherchent souvent à se battre, et Klebs n'était qu'un tout petit homme (doublé d'un lâche); tandis que, même au plus bas de la déchéance, il était visible que le vieux Persicke avait donné à son Führer deux S.S. de bonne taille et un élève de l'école de cadres nazis. Klebs détourna la question :

– Je vous l'ai déjà dit, Herr Persicke, et vous n'avez peut-être pas bien saisi. Je m'appelle Klebs et suis envoyé par le Parti pour obtenir quelques renseignements.

Le poing de Persicke s'abattit sur la table. Les deux bouteilles se mirent à osciller, mais Klebs s'empressa de leur porter secours.

– Comment, je n'ai pas saisi! Où sont tes papiers? Tu entres chez moi sans les présenter, alors que c'est interdit par le Parti!

Mais, sur ce point, Klebs était couvert; la Gestapo avait fait le nécessaire.

– Tenez, Herr Persicke. Tout est en règle. Je suis autorisé à prendre des renseignements, et votre devoir est de m'aider dans la mesure de vos moyens.

Le vieillard jeta un regard trouble sur les papiers qu'on lui tendait. Les caractères qu'il suivait d'un doigt lourd se brouillaient devant ses yeux.

– S'agit-il bien de vous?

– Vous voyez bien! Tout le monde trouve la photo très ressemblante.

– Rentrez-moi ça, grogna l'ancien cabaretier. Je n'ai pas envie de lire. Assieds-toi, prends du schnaps, fume, mais tiens-toi tranquille. Il faut d'abord que je réfléchisse.

Le rat Klebs obéit, tout en surveillant son vis-à-vis, qui semblait retombé dans son état premier. En fait, le vieux Persicke, qui avait lui aussi pris une grande gorgée à sa bouteille, avait de nouveau perdu sa lucidité ; il était irrésistiblement attiré par le tourbillon de l'ivresse, et ce qu'il appelait réfléchir était une rumination sans espoir, à la recherche d'un objet qui lui avait depuis longtemps faussé compagnie. Il ne savait même plus ce qu'il cherchait.

Le vieillard était dans une mauvaise passe. Un de ses fils venait de partir pour la Hollande, l'autre pour la Pologne. Baldur avait été envoyé dans une école de cadres nazis, et ce gamin ambitieux avait ainsi atteint son but : être admis parmi les premiers de la nation allemande, au titre de disciple choisi du Führer. Il apprenait à être maître non pas de lui-même, mais de tous ceux qui n'avaient pas accédé au même poste que lui. Le père était resté seul avec sa femme et sa fille. La surveillance de Baldur faisant défaut, le vieux Persicke s'était laissé aller à sa vieille passion, pour aboutir à l'ivrognerie la plus complète. Lasse d'être maltraitée, la femme s'était enfuie chez des parents, laissant son mari à la garde de sa fille. Celle-ci, créature sans foi ni loi, militante des Jeunesses Hitlériennes, ne s'était pas crue obligée de nettoyer les saletés du vieux, qui la maltraitait par-dessus le marché. Grâce à ses relations, elle avait obtenu un poste de surveillante au camp de concentration de Ravensbrück, où, avec une cravache et des chiens policiers, elle contraignait de vieilles femmes à travailler au-delà de leurs forces.

N'ayant rien absorbé de solide depuis plusieurs jours, le vieux Persicke gardait conscience d'avoir été très malade la nuit précédente. Il ne savait plus que, dans un accès de folie furieuse, il avait brisé de la vaisselle, renversé des armoires et vu partout des ennemis lancés à sa poursuite. Les Quangel et Herr Fromm, l'ancien conseiller à la cour d'appel, étaient venus sonner désespérément à sa porte, mais il s'était gardé d'ouvrir à ses « persécuteurs ». Il ne pouvait y avoir là que les émissaires du Parti qui venaient lui demander des comptes. Or, dans sa caisse, il manquait au moins cinq mille marks.

Le vieux magistrat avait dit froidement :

– Bon, laissons-le se déchaîner. J'attache fort peu d'importance...

Son visage, d'ordinaire si aimable et presque toujours légèrement ironique, avait pris un air d'extrême froideur. Le vieux monsieur avait redescendu l'escalier.

Quant à Otto Quangel, il avait dit aussi, avec sa profonde répugnance à se mêler des affaires d'autrui :

– Ça ne peut que nous attirer des ennuis, Anna. Il est saoul. Il finira bien par se calmer.

Mais le lendemain Persicke, qui ne se souvenait guère de tous ces événements, n'était pas calmé du tout. Il tremblait si fort, dans la matinée, que c'est à peine s'il pouvait porter à ses lèvres le goulot de sa bouteille. Pourtant, le schnaps finit par avoir raison de ses derniers sursauts d'angoisse. Il ne ressentait plus que l'obscur tourment d'avoir oublié quelque chose à quoi il fallait absolument penser.

Et maintenant, ce rat patient, avide et rusé lui faisait face. Le rat n'était pas pressé ; il avait flairé l'occasion et il était décidé à la mettre à profit. Le vieux Persicke s'enfonçait de plus en plus dans son ivresse. Bien qu'il ne fût plus capable que de balbutier péniblement, on pouvait encore tirer de lui quelques renseignements pleins d'intérêt. Au bout d'une heure, Klebs savait tout ce qu'il avait besoin de savoir sur les détournements de fonds que le vieux avait commis ; il connaissait aussi l'emplacement des bouteilles de schnaps et du tabac. Quant au reste de l'argent, il avait déjà pris le chemin de sa poche.

À présent, le rat est devenu le meilleur ami de Persicke. Il l'a mis au lit, et au moindre grognement il court donner à l'ivrogne assez de schnaps pour qu'il cesse de grogner. Entre-temps, le rat fourre en hâte dans deux valises ce qui lui semble digne d'être emporté. Le beau linge damassé de la vieille Rosenthal change une nouvelle fois de propriétaire, dans des conditions toujours aussi douteuses. Puis Klebs donne encore au vieux une bonne rasade, et il s'empare des valises, pour se glisser hors de l'appartement.

Au moment où il ouvre la porte de l'escalier, un grand gaillard taillé à coups de serpe lui barre la route, en disant d'un air sombre :

— Que faites-vous donc ici, dans l'appartement des Persicke ? Qu'est-ce que vous emportez là ? Vous êtes arrivé sans valise ! Hé, ça vient ? Ou bien préférez-vous peut-être que je vous emmène au poste ?

— Je vous en prie, approchez, murmura humblement le rat. Je suis un vieux camarade de Parti de Herr Persicke. Il va vous confirmer la chose. Vous êtes le responsable de l'immeuble, n'est-ce pas ?... C'est que mon ami Persicke est très malade...

BORKHAUSEN EST BERNÉ
POUR LA TROISIÈME FOIS

Les deux hommes s'étaient installés dans la pièce saccagée. Le vieux Persicke n'avait pas pu donner le moindre renseignement ; mais l'assurance avec laquelle Klebs évoluait dans l'appartement, le flegme avec lequel il parlait à Persicke et lui donnait à boire, avaient quand même induit le « responsable de l'immeuble » à quelque prudence.

Klebs ressortit son porte-documents de cuir bouilli, qui portait encore des traces de sa noirceur première et dont les bords se teintaient maintenant de rouille.

— Puis-je me permettre de montrer mes papiers au responsable de l'immeuble ? Tout est en règle, je suis chargé par le Parti...

Mais son interlocuteur repoussa les papiers, refusa également le schnaps et se contenta de prendre une cigarette. Il ne se rappelait que trop le jour où, chez la Rosenthal, Enno lui avait gâché une affaire magnifique en l'invitant à boire du cognac ; pas de danger qu'il s'y laissât prendre une nouvelle fois. Borkhausen (car c'est lui qui joue le rôle de « responsable de l'immeuble ») réfléchit à la façon dont il peut venir à bout de son adversaire. Il a immédiatement percé à jour ce genre d'individu. Peu importe que celui-ci soit ou non un ami du vieux Persicke, et qu'il se trouve là au nom du Parti : le gaillard a eu l'intention de voler ! C'est bien de la marchandise volée qu'il a dans sa valise ; sinon la vue de Borkhausen ne l'aurait pas mis si mal à l'aise, et il ne serait ni si anxieux ni si empressé. Borkhausen sait d'expérience que celui dont les intentions sont pures ne s'aplatit pas de cette façon devant le premier venu.

— Un petit verre vous ferait peut-être plaisir, monsieur le responsable.

— Non. Fermez-la. Je dois encore réfléchir à quelque chose.

Le rat a tressailli ; il se tait.

Borkhausen venait de passer une bien mauvaise année. Les deux mille marks envoyés à Munich par Frau Häberle lui avaient échappé aussi, la Poste ayant répondu que la Gestapo avait réclamé l'argent, comme provenant d'un crime. Ensuite, Kuno-Dieter n'était pas revenu à la maison. Borkhausen avait commencé par penser que le galopin ne perdait rien pour attendre ; lorsque Otti s'était inquiétée de l'absence de son préféré, il l'avait rabrouée avec grossièreté. Mais, les semaines s'écoulant, l'absence de Kuno-Dieter avait fini par être insupportable ; Otti était devenue une véritable vipère, qui rendait la vie infernale à son mari. Peu importait au père que le gamin ne revînt pas, c'était une bouche de moins à nourrir ; mais Otti se conduisait comme si elle n'avait pu vivre un jour de plus sans son favori, elle qui, à l'égard de celui-ci, n'avait pas non plus été avare de coups et d'injures. Finalement elle était devenue tout à fait folle ; elle avait dénoncé son mari comme étant le meurtrier de son fils. Borkhausen n'ayant pas la meilleure réputation, la police s'était empressée de l'arrêter. On l'avait gardé plus de onze semaines, à coller des sachets et à tresser des cordes, sous peine d'être laissé sans nourriture. Mais ce n'était rien à côté des nuits passées sous les attaques aériennes, dont Borkhausen avait une peur atroce. Jamais il n'avait oublié l'image d'une femme dans le corps de laquelle une bombe incendiaire était restée plantée, sur un boulevard de Berlin. Il avait donc dû entendre le grondement des avions qui se rapprochait, jusqu'à ce que l'air en fût plein, puis la chute des premières bombes, bientôt suivie des incendies dont le reflet dansait sur le mur de la cellule. Ces nuits-là, toute l'énorme prison cellulaire de Moabit était en proie à l'hystérie ; les prisonniers, accrochés aux fenêtres, hurlaient désespérément. Borkhausen avait crié aussi, comme une bête, puis avait foncé la tête la première contre la porte de la cellule, jusqu'à rester assommé sur le sol... C'est grâce à ce genre de narcose qu'il supportait ces nuits-là ! Au bout de ces onze semaines de détention préventive, il n'était naturellement pas rentré chez lui dans les meilleures dispositions. On n'avait pas pu avancer la moindre preuve contre lui ; s'il avait dû subir ces onze semaines, c'est parce qu'Otti était une charogne ! Depuis lors, les coups pleuvaient chez eux ; il cognait au moindre murmure, jetant tout ce qu'il avait sous la main, à la tête de celle qui l'avait précipité dans un pareil malheur. Mais Otti savait aussi se défendre. Jamais il ne trouvait de quoi manger ni de quoi fumer. Quand il la frappait, elle ameutait par ses cris tout l'immeuble, et chacun prenait parti contre Borkhausen ; pourtant, tous savaient bien qu'elle n'était qu'une vulgaire catin. Un jour, il lui avait arraché les cheveux par poignées ; alors elle disparut de l'appartement, le laissant avec les quatre gosses qui restaient et dont aucun n'était probablement de lui. Sacré nom d'un chien ! Borkhausen avait dû aller travailler pour de bon, sans quoi ils seraient tous morts de faim. Maintenant, c'était Paula qui tenait le ménage, bien qu'elle n'eût que dix ans.

Ç'avait vraiment été une mauvaise année ! Seul un fragile espoir avait surgi, quand Borkhausen avait vu l'alcoolisme faire de tels progrès chez le vieux Persicke.

Et voilà qu'il était dans l'appartement des Persicke et qu'il avait sous les yeux le poste de radio, volé par Baldur à la vieille Rosenthal. Il touchait au but ; le seul problème était maintenant d'éloigner habilement ce cloporte... Une lueur passe dans le regard de Borkhausen, à la pensée de la fureur qui enflammerait Baldur s'il le voyait installé à cet endroit. Ce rusé renard de Baldur n'est pas encore assez rusé ; la patience est parfois plus forte que la ruse. Mais ce long silence a de plus en plus énervé Klebs, aussi Borkhausen finit-il par lui dire, en faisant la moue :

— Eh bien, montrez-moi un peu ce que vous avez dans vos valises.

— Écoutez, dit le rat qui essaie de résister, je crois que c'est trop demander ! Puisque mon ami Persicke m'a autorisé – ce serait outrepasser vos pouvoirs de responsable d'immeuble...

— Ah, ne vous fatiguez pas ! Ou bien vous me le montrez, ou bien nous allons ensemble au poste.

— Bien que ce soit superflu, grommelle le rat, je vais vous le montrer, par pure obligeance. La police ne pourrait nous attirer que des complications. Et maintenant que mon camarade Persicke est gravement malade, il faudra peut-être encore bien du temps avant qu'il soit en état de confirmer mes dires.

— Allez ouste, ouvrez ! dit brutalement Borkhausen, qui a quand même fini par goûter à la bouteille.

Un sourire mauvais s'ébauche sur le visage de l'espion. « Allez ouste » : ce cri a trahi la cupidité de Borkhausen. Il a révélé ainsi qu'il n'est pas le responsable de l'immeuble ou tout au moins que ses intentions ne sont pas pures.

— Alors, mon pote, dit soudain le rat sur un tout autre ton, si on partageait moitié-moitié ?

Un coup de poing l'envoie au sol. Pour plus de sûreté, Borkhausen lui assène encore deux ou trois coups avec un pied de chaise. Voilà notre homme tranquille pour une heure ! Il commence à emballer et à transvaser ; une fois de plus, le linge des Rosenthal change de propriétaire. Borkhausen a des gestes rapides et parfaitement calmes. Que personne ne vienne cette fois s'interposer ! Il aimerait mieux les envoyer tous *ad patres*, dût-il y laisser sa tête !

Pourtant, un quart d'heure plus tard, la lutte avec les deux agents ne fut pas longue, lorsque Borkhausen sortit de l'appartement. Quelques coups de pied, une rapide bousculade, et il était maîtrisé, menottes aux poignets.

— Bon ! dit d'un air satisfait Herr Fromm, le petit conseiller honoraire à la cour d'appel. Je crois que de cette façon votre activité dans cet immeuble est à jamais terminée. Je n'oublierai pas de confier vos enfants à l'assistance publique, mais c'est sans doute le cadet de vos soucis. Maintenant, messieurs, il nous faut encore pénétrer dans l'appartement. J'espère, Herr Borkhausen, que vous n'y avez pas causé trop de dommages, en compagnie du petit monsieur qui a grimpé l'escalier avant vous. Et nous allons également trouver là Herr Persicke, brigadier. Il a eu la nuit dernière un accès de *delirium tremens*.

INTERMÈDE : IDYLLE AUX CHAMPS

L'ancienne postière Eva Kluge travaille dans un champ de pommes de terre, exactement comme elle l'a rêvé autrefois.

C'est une belle journée de printemps, un peu chaude pour travailler, surtout dans ce coin protégé du vent par la forêt voisine. Au fur et à mesure qu'elle binait, Frau Eva a quitté ses vêtements, et elle n'a plus sur elle que son corsage et sa jupe. Ses fortes jambes sont brunies par le soleil, comme son visage et ses bras.

Sa houe rencontre l'arroche, la ravenelle, le chardon, le chiendent – elle n'avance pas vite, tant le champ est envahi par ces parasites. Ce serait maintenant l'heure de casser la croûte, mais elle veut encore nettoyer ce coin, où la salicaire rouge étouffe les pommes de terre. Elle bine en serrant les lèvres ; la vie à la campagne lui a appris à mépriser la mauvaise herbe, cette vermine, et elle manie son outil sans pitié.

Le regard de Frau Eva n'a plus l'expression sévère et soucieuse qu'il avait il y a deux ans à Berlin. Elle a trouvé le calme, en faisant une croix sur le passé. Elle sait que le petit Enno est mort ; sa voisine le lui a écrit. Elle sait que ses deux fils sont perdus pour elle : Max est tombé sur le front russe, et Karlemann est un parfait S.S. Elle n'a pas encore quarante-cinq ans, elle a encore un bon moment à vivre, et le travail la sauve du désespoir. Une fois retrouvée l'indispensable paix intérieure, elle est allée à Berlin se présenter au tribunal du Parti et à son bureau de poste. Ces journées ne furent pas spécialement agréables : il lui a fallu entendre des hurlements et des menaces, et elle a même reçu des coups durant ses cinq jours de détention préventive. Mais on a fini par la relâcher. Elle a dû vendre une bonne partie de ses meubles, car au village on ne lui accordait qu'une pièce. Elle a quitté le service de son beau-frère, qui se serait volontiers contenté de la nourrir, et elle s'est embauchée comme journalière, capable aussi bien de soigner les malades que de tondre les moutons, de faire de la couture ou d'entretenir le jardin.

Mais elle a maintenant une nouvelle raison de vivre : le moment qu'elle passe tous les soirs avec l'instituteur remplaçant. Kienschäper est un homme tout en longueur, qui marche courbé vers l'avant et approche de la soixantaine. Il a des cheveux blancs en bataille et un visage très brun, éclairé par le sourire de deux yeux bleus pleins de jeunesse. Sans faire de phrases, il a guéri les blessures d'Eva, de la même façon qu'il est venu à bout des enfants du village à force de patience, et que, muni d'un sécateur et d'huile carbolique, il a parcouru les vergers des paysans pour rendre la vigueur à leurs arbres.

Marcher à travers champs le soir avec lui et l'entendre expliquer que peu de choses sont nécessaires pour rendre à une terre sa fécondité; le voir aider une vache à vêler, ou redresser une clôture, de sa propre initiative, ou soigner ses abeilles avec amour; écouter ce qu'il joue doucement à l'orgue pour eux seuls, sentir que tout rentre dans l'ordre et dans la paix après le passage de cet homme : cela réconforte Eva, mieux que n'importe quelle parole consolatrice.

La femme de l'instituteur titulaire est une nazie encore plus acharnée que son mari, officier-payeur dans une garnison voisine. Elle a naturellement détesté ce genre d'homme, dès le premier jour, et elle s'est employée à lui faire du tort. Tenue de loger et de nourrir le remplaçant de son mari, elle a si bien calculé que jamais Kienschäper n'avait de petit déjeuner avant de commencer la classe, que sa nourriture était toujours brûlée et sa chambre jamais nettoyée. Mais elle n'a rien pu contre sa sérénité. Elle a eu beau se déchaîner, médire de lui, épier à la porte de sa classe, il a continué de parler d'elle comme d'une enfant mal élevée qui s'apercevra un jour de ses erreurs. Et Kienschäper a finalement pris pension chez Frau Eva Kluge, si bien que son ennemie doit se contenter de lui faire la guerre de loin.

Ni Eva ni le maître aux cheveux blancs ne savent à quel moment ils ont envisagé pour la première fois la possibilité d'un mariage. Peut-être n'en ont-ils jamais parlé, tant la chose a semblé venir d'elle-même. Ils ne sont d'ailleurs pas pressés; le jour viendra bien, pour deux êtres vieillissants qui ne veulent pas rester seuls à l'heure de la retraite. Non, plus d'enfants, jamais plus! Frau Eva frissonne de frayeur à cette idée. Mais la camaraderie, une affection compréhensive, et surtout la confiance qui a tant manqué à Eva dans son premier mariage. Le soleil a de nouveau percé les nuages, alors qu'elle était complètement découragée, arrivée au bout de la nuit.

La salicaire rouge jonche le sol; la voilà détruite pour le moment. Certes, elle va repousser; c'est une herbe dont le moindre bout de racine reprend sans cesse vigueur. Mais Frau Eva connaît maintenant l'endroit; elle reviendra jusqu'à ce que la salicaire soit totalement détruite.

Ce serait l'heure de casser la croûte; son estomac est également de cet avis. Mais, au moment de chercher ses tartines et sa bouteille de café, déposées à l'ombre du bois, elle s'aperçoit qu'il n'en est plus question pour aujourd'hui. Quelqu'un s'en occupe; un garçon de quatorze ans peut-être, crotté et en haillons; il dévore le casse-croûte comme s'il était sur le point de mourir de faim. Dans l'ardeur avec laquelle il calme son appétit, il ne remarque pas que la houe a cessé de tinter contre les pierres du champ. C'est seulement lorsque la femme se trouve juste devant lui qu'il sursaute et fixe sur elle ses grands yeux bleus. Bien que pris à voler, sans possibilité de s'enfuir, il n'a pas l'air inquiet ni conscient d'une faute, et son regard est même plutôt provocant.

Les premiers mois, Frau Kluge a vu plusieurs de ces enfants arriver au village. Les attaques aériennes augmentant sans cesse, la population a été invitée à envoyer les enfants à la campagne, et la province est envahie par de petits Berlinois. Mais, chose étrange, un certain nombre d'entre eux n'ont pas pu se faire au rythme de la vie rustique. Au lieu de profiter du calme, de la nourriture meilleure, du sommeil qu'aucune alerte ne venait troubler, ils n'ont pu résister à l'appel de la grande ville et se sont mis en route; pieds nus, mendiant un peu de nourriture, sans argent, traqués par les gendarmes, ils sont retournés dans la capitale, qui brûle presque toutes les nuits.

Celui qui dévorait à belles dents les provisions de Frau Kluge était sans doute en route depuis longtemps. Elle ne se souvenait pas d'avoir jamais vu quelqu'un d'aussi loqueteux ni d'aussi crotté. Il avait de la paille dans les cheveux, et dans ses oreilles on aurait pu semer des carottes.

— Alors, c'est bon? demanda-t-elle.

— Sûr! Tu vas me taper?

— Non. Mange tranquillement. Moi, je peux m'en passer, pour une fois, et tu as faim.

— Sûr! Est-ce que tu me laisseras filer?

— Peut-être. Mais je pourrais commencer par te laver et par t'arranger un peu tes vêtements. Je trouverai peut-être pour toi une culotte convenable.

— Pas la peine! Je la vendrais quand j'aurais faim. Tu n'imagines pas tout ce que j'ai déjà pu vendre, depuis un an que je suis en route! Au moins quinze culottes et dix paires de chaussures.

Il la regardait d'un air triomphant.

— Pourquoi me racontes-tu cela? demanda-t-elle. Tu aurais mieux fait de prendre la culotte sans rien dire.

— Je ne sais pas. Peut-être parce que tu ne m'as pas disputé pour avoir volé ton casse-croûte. Je trouve idiot qu'on se mette en colère.

— Alors, voilà un an que tu es en route?

— Je me suis un peu vanté. Pendant l'hiver je me suis mis à l'abri. C'était une espèce de bistrot dans un petit bled. J'ai donné à manger aux cochons et lavé les verres. C'était le bon temps. Un drôle de type, le patron! Toujours saoul, mais il me parlait comme si j'avais son âge. J'ai appris à boire du schnaps et à fumer. Toi aussi, tu aimes le schnaps?

Frau Kluge remit à plus tard de discuter des vertus du schnaps pour les garçons de quatorze ans.

— Mais tu as fini par t'en aller? Tu veux rentrer à Berlin?

— Non. Je ne retournerai plus chez mes parents. Ils sont trop moches pour moi.

— Mais ils vont se faire du souci. Ils ne savent pas où tu es.

— Eux, du souci? Ils sont trop contents de ne plus m'avoir sur le dos!

— Que fait donc ton père?

— Lui... il fait un peu de tout : maquereau et mouchard. Il vole aussi, quand l'occasion se présente. Mais il est trop bête pour trouver la bonne affaire.

— Ah, fit Frau Kluge, dont le ton s'était fait plus distant. Et ta mère, que dit-elle dans tout ça?

— Ma mère... que veux-tu qu'elle dise? Ce n'est qu'une putain.

Vlan! Voilà qu'il avait quand même sa gifle, malgré ce qu'elle avait promis!

— Tu n'as pas honte, de parler ainsi de ta mère?

Le gamin se frottait la joue sans faire la grimace. Il expliqua :

— Elle a fait de la tôle. Je ne veux plus avoir affaire à elle.

— Tu n'as pas le droit de parler ainsi de ta mère, tu comprends? dit-elle en s'emportant.

— Pourquoi pas? C'est une putain. Elle disait souvent elle-même que si elle ne faisait pas le trottoir on mourrait tous de faim. C'est que nous sommes cinq frères et sœurs, mais tous de pères différents. Il paraît que le mien a des terres en Poméranie. Je voulais aller voir de quoi il a l'air, ce doit être un drôle de type. Il s'appelle Kuno-Dieter. Il n'y a pas beaucoup de gens qui portent un prénom aussi ridicule. Je devrais bien finir par le trouver...

— Sur quelle commune t'a-t-on évacué?

– On ne m'a pas évacué. C'est moi qui ai plaqué mes vieux.

Il était à présent couché sur le flanc, sa joue sale sur son avant-bras douteux. Il la regardait en clignant des yeux avec indolence, prêt à tailler une bavette.

– Je vais te raconter comment ça s'est passé. Mon soi-disant père m'a roulé de cinquante marks, il y a plus d'un an, et il m'a encore battu par-dessus le marché. Alors j'ai été chercher quelques copains et on lui a fichu une raclée. Puis on lui a fauché son argent. Je ne sais pas combien il y avait, ce sont les grands qui ont fait le partage. J'ai eu seulement vingt marks, puis ils m'ont dit de décamper, parce que mon vieux allait m'assommer ou me mettre à l'orphelinat. Alors j'ai essayé la campagne et les paysans, et je peux dire que depuis j'ai eu la belle vie.

Il la regardait, son récit terminé. En le voyant ainsi, elle pensait à Karlemann. Dans trois ans, ce serait un autre Karlemann, sans amour, sans foi, sans idéal, ne pensant qu'à lui-même.

Elle demanda :

– Et que veux-tu être plus tard, Kuno ? Tu iras sans doute dans la S.S. ?

– Pas si bête ! Ils sont encore pires que mon père. Toujours les ordres et les engueulades ! Très peu pour moi !

– Mais ça t'amuserait peut-être de commander les autres ?

– Non, ça n'est pas mon genre... Comment t'appelles-tu ?

– Eva.

– Eh bien, Eva, ce qui m'amuserait vraiment, ce serait une auto. Alors là, j'aimerais savoir comment ça marche, le carburateur et l'allumage – ou plutôt, pourquoi c'est comme ça, car je sais depuis longtemps comment ça marche. Mais je suis trop bête pour ça. On m'a trop cogné sur le crâne quand j'étais petit. Et maintenant, il est mou. Je ne sais même pas écrire comme il faut.

– Mais tu n'as pas l'air bête du tout! Je suis sûre que tu apprendras tout ça, l'écriture et plus tard aussi la mécanique.

– Apprendre? Retourner à l'école? Merci, pas question! Je suis trop vieux. J'ai déjà eu deux femmes.

Elle tressaillit un instant, avant de répondre :

– Crois-tu donc qu'un ingénieur ou un technicien ait jamais fini d'apprendre? Ils doivent continuer sans cesse, à l'institut ou au cours du soir.

– Je sais, je sais tout ça. C'est marqué sur les colonnes Morris : « Cours du soir pour électrotechniciens. »

– Tu vois! s'écria Frau Eva. Et toi, tu penses que tu as passé l'âge! Tu veux passer tes hivers à laver les verres et à fendre du bois?... Ça ne va pas te faire une vie très drôle.

Il la regardait maintenant avec méfiance.

– Tu veux sans doute que je retourne chez mes vieux et que j'aille à l'école à Berlin. Ou bien tu veux me coller à l'orphelinat.

– Ni l'un ni l'autre. Je vais m'arranger pour que tu puisses rester chez moi. Et je te ferai la classe avec un ami à moi.

– Et qu'est-ce que ça donnera? demanda-t-il, méfiant. Ça te coûtera une fortune, avec la nourriture, les vêtements, les livres de classe et le reste.

– Je ne sais pas si tu vas me comprendre, Kuno. J'ai eu un mari et deux garçons, et je les ai perdus tous. Maintenant, je suis toute seule, je n'ai plus que cet ami.

– Alors tu peux encore avoir un gosse.

Elle rougit, sous le regard de ce garçon de quatorze ans.

– Non, je ne peux plus avoir d'enfants, dit-elle en le regardant droit dans les yeux. Mais je serais contente si tu devenais quelqu'un, ingénieur en automobile ou constructeur d'avions. Je serais contente d'avoir pu faire quelque chose d'un garçon comme toi.

– Tu penses sans doute que je suis un moins que rien?

— Tu sais bien que pour l'instant tu ne vaux pas grand-chose, Kuno!

— Tu as raison, c'est vrai.

— Et tu n'as pas envie de changer?

— J'aurais bien envie, mais...

— Mais quoi, tu ne veux pas venir chez moi?

— Si, mais...

— Mais quoi?

— Je pense que tu en auras vite assez. Et je n'aime pas être mis à la porte. Je préfère partir de moi-même.

— Tu pourras t'en aller quand tu le voudras, je ne te retiendrai jamais.

— Tu me donnes ta parole?

— Je te le promets, Kuno. Chez moi, tu seras tout à fait libre.

— Mais quand je serai chez toi, tu seras obligée de me déclarer, et mes vieux finiront par savoir où je suis. Ils ne me laisseront pas un jour de plus chez toi.

— Si c'est chez eux comme tu l'as dit, personne ne te forcera à rentrer. On me transmettra peut-être leurs droits, et tu seras tout à fait mon fils.

Ils se regardèrent un instant. Elle crut découvrir une lueur lointaine dans ce regard bleu et indifférent. Puis il posa la tête sur son bras et ferma les yeux.

— Bon, ça va. Je vais dormir un peu. Retourne à tes pommes de terre.

Elle le regarda un moment allongé par terre. Puis elle se remit au travail en souriant.

Elle binait maintenant sans y prêter attention. Elle se surprit deux fois à gâcher un plant de pommes de terre. Elle pensait qu'il vaudrait peut-être mieux en rester là, avec ce garçon si mal parti. Combien d'amour et de travail n'avait-elle pas dépensés pour Karlemann, qui n'avait jamais été un enfant corrompu... et quels avaient été les fruits de cet amour et de ce travail? Voilà qu'elle prétendait transformer totalement un gars de quatorze ans qui n'avait que mépris pour tout ce qu'il avait connu! Comment pouvait-elle nourrir tant d'illusions? Du reste, Kienschäper ne serait pas d'accord...

Elle jeta un coup d'œil derrière elle en direction du dormeur. Il avait disparu. « Bon! pensa-t-elle, il m'a dispensée de prendre une décision. Tant mieux! » Et elle se mit à biner rageusement. Mais, un instant plus tard, elle découvrit Kuno-Dieter qui arrachait soigneusement les mauvaises herbes et les mettait en tas à l'autre extrémité du champ. Elle alla vers lui en enjambant les sillons.

— Déjà fini de dormir?

— Je ne peux pas dormir. Tes discours m'ont tourné la tête. Il faut que je réfléchisse.

— Tu as raison. Mais ne te crois pas obligé de travailler à cause de moi.

— À cause de toi! (Impossible d'imaginer plus de mépris qu'il n'en avait mis dans ces mots!) J'arrache les mauvaises herbes parce que comme ça on réfléchit mieux, et parce que ça m'amuse. Ça, alors! À cause de toi... tu veux dire pour ces deux ou trois tartines?

Frau Kluge retourna encore une fois à sa besogne en souriant. C'était pour elle qu'il travaillait, mais il ne voulait pas se l'avouer. À présent, elle ne doutait plus qu'il viendrait avec elle à midi, et devant cette certitude toutes les voix qui s'étaient élevées en elle pour la mettre en garde se taisaient.

Elle cessa son travail plus tôt que de coutume. Revenant près du garçon, elle lui dit :

— Il est midi, Kuno. Viens avec moi si tu veux.

Il arracha encore quelques plantes parasites et regarda la partie nettoyée, d'un air content de soi.

— Naturellement, je n'ai enlevé que le plus gros. Il faudrait repasser avec la houe pour finir.

– Bien sûr. Tu feras le plus gros, et je me chargerai de terminer.

Au regard qu'il lui lançait, elle s'aperçut que les yeux bleus pouvaient avoir des reflets de malice.

– C'est une allusion? demanda-t-il.

– Comme tu veux. Pas nécessairement.

En rentrant au village, ils s'arrêtèrent près d'un petit ruisseau qui courait rapidement.

– Je ne voudrais pas que tu arrives dans cet état, dit-elle.

Aussitôt le front du garçon se plissa, et il demanda, d'un air méfiant :

– Tu as honte de moi?

– En ce qui me concerne, tu peux venir comme ça. Mais si tu veux vivre quelque temps au village, tu auras beau rester cinq ans et te montrer toujours correctement vêtu, les paysans n'oublieront jamais dans quel état tu es arrivé chez eux. Crotté comme un porc, voilà, ce qu'ils diront encore dans dix ans.

– Pour ça, tu as raison, c'est bien leur façon. Alors, va chercher ce qu'il faut.

– Je t'apporte une brosse et du savon, cria-t-elle en s'éloignant déjà.

Tard dans la soirée, comme Kuno-Dieter avait eu encore plusieurs fois l'occasion de manifester son insolence, Frau Eva Kluge dit à Kienschäper :

– Je ne sais pas si j'ai bien fait de l'amener ici. Ça me semble bien téméraire

Kienschäper se mit à rire :

– Tu vois bien qu'il fait le malin. Et comme il a remarqué que tu es un peu pudibonde...

– Je ne suis pas pudibonde. Mais quand un garçon de quatorze ans se vante d'avoir eu déjà deux maîtresses...

– ... Alors, tu fais la pudibonde! D'ailleurs, en mettant les choses au pire, il n'a pas eu deux maîtresses, ce sont elles qui l'ont eu. Il n'en reste pas grand-chose. Je préfère ne pas te dire ce que les enfants de ce village pieux et simple ont en tête. À côté d'eux, ton Kuno-Dieter est franc comme l'or.

— Mais les enfants n'en parlent pas!

— Parce qu'ils ont mauvaise conscience. Alors qu'à ton Kuno tout semble naturel, parce qu'il n'a jamais rien vu ni entendu d'autre. Tout cela s'arrangera, car il a un bon fond. Dans six mois, il rougira à la pensée de tout ce qu'il t'a dit dans les premiers jours. Il m'intéresse, et tu peux être certaine qu'il ne sera jamais nazi. Ce sera peut-être un original, mais jamais un homme de parti.

— Plaise à Dieu! dit Eva. C'est tout ce que je demande.

En sauvant Kuno-Dieter, elle avait l'obscur sentiment de réparer quelque peu les infamies commises par Karlemann.

LA RÉVOCATION
DU CONSEILLER CRIMINEL ZOTT

La lettre du chef de poste de police était bien adressée au conseiller criminel Zott, aux bons soins de la Gestapo, Berlin, mais cela n'avait pas suffi pour que le message parvînt directement à son destinataire. Le supérieur de ce dernier, le général S.S. Prall, l'avait à la main en entrant dans le bureau de Zott.

— Qu'est-ce que c'est que ça, monsieur le Conseiller criminel? demanda Prall. Voici une des cartes du « Trouble-fête », épinglée à un billet : « Les détenus ont été relâchés, conformément aux instructions téléphoniques du conseiller criminel Zott, de la Gestapo. » Qui sont ces détenus? Pourquoi ne m'en a-t-on rien dit?

Derrière ses lunettes, le conseiller criminel leva les yeux vers son supérieur :

— Ah oui! Je me souviens, maintenant. C'était dimanche soir entre six et sept, je veux dire entre dix-huit et dix-neuf heures, mon général.

Fier de son excellente mémoire, il regardait le général, qui continua :

— Que s'est-il passé dimanche à cette heure?... D'où venaient ces détenus? Pourquoi les a-t-on relâchés? Pour quelle raison ne m'en a-t-on rien dit? Il est certes très bon que vous vous le rappeliez maintenant, Zott, mais je voudrais, moi aussi, être au courant.

Ce « Zott » prononcé sans aucun titre faisait l'effet d'un premier coup de semonce.

— C'est une affaire sans aucune importance. Le conseiller criminel faisait des gestes d'apaisement, de ses petites mains jaunies comme les vieux documents. Une absurdité, commise à un poste de police. Ces gens prétendaient avoir arrêté les auteurs ou les distributeurs des cartes, en la personne d'un couple de petites gens. Un couple, alors que nous savons que l'homme en question ne peut que vivre seul!... De plus, le mari était menuisier, alors que nous savons qu'il a une profession en rapport avec le tramway!

— Est-ce à dire, monsieur, répondit le général qui se contenait à grand-peine (ce « monsieur » était le second coup de semonce, et de loin le plus dur), est-ce à dire que vous avez ordonné la libération de ces gens sans même les voir ni les entendre? Pour la seule raison qu'ils étaient deux au lieu d'un, et parce que le mari s'est prétendu menuisier, monsieur?

— Mon général, répondit le conseiller Zott en se levant, nous autres, de la police criminelle, travaillons selon un plan déterminé dont rien ne nous écarte. Je cherche un homme qui vit solitaire et qui est en relation avec le tramway, et non un homme marié qui serait menuisier. Ce dernier ne m'intéresse pas, je ne ferai pas un pas pour lui.

— Comme si un menuisier ne pouvait pas travailler pour le tramway! Prall explosait. Quelle bêtise indécrottable!

Le premier geste de Zott fut de relever l'offense, mais la justesse de la remarque de son supérieur le fit réfléchir.

– C'est exact, dit-il, je n'y ai pas pensé. Il se reprit : mais je cherche un solitaire, et cet homme est marié.

– Vous rendez-vous compte de ce dont les femmes sont capables ? grogna Prall. Mais il avait un autre argument en réserve... Et vous n'avez peut-être pas songé non plus, monsieur le Conseiller criminel – c'était le coup de grâce – au fait que cette carte a été déposée un dimanche après-midi, dans le quartier de la place Nollendorf, où cela s'est produit un certain nombre de fois. Ce petit détail négligeable aurait-il donc échappé également à votre perspicacité ?

Cette fois, le conseiller criminel Zott s'effondra :

– Mon général, vous me voyez dans le plus grand embarras. Je me suis précipité sur une fausse piste. J'étais trop fier de ma découverte...

L'Obergruppenführer S.S. regardait d'un œil mauvais ce petit homme qui reconnaissait son erreur avec un chagrin sincère, mais exempt de bassesse.

– J'ai commis une faute, une lourde faute. poursuivit Zott sans se lasser, le jour où j'ai accepté de me charger de cette affaire. Je ne suis bon qu'au travail de cabinet. Je suis incapable de mener une enquête. Mon collègue Escherich vaut dix fois mieux que moi, dans ce domaine. De plus, j'ai eu cette malchance qu'un de mes hommes chargés de recueillir des renseignements a été arrêté, un certain Klebs. On me dit qu'il est accusé de complicité de cambriolage chez un dipsomane, et de plus grièvement blessé. Cette histoire est très fâcheuse. Cet homme va parler à l'audience, dire que c'est nous qui l'avions envoyé...

Le général Prall tremblait de colère, mais la tristesse et le sérieux de la confession de Zott, sa totale indifférence à l'égard de son propre sort, lui en imposaient encore.

– Comment envisagez-vous la suite de cette affaire, monsieur ? demanda-t-il froidement.

– Je vous en prie, mon général, dit Zott en levant des mains suppliantes, je vous en prie, relevez-moi de ce service qui me dépasse à tous égards! Allez chercher le commissaire Escherich dans son cachot. Il s'y prendra mieux que moi.

— J'espère, demanda Prall, qui semblait ne pas avoir entendu ces derniers mots, j'espère que vous avez au moins noté les adresses de ces deux détenus provisoires.

— Je ne les ai pas! J'ai agi avec une légèreté coupable. Mais je vais appeler le poste de police.

La conversation fut très brève. Le conseiller criminel en transmit le résultat au général :

— On n'y a pas non plus relevé les adresses. Et comme son supérieur avait un geste de colère : Je suis le seul fautif. Après m'avoir téléphoné, il était normal que l'on considérât l'affaire comme définitivement close. Je suis la seule cause de cette fausse manœuvre.

— Et que pensez-vous de votre comportement?

— Je demande que l'on m'arrête à la place du coupable.

L'Obergruppenführer S.S. regarda un moment le petit homme, sans pouvoir dire un mot. Puis, écumant de rage, il reprit :

— Savez-vous que je vais vous envoyer en camp de concentration... Vous osez me faire une proposition pareille sans gémir ni trembler de frayeur? Vous êtes de la race des bolcheviks, qui avouent leur faute et en semblent fiers.

— Je ne suis pas fier de ma faute. Mais je suis prêt à en supporter les conséquences. Et j'espère le faire sans trembler ni gémir.

À ces mots, le général eut un sourire méprisant. Il avait déjà vu bien des dignités s'effondrer sous les coups des S.S. Mais il avait rencontré aussi le regard de bien des martyrs, ce regard qui, dans les pires tortures, trahissait une supériorité presque ironique. C'est le souvenir de ce regard qui lui fit dire simplement, au lieu de crier et de frapper :

— Tenez-vous à ma disposition dans cette pièce. Il faut d'abord que j'aille rendre compte.

Le commissaire a repris ses fonctions. Celui que l'on croyait mort a resurgi des cachots de la Gestapo. Un peu abîmé, un peu fripé, il est de nouveau assis à son bureau, et ses collègues s'empressent de l'assurer de leur sympathie et de leur inébranlable confiance.

— Mais, tu le sais, lorsque nos chefs s'en prennent à l'un d'entre nous, il n'y a plus rien à faire, à notre échelon. Nous ne ferions qu'y laisser les plumes.

Escherich assure ses interlocuteurs de sa compréhension. Il esquisse un sourire qui semble un peu malheureux, sans doute parce qu'il n'a pas encore appris à sourire avec quelques dents de moins. Seuls deux discours ont fait impression sur lui lorsqu'il a repris son service. Le premier fut celui du conseiller criminel Zott :

— Escherich, avait-il dit, on ne m'envoie pas au cachot à votre place, bien que je l'aie mérité dix fois. Non seulement à cause des fautes que j'ai commises, mais parce que je me suis conduit comme un salaud à votre égard. Ma seule excuse est que je croyais que vous aviez mal travaillé.

— N'en parlons plus, avait répondu Escherich, avec son sourire édenté. Jusqu'à ce jour, tout le monde a mal travaillé dans l'affaire du « Trouble-fête ». C'est curieux, j'ai hâte de faire la connaissance de cet homme dont les cartes auront causé tant de malheur. Ce doit être un drôle d'oiseau...

Plongé dans ses pensées, il regardait le conseiller criminel. Ce dernier lui tendit sa petite main jaunie.

— Ne m'en veuillez pas trop, Escherich, dit-il tout bas. Autre chose : j'ai établi une nouvelle hypothèse, selon laquelle le coupable serait en relation avec le service des tramways. Je vous demande de ne pas la perdre de vue dans vos recherches. Je serais heureux si la suite des événements me donnait au moins raison sur ce point.

Et Zott disparut pour se rendre à son bureau, bien à l'écart, et y échafauder ses théories.

Le second discours mémorable fut naturellement celui du général Prall.

— Escherich, dit-il d'une voix forte, commissaire Escherich! Vous vous sentez bien, je pense?

— Tout à fait bien, répondit le commissaire, debout derrière son bureau, les doigts involontairement allongés sur la couture du pantalon, comme il avait appris à le faire en cellule, à l'étage inférieur.

Le commissaire ne pouvait s'empêcher de trembler. En face de ce supérieur, il était pris de la peur irraisonnée de se voir renvoyé au sous-sol.

— Alors, si vous vous sentez tout à fait bien, Escherich, poursuivit Prall, parfaitement conscient de l'effet de ses paroles, vous êtes capable de mettre la main sur le « Trouble-fête », n'est-ce pas?

— J'en suis capable, Herr Obergruppenführer.

— Dans les plus brefs délais?

— Dans les plus brefs délais, Herr Obergruppenführer.

— Vous voyez, Escherich, dit Prall, d'un ton de grand seigneur, tout en se repaissant de l'angoisse de son subordonné, quel bien procure un petit séjour à l'ombre! C'est ainsi que j'aime mes hommes. Vous ne vous sentez plus supérieur à moi de cent coudées, Herr Escherich?

— Non, certainement pas. À vos ordres, Herr Obergruppenführer.

— Vous voyez, Escherich, répéta le général S.S. en donnant une violente bourrade au commissaire, qui reculait craintivement. Et s'il vous arrive encore de vous sentir très astucieux, ou si vous vous mettez à agir de votre propre autorité, ou si vous pensez que le général Prall n'est qu'un pauvre crétin, dites-le-moi à temps. Je vous enverrai faire une petite cure au sous-sol avant qu'il ne soit trop tard... Hein?

Le regard du commissaire restait rivé sur son supérieur. Maintenant, un aveugle l'eût entendu trembler.

— Alors, Escherich, vous me le direz à temps, s'il vous arrive d'être terriblement astucieux?

— À vos ordres, Herr Obergruppenführer.

— Ou si le travail n'avance pas, pour que je vous asticote un peu?

— À vos ordres, Herr Obergruppenführer.

— Nous sommes bien d'accord.

Le grand chef tendit soudain la main à celui qu'il avait suffisamment humilié:

— Je suis heureux de vous revoir en fonctions, Escherich. J'espère que notre collaboration sera parfaite. Quels sont vos projets immédiats?

— Me faire donner le signalement exact par les fonctionnaires du poste de police en question. Poursuivre les recherches à domicile, entreprises par le conseiller Zott.

— Fort bien. Voilà toujours de quoi commencer. Vous me rendrez compte tous les jours.

— À vos ordres, Herr Obergruppenführer.

Tel fut le second entretien qui fit quelque impression sur le commissaire Escherich lorsqu'il reprit ses fonctions. Pour le reste, il ne portait plus de traces de ses récentes mésaventures, car ses dents avaient été remplacées. Les collègues trouvaient même qu'Escherich était devenu beaucoup plus gentil. Cela tenait à ce qu'il avait perdu complètement le ton ironique qui trahissait naguère son sentiment de supériorité.

L'activité professionnelle d'Escherich est aussi intense que par le passé. Mais bien qu'il n'y paraisse pas et qu'il espère être un jour capable de parler sans trembler au général Prall, Escherich ne redeviendra jamais ce qu'il était. Il n'est plus qu'une machine à travailler. La joie qu'il trouvait dans son service s'est enfuie avec le sentiment de sa supériorité. Il lui a fallu renoncer à se croire tout à fait différent des autres, dès l'instant où un S.S. lui a donné un coup de poing en pleine figure et où il a connu la peur. Escherich n'oubliera jamais l'angoisse dont il a vu le fond durant ces quelques jours. Il sait que, quel que soit son aspect extérieur, quels que soient ses succès et les honneurs qu'ils lui vaudront, il n'est absolument rien. Un coup de poing suffit à le transformer en un être insignifiant, terrifié, gémissant et tremblant.

La seule chose qui compte pour le commissaire est la pensée du « Trouble-fête ». Il faut qu'il mette la main sur ce gaillard, et ensuite advienne que pourra. Il faut qu'il voie cet homme face à face ; il faut qu'il parle à celui qui a été la cause de son malheur. Il veut dire à ce fanatique combien de souci et de misère il a provoqués. Il va le réduire à néant, cet ennemi tapi dans l'ombre.

Que n'est-il à sa merci, dès cet instant !

LE LUNDI FATIDIQUE

Ce lundi-là, jour marqué par le destin pour les Quangel,

ce lundi-là, huit semaines après qu'Escherich eut été réinstallé dans ses fonctions,

ce lundi où Emil Borkhausen fut condamné à deux ans de prison et le rat Klebs à un an,

ce lundi où Baldur Persicke revint enfin à Berlin, au sortir de son école de cadres nazis, et alla voir son père à la maison de cure des alcooliques,

ce lundi où Trudel Hergesell tomba d'un escalier et fit une fausse couche,

ce lundi marqué par le destin, Anna Quangel était couchée avec une forte fièvre, due à la grippe. Le docteur venait de sortir, et elle discutait avec son mari de la diffusion des cartes qu'ils avaient rédigées la veille.

— Tu n'y vas plus, c'est décidé, Otto. Les cartes peuvent attendre à demain ou après-demain, jusqu'à ce que je sois sur pied.

— Je ne veux pas avoir ça chez nous.

— Alors, j'y vais! dit Anna, en se redressant dans son lit.

— Reste couchée!

À cet instant, on sonna. Ils sursautèrent, comme des voleurs pris sur le fait. Quangel empocha rapidement les deux cartes, qui se trouvaient sur la couverture.

— Je vais voir, chuchota-t-il.

— Non, n'ouvre pas, Otto, je t'en prie! Quelque chose me dit que, si tu ouvres, le malheur entrera dans la maison.

— J'y vais sans faire de bruit. Je te dirai d'abord ce que c'est.

À ce moment, on sonna une deuxième fois. Anna était pleine d'impatience et de colère : fallait-il donc qu'il ne cédât jamais? Il avait tort de s'obstiner, le malheur les guettait au-dehors. Et voilà qu'il ne tient même pas parole. Elle entend qu'il ouvre la porte et parle à un homme.

— Eh bien, qu'y a-t-il? Parle donc, Otto! Tu vois bien que je meurs d'impatience! Qui est cet homme?

— Ce n'est rien, Anna. Il est envoyé par l'usine, pour m'avertir que le contremaître de l'équipe du matin a eu un accident. Il faut que je le remplace tout de suite.

Un peu rassurée, elle s'allonge de nouveau.

— Et tu t'en vas?

— Naturellement.

— Ton déjeuner n'est pas prêt.

— Je trouverai bien quelque chose à la cantine.

— Emporte au moins du pain...

— Oui, oui, Anna, ne t'inquiète pas pour moi. Ça m'ennuie de te laisser si longtemps seule et couchée.

— Cet homme t'attend?

— Oui. Je pars tout de suite avec lui.

— Alors, reviens vite, Otto. Prends le tramway, pour une fois.

— Bien sûr, Anna. Soigne-toi bien.

Il s'en allait déjà lorsqu'elle le rappela :

— Otto, je t'en prie, donne-moi encore un baiser!

Il revint sur ses pas, un peu surpris, un peu embarrassé de ce besoin de tendresse, si peu habituel entre eux. Il pressa ses lèvres sur la bouche de sa femme. Elle attira sa tête contre elle et l'embrassa de toute son âme.

— Je suis sotte, Otto. J'ai encore peur. C'est sans doute la fièvre. Mais va-t'en!

C'est ainsi qu'ils se séparèrent. Ils ne devaient pas se revoir en liberté. Dans la hâte du départ, aucun d'eux n'avait songé aux cartes postales, qu'Otto avait empochées.

Mais elles reviennent à l'esprit du vieux contremaître une fois qu'il est assis dans le tramway avec celui qui l'accompagne. Il s'en veut de ne pas y avoir pensé; mieux vaudrait descendre tout de suite, pour les déposer dans n'importe quel immeuble. Mais il ne trouve pas de prétexte valable, pour son camarade de voyage. Il faut donc qu'il les emporte à l'atelier, chose qu'il n'a jamais faite, mais il ne peut plus reculer.

Le voici aux toilettes. Il a les cartes en main et il s'apprête à les déchirer pour les faire disparaître, mais son regard tombe sur ce qu'il a eu tant de peine à écrire et qui lui paraît promis à un grand retentissement. Ce serait dommage, de détruire une arme pareille! Son esprit d'économie, sa « sordide avarice », le retiennent, mais également son respect du travail, dont on ne doit pas détruire inconsidérément le fruit.

Il ne peut pourtant pas garder les cartes dans la veste qu'il porte à l'atelier; il les met donc dans sa serviette, avec son pain et sa bouteille thermos. Otto Quangel sait très bien que sa serviette est décousue sur le côté; mais jusqu'à présent rien n'en est encore tombé.

Il traverse l'atelier, en direction des armoires à vêtements. Il marche lentement, regardant dès maintenant un peu partout. Ne connaissant pas cette équipe, il n'a presque personne à saluer. Il rectifie quelque chose en passant; les ouvriers le regardent avec curiosité, car beaucoup savent que c'est le vieux Quangel, un drôle de type, qui vous met volontiers l'épée dans les reins. Pourtant son équipe ne se plaint jamais de lui, car il faut avouer qu'il est juste. Quelle allure il a! Il doit avoir la tête montée sur charnières, pour la secouer comme ça. Chut, le revoilà! Il a horreur des bavardages; il vous reluque à vous faire rentrer sous terre.

Otto Quangel a déposé sa serviette dans son armoire, dont les clés sont maintenant dans sa poche. Bon, encore onze heures à passer, et les cartes seront hors de l'usine. Même s'il fait nuit à ce moment-là, il trouvera bien le moyen de s'en défaire, pour ne pas les rapporter chez lui. Anna serait capable de se relever pour en débarrasser le logis.

Avec cette nouvelle équipe, Quangel ne peut pas prendre son poste d'observateur au milieu de la salle. Ce que les langues peuvent marcher! Il faut qu'il aille d'un groupe à l'autre, et tous ne savent pas encore ce que signifie sa façon de regarder les gens sans dire un mot. Certains ont même l'insolence d'engager une conversation avec le contremaître; il faut un bon moment pour que le travail avance au rythme habituel.

Quangel s'apprête à se rendre à son poste de surveillance lorsque son pied trébuche. Son œil s'élargit, un frisson le parcourt : par terre devant lui, sur le sol de l'atelier couvert de sciure et de copeaux, une de ses deux cartes...

Ses doigts le démangent; il s'apprête à ramasser la carte discrètement, mais il s'aperçoit que l'autre se trouve deux pas plus loin. Impossible de les prendre sans être vu! À tout moment il sent de nouveaux regards se diriger vers lui.

« Tant pis, je les ramasse, qu'on me voie ou non! Ça ne les regarde pas... Mais non, je ne peux pas, il doit y avoir un quart d'heure que ces cartes sont là ; c'est miracle que personne ne les ait déjà ramassées ! Peut-être les a-t-on vite rejetées en voyant ce qui est écrit dessus. Si on me voit les garder maintenant... »

« Danger ! danger ! crie en lui une voix. Danger terrible ! Laisse les cartes où elles sont ! Fais celui qui ne les a pas vues. Va à ta place ! »

Mais soudain une chose étrange se passe dans son esprit. Il y a longtemps qu'il écrit et distribue des cartes, et il n'a jamais été témoin de l'effet qu'elles produisent. Il a toujours vécu dans l'obscurité de sa tanière, sans jamais voir le tourbillon que provoque leur lecture et qu'il a cent fois imaginé.

« Je voudrais bien voir cela une fois, une seule fois ! Que peut-il m'arriver ? Je suis ici un ouvrier parmi quatre-vingts. Tous sont suspects au même titre que moi. Et même davantage, car on me prend pour une vieille bête de somme, étrangère à toute politique. » Avant d'avoir bien réfléchi, il appelle un ouvrier :

— Dis donc, ramasse-moi ça... Quelqu'un a dû perdre ces morceaux de carton... Qu'est-ce que c'est ? Pourquoi fais-tu cette tête ?

Il lui prend des mains les cartes et fait semblant de les lire. Mais il est incapable de détourner les yeux du visage de l'ouvrier. Cet homme tremble et son regard est chargé d'angoisse. C'est donc uniquement d'angoisse qu'il s'agit ! L'homme n'a même pas lu jusqu'au bout. Il n'a guère été plus loin que la première ligne, et la peur s'est déjà emparée de lui.

Des ricanements arrachent Quangel à sa contemplation. Il s'aperçoit que la moitié de l'atelier a les yeux fixés sur ces deux hommes qui sont en train de lire des cartes postales pendant le travail.

— Où est le responsable du Front du Travail ? Celui qui est près du châssis de scie... Bon, va travailler. Et pas un mot ou gare à toi !

– Écoute, dit Quangel à l'homme du châssis. Viens une minute dans le couloir. Une fois dehors il poursuit : Regarde ces cartes qu'on vient de trouver par terre. Je crois qu'il faut que tu les portes à la direction.

L'autre parcourt les premières phrases.

– Qu'est-ce que c'est ? demande-t-il, terrorisé. Mon Dieu, cela peut nous coûter la tête ! Je vais les jeter dans les W.-C.

– Il faut que tu les remettes à la direction, sinon tu seras considéré comme coupable. Celui qui les a trouvées ne se taira peut-être pas toujours. Va vite. Pendant ce temps-là, je te remplace au châssis.

L'homme s'en va sans conviction, tenant les cartes comme si elles lui brûlaient les doigts. Quangel revient dans l'atelier, où tout le monde s'agite, pressentant que quelque chose se trame. Les conciliabules se multiplient, et il ne suffit plus d'un regard d'oiseau de proie pour obtenir le silence. Le contremaître Quangel doit crier, chose qu'il n'a pas faite depuis des années. Lorsque le calme est revenu d'un côté de l'atelier, il y a encore plus de bruit de l'autre côté. Puis, lorsque le travail est à peu près général, Quangel remarque des absences autour de deux ou trois machines. Ils sont aux toilettes, les gaillards ! Il les y débusque, et l'un d'entre eux a le front de lui demander :

– Qu'est-ce que vous avez lu, tout à l'heure ? C'est vrai, que c'était un tract anglais ?

– Fais ton travail ! grogne Quangel en ramenant ses hommes à l'atelier où les bavardages vont toujours bon train.

Le contremaître doit reprendre ses allées et venues et ses menaces ; la sueur lui perle sur le front... En même temps, il ne cesse de penser. « Voilà donc la première réaction ! Ils ont peur, tellement peur qu'ils ne lisent même pas jusqu'au bout. Mais cela ne veut rien dire : ici, ils se sentent observés. Les gens qui ont trouvé mes cartes étaient seuls, la plupart du temps. Elles doivent produire un tout autre effet lorsqu'on peut les lire et y réfléchir tranquillement. J'ai fait une expérience stupide... On va bien voir la suite. Il est bon que ce soit moi qui aie trouvé les cartes et qui les aie transmises, en ma qualité de contremaître. Cela me couvrira. Non, je ne cours aucun risque. Et s'ils perquisitionnent chez moi, ils ne trouveront rien. Bien sûr, Anna va avoir très peur. Mais non, je serai rentré avant qu'ils ne perquisitionnent. Je pourrai la prévenir... 14 heures 2 minutes – ce devrait être la relève, c'est l'heure de mon équipe. »

Mais nulle trace de changement d'équipe! Les ouvriers s'inquiètent et regardent leurs montres; les conciliabules sont de plus en plus fréquents; Quangel doit renoncer à empêcher les bavardages; seul contre quatre-vingts, il n'y parvient plus.

Tout à coup, un monsieur bien mis et portant l'insigne du Parti sort des bureaux. Se plaçant aux côtés de Quangel il crie, dans le bruit des machines :

– Attention! Écoutez!

Curieux, hostiles, indifférents, tous les visages se tournent vers lui.

– Pour des raisons spéciales, l'équipe continue le travail jusqu'à nouvel ordre. Les heures supplémentaires seront payées.

Il s'interrompt, tous les regards sont rivés sur lui. C'est tout? « Pour des raisons spéciales! » On en attendait davantage.

Mais il se contente de crier :

– Le travail continue! Et, s'adressant à Quangel : Vous assurez le calme absolu et le travail. Dites-leur également que l'accès des W.-C. est interdit pour l'instant. Il est défendu de quitter l'atelier. Il y a deux sentinelles devant chaque porte.

Et le monsieur aux plis de pantalon irréprochables s'en va, en faisant à Quangel un signe de tête imperceptible.

Quangel va d'un poste de travail à l'autre. Il regarde un instant les mains des ouvriers, puis transmet la consigne et s'éloigne avant qu'ils puissent poser une question. Il n'est plus nécessaire de leur interdire de bavarder; ils travaillent en serrant les dents, conscients du danger qui les menace; car, parmi ces quatre-vingts, il n'en est pas un qui n'ait commis de faute contre le régime, ne fût-ce que par une simple parole. Chacun sent sa vie en danger. Tous ont peur...

En attendant, ils fabriquent des cercueils, qu'ils entassent dans un coin de l'atelier, puisqu'on ne peut plus les transporter dehors. À mesure que les heures passent, la pile grandit jusqu'au plafond et ils en commencent une nouvelle. Un cercueil pour chaque homme de l'atelier, un pour chaque Allemand... Ils sont encore en vie, mais ils fabriquent déjà leurs cercueils.

Au milieux d'eux, Quangel continue à remuer la tête par à-coups. Il sent le danger comme les autres, mais cela le fait rire. Ils ne le prendront jamais. Il s'est permis une plaisanterie, il a affolé tout l'appareil, mais il n'est que ce vieil imbécile de Quangel, obsédé par l'argent. Il ne sera jamais suspect aux yeux de ses ennemis; il pourra poursuivre indéfiniment la lutte.

Jusqu'à ce que la porte se rouvre pour laisser paraître le monsieur bien mis, suivi d'un grand diable dégingandé, qui caresse amoureusement sa moustache blonde.

Aussitôt, le travail cesse à tous les postes.

Et tandis que le monsieur des bureaux crie: « Le travail est terminé! », tandis qu'ils abandonnent leurs outils, d'un air soulagé et pourtant incrédule, tandis que la lumière reparaît dans leurs yeux qui s'éteignaient, l'homme à la moustache blonde dit:

— Contremaître Quangel, je vous arrête. Vous êtes suspect de haute trahison. Marchez devant moi discrètement.

« Pauvre Anna! » pense Quangel, en sortant lentement de l'atelier, devant le commissaire Escherich, et en portant bien droite sa tête au profil d'oiseau de proie.

Cette fois, le commissaire Escherich avait procédé rapidement et sans fausse manœuvre. À peine était-il averti que deux cartes postales avaient été trouvées dans un atelier de la fabrique de meubles Krause et Cie, qu'il avait compris que l'heure tant attendue était arrivée. Le « Trouble-fête » avait enfin commis l'erreur sur laquelle il avait toujours compté. Le commissaire allait maintenant mettre la main sur lui.

Cinq minutes plus tard, il avait demandé assez d'hommes pour cerner l'usine, et il s'y rendait à toute vitesse, dans la Mercedes conduite par le général S.S. en personne. Prall était d'avis d'interroger aussitôt chacun des quatre-vingts hommes de l'atelier, mais Escherich avait dit :

— Il me faut immédiatement une liste de tous les ouvriers de l'atelier, avec indication de leur domicile. Quand puis-je l'avoir ?

— Dans cinq minutes. Que faisons-nous des hommes ? Ils terminent dans un quart d'heure.

— Faites-leur dire de poursuivre le travail. Inutile de donner une raison. Chaque porte de l'atelier sera gardée par deux sentinelles. Personne n'aura le droit de quitter la salle. Assurez-vous que tout se déroule le plus discrètement possible.

Lorsque l'employé revient avec la liste, Escherich constate qu'aucun des quatre-vingts ouvriers n'habite dans les trois rues suspectes. Encore une fois, la chance semble favoriser Otto Quangel, dont le nom n'est pas sur la liste de cette équipe. Ne laissant rien percer de sa déception, le commissaire dit, impassible :

— Examinons maintenant le cas de chaque ouvrier. Lequel de ces messieurs est en mesure de donner des indications précises ? Vous êtes le chef du personnel ? Bien, commençons : Abeking Hermann... Que savez-vous de cet homme ?

L'examen avançait avec une lenteur infinie. Au bout d'une heure et demie, on en était à la lettre H. Le général Prall fumait des cigarettes qu'il écrasait à peine entamées. Il déclara soudain :

– Je trouve tout cela stupide. Il serait beaucoup plus simple...

Le commissaire Escherich ne releva même pas la tête. La peur de son supérieur l'avait enfin abandonné ; il fallait qu'il trouvât son homme, mais il s'avouait que la déception concernant les adresses des ouvriers le gênait fort. Prall avait beau s'impatienter, il ne se lancerait pas dans un interrogatoire général.

– Continuez, je vous prie.

– Kämpfer Eugen, c'est le contremaître. Il n'est pas question de lui ; il s'est blessé à la raboteuse, ce matin à 9 heures. C'est le contremaître Quangel qui le remplace...

Pour Escherich, c'était une lueur d'espoir :

– Où habite ce Quangel ?

– Il faut que nous contrôlions. Il ne fait pas partie de cette équipe.

– Faites contrôler, et rapidement, hein ? J'avais demandé une liste complète.

– Monsieur le Commissaire, ce Quangel est un vieil homme presque complètement abruti, qui travaille d'ailleurs chez nous depuis longtemps. Nous le connaissons parfaitement...

Le commissaire eut un geste d'impatience. Il savait de quelles erreurs sont capables les gens qui croient connaître parfaitement leurs semblables.

– Eh bien ? demanda-t-il nerveusement au commis qui revenait.

– Le contremaître Quangel habite rue Jablonski, numéro...

Escherich avait bondi. Avec une agitation tout à fait inaccoutumée chez lui, il s'écria :

– C'est lui! Je tiens le « Trouble-fête »!

Le général Prall hurlait :

– Qu'on amène ce salaud! Et qu'on le passe à tabac. Il n'y a que ça de vrai!

Tout le monde s'agitait :

– Quangel! Qui l'eût cru? Ce vieil imbécile? Impossible! Mais c'est lui qui a trouvé les cartes le premier... C'est une feinte, c'est lui qui les a déposées! Mais qui serait assez bête pour se fourrer dans le guêpier? Non, ça ne peut pas être lui...

Le commissaire Escherich fut le premier à retrouver son calme.

– Mon général, je me permets de vous proposer une petite perquisition préalable au domicile de ce Quangel.

– À quoi bon tous ces détours, Escherich? Le gaillard serait capable de nous échapper pendant ce temps-là!

– Plus personne ne peut sortir d'ici. Et si nous trouvons chez lui une pièce à conviction qui le prive de tout alibi, cela nous épargnerait beaucoup de travail. C'est le bon moment. Ni lui ni personne de sa famille ne sait encore que nous le soupçonnons.

– Il serait tout de même beaucoup plus simple de s'occuper gentiment de lui jusqu'à ce qu'il avoue. Enfin, allons arrêter la femme tout de suite, si vous voulez. Mais je vous préviens, Escherich, si ce type fait quelque sottise pendant ce temps-là, par exemple s'il se jette sous une machine, vous verrez encore une fois de quel bois je me chauffe! Je veux le voir au bout d'une corde.

– Vous l'y verrez. Je vais le faire surveiller sans interruption par la porte vitrée. Le travail continue jusqu'à notre retour, messieurs. Dans une heure environ, je pense...

Otto Quangel une fois parti, sa femme sombra dans un état de prostration, dont elle fut tirée par une subite frayeur. En tâtonnant sur sa couverture, elle chercha vainement les deux cartes postales. Malgré ses efforts de mémoire, elle fut incapable de se rappeler qu'Otto les avait emportées. Au contraire, elle croyait savoir maintenant qu'elle devait porter les cartes le lendemain ou le surlendemain, comme ils l'avaient décidé.

Les cartes postales devaient donc être dans l'appartement. Frissonnante de peur et brûlante de fièvre, elle se met à les chercher. Elle retourne tout le logement, fouille le linge, regarde sous les meubles. Respirant difficilement, elle doit de temps en temps s'asseoir sur le rebord du lit, parce que ses forces l'abandonnent. Elle s'écroule dans la couverture et reste les yeux dans le vague, oubliant ce qu'elle fait là. Mais aussitôt la peur la fait sursauter, et elle reprend ses recherches.

C'est ainsi qu'elle passe les heures, jusqu'à ce que retentisse la sonnette. Elle hésite. Qui a bien pu sonner? Elle ne connaît personne qui ait à lui parler. La voilà qui retombe dans sa somnolence fiévreuse, dont un second coup de sonnette la tire en sursaut. Cette fois, on sonne longtemps, et on donne même des coups de poing dans la porte. Elle entend des cris : « Ouvrez! Police! Ouvrez immédiatement! »

Anna Quangel se recouche en souriant, tassant la couverture autour d'elle. Ils peuvent sonner et crier! Elle est malade, elle n'est pas tenue d'ouvrir. Ils n'ont qu'à revenir une autre fois, ou quand Otto sera là. Elle n'ouvrira pas.

De nouveau on sonne, on crie, on cogne... Dans l'état de fièvre où elle est maintenant, elle ne pense ni aux cartes qu'elle n'a pu retrouver, ni au danger que représente cette visite de la police. Simplement, elle se félicite d'être malade et de n'avoir pas à ouvrir.

Bien entendu, ils finissent par se trouver à cinq ou six hommes dans la pièce, après avoir forcé la serrure.

– Vous vous appelez bien Anna Quangel? Vous êtes l'épouse du contremaître Otto Quangel?

– Oui, monsieur. Ça fait maintenant vingt-huit ans.

– Pourquoi n'avez-vous pas ouvert quand nous avons sonné et frappé?

– Parce que je suis malade, monsieur. J'ai la grippe!

– Assez de mensonges! crie un gros en uniforme noir. Vous jouez la comédie.

Le commissaire Escherich fait un geste d'apaisement à l'adresse de son supérieur; un enfant verrait que cette femme est réellement malade. C'est peut-être une bonne chose, d'ailleurs; la fièvre rend souvent bavard. Tandis que ses hommes commencent à perquisitionner, le commissaire s'adresse de nouveau à la femme. Prenant sa main brûlante, il dit d'une voix compatissante :

– Frau Quangel, il faut malheureusement que je vous annonce une mauvaise nouvelle...

Il s'interrompt un instant.

– Ah? demande la femme, sans aucune inquiétude.

– J'ai été obligé d'arrêter votre mari.

Anna Quangel se contente de sourire en secouant la tête :

– Non, monsieur, vous ne me ferez pas croire une chose pareille! On n'arrête pas Otto, c'est un honnête homme. Se penchant vers le commissaire, elle murmure : Savez-vous ce que je crois, monsieur? Tout cela n'est qu'un rêve. Vous, le gros en noir, et le monsieur qui remue le linge de la commode. Non, monsieur, vous n'avez pas arrêté Otto, je ne fais que rêver cela.

Le commissaire Escherich poursuit, toujours à mi-voix :

– Maintenant, vous rêvez des cartes postales. Vous savez bien, les cartes que votre mari a écrites.

La fièvre n'a pas encore troublé les sens d'Anna au point que son attention ne s'éveille au mot de « cartes postales ».

Durant quelques secondes, le regard dirigé sur le commissaire devient tout à fait lucide et vigilant; mais ensuite elle dit, souriant de nouveau et secouant la tête :

— Quelles cartes voulez-vous dire? Mon mari n'écrit pas de cartes. Quand il y a quelque chose à écrire chez nous, c'est moi qui m'en charge. Mais il y a longtemps que nous n'écrivons plus, depuis le jour où mon fils a été tué. C'est vous, monsieur, qui rêvez qu'Otto a écrit des cartes!

Le sursaut de vigilance n'a pas échappé au commissaire; mais ce n'est pas encore une preuve. Il continue :

— Vous voyez! Depuis que votre fils a été tué, vous écrivez les cartes postales tous les deux. Ne vous rappelez-vous pas la première carte?

Et il récite, avec une certaine solennité : « *Mère, le Führer m'a tué mon fils! Le Führer tuera aussi les tiens. Il ne s'arrêtera pas même quand il aura porté le deuil dans toutes les maisons du monde.* »

Elle prête l'oreille et dit en souriant :

— C'est une mère qui a écrit ça! Ce n'est pas mon Otto, vous rêvez!

Et le commissaire :

— C'est Otto qui a écrit cela, et c'est toi qui le lui as dicté. Avoue-le!

Elle secoua la tête.

— Non, monsieur. Je suis incapable de dicter des choses pareilles. Ma tête n'est pas si bien remplie...

Le commissaire se relève et se rend dans la salle de séjour. Il y trouve une bouteille d'encre, un porte-plume et une plume, qu'il examine de près, ainsi qu'une carte postale; muni de ces objets, il retourne près d'Anna.

Pendant son absence, le général S.S. s'est chargé d'interroger celle-ci à sa façon. Prall est persuadé que cette femme ne fait que simuler la maladie; mais, même si elle est réellement malade, cela ne changerait rien à ses méthodes d'interrogatoire. Saisissant Anna par les épaules, il commence à la secouer et à lui cogner la tête contre le bois de lit, en lui criant à la figure :

— Vas-tu mentir encore longtemps, vieille saloperie de communiste ? Tu – ne – mentiras – plus ! Tu – ne – menti-ras – plus !

— Ne faites pas ça ! bredouille Anna... Vous n'avez pas le droit !

— Avoue que tu as écrit les cartes ! Avoue-tout-de-suite ! Ou – je – te – fais – péter – le – – ciboulot – – espèce de salope rouge !

Et, à chaque mot, il lui cogne la tête contre le lit.

Le commissaire Escherich, le nécessaire à écrire à la main, regarde la scène en souriant. Voilà donc un interrogatoire du général ! S'il continue encore cinq minutes, la femme sera incapable de parler pendant cinq jours, et les tortures les plus raffinées n'y pourront rien. Mais, pour l'instant, ce traite-ment n'est peut-être pas mauvais. Quand elle aura connu un peu la peur et la souffrance, elle se confiera plus facilement à un homme plein de courtoisie, comme Escherich.

En voyant le commissaire, Prall interrompt la séance et dit, pour se justifier :

— Vous êtes beaucoup trop doux avec ce genre de femelles, Escherich.

— Certainement, mon général. Mais me permettez-vous de lui montrer quelque chose ?

Il se tourne vers la malade qui respire maintenant avec peine, les yeux fermés :

— Frau Quangel, écoutez un peu.

Anna semblant ne pas entendre, le commissaire la fait asseoir avec précaution.

— Bon, dit-il d'une voix douce. Maintenant, ouvrez un peu les yeux.

Elle les ouvre ; le calcul d'Escherich était juste : après ces brutalités, sa voix aimable et polie lui semble agréable.

— Vous venez de me dire que plus personne n'a écrit chez vous depuis longtemps. Eh bien, regardez un peu cette plume : elle a servi aujourd'hui ou hier. L'encre est encore toute fraîche. Vous voyez, je peux la gratter avec mon ongle.

— Je ne suis pas au courant. Il faut demander à mon mari.

Le commissaire Escherich la regarde attentivement.

— Vous comprenez très bien, Frau Quangel ! dit-il, sur un ton un peu plus tranchant, mais vous faites l'ignorante parce que vous vous sentez prise.

— Personne n'écrit chez nous, répète Anna avec obstination.

— Et je n'ai pas besoin de demander à votre mari, continue le commissaire, il a déjà tout avoué. C'est lui qui a écrit les cartes que vous avez dictées...

— Alors, si Otto a avoué cela, il est inutile de chercher plus loin.

— Fous-lui donc sur la gueule, Escherich ! Elle est trop effrontée ! crie soudain le général S.S.

Mais le commissaire se contente de dire :

— Nous avons arrêté votre mari avec deux cartes postales dans sa poche. Il n'a pas pu nier.

En entendant parler de ces deux cartes qu'elle a si long-temps recherchées dans sa fièvre, Anna est reprise par la peur. Il les a donc emportées, alors qu'ils avaient bien décidé qu'elle s'en chargerait ! Il a eu tort. Elle parvient à se dire qu'il a dû se passer quelque chose au sujet de ces cartes. « Mais Otto n'a rien avoué, sinon ils ne seraient pas ici à per-quisitionner et à m'interroger. » Elle demande :

— Pourquoi n'amenez-vous pas Otto ? Je ne comprends rien à cette histoire de cartes postales.

Puis elle se recouche de tout son long, la bouche et les yeux fermés, fermement décidée à ne plus dire un mot.

Le commissaire Escherich la regarde un moment d'un air songeur. Elle est très épuisée, on n'en obtiendra rien pour l'instant. Se détournant brusquement, il appelle deux de ses hommes et ordonne :

— Mettez cette femme dans l'autre lit et fouillez celui-ci à fond. S'il vous plaît, mon général.

Il veut écarter son supérieur de la chambre, pour éviter un nouvel interrogatoire à la façon S.S. Il est très possible que, dans les jours qui viennent, il ait un urgent besoin de cette femme. De plus, elle semble faire partie du petit nombre de ceux dont les menaces physiques ne font qu'accroître l'obstination.

L'Obergruppenführer n'est pas enchanté d'abandonner cette femme, mais ce soir elle sera dans son sous-sol et il pourra en faire ce qu'il voudra.

— Vous arrêtez la vieille, Escherich? demande-t-il, une fois dans la salle de séjour.

— Bien sûr. Mais il faut que je m'arrange pour qu'elle soit en état de subir un interrogatoire. Avec cette fièvre, elle comprend tout à moitié. Quand elle comprendra qu'elle risque sa vie, elle aura peur...

— Pour ça, je m'en charge!

— Pas de cette façon. En tout cas, il faut d'abord qu'elle n'ait plus de fièvre. Escherich s'arrête brusquement . Qu'est-ce que c'est?

Un de ses hommes examine quelques livres, rangés sur une petite étagère; en secouant un volume, il a fait tomber quelque chose de blanc. C'est le commissaire qui est le plus rapide.

— Une carte! s'écrie-t-il, une carte inachevée!

Il lit : « *Führer, ordonne! Nous suivrons! Oui, nous suivrons, nous sommes devenus un troupeau de moutons, que notre Führer peut mener à n'importe quelle boucherie! Nous avons renoncé à penser...* »

Tous les yeux sont fixés sur lui.

— Nous tenons la preuve! dit le commissaire Escherich, presque avec fierté. Nous tenons le coupable. Il est démasqué de façon irréfutable. Il ne s'agit pas d'un aveu extorqué, mais d'une preuve clairement établie. Cela valait la peine d'attendre si longtemps.

Il regarda autour de lui; à présent, ses yeux pâles brillaient, son heure était enfin venue. Un instant, il refit en imagination le chemin si long qui l'avait mené jusque-là, depuis la première carte, qu'il avait accueillie avec une indifférence ironique, jusqu'à celle qu'il avait entre les mains. Il pensa au flot montant des cartes, aux drapeaux rouges dont le nombre augmentait sans trêve; il pensa également au petit Enno Kluge.

Il se revoyait avec celui-ci dans la cellule du commissariat, et aussi au-dessus de l'eau noire du lac... Il se revoyait ensanglanté, anéanti, précipité au bas de l'escalier par deux hommes de la Sûreté. Il eut également une pensée rapide pour le conseiller criminel Zott. Le pauvre! Même sa théorie des stations de tramway s'était révélée fausse!

Ce fut l'heure de fierté du commissaire Escherich. Il le tenait, son « Trouble-fête », comme il l'avait d'abord appelé pour plaisanter; mais cet homme avait fini par mériter son nom. Il avait presque fait échouer le navire sur lequel Escherich traversait la vie. Mais voilà qu'il était pris, la chasse était finie, le jeu mené jusqu'à son terme!

Le commissaire Escherich leva les yeux comme au sortir d'un rêve. Il commanda :

— Qu'on emmène cette femme en ambulance. Deux hommes pour la convoyer. Kemmel, je vous la confie. Pas d'interrogatoire! Interdiction absolue de parler. Mais un médecin, dès votre arrivée. Il faut que la fièvre ait disparu dans trois jours. Dites-le-lui, Kemmel!

— À vos ordres, monsieur le Commissaire.

— Les autres remettent l'appartement dans un ordre impeccable. Où était cette carte? Manuel de bricolage radio?... Bon! Dans une heure, je reviens ici avec le coupable. Plus personne n'y sera. Compris?

– À vos ordres, monsieur le Commissaire.

– Alors nous partons, mon général? Wrede, avez-vous trouvé les clés de l'entrée? Merci.

En bas, près de sa fenêtre, Herr Fromm, conseiller honoraire à la cour d'appel, regarda, en hochant la tête, les visiteurs s'éloigner. Un moment plus tard, il vit qu'on emmenait Frau Quangel en ambulance; d'après l'allure de ceux qui l'accompagnaient, il était clair qu'elle ne partait pas pour un hôpital ordinaire.

«Chacun son tour! se dit le conseiller honoraire. L'immeuble se vide Les Rosenthal, les Persicke, Borkhausen, Quangel. Je reste presque seul. Une moitié du peuple enferme l'autre. Ça ne peut plus durer longtemps... »

Il esquissa un sourire.

« Plus ça va mal, mieux ça vaut. La fin viendra plus vite. »

LA CONVERSATION AVEC OTTO QUANGEL

Le commissaire avait eu du mal à décider le général S.S. Prall à le laisser seul, pour le premier interrogatoire d'Otto Quangel. Lorsqu'en compagnie du contremaître, il monta l'escalier conduisant à l'appartement, le soir était déjà tombé. Dans la salle, Quangel alluma la lumière. Se tournant vers la chambre à coucher il chuchota :

– Ma femme est malade.

– Votre femme n'est plus ici, dit le commissaire. On l'a emmenée. Asseyez-vous près de moi.

– Ma femme a beaucoup de fièvre, murmura Quangel.

Il était visible que l'absence de sa femme le bouleversait. L'indifférence qu'il avait affectée jusque-là avait disparu.

– Un médecin s'occupe de votre femme, dit le commissaire pour le rassurer. Je pense que d'ici deux ou trois jours nous l'aurons débarrassée de sa fièvre. J'ai fait venir une ambulance pour la transporter.

Pour la première fois, Quangel considéra avec attention l'homme qu'il avait devant lui. Son regard d'aigle resta long-temps posé sur le commissaire.

— Une ambulance? dit-il. Un docteur?... C'est bien. Je vous remercie, vous n'êtes pas un mauvais homme.

Le commissaire exploita son avantage.

— Nous ne sommes pas aussi mauvais qu'on le dit souvent, Herr Quangel. Nous faisons tout ce qui est possible pour soulager ceux que nous avons arrêtés. Il ne s'agit pour nous que de déterminer s'il existe une faute. C'est notre métier, comme c'est le vôtre de fabriquer des cercueils.

— Oui, dit Quangel d'une voix dure, l'un fait les cercueils et l'autre les garnit.

— Vous voulez dire, répondit Escherich, légèrement iro-nique, que je fournis le contenu des cercueils. Votre cas est-il si désespéré, à vos yeux?

— Je n'ai pas de cas!

— Oh si, quand même un peu! Regardez par exemple cette plume, Quangel. Oui, c'est la vôtre. L'encre y est encore toute fraîche. Qu'avez-vous écrit hier, ou ce matin avec cette plume?

— J'ai eu quelque chose à signer.

— Quoi donc?

— Une feuille de maladie pour ma femme.

— Votre femme m'a dit que vous n'écriviez jamais. C'est elle qui écrit tout ce qu'il y a à écrire ici, à l'en croire.

— C'est tout à fait exact. Mais hier, il a fallu que j'écrive parce qu'elle avait la fièvre. Ma femme n'en sait rien.

— Et regardez, Herr Quangel, poursuivit le commissaire, comme la plume accroche! Elle est pourtant neuve, mais vous avez la main lourde. Il posa sur la table les deux cartes trouvées à l'atelier : Vous voyez, la première carte est écrite d'un seul trait. Mais, pour la seconde, là, là, et encore au b, la plume a accroché. Qu'en dites-vous, Herr Quangel?

— Ces cartes, dit Quangel d'un air obtus, étaient par terre à l'atelier. J'ai dit à celui qui avait une veste bleue de les ramasser. J'y ai jeté un coup d'œil avant de les donner à l'homme de confiance du Front du Travail. Il est parti avec, c'est tout ce que j'en sais.

Quangel avait prononcé ces mots d'une voix lente et monocorde, comme un vieil homme un peu borné. Le silence s'empara de la pièce; Quangel regardait la table avec un visage presque inexpressif. Le commissaire le regardait. Il était fermement convaincu que cet homme n'était ni aussi lent, ni aussi lourd qu'il voulait le paraître, mais savait au contraire être tranchant comme son profil et rapide comme son regard. Escherich pensait que son premier devoir était de faire tomber ce masque; il voulait parler à l'homme rusé qui avait écrit les cartes, et non à ce vieux contremaître abruti par le travail. Au bout d'un certain temps, il demanda :

— Quels sont ces livres, sur l'étagère?

— Ces livres-là? Il y a le recueil de cantiques de ma femme et sa Bible. Le reste était à mon fils, qui a été tué au front. Je ne lis pas de livres, je n'ai jamais su bien lire.

— Donnez-moi donc le quatrième livre à partir de la gauche, Herr Quangel, le volume à la reliure rouge.

Lentement, Quangel dégagea le livre, le porta avec précaution jusqu'à la table, comme il l'eût fait pour un œuf, et le posa devant le commissaire.

— *Manuel de bricolage radio*, lut ce dernier sur la couverture. Eh bien, Quangel, ce livre ne vous rappelle rien?

— C'est un livre de mon fils Otto qui a été tué au front, répondit lentement Quangel. Il était passionné de radio. Les patrons se le disputaient, tellement il s'y connaissait...

— Et autrement?... Ça ne vous rappelle rien?

— Non. Je n'y connais rien. Je ne lis pas ça.

— Mais peut-être vous arrive-t-il d'y glisser quelque chose? Ouvrez donc le livre, Herr Quangel!

L'ouvrage s'ouvrit juste à l'endroit où se trouvait la carte. Quangel lisait ces mots : « *Führer, ordonne, nous suivrons...* »

Quand avait-il écrit cela ? Il devait y avoir très longtemps ; tout au début. Mais pourquoi n'avait-il pas fini ? Pourquoi la carte était-elle dans le livre d'Otto ?

Lentement remonta dans sa mémoire le souvenir de la première visite de son beau-frère Ulrich Heffke. Il s'était dépêché de dissimuler la carte et avait continué de sculpter la tête d'Otto. Il avait caché la carte et l'avait oubliée, et Anna aussi l'avait oubliée ! C'était donc là le danger dont il avait toujours senti la présence ! C'était l'ennemi tapi dans l'ombre qu'il n'avait pas su voir, mais dont il avait toujours éprouvé la menace. C'était l'erreur qu'il avait commise !

« Ils te possèdent ! se disait-il. Tu as joué ta tête, par ta propre faute. Te voici maintenant pieds et poings liés ! »

Et puis : « Anna a-t-elle avoué quelque chose ? Ils lui ont certainement montré la carte, mais elle a dû nier, je la connais. Je vais en faire autant. Bien sûr, Anna avait la fièvre... »

— Eh bien, Quangel, vous ne dites rien ?... Quand avez-vous écrit cette carte ?

— Je ne sais rien de cette carte. Je suis incapable d'écrire une chose pareille. Je suis trop bête.

— Mais pourquoi la carte se trouve-t-elle dans le livre de votre fils ?

— Je n'en sais rien. Peut-être l'y avez-vous mise vous-même, ou l'un de vos hommes. On a déjà vu ça, fabriquer des preuves quand il n'y en a pas !

— La carte a été trouvée dans ce livre en présence de plusieurs témoins irrécusables. Et votre femme était là.

— Ah ! Et qu'a-t-elle dit ?

— Elle a tout de suite avoué qu'elle avait dicté ce que vous avez écrit. Vous voyez, Quangel, inutile de vous entêter. Si vous avouez maintenant, vous ne m'apprendrez rien que je ne sache déjà. Mais c'est préférable pour vous et pour votre femme. Si nous n'avouez pas, je serai contraint de vous emmener chez nous à la Gestapo. Et dans notre sous-sol, ça n'est pas très beau à voir...

Au souvenir de ce qu'il avait connu lui-même, la voix du commissaire trembla légèrement; mais il se ressaisit :

— Si vous avouez, je peux vous remettre tout de suite entre les mains du juge d'instruction. Ensuite, vous irez à la prison de Moabit, où vous serez traité aussi bien que les autres.

Mais le commissaire avait beau dire, Quangel maintenait ses mensonges; Escherich venait de commettre une erreur qui n'avait pas échappé au contremaître. L'air emprunté de celui-ci et l'avis émis par les autorités supérieures avaient assez impressionné le policier pour qu'il ne considérât pas Quangel comme l'auteur des cartes : il n'avait fait qu'écrire ce que dictait sa femme... En entendant Escherich présenter cette version des faits, Quangel avait la preuve qu'Anna n'avait rien avoué. Il continua donc de nier.

Escherich finit par interrompre cet interrogatoire stérile pour se rendre avec Quangel au siège de la Gestapo. Il pensait que le changement de cadre, les allées et venues des S.S., tout cet appareil menaçant, intimideraient cet homme simple et le rendraient plus accessible aux exhortations.

Dans son bureau, Escherich conduisit Quangel devant le plan de Berlin, garni de drapeaux rouges.

— Regardez, Herr Quangel. Chaque endroit où une carte a été trouvée est marquée d'un drapeau. Dans cette zone, vous voyez, la densité des drapeaux augmente, alors qu'il n'y en a pas un seul dans ce quartier. C'est celui de la rue Jablonski, où se trouve votre domicile. Vous n'y avez naturellement pas déposé de carte, vous y êtes trop connu...

Mais Quangel n'écoutait pas. À la vue du plan de Berlin, une émotion incompréhensible s'était emparée de lui; son regard hésitait, ses mains tremblaient. Il dit, presque timidement :

— Cela fait beaucoup de drapeaux! Combien, au juste?

Le commissaire avait maintenant compris ce qui bouleversait à ce point le contremaître.

— Il y a 267 drapeaux, 259 cartes et 8 lettres. Combien en avez-vous écrit, Quangel?

Ce dernier se taisait; cependant, son silence n'exprimait plus le défi, mais l'émotion qu'il éprouvait. Sentant son avantage, le commissaire poursuivit :

— Songez encore à une chose, Quangel : toutes ces lettres, toutes ces cartes, nous ont été remises spontanément. Pas une seule n'a été trouvée par nos soins. Les gens venaient les apporter en courant, comme si elles leur avaient brûlé les mains. Ils ne savaient comment s'en débarrasser assez vite. La plupart d'entre eux ne les avaient même pas lues...

Quangel gardait le silence, mais son visage était agité de tics nerveux, sous l'effet du combat qui se livrait en lui. Son regard, naguère droit et perçant, se mettait à hésiter, se détournait, se fixait sur le sol, pour revenir sans cesse aux drapeaux, dont il ne pouvait se détacher.

— Ce n'est pas tout, Quangel. Avez-vous jamais songé aux angoisses et aux malheurs que vos cartes ont causés? Les gens défaillaient de frayeur en les trouvant, certains ont été arrêtés, et je sais de source sûre que quelqu'un s'est suicidé à cause d'elles...

— Non! Non! cria Quangel, je n'ai pas voulu cela! Je ne m'en suis jamais douté! Je voulais des temps meilleurs, je voulais que les gens sachent la vérité, que la guerre finisse plus tôt, que cesse enfin ce massacre! Mais je ne voulais pas semer la peur et l'angoisse, je ne voulais pas aggraver les choses! Les pauvres gens! Je les aurais rendus encore plus misérables?... Quel est celui qui s'est suicidé?

– Oh, un petit propre à rien qui jouait aux courses, un type sans importance ! Ne vous faites pas de souci à cause de lui !

– Chaque homme est important. Il me sera demandé compte de son sang.

– Vous voyez, Herr Quangel, dit le commissaire à l'homme qui était à côté de lui, plongé dans ses sombres pensées, vous avez maintenant, sans vous en apercevoir, avoué votre crime.

– Mon crime ? Je n'ai pas commis de crime. Tout au moins, pas celui que vous voulez dire. Ma faute a été de me croire trop malin, de vouloir agir seul, alors que je sais qu'un homme seul n'existe pas. Non, je n'ai rien fait dont j'aie à rougir. Mais c'est la façon dont j'ai agi qui était mauvaise. C'est pourquoi je mérite d'être puni, et c'est pourquoi je meurs volontiers...

– Nous n'en sommes pas encore là, remarqua le commissaire, comme pour l'encourager.

Quangel ne prêta guère attention à ces paroles. Il poursuivit pour lui-même :

– J'ai toujours méprisé les autres. Sans cela, je n'aurais pas agi ainsi.

Escherich demanda :

– Savez-vous exactement combien de messages vous avez écrits ?

– 276 cartes et 9 lettres.

– Ce qui fait que 18 n'ont pas été remises.

– 18, voilà mon travail de plus de deux années, tout mon espoir ! 18 payées de ma vie ! Mais 18 quand même !

– N'allez surtout pas croire que ces 18 aient circulé. Elles ont été trouvées par des gens qui n'étaient pas assez irréprochables pour oser les rapporter, mais elles n'ont pas eu plus d'effet que les autres. Nous n'avons jamais relevé la moindre trace de leurs répercussions dans le public.

– De sorte que je n'ai obtenu aucun résultat ?

– Non. Du moins, pas celui que vous recherchiez !... Vous pouvez vous en féliciter, Quangel. Cela vous sera certainement compté comme circonstance atténuante. Vous vous en tirerez peut-être avec quinze ou vingt ans de pénitencier.

Quangel tressaillit : Non, dit-il, non !

– Que vous êtes-vous donc imaginé ? Vous, simple ouvrier, vous avez voulu combattre le Führer, derrière lequel se dressent le Parti, l'armée, les S.S. et les S.A. ?... Le Führer qui a déjà vaincu la moitié du monde et qui, dans un an ou deux, sera venu à bout de notre dernier ennemi ? C'est ridicule ! Vous auriez dû savoir en commençant que vous n'aviez aucune chance. C'est comme si un moucheron voulait lutter contre un éléphant. Je ne comprends pas cette erreur, de la part d'un homme raisonnable comme vous.

– Non, vous ne comprendrez jamais. Peu importe qu'un seul combatte ou dix mille. Quand on se rend compte qu'il faut lutter, la question n'est pas de savoir si l'on trouvera quelqu'un à ses côtés. Il fallait que je lutte, et je suis prêt à recommencer. Mais d'une façon tout à fait différente.

De nouveau il tourna son regard très calme vers le commissaire :

– Ma femme n'a rien à voir dans tout cela. Il faut que vous la relâchiez.

– À présent, vous mentez, Quangel. Votre femme a dicté les cartes, elle l'a avoué.

– C'est vous qui mentez ! Ai-je l'air d'un homme qui se fait dicter sa conduite par sa femme ? C'est moi qui ai eu l'idée des cartes, c'est moi qui les ai écrites et les ai portées. Je veux bien être puni, mais pas elle, pas ma femme !

Escherich baissa les yeux pour dire :

– Nous allons établir un petit procès-verbal. Je suppose que vous maintenez vos déclarations ?

— Je les maintiens.

— Et vous vous rendez compte de ce qui vous attend?...
Une détention très longue, la mort peut-être?

— Oui, je sais ce que j'ai fait. Et j'espère que vous savez
aussi ce que vous faites, monsieur le Commissaire?

— Quoi donc?

— Vous travaillez pour un assassin, vous lui livrez sans
cesse de nouvelles victimes. Et vous le faites pour de l'argent.
Il est probable que vous n'avez même pas foi en lui. Non,
vous n'y croyez certainement pas! C'est seulement pour de
l'argent.

Ils se trouvaient encore une fois face à face. De nouveau,
le commissaire baissa les yeux.

— Je vais chercher un secrétaire, dit-il pour dissimuler sa
gêne.

LA MORT D'ESCHERICH

Vers minuit, le commissaire revint à son bureau où il
s'assit, recroquevillé sur lui-même. Malgré la quantité
d'alcool qu'il avait absorbée, il n'avait pas oublié la terrible
scène à laquelle il n'avait pu se soustraire.

Cette fois son supérieur, l'Obergruppenführer S.S. Prall,
n'avait pas de croix de guerre pour récompenser le succès
remporté par son cher commissaire, mais il l'avait invité à
fêter ce succès. Ils avaient bu énormément d'armagnac, dans
des verres de forte taille, en se félicitant d'avoir attrapé enfin
le «Trouble-Fête». Au milieu des applaudissements, le
commissaire dut donner lecture du procès-verbal renfermant
les aveux de Quangel. Il fallut livrer aux pourceaux ce fruit
des méthodes patientes et rigoureuses de la police criminelle!

Mais ensuite, lorsqu'ils furent tous bien imbibés d'alcool,
ils voulurent s'offrir un divertissement exceptionnel. Munis

de bouteilles et de verres, ils descendirent dans la cellule de Quangel, et le commissaire dut les suivre. Ils voulaient voir cet étrange oiseau, cette tête brûlée, qui avait le front de lutter contre le Führer! Ils avaient trouvé Quangel, dormant profondément sur sa couche. « Curieux visage! » avait pensé Escherich. Même le sommeil n'apportait pas la détente au contremaître; il était toujours aussi fermé et aussi soucieux qu'à l'état de veille...

Naturellement, ils ne l'avaient pas laissé dormir, mais l'avaient fait lever avec force bourrades. Quangel, en chemise trop courte qui ne recouvrait même pas sa nudité, s'était mis debout devant ces gens vêtus d'uniformes noirs brodés d'argent. On aurait pu rire de lui si l'on n'avait pas regardé sa tête.

L'idée leur était venue de baptiser le vieux « Trouble-Fête » en lui versant une bouteille de liqueur sur le crâne. Le général avait tenu un petit discours d'ivrogne, au sujet de ce salaud qui serait bientôt étripé, et, en guise de conclusion, il avait brisé son verre à liqueur sur la tête de Quangel.

Ce fut le signal pour les autres, et chacun fit de même. L'armagnac et le sang coulèrent sur le visage du vieil homme; mais, pendant tout ce temps, Escherich avait l'impression qu'à travers les filets de liqueur et de sang Quangel ne le quittait pas des yeux, et il croyait l'entendre prononcer ces mots : « Voilà donc la juste cause pour laquelle tu assassines... Tu sais très bien ce que tu fais. Moi, je vais mourir pour des crimes que je n'ai pas commis et toi, tu vivras. Voilà ta juste cause! »

Alors les autres découvrirent que le verre d'Escherich était encore intact, et ils lui ordonnèrent de le briser aussi sur la tête de Quangel. Prall avait dû répéter l'ordre sur un ton comminatoire : « Je t'apprendrai à vivre, tu sais bien comment, si tu n'obéis pas. » Escherich s'y était repris à quatre fois, tant sa main tremblait, et il n'avait cessé de sentir peser sur lui le regard perçant et sarcastique de Quangel, qui restait silencieux. Si ridicule qu'il fût, avec sa chemise trop courte, il avait été plus fort que tous ses persécuteurs. Et à chaque coup que le commissaire désespéré et angoissé avait porté, il lui avait semblé qu'il s'en prenait à sa propre existence et qu'une hache cognait contre les racines de sa vie.

Enfin Otto Quangel s'était brusquement effondré. Ils l'avaient laissé, sans connaissance et ensanglanté, sur le sol de sa cellule. Ils n'avaient pas oublié d'interdire à la sentinelle de s'occuper de ce salaud, puis ils étaient remontés continuer leur beuverie, comme s'ils avaient à célébrer on ne sait quelle victoire héroïque.

Et maintenant, le commissaire Escherich est de nouveau assis à son bureau, devant la carte aux drapeaux rouges. Il est effondré physiquement, mais son esprit reste lucide. « Je n'ai plus besoin de cette carte. On pourra l'enlever demain. Et après-demain j'en accrocherai une autre, pour chercher un nouveau " Trouble-Fête ". Puis d'autres suivront. Quel est le sens de tout cela ? Est-ce là ma raison d'être en ce monde ? Sans doute, mais s'il en est ainsi, je ne comprends rien à cette existence, et ce que je fais n'a vraiment aucune importance...

« Il me sera demandé compte de son sang... Sur quel ton il a prononcé ces paroles !... Et à moi il sera demandé compte de son sang ! Mais je suis également responsable du sang d'Enno Kluge, ce lamentable lâche que j'ai sacrifié pour livrer Quangel à une horde d'ivrognes. Lui ne pleurnichera pas, comme le petit bonhomme l'a fait sur la passerelle, il mourra décemment...

« Et moi ? Où en suis-je ? Si je n'ai pas autant de succès lors de la prochaine enquête, je me retrouverai au sous-sol. Le jour finira par venir où l'on m'y enverra pour ne plus m'en retirer. Suis-je ici pour attendre ce jour ? Quangel a raison de m'appeler le fournisseur de l'assassin qui a nom Hitler. Je n'ai pas attaché d'importance à l'homme qui était au pouvoir, ni aux raisons de cette guerre, tant que j'ai pu me consacrer à mon métier habituel, la chasse à l'homme. La proie une fois capturée, je me désintéressais de son sort...

« Mais à présent, la proie m'intéresse. Depuis que j'ai pris Quangel, l'idée de faire le rabatteur pour ces individus me répugne. Le sang et l'alcool ruisselaient sur son visage, et lui me regardait!... "Tu as fait cela, disait-il, tu m'as trahi!" Si c'était encore possible, je donnerais toute cette maison pour le libérer! Je quitterais ce poste, pour entreprendre quelque chose comme Otto Quangel, quelque chose de plus réfléchi, mais je voudrais lutter.

« C'est impossible. Ils appellent cela désertion. Il viendraient me chercher pour me jeter au cachot; et ma chair crie quand on la torture, je suis lâche comme Enno Kluge, je n'ai pas le courage d'Otto Quangel. Quand le général Prall se met à hurler, j'exécute ses ordres en tremblant. Je brise mon verre sur la tête du seul honnête homme qui soit là, mais chaque coup que je lui porte est une poignée de terre jetée sur mon cercueil. »

Le commissaire Escherich se leva lentement; un pâle sourire éclairait son visage. Il alla jusqu'au mur, tendant l'oreille: tout était calme à cette heure dans l'immeuble de la Gestapo. Seul le pas de la sentinelle, montant et descendant le couloir...

« Toi non plus, tu ne sais pas pourquoi tu marches ainsi! pensa Escherich. Un jour, tu comprendras que tu as gâché ta vie... »

Saisissant la carte, il l'arracha du mur; beaucoup de drapeaux tombèrent et leurs épingles tintèrent sur le carrelage. Escherich chiffonna la carte et la jeta par terre.

— Terminé! dit-il. Finie, l'affaire « Trouble-Fête »!

Il retourna lentement à son bureau, ouvrit un tiroir et fit un signe d'assentiment.

« Sans doute suis-je le seul homme qu'Otto Quangel ait converti avec ses cartes... mais je ne te suis d'aucune utilité, Otto Quangel ! Je suis incapable de poursuivre ton œuvre, je suis trop lâche... ton seul disciple, Otto Quangel ! »

Il prit rapidement le revolver et tira. Cette fois, il n'avait pas tremblé. La sentinelle, accourue précipitamment, ne trouva derrière le bureau qu'un cadavre.

L'Obergruppenführer S.S. était furieux :

— C'est de la désertion ! Tous les civils sont des salauds ! Tout ce qui ne porte pas un uniforme est à mettre en tôle, ou derrière des barbelés ! Mais gare au successeur de ce salaud d'Escherich ! Je le soignerai si bien dès le début qu'il n'aura pas une seule idée en tête, rien que la peur... J'ai toujours été trop bon, c'est mon plus grand défaut. Faites monter ce salaud de Quangel ! Qu'il regarde un peu cette saleté et tâche de nous en débarrasser !

Ainsi, le seul homme qu'Otto Quangel eût converti entraîna encore pour le vieux contremaître quelques pénibles heures de travail de nuit.

Quatrième partie

LA FIN

ON INTERROGE ANNA QUANGEL

Ce fut quinze jours après son arrestation qu'au cours d'un de ses interrogatoires Anna, maintenant guérie, laissa échapper que son fils Otto avait été fiancé avec une certaine Baumann. À cette époque, Anna n'avait pas encore compris qu'il était dangereux de prononcer n'importe quel nom, car on cherchait méticuleusement à connaître les relations de tous les détenus, et on en suivait la moindre trace, afin de « vider l'abcès jusqu'au fond ».

Le commissaire Laub, qui dirigeait l'interrogatoire, avait succédé à Escherich. C'était un petit homme trapu qui aimait gifler, de ses doigts noueux, ceux qu'il interrogeait. À Frau Quangel morte de fatigue il posa des questions sans fin sur les amis et les employeurs de son fils, demandant des choses qu'elle ne pouvait savoir, et la giflant brusquement dans l'intervalle. Il était spécialisé dans ce genre d'interrogatoires et tenait dix heures sans se faire remplacer. Épuisée, Anna vacillait sur son tabouret ; sortant à peine de maladie, inquiète du sort d'Otto dont elle ignorait tout, honteuse d'être frappée comme une écolière distraite, elle ne prêtait guère attention au commissaire, qui la gifla de plus belle.

Elle mit ses mains sur son visage en gémissant doucement.

— Enlevez vos mains! cria le commissaire. Regardez-moi. Alors, ça vient?

Elle obéit, craignant toujours de perdre connaissance.

— Quand avez-vous vu pour la dernière fois la soi-disant fiancée de votre fils?

— Il y a très longtemps. Je ne sais pas, avant que nous n'écrivions les cartes. Cela fait plus de deux ans... Oh, ne recommencez pas à frapper! Pensez à votre mère! Vous ne voudriez pas non plus qu'on la frappe.

Deux, puis trois gifles lui répondirent.

— Ma mère n'est pas une salope, coupable de haute trahison! Si vous parlez encore d'elle, je vous montrerai comment je suis capable de frapper... Où habitait cette jeune fille?

— Je ne sais pas. Mon mari m'a dit un jour qu'elle s'était mariée. Elle aura sûrement déménagé.

— Votre mari l'a donc vue. Où était-ce?

— Je ne sais plus. Nous écrivions déjà les cartes.

— Et elle vous a aidés dans ce travail, hein?

— Non! Non! s'écria Frau Quangel, s'apercevant avec frayeur de ce qu'elle avait fait. Elle s'empressa d'ajouter : Mon mari a seulement rencontré Trudel dans la rue. C'est là qu'elle lui a raconté qu'elle s'était mariée et qu'elle n'allait plus à l'usine.

— À quelle usine travaillait-elle?

Frau Quangel donna l'adresse de la fabrique d'uniformes.

— Ne trouvez-vous pas curieux que l'ancienne fiancée ne vienne plus voir ses beaux-parents après la mort du fils?

— Mais mon mari était comme ça! Nous ne fréquentions déjà pas grand-monde. Et depuis le jour où nous avons entrepris d'écrire les cartes, il a rompu toutes nos attaches.

— Voilà que vous mentez encore! C'est au contraire à cette date que vous avez commencé à fréquenter les Heffke.

— Oui, c'est vrai. J'avais oublié. Mais cela ne plaisait pas à Otto. Il ne l'a permis que parce qu'il s'agissait de mon frère.

434

Elle reprit : Est-ce exact ? Je crois que j'ai vu ma belle-sœur dans le couloir hier matin.

– Vous mentez encore ! Une forte gifle, puis encore une. La femme Heffke est ailleurs. Vous ne pouvez pas l'avoir vue, c'est une autre qui vous l'a raconté. Qui ?

Mais Anna secoua la tête :

– Non, ce n'est personne. J'ai vu ma belle-sœur de loin, je n'étais pas sûre de l'avoir reconnue. Elle soupira. Les Heffke sont donc en prison aussi, eux qui ignoraient tout ! Pauvres gens !

– Il y a combien de temps que Berta Kuppke partage votre cellule ?

– Depuis hier soir.

– C'est donc elle qui vous a raconté cette histoire concernant les Heffke. Avouez donc, Frau Quangel, ou je fais monter Berta pour la battre en votre présence jusqu'à ce qu'elle avoue.

Anna secoua la tête :

– Que je dise blanc ou noir, monsieur le Commissaire, vous ferez quand même monter Berta pour la battre. Je ne peux que répéter que j'ai vu Frau Heffke dans le couloir en bas...

Le commissaire Laub la regarda d'un air méprisant :

– Vous êtes tous des fumiers ! Des fumiers ! Et je ne m'arrêterai pas avant de vous avoir tous expédiés sous terre !... Planton, faites monter la détenue Berta Kuppke !

Il passa une heure à terroriser les deux femmes et à les battre, bien que Frau Kuppke eût avoué tout de suite qu'elle avait parlé de Frau Heffke à Frau Quangel ; elle avait précédemment partagé la cellule de Frau Heffke. Mais cela ne suffisait pas au commissaire. Il voulait connaître la moindre parole qu'elles avaient échangée, elles qui s'étaient contentées de se confier leurs malheurs, comme les femmes aiment à le faire. Mais il flairait partout le complot et la haute trahison et ne cessait de frapper et de questionner. Finalement, l'autre fut renvoyée au sous-sol, au milieu de ses gémissements, et Anna Quangel redevint l'unique victime du commissaire. Elle était maintenant si fatiguée qu'elle n'entendait plus la voix qu'à travers un brouillard et que les coups la laissaient insensible.

— Pourquoi Trudel n'est-elle plus venue vous voir?

— Parce que mon mari ne le voulait pas.

— Quand le lui a-t-il interdit?

— Je ne sais pas. Monsieur le Commissaire, je n'en peux plus. Laissez-moi une demi-heure de répit. Un quart d'heure.

— Pas avant que tu aies répondu. Quand votre mari a-t-il interdit la maison à la jeune fille?

— Quand mon fils a été tué.

— Et où l'a-t-il fait?

— Dans notre appartement.

— Quelle raison a-t-il donnée?

— Qu'il ne voulait plus voir personne. Monsieur le Commissaire, je n'en peux vraiment plus. Dix minutes seulement!

— Bon! Dans dix minutes, nous arrêterons un moment. Quelle raison a donc avancée votre mari, pour que Trudel ne vienne plus?

— Qu'il ne voulait plus voir personne. Nous avions déjà décidé d'écrire les cartes postales.

— Il lui a donc parlé de ce projet?

— Non, il n'en a jamais parlé à personne.

— Quelle raison lui a-t-il donc donnée?

— Qu'il ne voulait plus voir personne. Oh, monsieur le Commissaire!...

— Si vous me dites la vraie raison, j'arrête tout de suite pour aujourd'hui.

— Mais c'est la vraie raison!

– Non, ce n'est pas ça! Je vois bien que vous mentez. Si vous ne me dites pas la vérité, je vous interroge encore dix heures... Alors, qu'a-t-il dit? Répétez-moi les paroles qu'il a dites à Trudel Baumann.

– Je ne sais plus, il était tellement en colère.

– Pourquoi était-il tellement en colère?

– Parce que j'avais fait coucher Trudel à la maison.

– Mais est-ce après qu'il lui a interdit de revenir, ou l'a-t-il renvoyée tout de suite?

– Non, seulement le matin.

– Pourquoi était-il donc tellement en colère?

Anna Quangel se fit violence :

– Je vais vous le dire, monsieur le Commissaire, cela ne peut plus nuire à personne. J'avais aussi caché pour une nuit la vieille Rosenthal, la Juive qui s'est tuée en se jetant par la fenêtre. Mon mari en était si furieux qu'il a renvoyé Trudel également.

– Pourquoi la Juive s'est-elle donc cachée chez vous?

– Parce qu'elle avait peur toute seule dans son appartement. On était déjà venu chercher son mari. Monsieur le Commissaire, vous m'avez promis...

– Tout de suite, nous y sommes. Trudel a donc su qu'une Juive s'était cachée chez vous?

– Mais ça n'était pas interdit!

– Bien sûr que si, c'était interdit! Un Aryen qui se respecte n'accueille pas une saloperie de Juive, et une jeune fille qui se respecte va révéler le fait à la police.

– À présent je ne dis plus rien. Vous déformez toutes mes paroles. Trudel n'a rien fait de mal, elle ne savait rien.

– Mais elle savait qu'une Juive a couché chez vous.

– Il n'y a pas de mal à ça.

– Nous sommes d'un autre avis. Demain, je m'occuperai de Trudel.

– Oh, mon Dieu, qu'ai-je encore fait! Anna Quangel éclata en sanglots. « Voilà que j'ai plongé Trudel aussi dans le malheur! » Monsieur le Commissaire, il ne faut pas toucher à Trudel, elle est enceinte.

— Ah, tiens, vous savez ça tout d'un coup, alors que vous ne l'avez pas vue depuis deux ans ? Comment le savez-vous ?

— Mais je vous l'ai dit, mon mari l'a rencontrée dans la rue.

— Quand ?

— Il y a quelques semaines... Monsieur le Commissaire, vous m'avez promis un petit arrêt, je vous en prie... Je n'en peux vraiment plus.

— Encore un instant seulement ! Nous y sommes tout de suite. Qui a donc commencé à parler, Trudel ou votre mari, puisqu'ils étaient brouillés ?... Votre mari lui avait bien interdit sa maison ?

— Trudel ne lui en a pas voulu. Elle connaît mon mari.

— Où se sont-ils donc rencontrés ?

— Rue Alexander, je crois.

— Que faisait donc ton mari par là ? Je croyais qu'il ne sortait que pour aller à l'usine et en revenir ?

— C'est bien vrai.

— Et que faisait-il rue Alexander ? Sans doute portait-il une carte ?

— Non, non ! s'écria-t-elle, effrayée, en pâlissant soudain. C'est moi qui ai toujours distribué les cartes toute seule. Jamais lui !

— Pourquoi êtes-vous donc devenue si pâle, Frau Quangel ?

— Je ne suis pas pâle. Ou plutôt si, c'est que je me sens mal. Vous vouliez vous arrêter un peu, monsieur le Commissaire !

— Tout de suite, dès que nous aurons tiré cela au clair. Votre mari a donc rencontré Trudel Baumann en portant une carte. Qu'en a-t-elle dit ?

— Mais elle n'en savait rien !

— Votre mari avait-il donc encore la carte dans sa poche lorsqu'il a vu Trudel ? Ou l'avait-il déjà déposée ?

– Il l'avait déjà déposée.

– Vous voyez, Frau Quangel, nous sommes déjà plus avancés. Vous n'avez plus qu'à me dire ce que Trudel a pensé des cartes, et nous aurons fini pour aujourd'hui.

– Mais elle n'en a rien su! Il avait déjà déposé la carte.

– Réfléchissez un peu! Je vois que vous mentez. Si vous vous obstinez, nous serons encore ici demain matin. Pourquoi tenez-vous à vous compliquer l'existence inutilement? Demain, lorsque je le lui aurai démontré, Trudel Baumann avouera tout de suite qu'elle était au courant de l'affaire des cartes. Pourquoi donc vous cherchez-vous des difficultés, Frau Quangel? Vous serez bien contente de retrouver votre châlit. Alors, Frau Quangel, qu'a dit Trudel Baumann de ces cartes?

– Non, non, non! cria Anna, se relevant dans un sursaut de désespoir... Je ne dirai plus un mot. Je ne trahirai personne. Vous pouvez dire ce que vous voudrez, vous pouvez me faire mourir sous vos coups, je ne dirai plus rien.

– Tenez-vous tranquille! dit le commissaire en lui donnant quelques gifles.

Et naturellement, il finit par apprendre comment Trudel avait été mise dans le secret des cartes postales.

LE MALHEUR FRAPPE LES HERGESELL

Les Hergesell faisaient leur première promenade après la fausse couche de Trudel. Ils avançaient très lentement, et Karl jetait de temps à autre un coup d'œil furtif sur Trudel, qui marchait à côté de lui les yeux baissés.

– La forêt est belle, dit-il.

– Oui, c'est beau, répondit-elle.

Un peu plus loin, il s'écria :

– Regarde les cygnes sur le lac!

— Oui, fit-elle, les cygnes...

Puis, le silence.

— Trudel, dit-il, inquiet, pourquoi ne parles-tu pas? Pourquoi ne trouves-tu plus de plaisir à rien?

— Je pense toujours à mon petit qui est mort, murmura-t-elle.

— Dis-toi que nous aurons encore beaucoup d'enfants.

Elle secoua la tête : « Je n'en aurai jamais plus. »

Effrayé, il demanda : « Est-ce le docteur qui te l'a dit? »

— Non, ce n'est pas lui. Je sens cela.

— Tu n'en as pas le droit. Nous sommes encore jeunes.

De nouveau, elle secoua la tête.

— Je pense parfois que ce qui m'est arrivé était une punition.

— Une punition!... Pourquoi donc, Trudel?... Qu'avons-nous donc fait de mal, pour être punis de la sorte? Non, c'était un hasard, un hasard ordinaire et aveugle.

— Ce n'était pas un hasard, c'était un châtiment, dit-elle en s'obstinant. Nous n'avons pas le droit d'avoir des enfants ; je ne peux pas m'empêcher de penser à ce que serait devenu Klaus s'il avait grandi : Jeunesse Hitlérienne, S.A. ou S.S...

— Voyons! s'écria-t-il, à l'époque où Klaus aurait été grand le régime hitlérien n'existera plus depuis des années. Il n'en a plus pour longtemps, tu peux en être sûre.

— Oui, et qu'avons-nous fait pour que l'avenir soit meilleur?... Rien du tout! Bien mieux : nous avons abandonné la lutte... Je ne peux pas m'empêcher de penser à Grigoleit.. C'est pour ça que nous sommes punis.

Karl avait déjà dû faire prolonger plusieurs fois le bulletin de consigne.

— Je pense, dit-il, que Grigoleit est en prison depuis longtemps. Autrement nous aurions eu de ses nouvelles.

— S'il est en prison, c'est de notre faute. Nous l'avons laissé tomber.

440

— Trudel, je te défends de penser une absurdité pareille! Nous ne sommes pas faits pour être des conspirateurs. La seule solution était que nous nous arrêtions.

— Oui, dit-elle avec amertume, nous sommes faits pour être des lâches! Qu'avons-nous fait pour que l'avenir soit meilleur?... Rien!

— Tout le monde ne peut pas s'amuser à conspirer, Trudel.

— Non, mais nous aurions pu agir autrement. Quand je pense que même un homme comme mon ancien, beau-père, Otto Qu....

Elle s'interrompit.

— Quangel?... Qu'est-ce qu'il fait?

— Non, je préfère ne pas te le dire. Je le lui ai promis. Mais lorsque même un vieil homme comme lui travaille contre le régime, je trouve honteux que nous restions les bras croisés.

— Que pouvons-nous donc faire, Trudel? Rien! Songe à tout le pouvoir dont dispose Hitler.

— Si tout le monde pensait comme toi, Hitler resterait indéfiniment le maître. Il faut que quelqu'un se décide à entamer la lutte.

— Que pouvons-nous faire?

— Mille choses. Nous pouvons écrire des appels, que nous accrocherions aux arbres. Ton emploi d'électricien te permet d'accéder à tous les ateliers de l'usine : tu n'as qu'à déplacer un robinet, desserrer une vis, et le fruit de nombreuses journées de travail est perdu. Si vous étiez quelques centaines à faire cela, Hitler pourrait chercher son matériel de guerre.

— Oui, et dès la seconde tentative ils me mettraient la main dessus pour m'envoyer au poteau!

— C'est bien ce que je dis : nous sommes lâches. Nous ne pensons qu'à ce qui va nous arriver, jamais à ce qui arrive aux autres... Tu es affecté spécial; or, si tu étais mobilisé, tu risquerais ta vie tous les jours et tu trouverais cela normal.

– Oh, dans l'armée, je trouverais bien une planque!

– Et tu laisserais les autres mourir à ta place?... C'est ce que je dis, nous sommes lâches, nous ne sommes bons à rien!

Il explosa :

– Ce maudit escalier!... Si tu n'avais pas eu ta fausse couche, nous aurions continué de vivre heureux.

– Non, ce n'aurait pas été le vrai bonheur, Karl. Quand j'attendais Klaus, je pensais toujours à ce qu'il deviendrait. Je n'aurais pas supporté qu'il fasse le salut hitlérien ou qu'il porte la chemise brune. À chaque nouvelle victoire, il aurait vu ses parents sortir bien sagement le drapeau à croix gammée, et il aurait su que nous étions des menteurs. Au moins, cela nous aura été épargné.

Il marcha un moment à côté d'elle, silencieux et l'air rembruni. Ils étaient maintenant sur le chemin du retour, mais ils ne voyaient ni le lac ni la forêt. Il finit par demander :

– Alors, tu penses vraiment que nous devrions agir? Il faut que je mette quelque chose sur pied à l'usine?

– Certainement, nous devons faire quelque chose, Karl, pour ne plus avoir honte.

Il réfléchit un moment, avant de dire :

– Je n'y peux rien, mais je ne me vois pas parcourant l'usine pour saboter le matériel.

– Alors, trouve autre chose. Tu auras bien une idée. Il n'est pas nécessaire que ce soit tout de suite.

– Et tu as réfléchi à ce que tu vas faire?

– Oui. Je connais une Juive qui se cache, mais elle est chez des gens peu sûrs. Je vais la prendre chez nous.

– Non! dit-il. Non, ne fais pas ça, Trudel! Épiés comme nous le sommes, cela se saurait immédiatement. Et puis, songe aux cartes d'alimentation. Elle n'en a certainement pas.

– Ne sommes-nous pas capables d'avoir un peu faim pour sauver quelqu'un de la mort? Ah, Karl, s'il en est ainsi, Hitler a vraiment la partie belle, car alors, nous sommes tous des salauds, et c'est bien fait pour nous!

— Mais chez nous elle sera vue !... Il n'y a pas moyen de cacher quelqu'un dans notre petit appartement. Non, je ne permettrai pas cela.

— Je ne crois pas que tu aies à me le permettre, Karl. C'est mon appartement autant que le tien.

Le ton monta. C'était leur première dispute depuis leur mariage. Trudel déclara qu'elle introduirait cette femme dans l'appartement pendant qu'il serait à l'usine ; et il déclara qu'il la jetterait dehors sur-le-champ.

— Alors, tu me jetteras dehors avec elle !

Ils en étaient là, très irrités tous les deux. Aucun compromis n'était possible ; elle voulait absolument faire quelque chose contre Hitler, contre la guerre. En principe, il voulait agir également, mais il ne fallait pas qu'il y eût de risques ; il ne voulait pas courir le moindre danger. Cette histoire de Juive était de la pure folie ; il ne la tolérerait jamais !

Ils rentrèrent chez eux en silence, et il semblait qu'il serait de plus en plus difficile de le briser. Ils ne se donnaient plus le bras, et lorsque leurs mains se frôlaient par mégarde chacun se hâtait d'écarter la sienne. Ils ne remarquèrent pas qu'une grosse auto sans vitres stationnait devant leur immeuble ; ils montèrent l'escalier sans s'apercevoir que, de chaque entrée on les regardait avec une curiosité mêlée de peur. Karl Hergesell ouvrit la porte de l'appartement et fit passer Trudel devant lui. C'est seulement en voyant surgir dans la salle de séjour un petit homme à veste verte qu'ils eurent un sursaut de frayeur.

— Eh bien ? fit Hergesell indigné, que faites-vous chez moi ?

— Commissaire criminel Laub, de la Gestapo ! dit l'homme, qui était resté coiffé d'un chapeau tyrolien à blaireau. Herr Hergesell, n'est-ce pas ?... Frau Gertrud Hergesell, née Baumann, appelée Trudel ?... Bien ! J'aimerais dire quelques mots à votre femme, Herr Hergesell. Ayez l'obligeance d'attendre dans la cuisine.

Ils se regardèrent anxieusement ; leurs visages avaient pâli Mais Trudel dit soudain en souriant :

– Alors, au revoir, Karl. Et elle l'embrassa. Comme notre dispute était bête ! Ce n'est jamais ce que l'on pensait qui se produit !

Le commissaire se racla la gorge avec impatience. Hergesell s'éloigna.

– Vous venez de dire adieu à votre mari, Frau Hergesell ?

– Je me suis réconciliée avec lui. Nous venions de nous disputer.

– À quel sujet ?

– Je voulais qu'une de mes tantes vienne nous voir, et il était hostile à ce projet.

– Et ma vue vous a décidée à céder ?... Curieux ! Votre conscience ne semble pas très pure. Un moment... Restez ici !

Elle l'entendit parler dans la cuisine. Karl indiquerait sans doute, pour leur dispute, une autre raison. L'affaire commençait mal. Elle avait aussitôt pensé à Quangel, mais il n'était pas homme à livrer quelqu'un...

Le commissaire revint en se frottant les mains :

– Votre mari prétend que vous vous êtes disputés à propos d'un enfant que vous vouliez adopter. C'est le premier mensonge que je vous vois commettre. Ne vous inquiétez pas, d'ici une demi-heure, vous en aurez commis une quantité d'autres, et à chaque fois, je vous en fournirai la preuve Vous avez fait une fausse couche ?

– Oui.

Un homme entra, un billet à la main.

– Monsieur le Commissaire, Hergesell vient d'essayer de brûler ça dans la cuisine.

– Qu'est-ce que c'est ? Un bulletin de consigne ?.. Frau Hergesell, quelle est cette valise que votre mari a déposée à la gare d'Alexanderplatz ?

– Une valise? Aucune idée?... Mon mari ne m'en a jamais parlé.

– Faites venir Hergesell. Qu'on aille immédiatement en voiture chercher cette valise.

On introduisit Karl.

– Quelle est donc cette valise que vous avez déposée à la garde d'Alexanderplatz?

– Je ne sais pas ce qu'elle renferme, je n'ai jamais regardé. Elle appartient à un camarade qui m'a dit qu'elle contenait du linge et des vêtements.

– Très vraisemblablement... C'est pour cela que la présence de la police vous a poussé à tenter de brûler le bulletin. Hergesell hésita, puis il dit, en jetant un coup d'œil rapide à sa femme: J'ai fait cela parce que je n'ai pas bien confiance en ce camarade. Il y a peut-être autre chose dedans. La valise est très lourde.

– Et que pourrait-elle contenir, à votre avis?

– Peut-être des tracts. Je me suis toujours efforcé de ne pas y penser.

– Quel est donc ce curieux camarade, qui ne peut pas mettre lui-même sa valise à la consigne? Il s'appelle peut-être Hergesell?

– Non, il s'appelle Schmidt, Heinrich Schmidt.

– Et depuis quand le connaissez-vous, ce prétendu Heinrich Schmidt?

– Oh, cela fait au moins dix ans.

– Et comment avez-vous eu l'idée qu'il pourrait s'agir de tracts?

– C'est parce qu'il était social-démocrate, ou communiste.

– Où êtes-vous donc né, Herr Hergesell?

– Moi? À Berlin.

– Quand?

– Le 10 avril 1920.

– Ah. Et vous prétendez connaître cet homme depuis au moins dix ans, ainsi que ses opinions politiques. Vous aviez alors onze ans, Hergesell !... Ne me prenez pas trop pour un imbécile, car je deviendrais désagréable et ce serait tout de suite gênant pour vous.

– Je ne mens pas. Tout ce que j'ai dit est exact.

– Premièrement, le nom d'Heinrich Schmidt. Deuxièmement, votre ignorance du contenu de la valise. Troisièmement, le motif du dépôt en consigne. Dites plutôt, Hergesell, que chacune de vos phrases est un mensonge.

– Non, tout cela est vrai. Heinrich Schmidt voulait aller à Königsberg, et comme il n'avait pas besoin de cette valise encombrante, il m'a demandé de la déposer à la consigne. Voilà toute l'histoire !...

– Et il n'hésitera pas à se déplacer spécialement pour venir chercher le bulletin chez vous, alors qu'il pouvait le garder dans sa poche ?... Très vraisemblable, votre roman, Hergesell ! Enfin, laissons cette affaire pour l'instant, nous aurons encore plus d'une fois l'occasion d'en parler. Je pense que vous aurez l'amabilité de m'accompagner à la Gestapo. Pour ce qui est de votre femme...

– Ma femme ignore tout de cette histoire de valise.

– C'est également ce qu'elle prétend. Quant à ce qu'elle sait et ce qu'elle ne sait pas, j'arriverai bien à le démêler. Mais puisque vous êtes là tous les deux, mes bons amis... Vous vous connaissez depuis l'époque où vous travailliez à la fabrique d'uniformes ?

– Oui, dirent-ils.

– Eh bien, n'y avez-vous pas constitué une jolie petite cellule communiste avec un certain Grigoleit, et un certain Jensch, dit le « nourrisson » ?

Ils pâlirent. Laub éclata de rire.

– Ça vous en bouche un coin, pas vrai ?... Vous étiez déjà sous surveillance à cette époque, et si vous n'aviez pas lâché si vite, j'aurais fait plus tôt votre connaissance

Ils étaient si décontenancés qu'ils ne songeaient même pas à répondre.

– À qui appartenait la valise en question?... À Grigoleit ou au nourrisson?

– Eh bien, cela n'a plus d'importance, puisque vous savez tout. C'est Grigoleit qui me l'a collée sur les bras. Il disait qu'il viendrait la reprendre une semaine plus tard. Mais il y a déjà longtemps de cela.

– Il a dû filer, votre Grigoleit. Enfin, je le rejoindrai bien. S'il vit encore, naturellement.

– Monsieur le Commissaire, je voudrais souligner que ma femme et moi, depuis que nous avons quitté la cellule, avons abandonné toute activité politique. D'ailleurs, notre départ a empêché tout commencement d'action. Nous avions remarqué que nous n'étions pas faits pour ce genre de travail.

– Je l'ai remarqué aussi, ironisa le commissaire.

Mais Karl Hergesell continuait imperturbablement :

– Depuis cette époque, nous n'avons pensé qu'à notre travail. Et nous n'avons rien entrepris contre l'État.

– Sauf cette histoire de valise! N'oubliez pas la valise, Hergesell! Recel de tracts communistes, c'est de la haute trahison. Ça va vous coûter votre petite tête, mon cher! Eh bien, Frau Hergesell, qu'est-ce qui vous arrive! Fabian, séparez-moi cette jeune femme de son mari, mais doucement, Fabian, pour l'amour du ciel, ne faites pas de mal à ce petit cœur! Elle vient de faire une fausse couche, la chère petite. Elle ne veut plus faire de soldats pour le Führer!

– Trudel, supplia Hergesell, n'écoute pas ce qu'il dit. Ce n'est pas sûr, qu'il y ait des tracts dans la valise. Simplement je l'ai craint par moments.

– Très bien, jeune homme, redonnez un peu de courage à votre petite femme... Nous sentons-nous mieux, mon enfant? Pouvons-nous poursuivre l'entretien? Nous allons passer maintenant de la haute trahison de Karl Hergesell à la haute trahison de Trudel Hergesell, née Baumann.

— Ma femme ne savait rien de ces choses. Ma femme n'a jamais rien fait d'illégal.

— Non, non, vous avez été tous les deux de braves nazis! Le commissaire se mit soudain en colère : Savez-vous ce que vous êtes?... Des salopards de communistes qui crèvent de lâcheté! Mais je vais vous démasquer, je vous conduirai au poteau tous les deux, toi avec ta valise, et toi avec ta fausse couche!... Tu as sauté de cette table jusqu'à ce que ça vienne! Dis-le! Avoue-le!

Il avait saisi Trudel à demi évanouie et il la secouait.

— Laissez ma femme tranquille, vous ne la toucherez pas! cria Hergesell, qui avait bondi sur le commissaire.

Mais il reçut un coup de poing de Fabian. Trois minutes plus tard, il était assis sous surveillance dans la cuisine, les menottes aux poignets et la rage au cœur, sachant Trudel sans défense entre les mains de son tortionnaire.

Laub questionnait la jeune femme. Déjà affolée par ce qu'elle redoutait pour son Karl, elle devait maintenant parler des cartes postales de Quangel! Le commissaire ne voulait pas croire que la rencontre Quangel-Trudel eût été l'effet du hasard. Elle avait toujours été en relations avec les Quangel, ces sales lâches de conspirateurs communistes, et Karl était au courant, lui aussi!

— Combien de cartes avez-vous déposées? Qu'y avait-il d'écrit dessus? Qu'en pensait votre mari?

Finalement, la voiture arriva avec la valise. Karl Hergesell, toujours accompagné, était revenu dans la salle ; séparés par toute la longueur de la pièce, les jeunes époux se regardaient, blêmes et désespérés. Fabian remuait des crochets dans la serrure de la valise.

— Eh bien, nous allons voir ça tout de suite, dit le commissaire en ricanant. Je crains que ça ne soit un peu pénible pour vous deux. Qu'en dites-vous, Hergesell?

— Ma femme n'a jamais rien su de cette valise, monsieur le Commissaire, répéta Hergesell.

— De même que vous ignorez qu'elle a déposé dans les escaliers d'immeubles des cartes postales relevant de la haute trahison! Joli ménage, vraiment!

— Une seule fois, et c'était une pure coïncidence.

— Je vous interdis d'échanger le moindre mot. Alors, cette valise est ouverte? Voyons...

Fabian souleva avec difficulté l'objet que contenait la valise : un objet métallique, aux vis et aux ressorts brillants.

— Une machine à imprimer! dit le commissaire Laub. Une jolie petite machine à imprimer — pour les tracts des agitateurs communistes. Votre compte est bon, Hergesell!

— Je ne savais pas ce qu'il y avait dans la valise, répéta Hergesell. Mais il était si terrorisé que ses dénégations semblaient faibles.

— Comme si cela avait encore la moindre importance... Votre devoir était de révéler votre rencontre avec Grigoleit et de remettre cette valise à la police. Cela suffit pour le moment. Fabian, remballez ça. J'en sais plus qu'il n'en faut. Vous passerez les menottes à la femme également.

— Adieu, Karl! s'écria Trudel Hergesell d'une voix forte. Adieu, mon chéri. Tu m'as rendue très heureuse.

— Faites fermer la gueule à cette femme! s'écria le commissaire. Eh bien, Hergesell, que se passe-t-il?

Karl Hergesell avait échappé à son gardien. Malgré ses menottes, il avait réussi à faire tomber celui dont le poing avait fermé la bouche de Trudel, et il se débattait par terre avec lui.

Un simple signe du commissaire avait suffi à Fabian. Il attendit un instant au-dessus des combattants, puis frappa, à trois ou quatre reprises, la tête de Karl Hergesell. Ce dernier poussa un gémissement; ses membres se contractèrent; puis il resta immobile, allongé aux pieds de Trudel qui le regardait sans un geste, la bouche ensanglantée.

Durant le long trajet, de leur banlieue au centre de la ville, elle espéra vainement qu'il reprendrait conscience,

qu'elle pourrait encore une fois le regarder dans les yeux
Mais rien !

Ils n'avaient rien fait. Et pourtant, ils étaient perdus.

LA PIRE ÉPREUVE D'OTTO QUANGEL

Durant les dix-neuf jours qu'Otto Quangel dut passer dans les caves de la Gestapo, avant d'être remis au juge d'instruction du Tribunal du peuple, ce ne furent pas les interrogatoires du commissaire Laub qu'il eut le plus de mal à supporter, bien que cet homme mît tout en œuvre pour briser la résistance du détenu, essayant de faire de lui, par les pires moyens, une épave terrifiée et hurlante.

Ce qui usait Otto Quangel, ce n'était pas non plus le souci lancinant et chaque jour grandissant que lui inspirait sa femme. Il ne voyait pas Anna et n'avait d'elle que des nouvelles indirectes ; lorsqu'en l'interrogeant Laub citait le nom de Trudel, il savait que sa femme s'était laissé gagner par la frayeur, qu'un nom lui avait échappé, un nom qu'elle n'aurait jamais dû prononcer. Par la suite, lorsqu'il fut de plus en plus évident que Trudel et son mari avaient été arrêtés et qu'ils avaient parlé, Quangel passa de nombreuses heures à se quereller en pensée avec sa femme. Il avait toujours mis sa fierté à vivre absolument seul, à n'avoir pas besoin d'importuner les autres, et voilà que, par sa faute (car il se sentait entièrement responsable d'Anna), deux jeunes êtres avaient été entraînés dans son malheur !

Mais le mécontentement ne dura pas longtemps ; les soucis qu'il se faisait pour sa compagne prirent le dessus. Il essayait de se représenter Anna dans sa cellule, et il aurait voulu lui envoyer sa force pour qu'elle reprît courage, pour qu'elle ne s'humiliât pas devant ce misérable, qui n'avait plus grand-chose d'humain.

Si l'inquiétude au sujet d'Anna était dure à supporter, elle était loin d'être le plus dur. Ce n'était pas non plus l'irruption presque quotidienne de S.S. ivres, accompagnés de leurs chefs, et qui ne songeaient qu'à faire sentir leur force, à voir des êtres souffrir et agoniser. Le plus dur était que le contremaître n'était pas seul dans sa cellule. Avec lui se trouvait un être qui remplissait Quangel d'épouvante, une bête déchaînée, obscène, insensible et lâche, tremblante et grossière ; créature que Quangel ne pouvait regarder sans ressentir un profond dégoût, et auquel il devait pourtant se soumettre, car l'homme était beaucoup plus fort que lui.

Karl Ziemke, appelé Karlchen par les gardes, était un hercule de trente ans environ ; une tête de bouledogue aux yeux très petits, de longues mains et de longs bras couverts de poils. Le front bas et inégal, toujours barré d'une épaisse mèche de cheveux, était creusé de nombreux plis horizontaux. Ziemke parlait peu, et uniquement de meurtre et de carnage. Quangel apprit bientôt par les gardiens que c'était un ancien dignitaire S.S., qui avait été chargé d'une mission spéciale de bourreau. Personne ne devait jamais savoir combien d'êtres humains ces pattes velues avaient fait mourir, et Karlchen n'en savait rien lui-même. Pourtant cet assassin professionnel n'avait pas encore trouvé, dans ces temps voués au meurtre, de quoi assouvir ses instincts sanguinaires, et il s'était mis à commettre des assassinats qui n'étaient pas ordonnés par ses supérieurs. Bien qu'il n'eût pas dédaigné de prendre l'argent et les objets de valeur appartenant à ses victimes, le pillage n'avait jamais été le mobile de ses méfaits, mais le seul goût de la cruauté ; on avait fini par s'en apercevoir, et comme il avait été assez maladroit pour ne pas se contenter de tuer des Juifs, des ennemis du peuple et tous les malheureux sans défense, mais aussi d'authentiques Aryens, au nombre desquels un membre du Parti, il attendait maintenant dans les caves de la Gestapo qu'on se prononçât sur son sort.

Bien qu'il eût envoyé bien des gens à la mort sans le moindre battement de cœur, Karlchen Ziemke craignait pour sa propre vie, si précieuse, et l'idée avait germé dans sa tête qu'il pourrait échapper aux conséquences de ses actes en simulant la folie. Il avait choisi de jouer un rôle de chien, et il s'y appliquait avec méthode. La plupart du temps, il circulait complètement nu, à quatre pattes dans la cellule, aboyant, mangeant à même l'écuelle et toujours prêt à mordre Quangel aux jambes; ou bien il fallait que le vieux contremaître lui jetât pendant des heures une brosse, qu'il apportait ensuite pour se faire caresser. Si Quangel ne montrait pas assez de bonne volonté, le « chien » sautait sur lui, le jetait à terre et menaçait de l'étrangler avec ses dents. Les gardiens s'amusaient beaucoup du spectacle offert par Karlchen; ils restaient souvent des heures à la porte de la cellule à exciter le chien, et Quangel devait tout endurer. Mais quand ils avaient bu et voulaient passer leur colère sur les prisonniers, ils faisaient tomber Karlchen, qui étendait les bras en les suppliant de lui piétiner les entrailles.

C'est en compagnie de cet homme que Quangel était condamné à vivre jour après jour, heure après heure, minute après minute; lui qui avait constamment vécu seul ne pouvait plus être seul un quart d'heure. Même la nuit, lorsqu'il cherchait la consolation dans le sommeil, il n'était pas certain que l'autre ne viendrait pas le tourmenter. Le monstre était soudain près de lui, la patte posée sur la poitrine de Quangel, demandant de l'eau ou même une place sur sa couche. Il fallait se pousser, alors qu'on était soulevé de dégoût par ce corps jamais lavé, velu comme celui d'une bête, mais qui n'avait rien de la pureté ni de l'innocence des bêtes; puis Karlchen se mettait à japper et à lécher le visage d'Otto Quangel, et après son visage son corps tout entier. Souvent le vieux contremaître se demandait pourquoi il supportait cela, puisqu'il était assuré de sa mort prochaine. Mais quelque chose en lui répugnait à ce qu'il se supprimât, abandonnant ainsi Anna, que pourtant il ne voyait plus. Quelque chose en lui répugnait à leur rendre la partie si facile en devançant le verdict. C'était eux qui devaient lui arracher la vie, le faire mourir par un moyen quelconque, corde ou couperet ; il ne voulait rien leur épargner ; et c'est pourquoi Quangel ne se dérobait pas à l'épreuve que lui faisait subir Karlchen Ziemke.

Chose étrange : plus ces dix-neuf jours approchaient de leur terme, plus le « chien » semblait être dévoué à son compagnon. Il ne le mordait plus, ne le renversait plus pour le saisir à la gorge ; lorsque ses camarades S.S. lui avaient donné une ration plus abondante, il voulait absolument la partager ; et souvent le « chien » restait des heures, son crâne énorme posé sur les genoux du vieil homme, les yeux clos, jappant doucement, tandis que les doigts de Quangel passaient dans ses cheveux. Alors le contremaître se demandait si cette « bête » n'était pas vraiment devenue folle, à force de simuler la folie. Mais si elle l'était vraiment, ses camarades « libres » des couloirs l'étaient aussi. Au demeurant, cela importait peu ; ils étaient, de toute façon, eux et leur Führer dément et leur Himmler au perpétuel rictus imbécile, une race qu'il fallait faire disparaître de la surface de la terre, afin que les êtres raisonnables pussent y vivre.

Lorsqu'on apprit qu'Otto Quangel allait être transféré ailleurs, Karlchen fut très malheureux. Il se mit à glapir et à gémir, forçant Quangel à accepter tout son pain. Et lorsque le contremaître dut s'avancer dans le couloir, les mains en l'air et face au mur, l'homme nu se glissa à quatre pattes hors de la cellule et s'assit près de lui, avec de doux glapissements plaintifs. Quangel en bénéficia, d'une certaine manière, car les brutes S.S. se montrèrent moins méchants envers lui qu'envers les autres prisonniers qu'on emmenait ; un homme qui avait su conquérir l'amitié d'un « chien » de ce genre, et qui avait ce visage d'aigle dur et méchant, impressionnait même les valets du bourreau.

Lorsqu'on fit rentrer le « chien » Karlchen dans sa cellule, Quangel ressentit un léger pincement, quelque chose comme un regret. Alors que, sa vie durant, il n'avait ouvert son cœur qu'à un seul être, sa femme, c'est sans plaisir qu'il voyait ce criminel invétéré, cette bête humaine, quitter le cadre de sa vie.

ANNA QUANGEL ET TRUDEL HERGESELL

L'arrivée de Trudel Hergesell dans la cellule d'Anna Quangel, après la mort de Berta, fut peut-être l'effet d'une simple négligence. Peut-être aussi le commissaire Laub ne leur attachait-il à toutes deux aucune importance ; on en tirait tout ce qu'on désirait savoir au sujet de leurs maris, et ensuite elles ne comptaient plus. Les vrais coupables étaient toujours les hommes ; les femmes ne faisaient que les suivre ; ce qui, bien sûr, ne les dispensait pas d'être exécutées avec eux.

Quand Berta était morte entre ses bras, Anna s'était demandé si elle n'avait pas une part de responsabilité dans cette fin. Elle n'aurait pas dû prononcer le nom de sa belle-sœur devant le commissaire Laub... ! Puis elle pensa à Trudel et se mit à trembler. Nul doute, cette fois, qu'elle n'eût réellement trahi la malheureuse jeune femme ! Bien sûr, les excuses ne manquaient pas : comment pouvait-elle deviner tout le malheur qui résulterait du seul fait d'avoir cité le nom de la fiancée d'Otto ? Mais elle avait fini par plonger dans le malheur un être qu'elle aimait, et peut-être pas seulement cet être !

Anna Quangel frémissait à l'idée de devoir affronter Trudel Hergesell et lui répéter les paroles qui l'avaient trahie. Mais quand elle pensait à son mari, son désespoir ne connaissait plus de bornes, car elle était convaincue que cet homme d'une droiture scrupuleuse ne lui pardonnerait jamais cette trahison, et qu'elle perdrait l'unique compagnon de sa vie avant d'en voir le terme.

« Comment ai-je pu être aussi faible ? » se demandait-elle. Lorsqu'on venait la chercher pour être interrogée par Laub, elle priait Dieu de lui donner, au milieu des tribulations, la force de ne rien dire qui pût jeter le soupçon sur de nouvelles victimes. Cette petite femme maladive s'obstinait à revendiquer plus que sa part du fardeau : c'était elle seule – à une ou deux exceptions près – qui avait porté les cartes postales ; elle seule avait eu l'idée du texte, pour le dicter à son mari ; elle seule était à l'origine de ces cartes et la mort de son fils l'y avait incitée. Le commissaire Laub voyait bien que cette femme mentait, qu'elle n'était pas capable d'accomplir les actes qu'elle revendiquait ; mais il avait beau crier, menacer, faire souffrir, elle ne signait pas d'autres déclarations que celles-là ; elle ne retirait rien de ses affirmations, même s'il lui démontrait dix fois qu'elles ne pouvaient pas être exactes. Et lorsqu'elle revenait au sous-sol après ces interrogatoires, elle se sentait soulagée ; il lui semblait qu'elle avait expié une partie de sa faute et qu'Otto pouvait être plus content d'elle. Elle se persuadait d'ailleurs de plus en plus qu'elle pourrait peut-être sauver la vie d'Otto, en prenant sur elle toute la responsabilité...

Selon les habitudes de la prison de la Gestapo, on n'avait mis aucun empressement à retirer le cadavre de Berta de la cellule d'Anna. La morte y séjournait déjà depuis plus de quarante-huit heures, et il y régnait une répugnante odeur douceâtre quand on ouvrit la porte pour y pousser celle dont Anna craignait tant le regard.

Les yeux de Trudel ne virent d'abord presque rien ; elle était épuisée à l'extrême, et la peur qu'elle ressentait, pour Karl qui n'avait pas repris connaissance et dont on venait de la séparer brutalement, la rendait presque inconsciente. Elle poussa un léger cri d'effroi quand elle sentit dans la cellule la puanteur de la putréfaction et quand elle aperçut la morte, tavelée et boursouflée, sur le châlit de bois. Comme elle gémissait : « Je n'en peux plus ! » Anna Quangel fit un pas en avant et l'empêcha de tomber.

— Trudel ! lui chuchota-t-elle à l'oreille, Trudel, pourras-tu me pardonner ? J'ai d'abord prononcé ton nom comme celui de la fiancée d'Otto, et ensuite il m'a tout fait dire avec ses tortures. Je ne sais plus comment j'ai pu en arriver là. Trudel, ne me regarde pas comme ça, je t'en prie... Trudel, ne devais-tu pas avoir un enfant ? Aurais-je détruit tout cela aussi ?

Tandis qu'Anna Quangel parlait ainsi, Trudel Hergesell était retournée à l'entrée de la cellule. Appuyée à la porte bardée de fer, elle regardait la vieille femme, qui lui faisait face à l'autre bout du réduit.

— C'est toi qui as fait ça, mère ? dit-elle.

Elle explosa soudain :

— Ah, ce n'est pas pour moi ! Mais ils ont battu Karl, ils l'ont roué de coups, et je ne sais pas s'il reprendra connaissance. Il est peut-être déjà mort.

Les yeux pleins de larmes, elle continua :

— Et je ne peux pas le rejoindre !... Je ne sais rien, et je vais peut-être rester ici des jours et des jours sans nouvelles. Il sera mort et enterré, mais il vivra encore en moi. Et je n'aurai jamais d'enfant de lui – oh, que je suis malheureuse ! Il y a quelques semaines, avant de rencontrer Père, j'avais tout pour être heureuse, et je l'étais ! Mais maintenant, je n'ai plus rien ! Oh, mère...

Elle se reprit :

— Mais tu n'es pour rien dans ma fausse couche, qui s'est produite avant tout cela.

Soudain Trudel Hergesell traversa la cellule en titubant et vint cacher sa tête contre la poitrine d'Anna :

— Ah, mère, dis-moi que Karl ne va pas mourir!

Anna Quangel l'embrassa en murmurant :

— Il vivra, Trudel. Et toi aussi! Vous n'avez rien fait de mal.

Elles restèrent un moment enlacées en silence, chacune abandonnée à l'amour de l'autre et y retrouvant un semblant d'espoir. Mais Trudel finit par secouer la tête en disant :

— Non, nous ne nous en tirerons pas non plus! Ils ont découvert trop de choses. Karl avait conservé une valise, sans savoir ce qu'il y avait dedans. Et j'ai déposé une carte à la place du père. Ils disent que c'est de la haute trahison et que nous paierons cela de notre tête.

— Ils ne resteront plus très longtemps les maîtres, Trudel.

— Qui sait?... Songe à tout ce qu'ils ont pu faire aux Juifs et à d'autres peuples sans en être punis!... Crois-tu vraiment que Dieu existe, mère?

— Oui, Trudel, je le crois. Otto ne le permettait pas, mais c'est mon seul secret pour lui : je crois encore en Dieu.

— Je n'ai jamais pu y croire vraiment. Mais, s'il existait, je saurais que Karl et moi, nous nous retrouverons après la mort!

— C'est sûr, Trudel!... Otto non plus ne croit pas en Dieu. Il dit que tout se termine avec cette vie. Mais je sais que je le retrouverai pour l'éternité après notre mort. J'en suis certaine, Trudel.

Trudel regarda la forme inanimée qui reposait sur l'autre châlit :

— Je ne voudrais pas être dans cet état, pleine de taches et gonflée. C'est affreux.

— Il y a trois jours qu'elle est là. Ils ne viennent pas la chercher. Elle était très belle quand elle est morte, calme et solennelle. Mais à présent que son âme l'a quittée, elle n'est plus qu'un peu de chair en décomposition.

— Il faut qu'ils viennent la chercher! Je ne peux plus la voir! Je ne peux plus respirer cette horrible odeur!

Et avant qu'Anna Quangel eût pu l'en empêcher, Trudel avait couru à la porte, qu'elle martelait en criant : « Ouvrez!... Ouvrez tout de suite!... Écoutez donc! »

Anna Quangel se précipita vers elle, lui prit les mains et l'écarta de la porte en murmurant : « Tu n'as pas le droit!... C'est interdit!... Ils vont venir te frapper! »

Mais il était déjà trop tard. La serrure fit entendre son déclic, et un S.S. gigantesque bondit à l'intérieur, brandissant une matraque de caoutchouc.

— Qu'avez-vous à crier, garces? hurla-t-il. Vous avez peut-être des ordres à donner, tas de putains?

Les deux femmes, apeurées, le regardaient tapies dans un coin de la cellule. Mais, au lieu de s'approcher pour les frapper, il baissa son gourdin en grommelant :

— Ça pue là-dedans! Autant qu'à la morgue!... Il y a combien de temps qu'elle est là?

C'était un tout jeune homme. Son visage avait blêmi.

— Ça fait le troisième jour, dit Anna. Ayez donc la bonté de demander qu'on la retire. On ne peut vraiment plus respirer.

Le S.S. sortit en maugréant. Les deux femmes se glissèrent jusqu'à la porte qu'il avait laissée entrebâillée, l'écartèrent un peu, et respirèrent comme un baume l'air du couloir chargé d'odeurs d'excréments et de désinfectant. Puis elles reculèrent, car le jeune S.S. revenait sur ses pas.

— Bon! dit-il, un bulletin à la main. Attrapez-la. Toi, la vieille, par les jambes, et toi, la jeune, par les épaules. Vous pourrez bien la porter, ce n'est guère qu'un squelette.

À travers la brutalité de ces paroles, on sentait percer presque de la bienveillance. Il leur donnait d'ailleurs un coup de main. Ils remontèrent un long couloir, puis on ouvrit une grille; le garçon présenta son bulletin à une sentinelle, et ils descendirent de nombreux escaliers. L'humidité se faisait sentir, et les ampoules éclairaient mal.

— Nous y sommes, dit le S.S. en ouvrant une porte. C'est la morgue. Posez-la sur ce châlit, mais déshabillez-la. On manque de vêtements, tout peut servir.

On sentait que son rire était forcé.

Les deux femmes poussèrent un cri d'épouvante : dans cette cave, quantité de morts et de mortes étaient déposés, aussi nus qu'à leur naissance ; visages défoncés, membres distordus, corps tuméfiés, couverts de sang et de boue figés. Personne n'avait pris la peine de leur fermer les yeux, qui restaient immobilisés par la mort ; et certains semblaient épier cette nouvelle compagne qu'on leur apportait. Tandis qu'Anna et Trudel s'appliquaient, de leurs mains tremblantes, à dépouiller de ses vêtements le cadavre de Berta, elles ne pouvaient s'empêcher de jeter des regards derrière elles, sur ce rassemblement de morts, sur cette mère dont les seins pendaient à jamais taris, sur ce vieil homme qui avait certainement espéré terminer paisiblement dans son lit une vie consacrée au travail, sur cette jeune fille aux lèvres blanches, faite pour donner la vie et la recevoir, sur ce garçon au nez brisé et au corps harmonieux qui semblait d'ivoire jauni.

Les mains dans les poches, le S.S. regardait faire les deux femmes. Il bâilla, alluma une cigarette et dit : « Oui, c'est la vie ! » Le silence revint, puis, lorsque Anna Quangel eut fait des vêtements un ballot, il voulut partir. Mais Trudel Hergesell, posant la main sur sa manche noire, demanda :

— Oh, je vous en prie ! Laissez-moi chercher !... Mon mari est peut-être ici...

Il baissa un moment le regard sur elle et dit soudain, en secouant lentement la tête :

— Pauvre fille, que fais-tu ici ? J'ai une sœur au pays, elle doit avoir ton âge. Il la regarda encore une fois : Allez, cherche, mais dépêche-toi.

Très pâle, Trudel revint de son exploration.

– Non, il n'est pas ici. Pas encore.

Le gardien évita son regard : « Allons ! » dit-il, en les faisant passer devant lui.

Tant qu'il fut de faction ce jour-là dans leur couloir, il ne cessa d'ouvrir la porte afin d'aérer leur cellule. Il leur apporta également du linge propre pour changer le lit de la morte – et dans cet enfer impitoyable, c'était un très grand geste de miséricorde.

Ce jour-là, le commissaire Laub n'eut guère de succès en interrogeant les deux femmes ; elles s'étaient consolées mutuellement, elles avaient perçu un peu de sympathie, fût-ce de la part d'un S.S., et elles se sentaient fortes. Mais de nombreux jours suivirent, et ce S.S. ne fut jamais plus de service de leur côté. Sans doute l'avait-on déplacé ; il s'était montré trop humain pour monter la garde en cet endroit.

BALDUR PERSICKE VIENT VOIR SON PÈRE

Baldur Persicke, le plus brillant rejeton de la famille, a terminé tout ce qu'il avait à faire à Berlin. Il peut enfin rentrer à l'école de cadres nazis, pour y parfaire sa formation de futur seigneur du monde.

Il est allé chercher sa mère, chez les cousins où elle avait trouvé refuge, et lui a intimé l'ordre de ne plus quitter l'appartement, sous peine de toutes sortes d'ennuis. Il a également rendu visite à sa sœur, surveillante à Ravensbrück, et ne lui a pas dissimulé son admiration pour la façon dont elle fait travailler les vieilles femmes. Le soir, en compagnie d'autres surveillantes et de quelques amis du voisinage, ils ont organisé une petite orgie très intime, avec beaucoup d'alcool, de cigarettes et d'« amour ».

Le voyage de Baldur avait toutefois pour but essentiel de régler les affaires de son père, qui avait commis quelques bêtises sous l'empire de la boisson. Il devait passer devant le tribunal du Parti, pour détournements de fonds, mais Baldur avait fait jouer toutes ses relations, mendiant ou menaçant tour à tour, et le fils attentionné avait obtenu que l'affaire fût étouffée, la somme manquante étant déclarée volée par Borkhausen et consorts.

Il aurait pu retourner directement à son école de cadres, mais il voulait auparavant s'acquitter d'un devoir de piété filiale, en allant voir son père à la maison de cure pour alcooliques. Le renouvellement des scènes qui s'étaient produites dans l'appartement de la famille devait être évité à tout prix.

Voici Baldur introduit par priorité, grâce à ses titres, avec la permission de parler librement à son père. Il trouve le vieillard très diminué. Persicke n'est plus que le fantôme de lui-même ; un fantôme qui n'est pas, malheureusement, exempt de besoins. Il mendie quelque chose à fumer auprès de son fils, qui, après plusieurs refus – « Vieux brigand, tu ne le mérites pas » –, finit par donner une cigarette. Mais lorsque le vieux supplie de lui apporter une bouteille de schnaps, Baldur se contente de rire. Tapant sur les genoux desséchés et tremblants de son père, il déclare : « Il faut que ça te passe. Tu n'auras plus jamais de schnaps, de toute ta vie, il t'a fait faire trop de bêtises ! » Et tandis que son père reste renfrogné, Baldur raconte avec complaisance tout le mal qu'il s'est donné pour réparer ces bêtises. Mais le vieux Persicke n'a jamais été un grand diplomate ; il a toujours clamé sans détour sa façon de voir les choses, sans s'occuper des réactions de son interlocuteur. Cette fois encore, il déclare :

– Tu as toujours été un grand vantard, Baldur. Je savais bien que le Parti ne me causerait pas d'ennuis, depuis quinze ans que je suis du côté d'Hitler. Vraiment, si tu t'es donné du mal, c'est pure bêtise de ta part. Une fois dehors, j'aurais réglé l'affaire en quelques mots.

Le père est un sot : s'il avait un peu flatté son fils, s'il l'avait remercié et félicité, Baldur Persicke se serait montré plus compréhensif. Mais, cette fois, sa vanité est profondément froissée, et il dit simplement

— Attends d'abord d'être dehors! Tu es dans cette auberge pour le restant de tes jours.

Ces paroles sont si effrayantes pour le vieillard qu'il se met à trembler de tout son corps ; mais il se ressaisit pour dire ·

— Je voudrais bien voir qui oserait me retenir ici! Pour l'instant, je suis encore un homme libre. Le médecin-chef m'a dit lui-même que je pourrai sortir dans six semaines et que je serai définitivement guéri.

— Tu ne guériras jamais, dit Baldur avec un sourire moqueur. Tu recommenceras toujours à te saouler. Je t'ai observé suffisamment. Tout à l'heure je ferai part de mon opinion au médecin-chef, et m'assurerai qu'on te mettra définitivement en tutelle.

— N'y compte pas. Le docteur m'aime beaucoup. Il a dit que personne ne connaît de meilleures histoires cochonnes que moi. Et d'ailleurs il m'a promis que je serai libéré dans six semaines.

— Mais si je lui raconte que tu viens de me demander de t'apporter une bouteille, il changera d'avis au sujet de ta guérison!

— Tu ne feras pas ça, Baldur! Je suis ton père...

— Et après?... Il faut bien que je sois le fils de quelqu'un. Et je trouve que je suis plutôt mal tombé.

— Ta mère n'acceptera jamais que je reste ici éternellement, dit le vieux, désespéré.

— Oh, ça ne sera pas long, si j'en juge par ta mine!

Baldur se met à rire et croise les jambes, pour considérer avec complaisance le brillant de ses bottes astiquées par sa mère.

— Et maman a tellement peur de toi!... Crois-tu qu'elle ait oublié que tu as voulu l'étrangler? Elle refuse même de venir te voir.

— Alors, j'écrirai au Führer! s'écrie le vieux Persicke, indigné. Le Führer ne laissera pas tomber un vieux militant.

— Tu n'offres plus aucun intérêt pour le Führer! Il se fout bien de tes histoires!... D'ailleurs, tu ne peux plus écrire, tellement tes mains d'ivrogne sont mal assurées. Et puis je vais demander qu'on ne laisse pas sortir d'ici un seul mot de toi!

Le vieux redevient suppliant

— Baldur, tu n'imagines pas le régime qu'on nous impose ici! On nous laisse mourir de faim. Les infirmiers ne cessent de cogner, et les autres malades me frappent aussi. Mes mains tremblent tellement que je ne peux pas me défendre, et alors ils m'enlèvent le peu que j'ai à manger...

Tandis que le vieux le supplie, Baldur se prépare à partir; mais son père se cramponne à lui et continue précipitamment :

— Et il se passe des choses encore beaucoup plus affreuses. Parfois, aux malades qui ont été trop bruyants, l'infirmier en chef administre une piqûre, d'un liquide vert, je ne sais pas comment ça s'appelle. Les gens se mettent à vomir, ils rendent tripes et boyaux, et tout d'un coup, c'est fini. Tu ne veux tout de même pas que ton père meure comme cela, au milieu de ses vomissements! Baldur, sois bon, aide-moi, sors-moi d'ici, j'ai tellement peur!

Mais Baldur Persicke était las de ces gémissements. Repoussant le vieux Persicke, il le mit dans son fauteuil et dit :

— Au revoir, papa. J'embrasserai maman de ta part.

Au lieu de quitter tout de suite la maison de cure, il se fit annoncer auprès du médecin-chef. Celui-ci le salua poliment, tandis qu'ils restaient un instant à s'observer, puis le médecin-chef commença :

— Je vois que vous êtes à l'école de cadres, Herr Persicke?

— Oui, docteur, répondit fièrement Baldur.

— On fait beaucoup pour notre jeunesse, aujourd'hui, fit le médecin-chef en hochant la tête avec bienveillance. De mon temps, j'aurais aimé pouvoir profiter de tels avantages. Vous n'êtes pas encore appelé au service armé, Herr Persicke?

— Sans doute serai-je dispensé du service ordinaire, dit Baldur d'un ton désinvolte. Je serai probablement chargé d'administrer une vaste zone rurale, en Ukraine ou en Crimée. Quelques douzaines de kilomètres carrés.

— Je vois, fit le médecin.

— Vous êtes inscrit au Parti, docteur?

— Non, malheureusement. Pour dire la vérité, l'un de mes grands-pères a commis une folie, le fameux petit défaut dans la trame, vous savez... Et, plus vite : Mais l'affaire est arrangée. Mes supérieurs sont intervenus en ma faveur, et je suis considéré comme pur Aryen. Je dirais plutôt : J'en suis un. J'espère être autorisé prochainement à porter la croix gammée.

Baldur était très raide dans son fauteuil; la pureté de sa race l'animait d'un fort sentiment de supériorité à l'égard de celui qui avait besoin de pareils détours.

— Je voulais vous parler de mon père, docteur, dit-il, presque sur le ton d'un supérieur.

— Oh, votre père va très bien, Herr Persicke. Je pense que dans six ou huit semaines nous pourrons le renvoyer guéri.

— Mon père est incurable, dit Baldur, en lui coupant la parole. Je l'ai toujours vu boire. Si vous le renvoyez le matin, il sera ivre en arrivant chez nous l'après-midi. On connaît ce genre de guérison. Ma mère et mes sœurs souhaitent qu'il passe ici le temps qui lui reste à vivre. Ce désir est le mien, docteur!

— Certes, certes! Le médecin s'empressait d'approuver : Je vais dire un mot au Professeur à ce sujet...

— Tout à fait inutile. Ce que nous décidons ici est définitif. Si par hasard mon père arrivait chez nous, le nécessaire serait fait pour qu'il soit reconduit ici le même jour, en état d'ivresse totale. Voilà comment se présenterait votre complète guérison, docteur. Et je vous garantis que les conséquences en seraient désagréables pour vous.

Le médecin-chef était malheureusement un lâche. Il baissa les yeux, sous l'impudente insolence du regard de Baldur, et dit :

— Le danger d'une rechute est toujours très grand chez les dipsomanes, chez les buveurs. Et si monsieur votre père a toujours bu...

— Il a bu tout ce qu'il possédait. Aujourd'hui encore il boirait tout ce que nous gagnons, si nous le laissions faire. Mon père restera ici.

— Votre père restera ici, en attendant. Si par la suite, par exemple après la guerre, il vous arrivait d'avoir l'impression, lors d'une visite, que l'état de votre père s'est nettement amélioré...

De nouveau, Baldur Persicke coupa la parole au médecin.

— Mon père ne recevra plus de visites, ni de moi, ni de mes frères et sœurs, ni de ma mère. Nous le savons bien soigné ici, cela nous suffit. Baldur fixa sur le médecin un regard perçant. Il avait parlé d'une voix forte et presque impérieuse, mais il continua tout bas : Mon père m'a parlé de certaines piqûres vertes, docteur...

Le médecin-chef eut un léger tressaillement. Il répondit :

— Pure mesure éducative, que l'on emploie tout à fait exceptionnellement sur de jeunes patients récalcitrants. À lui seul, l'âge de votre père interdirait...

— On a déjà pratiqué sur mon père une de ces injections vertes...

— C'est impossible ! Je vous demande pardon, Herr Persicke, il doit s'agir d'une erreur.

— Mon père m'a parlé d'une de ces piqûres, ajoutant qu'elle lui avait fait du bien, continua Baldur, d'un ton sans réplique. Pourquoi ne poursuivez-vous pas ce traitement, docteur ?

Le médecin ne savait plus que penser :

— Mais, Herr Persicke! C'est uniquement une mesure éducative! Le patient vomit pendant des heures, parfois pendant des jours.

— Et alors? Laissez-le donc! Ça l'amuse peut-être! Mon père m'a assuré que cette piqûre lui a fait du bien. Il aspire littéralement à recevoir la seconde. Pourquoi lui refusez-vous un remède qui lui est salutaire?

— Non, non! répliqua le médecin brusquement. Honteux de son attitude, il ajouta : Il doit y avoir un malentendu. Je n'ai encore jamais entendu dire qu'un malade se soit félicité d'une piqûre de...

— Docteur, qui mieux que son fils peut comprendre celui qui souffre?... Or je suis son fils préféré. Je vous serais très reconnaissant de donner, en ma présence, l'ordre de pratiquer immédiatement une piqûre semblable sur mon père. Je rentrerais en quelque sorte réconforté, ayant pu réaliser un désir de ce vieil homme.

Très pâle, le médecin regardait le visage de son interlocuteur.

— Vous voulez dire que je dois tout de suite? murmura-t-il...

— Peut-il encore subsister le moindre doute sur ce que je veux dire, docteur? Je vous trouve vraiment un peu mou, pour un médecin-chef. Vous aviez entièrement raison tout à l'heure : il vous manque d'être allé dans une école de cadres, pour y parfaire vos qualités de chef. Et il ajouta, l'air mauvais : Il existe, bien sûr, d'autres possibilités d'éducation, compte tenu de votre défaut de naissance...

Au bout d'un long silence, le médecin dit à mi-voix :

— Je vais donc faire cette piqûre à votre père...

— Pourquoi ne la faites-vous pas faire par l'infirmier en chef? Cela semble faire partie de son service.

Le médecin était en proie à un dur combat intérieur; la pièce était retombée dans le silence. Il finit par se lever lentement.

— Je vais donc dire à l'infirmier en chef...

— Je me ferai un plaisir de vous accompagner. Votre travail m'intéresse énormément. Vous comprenez : mise à l'écart des êtres inférieurs, stérilisation, etc.

Baldur Persicke était aux côtés du médecin lorsque celui-ci donna ses instructions à l'infirmier en chef, pour la piqûre à faire au malade Persicke...

— Une piqûre vomitive, mon cher! insista Baldur, d'une voix suave. Quelle dose donnez-vous, en général? Bon, un peu de supplément ne fera pas de mal, hein? Tenez, j'ai là quelques cigarettes. Prenez donc toute la boîte.

L'infirmier en chef remercia et s'éloigna, tenant la seringue pleine du liquide vert.

— Eh bien, c'est un vrai gorille, votre infirmier en chef! J'imagine que ça doit se sentir, quand il cogne. Les muscles, c'est la moitié de la vie, docteur! Bon, je vous remercie de tout cœur. Espérons que le traitement fera son effet. *Heil* Hitler!

— *Heil* Hitler! Herr Persicke.

Revenu dans son bureau, le médecin-chef s'affaissa dans son fauteuil. Il tremblait de tous ses membres et une sueur froide inondait son front. Il se leva pour aller à son armoire à pharmacie et prépara lentement une seringue. Mais, quelle que fût l'envie de vomir que lui inspiraient l'univers et son existence en particulier, cette seringue ne contenait pas de liquide vert. Il préférait la morphine.

Il retourna vers son fauteuil, puis étira ses membres avec volupté, attendant l'effet du narcotique.

« Que je suis lâche! pensait-il. Quelle écœurante lâcheté! Ce misérable insolent!... L'autorité qu'il s'arroge provient sans doute uniquement de sa grande gueule. Et j'ai rampé devant lui, alors que ce n'était nullement nécessaire. Mais c'est toujours cette maudite grand-mère !... Et dire que je ne peux pas me taire ! Quand je songe au charme de cette vieille dame que j'aimais tant... » Ses idées se troublèrent. Il revoyait la vieille dame au visage raffiné, dont l'appartement sentait le gâteau à l'anis et les pétales de roses. Sa main était si fine, une main d'enfant devenue vieille !...

« Et c'est à cause d'elle que je me suis humilié devant ce coquin ! Je crois que je ferais mieux de ne pas m'inscrire au Parti, Herr Persicke. Il est trop tard. Votre règne pourrait bien ne plus durer longtemps. »

Il cligna des yeux en s'étirant. Il respirait avec bien-être, il avait retrouvé la paix.

« J'irai voir, tout de suite après, où en est Persicke. De toute façon, je ne lui ferai pas faire de nouvelle piqûre. Espérons qu'il tiendra le coup ! J'irai le voir tout de suite après. Je veux d'abord profiter pleinement de l'effet de ce calmant. Mais tout de suite après, parole d'honneur ! »

L'AUTRE COMPAGNON DE CELLULE
D'OTTO QUANGEL

Lorsque le surveillant de la maison d'arrêt introduisit Otto Quangel dans sa nouvelle cellule, un homme de haute taille se leva de la table où il était occupé à lire et se plaça sous la fenêtre de la cellule, dans la position réglementaire, les doigts sur la couture du pantalon. Mais sa façon de se soumettre à cette « marque extérieure de respect » trahissait qu'il ne la considérait pas comme très nécessaire. Le surveillant l'en dispensa d'ailleurs sans tarder :

— C'est bon, Herr Doktor, dit-il. Voici votre nouveau compagnon de cellule.

— Bien ! dit l'homme qui, avec son complet foncé, sa chemise de sport et sa cravate, avait, aux yeux d'Otto Quangel, plutôt l'air d'un « monsieur » que d'un camarade de captivité. « Je m'appelle Reichhardt, musicien, accusé de menées communistes. Et vous ? »

Quangel sentit dans sa main une main froide et ferme.

— Quangel, dit-il d'un ton mal assuré. Je suis menuisier. On dit que je suis coupable de haute trahison.

— À propos, lança Reichhardt à l'adresse du surveillant qui s'apprêtait à fermer la porte, à partir d'aujourd'hui de nouveau deux portions, n'est-ce pas ?

— Bien sûr, Herr Doktor ! fit le surveillant. Je le savais.

Et la porte se referma.

Ils se dévisagèrent un moment. Quangel se méfiait. Il regrettait presque son « chien » Karlchen des caves de la Gestapo. L'idée d'avoir à vivre désormais avec ce monsieur distingué le mettait mal à l'aise.

Le « monsieur » lui souriait des yeux. Il finit par dire :

— Faites comme si vous étiez seul, si vous aimez mieux. Je ne vous dérangerai pas. Je lis beaucoup, je joue aux échecs tout seul. Je fais de la gymnastique pour rester en forme Parfois, je chante un peu, mais tout bas, car c'est interdit naturellement. Cela va peut-être vous déranger.

— Non, cela ne me gêne pas, répondit Quangel, et il ajouta, presque malgré lui : J'arrive du bunker de la Gestapo. J'y suis resté enfermé trois semaines, avec un fou qui était toujours nu et faisait le chien. Il faut autre chose pour me déranger, maintenant.

— Bon ! fit le Dr Reichhardt. Bien sûr, il eût été préférable que vous trouviez un peu de plaisir à la musique. C'est la seule façon de connaître la paix, entre ces murs.

— Je ne comprends rien à tout ça, répondit Quangel, comme pour refuser de le suivre sur ce terrain. Il ajouta : C'est un bâtiment tout à fait bien, comparé à celui d'où je viens.

Le monsieur était retourné à la table où il avait repris son livre. Il répondit aimablement :

– J'ai été un moment là-bas, moi aussi. Oui, c'est un peu mieux ici. Au moins, on n'y reçoit pas de coups. Mais, vous savez, la prison reste la prison. Il y a quelques améliorations au régime. Par exemple, j'ai le droit de lire, de fumer, de faire venir mes repas, d'avoir mes vêtements et mes draps. Mais je suis un cas spécial. Et au fond, le seul problème, c'est de pouvoir oublier les barreaux.

– Et vous y êtes parvenu?

– La plupart du temps. Pas toujours, oh non! Pas quand je pense à ma famille, par exemple.

– Je n'ai que ma femme, dit Quangel. Y a-t-il une section féminine dans cette prison?

– Oui, mais nous n'en voyons jamais rien.

– Bien sûr. Otto Quangel soupira profondément. Ils ont arrêté ma femme en même temps que moi. J'espère qu'ils l'ont transférée ici également. Elle ne pourrait pas supporter la vie qu'on mène au bunker.

– Espérons qu'elle est ici. Nous le saurons par le pasteur. Il va peut-être venir cet après-midi. À propos : vous avez maintenant le droit de prendre un défenseur.

Il fit à Quangel un signe de tête aimable et dit encore : « Dans une heure, ce sera le déjeuner », puis il mit ses lunettes et reprit sa lecture. Quangel le regarda un moment ; mais le personnage n'avait pas l'intention de continuer la conversation, il lisait vraiment.

« Drôle de race, ces gens distingués! pensa Quangel. J'aurais eu encore une foule de choses à lui demander. Mais s'il ne veut pas, tant pis! Je me garderai bien de l'importuner. » Un peu vexé, il se mit à faire son lit.

La cellule, très propre et bien éclairée, n'était pas non plus trop petite; on pouvait faire trois pas et demi dans chaque sens. La fenêtre était entrouverte et l'air était bon. Après l'atmosphère empuantie du bunker de la Gestapo, Quangel se sentait transporté en un lieu clair et joyeux. Après avoir fait son lit, il s'assit dessus et regarda son compagnon de cellule. Celui-ci lisait, tournant assez rapidement une page après l'autre. Ne se souvenant pas d'avoir lu un livre depuis l'école, Quangel s'étonnait : « Que peut-il bien avoir à lire ? N'a-t-il rien d'autre pour s'occuper l'esprit, en un pareil endroit ? Je ne pourrais pas rester tranquillement à lire comme ça ! Il faut toujours que je pense à Anna, que je réfléchisse à la façon dont tout cela est arrivé et à ce qui suivra, et que je me demande si je saurai tenir le coup. Il dit que je peux prendre un avocat, mais un avocat coûte cher, et pour quoi faire, alors que je suis déjà condamné à mort ? J'ai tout avoué ! Pour un monsieur comme ça, c'est bien différent. Il n'a sûrement pas grand-chose sur la conscience ; il peut se permettre de lire... »

Le Dr Reichhardt n'interrompit sa lecture matinale qu'à deux reprises ; une fois pour dire, sans lever les yeux : « Il y a des cigarettes et des allumettes dans la petite armoire, si vous voulez fumer ? » Mais lorsque Quangel répondit : « Je ne fume jamais. J'ai trop horreur de dépenser de l'argent », il avait déjà repris sa lecture. L'autre fois, Quangel était monté sur le tabouret et s'efforçait de regarder dans la cour, où l'on entendait le piétinement régulier de nombreux prisonniers.

— Il vaut mieux vous abstenir pour l'instant, Herr Quangel, dit le Dr Reichhardt. C'est l'heure de la promenade. Certains surveillants notent soigneusement les fenêtres où il y a quelqu'un qui regarde ; ensuite le coupable se retrouve au cachot, où il est mis au pain et à l'eau. C'est le soir que vous pourrez le mieux regarder par la fenêtre.

Puis vint le déjeuner. Quangel, habitué à la sordide pitance du bunker de la Gestapo, vit avec surprise qu'il y avait deux grands bols de soupe et deux assiettes garnies de viande, de pommes de terre et de haricots verts. Mais sa surprise fut encore plus grande de voir son compagnon de cellule mettre un peu d'eau dans le lavabo, pour se laver et s'essuyer soigneusement les mains. Le Dr Reichhardt changea l'eau et dit très poliment : « Je vous en prie, Herr Quangel. » Et Quangel se lava docilement les mains, bien qu'il n'eût rien touché de sale. Après quoi ils mangèrent presque en silence le déjeuner, d'une qualité inaccoutumée pour Quangel.

Le contremaître mit trois jours à comprendre que cette nourriture n'était pas le régime ordinaire des détenus de la maison d'arrêt, mais la nourriture personnelle du Dr Reichhardt, dont celui-ci faisait profiter discrètement son compagnon de cellule. De même, il était prêt à tout partager avec Quangel : son tabac, ses livres, son savon; il suffisait que l'autre en manifestât le désir.

Il fallut encore quelques jours de plus au contremaître pour surmonter la méfiance que lui inspirait le Dr Reichhardt et que toutes ces amabilités avaient renforcée. Un prisonnier qui jouissait d'un tel traitement de faveur devait être un indicateur du Tribunal du Peuple. S'il était aimable, c'était pour pouvoir tirer les vers du nez à son compagnon. « Prends garde, Quangel ! »

Mais quel pouvait être le but de cet homme ? Le cas de Quangel était parfaitement clair. Il avait répété sans ambages devant le juge d'instruction ce qu'il avait déjà déclaré devant les commissaires Escherich et Laub. Si le dossier n'avait pas encore été transmis à l'accusateur public, c'était parce que Frau Quangel affirmait avec une obstination peu commune qu'elle était en réalité la seule coupable, que son mari n'avait été qu'un instrument entre ses mains. Mais tout cela ne suffisait pas à expliquer pourquoi l'on offrait à Quangel des cigarettes de luxe et une nourriture abondante et appétissante. De toute évidence, sa personne était sans intérêt pour un mouchard.

Quangel ne se départit vraiment de sa méfiance qu'une nuit où son compagnon de cellule, le monsieur supérieur et distingué, lui avoua en chuchotant que lui aussi avait une peur terrible de la mort, que ce fût par la hache ou par la corde, et que cette pensée l'occupait durant des heures. Le Dr Reichhardt tournait parfois les pages de son livre d'une façon purement mécanique ; ce n'étaient pas les caractères d'imprimerie qu'il avait alors devant les yeux, mais le ciment gris d'une cour de prison, une potence, avec sa corde doucement balancée par le vent, et qui en trois à cinq minutes fait d'un homme sain et vigoureux un cadavre repoussant.

Mais cette fin, dont le Dr Reichhardt était persuadé que chaque jour le rapprochait inexorablement, était pourtant moins terrible que les soucis qu'il se faisait pour sa famille. Quangel apprit que Reichhardt avait trois enfants entre onze et quatre ans, deux garçons et une fille, et qu'il était souvent en proie à une peur panique. Peut-être ses persécuteurs ne se contenteraient-ils pas d'assassiner le père ; peut-être étendraient-ils leur vengeance aux enfants et à la femme innocente, en les envoyant dans un camp de la mort lente.

Cette découverte ne fit pas que balayer la méfiance de Quangel : il eut désormais l'impression d'être un homme relativement favorisé. Anna était son seul souci ; et bien que les dépositions de celle-ci fussent insensées, il y trouvait pourtant la preuve qu'elle avait retrouvé son courage et sa force. Ils mourraient un jour ensemble, mais leur sort était le même, et ils ne laissaient personne dont la pensée pût les tourmenter.

Quangel ne sut jamais exactement quel crime avait pu commettre le Dr Reichhardt. Il lui semblait que son compagnon de cellule n'avait jamais lutté activement contre la dictature hitlérienne, mais qu'il avait simplement vécu selon ses convictions. Refusant tout compromis avec le régime, il avait souvent élevé la voix pour le dénoncer ; en somme, il avait dit à qui voulait l'entendre, à l'intérieur comme à l'extérieur du pays, ce que Quangel avait maladroitement écrit sur ses cartes. Car, jusqu'au cours des dernières années de guerre, le musicien avait donné des concerts à l'étranger.

Il fallut au menuisier Quangel beaucoup de temps pour qu'il se fît une idée relativement claire du genre de travail que le Dr Reichhardt avait pratiqué, du temps qu'il était en liberté. Cette idée ne fut d'ailleurs jamais tout à fait nette, et jamais, au plus profond de lui-même, il ne considéra cette activité comme un vrai travail. La première fois que le contremaître avait entendu prononcer ce mot de musicien, il avait pensé aux artistes qui font danser les gens dans les petits cafés, et il avait eu un sourire de pitié et de mépris pour l'homme robuste aux membres sains qui se contentait d'une telle occupation. C'était là quelque chose de superflu, comme la lecture; un passe-temps réservé aux gens distingués qui n'ont rien de mieux à faire. Reichhardt dut expliquer au vieil homme par le menu, et avec force répétitions, ce qu'est un orchestre et ce que fait son chef; et Quangel ne se lassait pas de se le faire redire :

— Et alors, vous êtes devant vos gens avec une baguette, et vous ne jouez pas vous-même?

— Oui, c'est bien cela, disait Reichhardt.

— Si vous touchez tant d'argent, c'est simplement pour indiquer le moment où chaque musicien doit s'y mettre, et s'il doit jouer fort ou doucement? C'est pour cela seulement?

Oui, le Dr Reichhardt craignait qu'il en fût bien ainsi. C'était la seule justification de son salaire.

— Mais vous savez jouer vous-même, du violon ou du piano?

— Oui, je sais jouer. Mais je ne le fais pas. Tout au moins pas devant le public. Tenez, Quangel, c'est la même chose que vous. Vous aussi, vous savez raboter et scier. Mais vous ne le faisiez pas, vous aviez simplement à surveiller les autres.

— Oui, pour qu'ils produisent le plus possible. Vos musiciens ont-ils joué plus fort et plus vite, parce que vous étiez là?

— Non, bien sûr !

Un silence, puis Quangel dit soudain .

— Et seulement de la musique... voyez-vous, avant que vienne le temps des cercueils, nous avons fait des meubles, des dessertes, des tables et des bibliothèques. Quelque chose de palpable, qui tiendra encore dans cent ans. Mais seulement de la musique !... Quand vous vous arrêtez, il ne reste rien de votre travail.

— Si, Quangel. La joie de ceux qui écoutent de la bonne musique. Cette joie demeure.

Ils ne parvinrent jamais à se mettre complètement d'accord à ce sujet ; un léger mépris pour l'activité de Reichhardt, chef d'orchestre, persista chez Quangel. Mais il se rendait compte que cet homme était un être digne et ferme, un homme de vérité, qui parmi les menaces et les horreurs avait suivi sa voie, sans s'en laisser détourner, toujours aimable et prêt à rendre service. Otto Quangel comprenait, à sa grande surprise, que Reichhardt aurait eu pour tout autre compagnon de cellule les gentillesses qu'il avait pour lui. Ils eurent quelques jours avec eux un petit voleur, un être corrompu qui abusait effrontément des largesses du musicien ; il lui fumait toutes ses cigarettes, échangeait son savon avec l'homme de corvée, volait son pain. Quangel aurait aimé corriger ce vaurien, mais Reichhardt s'y opposait et protégeait le voleur, qui ne voyait que de la faiblesse dans cette bonté.

Lorsqu'on eut enfin retiré cet individu de leur cellule, il apparut que, par une inexplicable méchanceté, il avait déchiré l'unique photographie que le Dr Reichhardt possédait de sa femme et de ses enfants. Le chef d'orchestre resta plein de tristesse devant les débris de cette image qu'il ne pouvait plus reconstituer. Furieux, Quangel dit alors :

— Écoutez, Herr Doktor. Il m'arrive de croire que vous êtes vraiment trop bon. Si vous m'aviez permis dès le début d'administrer une correction à ce coquin, il n'aurait pas osé faire une chose pareille.

Mais l'artiste répondit, avec un triste sourire :

— Quangel, allons-nous devenir pareils à ceux qui croient pouvoir nous gagner à leurs vues en nous frappant ? Nous ne croyons pas au pouvoir de la violence. Nous croyons au rayonnement de la bonté, de l'amour, de la justice.

— La bonté et l'amour, pour un pareil gredin ?

— Savons-nous pourquoi il est devenu si méchant ? C'est peut-être la crainte d'avoir à changer de vie qui le pousse à se défendre ainsi de la bonté et de l'amour ? Si nous avions eu ce garçon encore quatre semaines dans notre cellule, vous auriez eu le temps de sentir un changement.

— Il faut aussi savoir être dur, Herr Doktor !

— Non, il ne le faut pas. Un tel principe excuserait tous les manques d'amour, Quangel...

Contrarié, Quangel secoua sa tête au dur visage de rapace. Mais il ne dit plus rien.

LA VIE DANS LA CELLULE

Ils s'habituèrent l'un à l'autre et se lièrent d'amitié, dans la mesure où un être dur et sec comme Otto Quangel pouvait devenir l'ami d'un être ouvert et bienveillant. Grâce à Reichhardt, ils avaient un emploi du temps bien établi. Le musicien se levait très tôt, se lavait tout entier à l'eau froide, faisait une demi-heure de gymnastique et nettoyait lui-même la cellule. Ensuite, après le petit déjeuner, Reichhardt s'imposait deux heures de lecture ; puis il marchait une heure de long en large, sans jamais oublier d'ôter ses chaussures, pour ne pas énerver ses voisins par le bruit qu'il aurait pu faire.

Pendant cette promenade matinale, qui se prolongeait de dix heures à midi, le Dr Reichhardt chantait tout bas, et

Quangel avait pris l'habitude de prêter l'oreille à ce qu'il fredonnait. Parfois, il se sentait devenir assez fort pour braver n'importe quelle épreuve, et Reichhardt disait alors : « Beethoven. » Parfois, Quangel sentait une joie et une légèreté incompréhensibles et qu'il n'avait jamais connues auparavant, et Reichhardt disait : « Mozart. » Puis les sons qui venaient de la bouche du musicien se faisaient graves et engendraient comme une douleur dans le cœur de Quangel ; ou bien il se sentait reporté au temps de son enfance, quand il accompagnait sa mère à l'église : il avait encore toute la vie devant lui, et c'était pour accomplir une grande tâche : « Jean-Sébastien Bach », disait Reichhardt.

Bien que Quangel n'eût pas encore une très haute idée de la musique, il ne pouvait se soustraire entièrement à son influence, si imparfaits que fussent les airs murmurés par l'artiste. En le voyant ainsi marcher les yeux fermés, Quangel, assis sur son tabouret, se demandait parfois s'il avait bien fait de vivre volontairement en marge. La soixantaine passée, à la veille d'une mort prochaine, le contremaître sentait encore une métamorphose se produire en lui. Il avait beau s'en défendre... Et la musique en était moins la cause que l'exemple offert par son compagnon. Jadis il avait souvent fait taire Anna, parce qu'il considérait le silence comme l'état idéal ; à présent il se surprenait à souhaiter que le Dr Reichhardt voulût bien fermer enfin son livre pour lui adresser la parole.

La plupart du temps, son désir était exaucé. Soudain le musicien relevait la tête et demandait avec un sourire :

— Vous dites, Quangel ?

— Rien, Herr Doktor.

— Vous ne devriez pas rester si longtemps à ressasser vos idées. Pourquoi n'essaieriez-vous pas de lire ?

— Non. C'est trop tard pour moi, maintenant.

— Vous avez peut-être raison. Que faisiez-vous d'ordinaire après le travail ?

— J'écrivais mes cartes.

— Et avant la guerre?

Quangel dut réfléchir, pour se rappeler ce qu'il faisait autrefois.

— Avant, je m'amusais à sculpter.

Reichhardt dit, d'un air songeur :

— Un couteau, voilà un objet qu'ils ne pourront tolérer ici. Il ne faut pas que le bourreau perde son salaire.

— Dites-moi, Herr Doktor, dit Quangel en hésitant, vous jouez aux échecs tout seul. Ne peut-on jouer aussi à plusieurs?

— Oui, à deux. Vous aimeriez apprendre?

— Je crois que je suis trop bête pour ça.

— Essayons.

Et le Dr Reichhardt referma son livre. C'est ainsi que Quangel se mit aux échecs. Il fut surpris de ne pas y trouver de difficultés. Une fois de plus, il s'aperçut qu'une de ses anciennes idées était totalement fausse. Il avait toujours estimé que cette façon de tuer le temps était puérile, et il découvrait maintenant que pousser ces pièces de bois pouvait procurer une sorte de bonheur, une légèreté de l'esprit, la joie honnête et profonde qu'apporte, au perdant comme au gagnant, une partie bien menée.

Maintenant, lorsque le Dr Reichhardt lisait, Quangel, assis en face de lui, devant le jeu aux figures noires et blanches, et le manuel à portée de la main, s'exerçait de son mieux. Son esprit clair et réaliste fit bientôt de lui le meilleur joueur des deux. Comme Reichhardt le félicitait un jour, assurant qu'il aurait pu faire un champion, Quangel répondit :

— Il m'arrive à présent de penser que j'aurais pu faire bien des choses dont je n'avais aucune idée autrefois. C'est seulement depuis que je vous connais, et depuis que je suis arrivé dans cette boîte de béton pour y attendre la mort, que je me rends compte de tout ce que j'ai raté dans ma vie.

– Il en va de même pour chacun de nous. Tous ceux qui vont mourir, et surtout ceux qui doivent comme nous mourir avant l'heure, regrettent toutes les heures qu'ils ont gâchées.

– Mais pour moi ce n'est pas du tout la même chose, Herr Doktor. J'ai toujours pensé qu'il suffisait de bien faire son métier, et je m'aperçois maintenant que j'aurais pu faire une foule d'autres choses. Jouer aux échecs, être aimable avec autrui, écouter de la musique, aller au théâtre... Si je pouvais encore exprimer un désir avant de mourir, ce serait de vous voir avec votre baguette diriger un concert symphonique, comme vous dites. Je voudrais voir quelle allure ça a et quel effet ça me ferait.

– Personne ne peut vivre dans toutes les directions à la fois, Quangel. La vie est si multiple qu'on ne ferait ainsi que se disperser. Vous avez fait votre travail, et vous ne vous êtes jamais senti divisé. Rien ne vous manquait lorsque vous étiez encore libre. Vous écriviez vos cartes postales...

– Mais elles n'ont servi à rien, Herr Doktor! J'ai cru que je ne tiendrais pas le coup lorsque le commissaire Escherich m'a révélé que, sur 285 cartes que j'avais écrites, 267 étaient parvenues entre ses mains. Et les dix-huit autres ont été inefficaces.

– Qu'en sait-on? Vous avez résisté au mal, vous et tous ceux qui sont dans cette prison. Et les autres détenus, et les dizaines de milliers des camps de concentration... Tous résistent encore aujourd'hui, et ils résisteront demain.

– Oui, et ensuite, on nous fera disparaître! Et à quoi aura servi notre résistance?

– À nous, elle aura beaucoup servi, car nous pourrons nous sentir purs jusqu'à notre mort. Et plus encore au peuple, qui sera sauvé à cause de quelques justes, comme il est écrit dans la Bible. Voyez-vous, Quangel, il aurait naturellement été cent fois préférable que nous ayons eu quelqu'un pour nous dire : « Voilà comment vous devez agir. Voilà quel est notre plan. » Mais s'il avait existé en Allemagne un homme capable de dire cela, nous n'aurions jamais connu 1933. Il a donc fallu que nous agissions isolément. Mais cela ne signifie pas que nous sommes seuls et que notre mort sera vaine. Rien n'est inutile en ce monde. Et nous finirons par être les vainqueurs, car nous luttons pour le droit contre la force brutale.

— Et quel avantage en tirerons-nous, couchés dans la tombe ?

— Préféreriez-vous vivre pour une cause injuste ou mourir pour une cause juste ? Il n'y a pas de choix possible, ni pour vous, ni pour moi. C'est parce que nous sommes nous-mêmes que nous avons dû suivre cette voie.

Ils restèrent longtemps silencieux. Puis Quangel reprit :

— Ce jeu d'échecs...

— Oui, Quangel, quoi donc ?

— Il m'arrive de penser que j'ai tort d'y réfléchir des heures durant, alors que j'ai encore une femme...

— Vous pensez suffisamment à votre femme. Vous voulez rester fort et courageux. Tout ce qui vous maintient dans cet état est bon, et ce qui vous rend faible et sceptique, par exemple de ruminer vos idées, est mauvais. Ce qui est utile à votre femme, c'est que le pasteur Lorenz puisse lui redire que vous êtes fort et courageux.

— Mais il ne peut plus rien lui dire, depuis qu'elle a cette femme dans sa cellule. Lui aussi la considère comme une espionne.

— Il saura bien lui faire comprendre que vous allez bien et que vous vous sentez fort. Il suffit pour cela d'un signe de tête ou d'un regard. Le pasteur s'y connaît.

— Je voudrais bien lui donner une lettre pour Anna, fit Quangel, l'air songeur.

— Mieux vaut vous en abstenir. Il ne la refuserait pas, et vous mettriez ses jours en danger. Vous savez bien qu'on se méfie de lui. Il serait grave que notre ami finît lui aussi en cellule. Il risque déjà sa vie tous les jours.

– Je n'écrirai donc pas de lettre, dit Otto Quangel.

Et il n'écrivit rien, bien que le pasteur eût apporté le lendemain une très mauvaise nouvelle. Le contremaître lui demanda simplement de ne pas l'annoncer tout de suite à sa femme, et le pasteur le lui promit :

– Vous me direz quand le moment sera venu, Herr Quangel.

LE BON PASTEUR

Le pasteur Friedrich Lorenz, qui assurait infatigablement son service dans la prison, était un homme d'environ quarante ans. Très grand, étroit de poitrine, toussotant sans cesse, il était marqué par la tuberculose, mais paraissait l'ignorer, car son ministère ne lui laissait pas le loisir de s'occuper de sa santé.

Des centaines de prisonniers attendaient chaque jour cet homme, l'unique ami qu'ils connussent dans cette maison, et leur seul lien avec le monde extérieur. Ils lui contaient leurs soucis, et il les aidait dans la mesure de ses moyens, mais certainement plus qu'il n'y était autorisé. C'était un véritable aumônier, qui ne cherchait jamais à connaître les convictions politiques ou religieuses de ceux qui avaient recours à lui, priant avec eux lorsqu'ils le demandaient, se bornant à les traiter fraternellement dans le cas contraire.

Le pasteur Friedrich Lorenz est maintenant devant le bureau du directeur de la prison ; des gouttes de sueur perlent sur son front, deux taches rouges marquent ses pommettes, mais il dit, d'une voix très calme :

– C'est la septième mort due à la négligence, en quinze jours.

— Le bulletin de décès indique une pneumonie, répond le directeur tout en continuant à écrire.

— Le médecin ne fait pas son devoir, dit le pasteur qui s'obstine, et de son doigt recourbé il frappe sur le bureau, comme s'il demandait à entrer chez le directeur. Je regrette d'être obligé de dire que le médecin boit trop. Il néglige ses malades.

— Oh, le docteur est tout à fait irréprochable! répond négligemment le directeur qui continue à écrire. J'aimerais que vous le soyez autant, monsieur le pasteur. Est-il exact que vous avez transmis un message au numéro 397?

Leurs regards se rencontrent enfin, celui du directeur à la face repue et celui de l'ecclésiastique dévoré par la fièvre.

— C'est le septième décès en quinze jours, répète le pasteur. Il faut à la prison un nouveau médecin.

— Je viens de vous poser une question, monsieur le pasteur. Auriez-vous l'obligeance de me répondre?

— Oui, j'ai remis au numéro 397 une lettre, et non un message secret. C'était une lettre de sa femme, lui annonçant que leur troisième fils n'a pas été tué, mais a été fait prisonnier. L'homme a déjà perdu deux fils. Il croyait que le troisième était mort comme les autres.

— Vous trouvez toujours quelque bonne raison d'enfreindre le règlement de la prison, monsieur le pasteur. Mais je ne tolérerai pas plus longtemps vos irrégularités.

— Je demande que le médecin soit relevé de ses fonctions, répète le pasteur, en frappant de nouveau légèrement sur le bureau.

— Assez! Ne venez plus m'importuner avec vos sornettes! Le docteur est bien où il est. Il y restera. Quant à vous, tâchez de respecter le règlement, sinon, vous aurez des ennuis!

— Que peut-il m'arriver?... Je vais bientôt mourir. Je demande encore une fois que le médecin soit remplacé.

— Vous êtes fou, pasteur! Je crois que votre phtisie vous est montée à la tête! Si vous n'étiez pas si malade, vous seriez pendu depuis longtemps. Mais j'ai pitié de vous.

— Reportez plutôt votre pitié sur vos prisonniers, et trouvez un médecin conscient de ses devoirs.

— Il est temps que vous preniez la porte.

— Vous me promettez de trouver un autre médecin?

— Non, non, mille tonnerres!... Foutez-moi le camp!

Le directeur avait fini par s'emporter. Bondissant de derrière son bureau, il s'était approché du pasteur.

— Faut-il que je vous flanque dehors?

— Cela ferait mauvais effet sur les prisonniers du secrétariat. Cela ébranlerait encore un peu plus le reste de considération dont l'autorité officielle jouit encore, à travers votre personne. Mais vous êtes seul juge, monsieur le directeur.

— Idiot! fait le directeur, que la remarque du pasteur avait pourtant si bien calmé qu'il se rassit. Allez-vous-en. J'ai du travail.

— Votre devoir le plus urgent est de trouver un autre médecin.

— Si vous pensez obtenir quelque chose par votre obstination, c'est au résultat contraire que vous parviendrez. Le docteur restera.

— Je me souviens pourtant d'une nuit où vous n'étiez pas très satisfait de lui. Il faisait un temps épouvantable, et vous aviez demandé d'autres médecins, qui n'arrivaient pas. Votre fils Berthold, âgé de six ans, poussait des gémissements de douleur. Une mastoïdite mettait ses jours en danger. Sur votre demande, je suis allé chercher le médecin de la prison; il était ivre... À la vue de l'enfant agonisant, il ne put que montrer ses mains tremblantes, qui se refusaient à toute intervention chirurgicale, et il éclata en sanglots.

— Le coquin d'ivrogne! murmura le directeur, soudain amer.

– C'est un autre médecin qui a sauvé votre enfant. Mais ce qui s'est produit une fois peut se répéter. Vous vous vantez de ne pas avoir la foi, monsieur le directeur. Pourtant je vous le dis : Dieu n'admet pas que l'on se moque de lui.

Le directeur de la prison se fit violence pour dire, sans lever les yeux :

– Partez à présent.

– Et le médecin ?

– Je vais voir ce qu'on peut faire.

– Je vous remercie, monsieur le directeur. Beaucoup d'autres vous en seront reconnaissants avec moi.

Le pasteur, dans son pauvre complet usé, parcourut la prison. D'assez nombreux gardiens le saluaient ; d'autres, à son approche, se détournaient ostensiblement. Mais tous les prisonniers occupés dans les couloirs lui adressaient un regard reconnaissant ; ils n'avaient pas le droit de le saluer.

Il franchit un grand nombre de portes de fer et monte des escaliers. Il entend pleurer dans une cellule, s'arrête un instant, puis secoue la tête et poursuit son chemin, en hâtant le pas. Il suit un couloir où des deux côtés, les cellules sont ouvertes. Au bout, il y a de la lumière dans une pièce. Le pasteur s'arrête et jette un coup d'œil à l'intérieur.

Dans cette pièce laide et sale un homme est assis devant une table ; un homme au visage gris, dont les yeux glauques sont fixés sur sept prisonniers nus et tremblants de froid, debout devant lui, sous la surveillance de deux militaires.

– Alors, mes chéris ? grogne l'homme. Pourquoi titubez-vous comme ça ? Si vous croyez avoir froid, vous verrez ce que c'est que le froid, quand vous serez mis au pain et à l'eau dans le bunker.

Il s'interrompt, ayant vu l'homme qui l'observe en silence à la porte.

– Brigadier ! commande-t-il d'un ton rogue, emmenez ces gens ! Tous bien portants. Bons pour le cachot !

Les prisonniers passent devant le pasteur, non sans lui adresser un regard pitoyable, où brille pourtant déjà un léger espoir. Le pasteur attend que le dernier s'éloigne ; ensuite il entre dans la pièce et dit tout bas :

— Alors, le 352 est mort aussi ? Je vous avais pourtant demandé...

— Qu'y puis-je, pasteur ? Je suis resté moi-même deux heures près de cet homme, pour lui faire des enveloppements.

— Alors, j'ai dû dormir ! Je croyais avoir passé toute la nuit avec le 352... Et il ne s'agissait pas des poumons, docteur. C'est le 357 qui avait une pneumonie... Hergesell, qui était au 352, avait une fracture du crâne.

— Vous devriez être médecin à ma place, dit l'homme adipeux, d'un air ironique. Je saurais bien faire l'aumônier.

— Je crains que vous ne soyez encore pire comme aumônier que comme médecin.

Le docteur se mit à rire :

— C'est quand vous êtes insolent que vous me plaisez le plus. Puis-je examiner un peu vos poumons ?

— Non. Je préfère m'en remettre à un autre médecin.

— Sans vous examiner, je peux vous déclarer que vous n'en avez plus pour trois mois. Je sais que vous crachez le sang depuis mai.

À ces mots, le pasteur était devenu encore un peu plus pâle, mais sa voix ne trembla pas pour dire :

— Et dans combien de temps les gens que vous venez de faire conduire au cachot auront-ils leur premier crachement de sang, monsieur le conseiller médical ?

— L'examen a démontré que ces gens sont bien portants et capables de subir le cachot.

— Peut-être n'ont-ils même pas été examinés.

— Auriez-vous la prétention de contrôler mon service ? Méfiez-vous !... J'en sais sur vous plus que vous ne croyez.

— Dès l'instant où je crache le sang, ce que vous savez n'a plus aucun intérêt. Que vont devenir ces hommes dans les cachots ? Deux d'entre eux ne pourront certainement pas supporter l'humidité, le froid et la faim. Et tous les sept en subiront indéfiniment les séquelles.

— Soixante pour cent des prisonniers sont exécutés. Au moins trente-cinq pour cent des autres sont condamnés à de très longues peines de détention. Qu'importe donc qu'ils meurent plus ou moins tôt !

— Si telle est votre façon de voir, vous n'avez plus le droit d'être médecin ici. Renoncez à votre poste.

— Celui qui me succédera ne sera pas différent. Allons, allons, pasteur ! Vous savez que j'ai un faible pour vous, bien que vous soyez toujours en train de manigancer quelque chose contre moi. Vous êtes un si merveilleux Don Quichotte !

— Je viens justement de recommencer. J'ai demandé votre changement au directeur, et il me l'a pratiquement accordé.

Le médecin se remit à rire. Tapant sur l'épaule du pasteur, il s'écria :

— Mais c'est épatant !... Je vous dois de la reconnaissance. Si je suis muté, j'aurai de l'avancement, et je n'aurai plus rien à faire. Merci de tout cœur, mon vieux !

— Montrez-moi donc votre reconnaissance en faisant sortir du cachot Kraus et le petit Wendt. Ils ne tiendront jamais le coup. Votre négligence a déjà causé sept morts dans les deux dernières semaines.

— Flatteur ! Mais je ne sais rien vous refuser. Je les ferai sortir tous les deux ce soir. Je ne peux pas le faire tout de suite, je perdrais la face. Qu'en dites-vous, pasteur ?

TRUDEL HERGESELL, NÉE BAUMANN

Le transfert à la maison d'arrêt avait séparé Trudel Hergesell et Anna Quangel. Trudel eut du mal à se passer de sa « mère ». Elle avait oublié depuis longtemps qu'Anna était à l'origine de son arrestation, ou plutôt, elle s'était rendu compte qu'elle n'avait pas à lui pardonner. Nul n'était sûr de soi durant ces interrogatoires ; la ruse des commissaires pouvait faire d'une simple allusion un piège où l'on s'enfermait.

Trudel n'avait maintenant plus personne à qui parler. Sa nouvelle compagne de cellule était une femme d'un certain âge, au teint bilieux, et dès l'abord elles s'étaient détestées. Cette personne était toujours à chuchoter avec les surveillantes, et pas un mot ne lui échappait quand le pasteur était dans la cellule.

Grâce à ce dernier, Trudel avait pourtant pu obtenir quelques nouvelles de son mari. Un jour que Frau Hänsel se trouvait au bureau de la prison, où elle se livrait à ses dangereux commérages, le pasteur avait dit à Trudel que Karl était détenu dans la même prison, mais gravement malade et presque toujours dans le coma. Depuis ce jour, Trudel ne vivait que dans l'attente des visites du pasteur ; celui-ci réussissait à lui glisser des nouvelles, même quand Frau Hänsel était présente. Souvent le pasteur et la prisonnière s'asseyaient sous la fenêtre et, le pasteur lisait un chapitre du Nouveau Testament, tandis que Frau Hänsel, ne les quittant pas des yeux, restait appuyée contre le mur opposé de la cellule.

La Bible était, pour Trudel, une véritable découverte. Elle avait suivi les écoles hitlériennes sans jamais sentir le besoin d'une religion. Maintenant encore, lorsqu'elle découvrait la vie du Christ dans l'Évangile selon saint Matthieu, l'expression de « Fils de Dieu » ne représentait rien pour elle. Elle l'avoua au pasteur, qui se contenta de sourire doucement, assurant que cela n'avait guère d'importance pour l'instant. Qu'elle se contentât de penser à la façon dont Jésus-Christ avait vécu sur la terre, en aimant jusqu'à ses ennemis. Elle pouvait considérer les miracles comme elle le voudrait ; au besoin, comme de beaux contes ; l'essentiel était de comprendre qu'un être avait mené ici-bas une vie telle que, presque deux mille ans après, sa trace était encore rayonnante, preuve éternelle de la supériorité de l'amour sur la haine.

Capable de la même violence pour haïr et pour aimer, Trudel Hergesell avait alors dans sa cellule une créature particulièrement détestable ; de sorte qu'elle avait commencé par se révolter contre cet enseignement, où elle ne voyait que mollesse. Ce n'était pas Jésus-Christ qui touchait son cœur, c'était Lorenz, ministre de Jésus-Christ. Elle observait cet homme, dont la grave maladie n'échappait à personne ; elle sentait qu'il partageait les soucis de la prisonnière, comme s'ils avaient été les siens ; elle voyait avec quel courage il lui glissait, en lisant, un papier sur lequel se trouvaient des nouvelles de Karl ; elle l'entendait ensuite parler à la moucharde Hänsel avec la même bonté qu'à elle-même, alors qu'il savait cette femme capable à tout moment de le livrer au bourreau ; et tout cela faisait que Trudel éprouvait quelque chose comme le bonheur, comme une paix profonde, émanant de cet homme qui ne voulait pas haïr, mais aimer, fût-ce l'être le plus mauvais.

Si l'effet de ce nouveau sentiment ne fut pas d'inspirer à Trudel plus de sympathie pour Frau Hänsel, cette dernière lui devint quand même plus indifférente, car la haine était maintenant passée au second plan. Au cours de ses allées et venues à travers la cellule, il lui arrivait de s'arrêter soudain devant l'autre pour lui demander :

– Pourquoi faites-vous cela ?... Pourquoi dénoncez-vous tout le monde ?... Espérez-vous alléger ainsi votre peine ?

À ces mots, Frau Hänsel fixait sur sa compagne ses yeux jaunes et méchants. Si elle répondait, c'était pour dire :

— Croyez-vous donc que je ne vous ai pas vue presser votre poitrine contre le bras du pasteur? Quelle honte, vouloir séduire un homme à demi-mort! Mais attendez, je vous aurai tous les deux! Je vous aurai!

Trudel se contentait alors d'éclater d'un rire bref; et, toujours pleine de la pensée de son mari, elle reprenait sa marche sans fin à travers la cellule. Il était clair que les nouvelles au sujet de Karl ne cessaient d'empirer, quels que fussent les ménagements pris par le pasteur. Lorsqu'il n'y avait prétendument rien de neuf, l'état étant stationnaire, cela signifiait que Karl n'avait rien à transmettre à sa femme, car il était sans connaissance. Trudel savait que le pasteur ne mentait pas et elle méprisait les consolations faciles, qui, un jour ou l'autre, font l'effet de mensonges. Mais elle savait également, par les interrogatoires du juge d'instruction, que l'état de son mari était grave. Jamais on ne se référait à une récente déclaration qu'il aurait faite; elle restait pour le juge l'unique source de renseignements, elle qui ignorait vraiment tout de la valise de Grigoleit, qui avait causé leur perte! Bien que les méthodes du juge d'instruction n'eussent pas la brutalité et la bassesse inqualifiable de celles du commissaire Laub, il se montrait aussi acharné que ce dernier. Après chacune de ces séances, Trudel revenait dans la cellule complètement épuisée et découragée. «Ah, Karl! Karl!» Le revoir, ne fût-ce qu'une fois!... Être assise près de lui!... Pouvoir lui tenir la main sans dire un mot! Elle était imprégnée de lui, il était l'air qu'elle respirait, le pain qu'elle mangeait, la couverture qui la réchauffait. Il était si proche : quelques couloirs, quelques escaliers, une porte... Mais il n'y avait personne au monde qui eût assez de cœur pour la conduire une fois, une seule fois, près de lui! Même pas ce pasteur rongé par la phtisie...

Tous craignaient pour leur chère petite vie, et c'est pour cela qu'ils n'osaient rien entreprendre de sérieux pour aider réellement une femme dans la détresse. Et voilà qu'elle se rappelle soudain la morgue du bunker de la Gestapo; le grand S.S. qui avait allumé une cigarette et qui avait dit : « Pauvre fille. » Il lui semble avoir connu un moment de bonté, lorsqu'elle a eu le droit de chercher Karl parmi les cadavres. Et maintenant? Enfermée, le cœur vibrant, entre le fer et la pierre... seule!

On ouvre la serrure, beaucoup plus doucement que ne le font les surveillantes. Même, on frappe. C'est le pasteur.

— Puis-je entrer? demande-t-il.

— Entrez, je vous en prie, entrez donc, monsieur le pasteur, s'écrie Trudel en pleurant. Et voilà qu'elle appuie soudain sa tête contre l'étroite poitrine oppressée du prêtre, qu'elle y cache son visage et ses larmes et supplie : Monsieur le pasteur, j'ai si peur! Il faut m'aider! Il faut que je voie Karl, une fois encore! Je sens que ce sera la dernière...

Frau Hänsel crie, de sa voix perçante : « Je vais le dire! J'y vais tout de suite! » tandis que le pasteur caresse la tête de Trudel, en un geste d'apaisement : « Oui, mon enfant, vous le verrez encore une fois. »

Alors elle est secouée de sanglots encore plus violents, car elle comprend que Karl est mort, que ce n'est pas en vain qu'elle l'a cherché à la morgue, qu'il ne s'agissait que d'un pressentiment. Elle s'écrie : « Il est mort, monsieur le pasteur, il est mort! »

Et il répond par l'unique consolation qu'il puisse dispenser à ceux qui sont promis à la mort :

— Il ne souffre plus, mon enfant. Vous n'avez pas la meilleure part.

Elle entend encore ces mots et veut y réfléchir, pour bien les comprendre; mais sa vue se trouble, la lumière s'éteint, sa tête se penche.

– Aidez-moi, Frau Hänsel, dit le pasteur. Je n'ai pas la force de la soutenir.

Puis c'est la nuit dehors, l'obscurité partout.

Trudel, veuve Hergesell, s'est réveillée, et elle sait qu'elle n'est pas dans sa cellule et que Karl est mort. Elle revoit, sur l'étroit châlit, le visage aimé devenu si petit et si jeune ; elle pense au visage de l'enfant qu'elle a mis au monde, et les deux visages n'en font plus qu'un ; elle sait qu'elle a tout perdu ici-bas, son enfant et son mari, qu'elle n'aimera jamais plus, qu'elle ne pourra jamais plus enfanter ; et tout cela parce que, pour un vieil homme, elle a déposé une carte postale sur un rebord de fenêtre. C'est pour cela que toute sa vie a été brisée, et celle de Karl en même temps. Il n'y aura jamais plus pour elle de soleil, de bonheur, d'été ni de fleurs...

Fleurs sur ma tombe, fleurs sur ta tombe...

Dans l'immense douleur qui l'envahit, elle referme les yeux pour retrouver la nuit et l'oubli. Mais la nuit est dehors, elle ne pénètre pas dans l'âme de Trudel. La prisonnière ressent soudain un flot de chaleur, alors qu'elle était transie de froid... Elle bondit de son lit, en poussant un cri, et veut s'enfuir, courir, échapper à cette douleur atroce. Mais une main la saisit...

De nouveau c'est le pasteur qui est près d'elle et la retient. Oui, c'est la cellule de Karl. Mais ils l'ont emmené.

– Où est-il ? demande-t-elle, hors d'haleine, comme si elle avait couru longtemps.

– Je vais prier sur sa tombe.

– À quoi lui serviront vos prières ? Il fallait prier pour qu'il vive, quand il en était encore temps !

– Il connaît la paix, mon enfant.

– Je veux sortir d'ici ! dit Trudel dans sa fièvre. Je vous en prie, laissez-moi revenir dans ma cellule, monsieur le pasteur ! J'ai une photo de lui, il faut que je la voie tout de suite. Il était tellement différent !

En disant ces mots, elle sait très bien qu'elle trompe le pasteur, qu'elle veut le tromper. Il la conduit, la tenant par le bras, le long d'interminables couloirs, qui mènent à la prison des femmes. Elle ne dégage pas son bras au moment où il referme une porte derrière elle. Ils continuent d'avancer en silence. Voici les cachots, dont le médecin, contrairement à sa promesse, n'a pas fait sortir les deux malades; et maintenant, les escaliers de la prison des femmes, jusqu'à la 5ᵉ Division, où se trouve la cellule de Trudel.

Dans le couloir du dernier étage, une gardienne s'avance au-devant d'eux, d'un pas traînant :

— C'est seulement maintenant, à minuit moins vingt, que vous ramenez Frau Hergesell, monsieur le pasteur! Où étiez-vous donc avec elle, pendant tout ce temps?

— Elle est restée sans connaissance pendant plusieurs heures. Son mari est mort, vous le savez.

— Ah oui... et alors, vous avez consolé la jeune femme, monsieur le pasteur. Très bien... Frau Hänsel m'a raconté qu'elle ne manque pas une occasion de vous sauter au cou. Je comprends l'agrément de ces consolations nocturnes! À inscrire sur le cahier de garde!

Mais avant que le pasteur n'ait pu répondre quoi que ce soit, ils s'aperçoivent tous les deux que Frau Trudel, veuve Hergesell, a escaladé les grilles du couloir. Elle reste debout un instant, se retenant d'une main et leur tournant le dos. Ils s'écrient : « Arrêtez! Non, non! » et se précipitent, les mains en avant. Mais Trudel s'est déjà lancée dans le vide. Ils entendent le bruit de sa chute, puis un coup sourd, suivi d'un silence de mort, tandis qu'ils penchent leurs visages livides par-dessus la rampe, mais ne voient rien. Ils se hâtent vers l'escalier. Et au même moment, l'enfer se déchaîne...

Il semble qu'à travers les portes de fer on ait pu voir ce qui s'est passé. Cela n'a été peut-être, pour commencer, qu'un cri hystérique, mais il s'est propagé de cellule en cellule et de division en division, s'enflant peu à peu en hurlements déchaînés.

— Assassins! C'est vous qui l'avez tuée! Tuez-nous donc tous tout de suite, bourreaux!

Certaines se sont accrochées aux fenêtres, pour crier en direction des cours, de sorte que les bâtiments des hommes sortent de leur sommeil peuplé d'angoisses et que redoublent les cris de rage et de désespoir.

Le signal d'alarme retentit, les poings martèlent les portes de fer contre lesquelles d'autres prisonniers se précipitent avec leurs tabourets. Les lits de fer frappent le sol, que raclent les écuelles; les couvercles de tinettes claquent; et tous les bâtiments de cette prison géante dégagent soudain la puanteur de mille latrines.

Les soldats du poste de garde enfilent leurs uniformes et s'emparent de leurs matraques de caoutchouc.

On ouvre les portes des cellules : clac, clac!

On entend les coups sourds des matraques sur les crânes, les hurlements de rage, mêlés au grattement des pieds de ceux qui se battent, les cris aigus et bestiaux des épileptiques, les coups de sifflet des souteneurs...

L'eau fouette le visage des surveillants qui s'introduisent dans les cellules...

À la morgue, Karl Hergesell repose, avec son petit visage d'enfant.

Et toute cette symphonie d'épouvante est exécutée en l'honneur de Trudel, veuve Hergesell, née Baumann.

Elle est couchée en bas, sur le sol de la 1re Division. La petite main, encore si virginale, s'entrouvre. Les lèvres sont teintées d'un peu de sang; les yeux regardent sans la voir une contrée inconnue; mais le front reste plissé, comme si elle s'interrogeait encore sur cette paix que lui avait promise le bon pasteur Lorenz.

Ce dernier fut, à l'occasion de ce suicide, suspendu de son service à la prison. Mais le médecin alcoolique resta en place.

On entama une procédure contre l'aumônier, qui avait laissé une prisonnière libre de ses gestes. Mais, comme Trudel, le pasteur échappa au châtiment de son crime en mourant d'une hémorragie au moment où on allait l'arrêter.

Ainsi s'explique que, jusqu'à son procès, Anna Quangel ne sut rien de la mort de Trudel et de Karl Hergesell. Car le successeur du bon pasteur était trop timoré ou trop mal disposé pour se charger de distribuer des messages parmi les prisonniers. Il se bornait strictement à s'occuper des âmes qui en exprimaient le désir.

AU TRIBUNAL : LES ÉPOUX SE REVOIENT

Des défauts peuvent apparaître dans le mécanisme le plus étudié. Le Tribunal du Peuple de Berlin – qui n'avait rien de commun avec le peuple, ni du reste avec un public quelconque, la plupart de ses séances étant secrètes – était un mécanisme de ce genre. Avant d'entrer dans la salle des séances, l'accusé était pratiquement déjà condamné et il semblait ne rien exister dans cette salle qui pût lui promettre le plus petit réconfort.

Seule une petite affaire était inscrite à l'ordre du jour, ce matin-là : le procès d'Otto et d'Anna Quangel, accusés de haute trahison. Les tribunes étaient à peine remplies au quart : quelques uniformes du Parti ; quelques juristes, qui voulaient apprendre comment la justice supprime des êtres dont le crime est d'avoir aimé leur patrie plus que ne le font les juges. Tous ces gens n'avaient pu obtenir leurs cartes d'entrée que par « relations ». On ignore comment un petit homme à la barbiche blanche et aux yeux malicieux, le conseiller honoraire à la cour d'appel Fromm, avait obtenu la sienne. En tout cas, il était assis discrètement, un peu à l'écart, baissant la tête et très occupé à essuyer ses lunettes.

À dix heures moins cinq, Otto Quangel fut introduit dans la salle; son regard encore très perçant glissa avec indifférence, des sièges vides des juges aux tribunes du public, s'alluma un instant à la vue du conseiller. Après quoi Quangel s'assit au banc des accusés.

Peu avant dix heures, on fit entrer la deuxième accusée, Anna Quangel. Et c'est alors que se produisit l'erreur : Anna, ayant aperçu son mari, vint sans hésiter s'asseoir à côté de lui.

Otto Quangel chuchota : « Ne parle pas! Pas tout de suite! » Mais son regard lui disait combien il était heureux de la revoir.

Il n'était naturellement pas prévu par le règlement de l'endroit que deux accusés, soigneusement isolés l'un de l'autre depuis des mois, pussent s'asseoir côte à côte pour bavarder tranquillement, un quart d'heure avant l'ouverture de la séance. Mais les deux gendarmes qui les avaient introduits n'accordaient sans doute que peu d'importance au cas de ces deux vieux à l'aspect insignifiant; ils n'obligèrent pas Anna à changer de place et ne s'occupèrent pour ainsi dire pas des deux accusés durant le quart d'heure qui suivit, absorbés qu'ils étaient par une discussion sur le tarif de leur service de nuit.

Personne dans le public ne remarqua davantage cette erreur – à l'exception naturellement du conseiller Fromm. Tous étaient négligents, et trop blasés pour se soucier particulièrement de ce ménage d'ouvriers. On était habitué à voir se dérouler en cet endroit des procès monstres, où trente à quarante accusés apprenaient au cours de l'audience qu'ils étaient des conspirateurs et seraient condamnés comme tels, alors que la plupart ne s'étaient jamais vus.

Après avoir regardé à l'entour durant quelques secondes, Quangel put dire :

– Je suis content, Anna. Tu vas bien?

– Oui, Otto. Maintenant je vais bien.

– Ils ne nous laisseront pas longtemps ensemble, mais ces

minutes sont un grand bonheur pour nous. Tu te rends bien compte de ce qui nous attend?

Très bas :

— Oui, Otto.

— La mort pour nous deux, Anna. C'est inévitable.

— Mais, Otto...

— Non, Anna, pas de mais. Je sais que tu as essayé d'endosser toute la responsabilité...

— Pour une femme, ils ne seront pas aussi durs. Et tu t'en tireras peut-être.

— Non, tu ne sais pas assez bien mentir. Tu ne feras que prolonger la séance. Disons la vérité. Ça ira plus vite.

— Mais, Otto...

— Non, Anna, pas de mais maintenant. Réfléchis. Ne mentons pas. La pure vérité.

— Mais, Otto...

— Anna, je t'en prie!

— Otto, je voudrais tant te sauver! Je voudrais savoir que tu resteras vivant.

— Anna, je t'en prie!

— Otto, ne me complique pas tant les choses!

— Tu veux que nous essayions de mentir devant eux? Que nous nous contredisions? Que nous nous donnions en spectacle? La vérité pure, Anna!

Elle luttait contre elle-même. Enfin elle céda; elle lui avait toujours cédé.

— Bien, Otto. Je te le promets.

— Merci, Anna, je te remercie beaucoup.

Ils se turent, baissant les yeux, cachant tous deux leur émotion. La voix d'un des policiers dit derrière eux : « Et alors, j'ai dit au lieutenant, vous ne pouvez pas me faire ça, lieutenant, que j'ai dit... »

Otto Quangel se fit violence. Il devait apprendre la nouvelle à sa femme. Si elle l'avait apprise pendant l'audience, c'eût été pour elle encore plus pénible.

— Anna, murmura-t-il, tu es forte et courageuse, n'est-ce pas?

— Oui, Otto. Depuis que je suis à côté de toi, je le suis. Qu'y a-t-il encore?

— Anna, tu n'as plus entendu parler de Trudel?

— Non, plus depuis que nous sommes à la maison d'arrêt. Elle m'a beaucoup manqué. Elle était si bonne pour moi! Elle m'a pardonné de l'avoir trahie.

— Tu ne l'as pas trahie. J'ai commencé, moi aussi, par le croire. Et puis j'ai compris.

— Oui, elle aussi a compris. J'étais tellement perdue, pendant les premiers interrogatoires de ce Laub, que je ne savais plus ce que je disais. Mais elle m'a pardonné.

— Dieu soit loué! Anna, sois courageuse: Trudel est morte.

— Oh! gémit Anna en portant la main à son cœur.

Il se hâta d'ajouter, pour en finir: « Et son mari est mort aussi. »

Elle resta longtemps sans répondre; ses mains cachaient son visage baissé; mais Otto sentait qu'elle ne pleurait pas, qu'elle était trop consternée pour pleurer. Sans le savoir, il prononça les paroles que le bon pasteur Lorenz avait dites à Trudel:

— Ils sont morts. Ils connaissent la paix. Beaucoup de souffrances leur auront été épargnées.

— Oui, dit alors Anna. Oui... elle a eu tellement peur pour son Karl, quand elle ne savait rien de lui! Mais, à présent, elle est en paix.

Elle resta longtemps plongée dans un silence que Quangel ne voulait pas troubler, bien qu'il vît, à l'agitation de la salle, que le tribunal n'allait plus tarder. Anna demanda tout bas:

— Ont-ils été exécutés tous les deux?

— Non, répondit Quangel. Il est mort des suites d'un coup reçu au moment de son arrestation.

— Et Trudel?

Elle s'est suicidée, après la mort de son mari. Elle a sauté par-dessus les grilles du cinquième étage. Le pasteur m'a dit qu'elle est morte sur le coup. Elle n'a pas souffert.

— Ça s'est passé la nuit où toute la prison criait. Oh, je sais maintenant! C'était affreux, Otto.

De nouveau, elle se cacha la tête dans les mains.

Oui, c'était affreux. De notre côté aussi.

Au bout d'un moment, elle releva la tête pour regarder Otto dans les yeux. Ses lèvres tremblaient encore, mais elle dit :

— Il vaut mieux que ça se soit passé ainsi. Ce serait terrible, s'ils étaient tous les deux à côté de nous. À présent, ils connaissent la paix. Et plus bas encore : Otto, Otto, nous pourrions faire comme eux.

Il la regarda à son tour, et elle vit dans son regard dur et perçant une lueur qu'elle ne lui connaissait pas, comme un défi lancé à la fin qui les attendait. Comme s'il se fût agi d'un jeu, indigne d'être pris au sérieux.

Puis il secoua lentement la tête.

— Non, Anna. Nous ne ferons pas ça. Nous ne nous déroberons pas comme des criminels pris sur le fait. Nous ne les dispenserons pas d'accomplir cet ouvrage. Pas nous! Et, sur un tout autre ton : Il est trop tard pour tout cela. N'es-tu pas enchaînée, d'habitude?

— Si. On m'a libérée devant la porte.

— Tu vois! Cela raterait.

Il ne lui dit pas que, pour l'amener de la prison, on lui avait mis des chaînes aux mains et aux pieds. Comme pour Anna, les gendarmes ne lui avaient enlevé cette parure qu'à la porte de la salle d'audience.

— Bien, dit-elle, résignée. Mais crois-tu que nous serons exécutés ensemble?

— Je ne sais pas, dit-il, se dérobant, bien qu'il n'ignorât pas que chacun devrait mourir seul.

— Mais on nous exécutera le même jour?

— Certainement, Anna.

Pour cacher son hésitation, il ajouta :

— N'y pense pas maintenant. Pense seulement qu'il faut que nous soyons forts. Si nous nous reconnaissons coupables, nous pouvons en avoir fini dans une demi-heure.

— Je veux bien. Mais si c'est si rapide, nous serons séparés aussi vite, et peut-être ne nous reverrons-nous plus jamais.

— Si, Anna. On m'a dit que nous pourrons encore nous dire adieu. C'est certain, Anna.

— Alors c'est bien, Otto. J'aurai à attendre quelque chose qui me donnera toujours du courage. Et pour l'instant, nous sommes ensemble.

Une minute plus tard, on découvrit l'erreur et ils furent séparés. Il leur fallait désormais tourner la tête pour se voir

AU TRIBUNAL : LE PRÉSIDENT FREISLER

Le président du Tribunal du Peuple, juge suprême des tribunaux allemands de cette époque, Roland Freisler, avait l'apparence d'un homme cultivé. Il savait porter la robe avec dignité, et ses yeux étaient intelligents, mais froids. Il avait le front haut, mais des lèvres dures et cruelles. Il s'exprimait avec vulgarité : incapable de rester calme et objectif, il déchirait ses victimes avec une ironie mordante, ou bien les couvrait d'injures. C'était un homme bas et méchant.

Depuis que l'acte d'accusation avait été communiqué à Otto Quangel, il avait souvent imaginé cette séance avec le Dr Reichhardt. Ce dernier estimait, lui aussi, que puisque la conclusion était inéluctable, Quangel devait d'emblée assumer toutes les charges. Il semblait qu'on pourrait ainsi accélérer le déroulement du procès.

Comme le président leur demandait s'ils se reconnaissaient coupables, les deux accusés répondirent par un simple « oui », qui fit sensation. Car ils avaient par ce seul mot pro noncé leur arrêt de mort et rendu toute discussion superflue. Le président Freisler resta un moment interloqué, sous l'effet de cet aveu peu commun ; mais il ne tarda pas à se ressaisir, car il lui fallait sa séance. Il voulait traîner dans la boue ces deux ouvriers ; or ce « oui » trahissait leur orgueil. Tenant à les voir sortir dépouillés de cette dignité, il demanda :

— Vous rendez-vous compte que votre « oui » vous retire le droit à la vie et vous met au ban de tous les êtres qui se respectent ?... Que vous êtes des criminels immondes, qui vont bientôt se balancer au bout d'une corde ? Vous en rendez-vous compte ? Répondez par oui ou par non.

Quangel dit lentement :

— Je suis coupable. J'ai fait ce qui est dit dans l'acte d'accusation.

Le président insista :

— Vous devez répondre par oui ou par non ! Êtes-vous, oui ou non, un vulgaire traître ?

Quangel regarda d'un œil perçant le monsieur distingué qui le dominait :

— Oui !

— Quelle abjection ! lança le président, en se détournant pour cracher. Et ça se dit allemand !

Ayant jeté à Quangel un regard de profond mépris, il se tourna vers Anna.

— Et vous, la femme ? Êtes-vous aussi abjecte que votre mari ? Profanez-vous également la mémoire de votre fils tombé au champ d'honneur ? Oui ou non ?

Anna regarda son mari en hésitant.

— C'est moi, et non ce traître, que vous devez regarder. Oui ou non ?

D'une voix étouffée, mais distincte :

— Oui !

— Parlez fort ! Nous voulons tous entendre une mère allemande qui n'a pas honte de couvrir d'infamie la mort héroïque de son fils !

— Oui! dit Anna à haute voix.

— Incroyable! s'écria Freisler. J'ai connu ici bien des spectacles tristes ou affreux, mais je n'en ai encore jamais vu d'aussi honteux. Vous ne devriez pas être pendus. C'est l'écartèlement qu'il faudrait, pour des brutes de votre espèce.

Il s'adressait plus au public qu'aux Quangel, devançant le réquisitoire :

— Mais ma lourde tâche de juge suprême me fait un devoir de ne pas me satisfaire de votre aveu. Si dur que cela me soit, et si désespérée que paraisse l'entreprise, il m'incombe de rechercher s'il n'existe pas de circonstances atténuantes.

C'est ainsi qu'il commença, pour continuer durant sept heures.

Le Dr Reichhardt et Quangel s'étaient trompés. Ils n'avaient pas prévu que le Juge suprême du peuple allemand pût être capable de diriger les débats avec une haine aussi basse et aussi inépuisable. Il semblait que les Quangel lui eussent fait un affront personnel et qu'il voulût les blesser mortellement. Leur erreur était grande; par les bassesses dont il était capable, ce troisième Reich surprenait encore ses pires contempteurs.

— Les témoins, vos camarades de travail, qui eux sont des gens qui se respectent, ont déclaré que vous êtes mené par un répugnant esprit d'avarice. Quel était donc votre salaire hebdomadaire? demanda, par exemple, le président

— À la fin, je rapportais cinquante marks à la maison.

— Cela me paraît une coquette somme, pour deux vieilles gens comme vous, non?

— Nous joignions les deux bouts.

— Vous mentez, encore une fois! Vous faisiez régulièrement des économies. Est-ce vrai, oui ou non?

— C'est vrai. La plupart du temps, nous mettions quelque chose de côté.

– Combien pouviez-vous donc économiser par semaine, en moyenne?

– Je ne peux pas dire au juste. Ça dépendait.

– J'ai dit « en moyenne »! Vous ne comprenez pas ce que ça veut dire, en moyenne?... Et vous vous prétendez contre-maître!

– J'ai près de soixante ans. J'ai travaillé une trentaine d'années, mais les années ne se ressemblaient pas. Il m'est arrivé d'être en chômage. Ou bien le garçon était malade. Je ne peux pas donner de moyenne.

– Ah, vous ne pouvez pas? Je vais vous dire pourquoi vous ne pouvez pas! C'est que vous ne voulez pas! Voilà bien votre sordide avarice, qui révoltait vos honnêtes camarades de travail! Vous avez peur que nous n'apprenions combien vous avez amassé. Alors, combien? Vous ne pouvez pas le dire non plus?

Quangel luttait intérieurement. Freisler avait touché son point faible. Même Anna ne savait pas combien ils avaient économisé. Mais l'accusé se fit violence : il avait renoncé à tant de choses, durant ces dernières semaines! Pourquoi ne pas renoncer à celle-là encore? Coupant le dernier fil qui le rattachait à sa vie passée, il dit :

– 4 763 marks.

Le président s'appuya au dossier de son fauteuil et répéta, en consultant les dossiers :

– Oui, 4 763 marks et 67 pfennigs. Et vous n'avez pas honte de combattre un État qui vous a fait gagner une somme pareille? Vous ignorez ce qu'est la reconnaissance. Vous n'avez aucune idée de l'honneur. Vous êtes une souillure, qui doit disparaître.

– J'avais déjà économisé la moitié de cet argent avant la prise du pouvoir.

– Si vous devenez insolent, je vous le ferai payer. Ne vous imaginez pas que vous êtes maintenant à l'abri de tout autre châtiment. Vous pourriez tomber de haut! Alors, dites-moi, accusé, pourquoi avez-vous donc économisé?

— Mais pour nos vieux jours!

— Oh, comme c'est touchant! Malheureusement, c'est encore un mensonge. Au moins depuis que vous rédigiez les cartes, vous saviez que vous n'alliez plus vivre très longtemps. Vous venez d'avouer que vous vous êtes toujours rendu compte des conséquences possibles de vos crimes, et pourtant vous n'avez cessé de porter de l'argent à la caisse d'épargne. Pourquoi?

— J'ai toujours cru que je m'en tirerais.

— Voulez-vous dire que vous seriez acquitté?

— Non, je n'ai jamais cru cela. Je pensais qu'on ne m'arrêterait jamais.

— Vous voyez que vous vous êtes trompé! Mais vous mentez encore. Vous n'êtes pas si bête que vous voudriez le paraître. Il est impossible que vous ayez cru pouvoir continuer pendant des années sans être inquiété.

— Je ne crois pas qu'il s'agisse de tant d'années.

— Que voulez-vous dire?

— Je ne crois pas qu'il tiendra encore longtemps, le Reich millénaire, dit Quangel en tournant vers le président sa tête d'aigle.

L'avocat eut un sursaut de frayeur. Un éclat de rire se fit entendre dans le public, immédiatement suivi de grondements menaçants.

— Quel salaud! cria quelqu'un.

Le Procureur général avait bondi et brandissait une feuille de papier.

Anna Quangel regardait son mari en souriant et en l'approuvant chaleureusement. Le gendarme qui était derrière elle la saisit brutalement par l'épaule.

Un assesseur regardait Quangel, bouche bée.

Le président bondit:

– Assassin, idiot, criminel... Vous osez dire ici...

Il se ravisa, songeant à sa dignité.

– Faites sortir l'accusé. Le tribunal va prononcer une peine adéquate.

La séance reprit au bout d'un quart d'heure et le président Freisler annonça :

– L'accusé Otto Quangel fera quatre semaines de cachot, régime pain et eau avec jeûne complet tous les trois jours. En outre, les bretelles de l'accusé lui ont été retirées, car on m'a fait savoir qu'il a eu des gestes suspects pendant la suspension d'audience. On le soupçonne de vouloir mettre fin à ses jours.

– J'ai seulement voulu aller aux W.-C.

– Fermez votre gueule, accusé !... L'accusé devra désormais se passer de bretelles. Il est seul responsable de cette décision.

Quangel avait une attitude un peu crispée ; il devait sans cesse retenir son pantalon qui glissait. Freisler eut un sourire :

– L'audience continue.

AU TRIBUNAL : LE PROCUREUR GÉNÉRAL

À diverses reprises, durant l'audience, le procureur avait essayé d'aboyer contre les Quangel, mais la voix de Freisler avait chaque fois couvert ces tentatives. Depuis la première minute, le président jouait le rôle d'accusateur. Il avait dès l'abord enfreint la règle d'or de la justice, en se montrant systématiquement partial. Mais, après l'interruption du déjeuner, qu'il avait fait assez copieux, Freisler fut pris de somnolence. À quoi bon, d'ailleurs, se fatiguer ?... Ces deux-là étaient déjà morts. En outre, c'était maintenant le tour de l'accusée, et les femmes étaient assez indifférentes au président, tout au moins dans l'exercice de ses fonctions. Toutes étaient bornées et bonnes à une seule chose ; pour le reste, elles faisaient ce que voulaient leurs maris. Les yeux mi-clos, tout à sa digestion, le président laissa donc faire le procureur :

— Accusée, vous n'étiez plus toute jeune lorsque votre mari actuel vous a épousée?

— J'avais dans les trente ans.

— Et auparavant?

— Je ne comprends pas.

— Ne faites pas l'innocente. Je veux savoir quels rapports vous aviez avec les hommes avant votre mariage. Eh bien, répondez!

Devant l'inqualifiable goujaterie de cette question, Anna rougit et pâlit tour à tour. Elle lança un regard éperdu à son défenseur, un brave homme vieillissant, qui s'écria :

— Je demande que la question soit retirée, comme étrangère à cette affaire.

— Ma question est en relation avec l'affaire, répliqua le procureur. L'hypothèse a été avancée dans cette enceinte que l'accusée n'avait fait que suivre son mari. Je vais démontrer qu'elle était d'une moralité plus que douteuse et que l'on peut s'attendre à tout de sa part.

Le président déclara, d'un air blasé : « La question est admise, comme faisant partie de l'affaire. »

— Alors, avec combien d'hommes avez-vous eu des rapports avant votre mariage?

Une lueur s'allume dans les regards de l'auditoire. Quangel regarde Anna, qui lui fait de la peine, tant est grande la susceptibilité qu'il lui connaît sur ce point. Mais Anna Quangel a pris sa décision. De même qu'Otto a rejeté tous ses scrupules concernant ses économies, elle est maintenant résolue à être impudique devant ces hommes sans pudeur. Elle répond :

— Avec quatre-vingt-sept.

Dans l'auditoire, quelqu'un s'esclaffe. Le président sort de son demi-sommeil et considère, avec un semblant d'intérêt, cette petite ouvrière râblée aux pommettes rouges et à la poitrine bien ronde.

Les yeux noirs de Quangel ont brillé d'amusement, mais il baisse maintenant les paupières, sans regarder personne.

Le procureur balbutie, complètement déconcerté :

— Avec quatre-vingt-sept !... Pourquoi justement ce chiffre ?

— Je ne sais pas, dit Anna Quangel, impassible. Il se trouve qu'il n'y en a pas eu davantage.

— Ah ? fait le procureur, contrarié. Bon !

Sa mauvaise humeur est grande, car il a d'un seul coup rendu l'accusée intéressante, ce qui n'était nullement son intention. De plus, comme la plupart de ceux qui l'ont entendue, il est fermement convaincu qu'elle ment, qu'elle n'a peut-être même pas eu d'amants. On pourrait la punir pour s'être moquée du tribunal, mais comment en apporter la preuve ?

Il finit par se décider. Il dit, sur un ton amer :

— Je suis persuadé que vous exagérez énormément, accusée. Une femme qui a eu quatre-vingt-sept amants ne se rappelle guère leur nombre. Elle dirait tout au plus : beaucoup. Mais votre réponse est bien la preuve de votre turpitude : vous vous vantez encore de votre dépravation ! Vous êtes fière d'avoir été une putain. Et comme toutes les putains vous avez joué les entremetteuses. Votre propre fils a été la victime de vos machinations.

Il a enfin réussi à toucher Anna au vif.

— Non ! s'écrie-t-elle en levant des mains suppliantes. Ne dites pas cela ! Je n'ai jamais fait de choses pareilles !

— Comment appelez-vous donc le fait d'avoir plusieurs fois fait coucher chez vous la soi-disant fiancée de votre fils ? Vous aviez peut-être envoyé le garçon ailleurs ? Où couchait donc cette Trudel ? Vous savez qu'elle est morte, hein, vous le savez... autrement, cette femme, cette comparse des crimes de votre mari, serait, elle aussi, au banc des accusés.

Mais le nom de Trudel a insufflé un nouveau courage à Frau Quangel. Elle dit, à l'adresse du tribunal :

— Oui, Dieu soit loué, Trudel est morte! Elle n'aura pas connu cette dernière honte.

— Modérez-vous, je vous prie! Accusée, je vous donne un avertissement.

— C'était une bonne jeune fille, qui n'avait rien à se reprocher...

— Et qui s'est fait avorter au bout de cinq mois, parce qu'elle ne voulait pas mettre au monde un soldat.

— Elle ne l'a pas fait exprès. La mort de son enfant la rendait malheureuse.

— Elle a avoué!

— Je n'en crois rien.

Le procureur général est furieux :

— Peu importe ce que vous croyez ou ne croyez pas! Mais je vous conseille fortement de changer de ton, accusée, sinon vous aurez encore des surprises désagréables! Et maintenant, je vous demande encore une fois de me répondre : votre fils a-t-il eu des rapports intimes avec cette fille, oui ou non?

— Une mère n'est pas chargée d'espionner ce genre de choses.

— Mais votre devoir était de les surveiller. Si vous tolérez sous votre propre toit le commerce illicite de votre fils, vous êtes, aux termes du code pénal, coupable de proxénétisme.

— Je ne sais rien de tout cela. Mais je sais que c'était la guerre, et que mon fils risquait sa vie au front. Dans nos milieux, c'est ainsi : quand les fiançailles ont lieu pendant la guerre, nous n'y regardons pas de si près.

— Ah ah, voilà maintenant que vous avouez! Vous étiez au courant de ces relations coupables, et vous les avez tolérées. C'est ce que vous appelez ne pas y regarder de si près. Mais le code pénal appelle cela proxénétisme. Et une mère qui tolère cela est une mère indigne.

— Ah bon ? Alors, je voudrais bien savoir, dit Anna Quangel, sans la moindre peur et d'une voix ferme, comment le code pénal appelle les séances de pelotage des Jeunesses Hitlériennes...

Gros rires dans le public...

— Et ce que les S.A. font avec les filles des milices...

Les rires cessent.

— Et les S.S. !... On dit que les S.S. violent les jeunes Juives avant de les fusiller...

Silence de mort...

Puis le tumulte se déchaîne. Certains spectateurs veulent atteindre l'accusée, en escaladant les barrières. Otto Quangel a bondi, prêt à porter secours à sa femme. Le gendarme et l'absence de bretelles l'en empêchent. Le président est debout, réclamant en vain le silence. Les assesseurs discutent avec force gestes. Le procureur général lance des aboiements que personne ne comprend...

On finit par expulser Anna Quangel ; le vacarme s'apaise et le tribunal se retire pour délibérer... Il réapparaît au bout de cinq minutes :

— L'accusée Anna Quangel est exclue de la participation au procès. Elle restera désormais entravée. Cachot jusqu'à nouvel ordre. Pain et eau un jour sur deux.

L'audience continue.

AU TRIBUNAL : LE TÉMOIN ULRICH HEFFKE

Le témoin Ulrich Heffke, frère bossu d'Anna Quangel, venait de passer des mois pénibles, le commissaire Laub l'ayant arrêté avec sa femme, tout de suite après les Quangel, pour la seule raison qu'il était de leur famille. Depuis ce jour, Ulrich Heffke avait vécu dans l'angoisse. Ce doux à l'esprit simple, qui durant toute sa vie avait évité toute querelle, fut torturé, battu, injurié par le sadique commissaire.

On lui fit connaître la faim et l'humiliation, et son esprit fut plongé dans un état de confusion totale. Uniquement soucieux de ce que ses persécuteurs voulaient entendre, il avoua les crimes les plus graves ; mais on lui montra aussitôt que ses aveux étaient pleins de contradictions. On le martyrisa de nouveau, dans l'espoir d'apprendre du petit bossu un crime resté inconnu jusqu'à cette date. Car le commissaire Laub agissait selon le principe de l'époque : tout le monde avait quelque chose sur la conscience ; il suffisait de chercher assez longtemps pour obtenir un résultat.

Laub se refusait absolument à croire qu'il était tombé sur un Allemand qui n'était pas membre du Parti, et qui pourtant n'avait jamais écouté un émetteur étranger, ni propagé des nouvelles défaitistes, ni enfreint les règles de rationnement alimentaire. Il accusa Heffke d'avoir trahi les secrets de fabrications de l'usine d'optique où il travaillait. Heffke avoua ; et après une semaine d'investigations laborieuses Laub put établir qu'il n'y avait pas de secrets à trahir dans cette usine, où personne ne savait à quelle arme étaient destinées les pièces détachées que l'on fabriquait.

Heffke paya cher chacun de ses aveux mensongers ; mais au lieu d'acquérir de l'expérience, il devint simplement encore plus timoré. Il finit par avouer tout ce qu'on voulait, dans le seul espoir d'avoir la paix et d'échapper à un nouvel interrogatoire, signant n'importe quel procès-verbal. Victime de l'angoisse qui faisait de lui une pauvre créature tremblante, il aurait signé son propre arrêt de mort.

Bien qu'il n'y eût aucune preuve de sa participation à leurs « crimes », le commissaire Laub eut le cynisme de faire transférer Laub à la maison d'arrêt, en même temps que les Quangel. Ulrich Heffke profita du nouveau régime de surveillance pour essayer de se pendre, mais on s'en aperçut assez tôt pour le rendre à une vie qu'il ne pouvait plus supporter.

Depuis cet instant, le petit bossu dut vivre dans des conditions encore beaucoup plus pénibles : sa cellule restait éclairée toute la nuit, un garde le surveillait constamment, ses mains étaient attachées, et on venait presque tous les jours le chercher pour un nouvel interrogatoire. La façon stupide qu'il avait d'accepter toutes les accusations obligea le juge d'instruction à entreprendre des enquêtes circonstanciées, qui prouvèrent en dernière analyse qu'Heffke n'avait rien fait.

C'est ainsi qu'il fut mis en liberté une semaine avant le procès des Quangel. Il retourna auprès de sa grande femme brune et lasse, qu'on avait depuis longtemps relâchée. L'état mental de Heffke ne lui permettait pas d'aller travailler ; il restait à genoux des heures durant dans un coin de sa chambre, à chanter des cantiques, d'une voix suave. Il ne parlait plus guère et pleurait souvent la nuit. Comme il avait des économies, sa femme ne fit rien pour l'inciter à travailler.

Trois jours après sa libération, Heffke reçut une citation, comme témoin au procès Quangel. Incapable de comprendre qu'on ne lui demanderait qu'un témoignage, il s'énerva d'heure en heure, ne mangeant presque plus et chantant de plus en plus longtemps. Poursuivi par l'idée qu'il allait affronter une nouvelle série d'épreuves, il se pendit une seconde fois, la nuit qui précédait le procès, mais cette fois ce fut sa femme qui lui sauva la vie. Dès qu'il put respirer, elle lui administra une vigoureuse correction, en guise de désaveu de sa conduite. Le lendemain, elle le conduisit par le bras à la porte des témoins et le remit à l'huissier en disant : « Il a un grain ! Ayez l'œil sur lui ! » La salle des témoins étant déjà bien remplie – c'étaient principalement des camarades de travail de Quangel, des membres de la direction de l'usine, les deux femmes et le receveur des Postes qui l'avaient vu déposer des cartes – l'huissier ne fut pas seul à surveiller le petit homme. Certains essayèrent de tromper leur longue attente en le taquinant, mais sans grand succès ; l'angoisse se lisait tellement dans son regard qu'ils n'eurent pas la cruauté de le tourmenter davantage.

Le président Freisler n'avait pas jugé bon de passer trop de temps à interroger cette poule mouillée, qui tremblait si fort et qu'on n'entendait guère. Ensuite le bossu s'était caché parmi les autres témoins, dans l'espoir qu'on le laisserait désormais en paix. Mais il avait dû subir le spectacle des tourments que le procureur infligeait à sa sœur. Son cœur se révoltait ; il voulait s'avancer, pour témoigner de la vie exemplaire qu'avait menée Anna ; mais sa peur le contraignit, une fois de plus, à rester lâchement dans l'ombre. Il suivit donc le déroulement du procès, en proie tour à tour à des accès de courage ou de frayeur qui le déchiraient, jusqu'au moment où Anna insulta les Jeunesses Hitlériennes, les S.A. et les S.S. Il prit part au tumulte qui suivit, en grimpant sur un banc pour mieux voir, alors que deux gendarmes emmenaient l'accusée.

Il était encore debout lorsque le président commença enfin à obtenir le silence. Tout occupés à leurs commentaires, les voisins du bossu l'avaient oublié. Par malheur, un regard tomba sur le pitoyable Ulrich Heffke, celui du procureur qui s'écria :

— Eh, dites donc, vous êtes bien le frère de l'accusée ? Témoin Heffke, je vous invite à dire ce que vous savez de la vie de votre sœur.

Ulrich Heffke ouvrit la bouche, et pour la première fois ses yeux ne reflétèrent pas la peur. Il chanta, de son agréable voix de tête :

> *Adieu, monde du péché,*
> *Adieu, vallée de larmes.*
> *Au ciel, j'aurai ma récompense,*
> *Dieu comblera ses serviteurs.*

Tous étaient si ébahis qu'ils le laissèrent poursuivre. Un des assesseurs était bouche bée. Otto Quangel avait tourné son visage de rapace vers son beau-frère et sentait pour la première fois son cœur battre pour ce pauvre petit bonhomme. Qu'allaient-ils donc faire de lui ?

Mon âme se blottit
Dans ton côté ouvert...

Tandis qu'il entamait la seconde strophe, l'animation avait repris dans la salle. Le président avait chuchoté quelque chose et le procureur avait fait passer un billet à l'officier de service. Mais le petit bonhomme n'avait cure de tout cela. Les yeux levés vers le plafond, il s'écria d'une voix forte : « J'arrive ! »

Il leva les bras, prit son élan sur le banc. Il voulait voler...

Il s'affala parmi les témoins assis devant lui, et ils n'eurent que le temps de s'écarter pour le laisser rouler sous les bancs...

— Emmenez cet individu, cria le président, au milieu du brouhaha. Qu'on lui fasse subir un examen médical.

On porta Ulrich Heffke à l'extérieur.

— Il est clair qu'il s'agit d'une famille d'aliénés, déclara Freisler. Il importe de veiller à leur élimination.

Et il jeta un regard menaçant à Otto Quangel, qui, retenant son pantalon, contemplait encore la porte par où son beau-frère avait disparu.

Bien entendu, on s'occupa de l'élimination du petit bossu Ulrich Heffke. Ni son corps, ni son esprit ne le rendaient digne de vivre aux yeux des nazis. Après un court séjour à l'asile, une piqûre lui permit de dire vraiment adieu à cette vallée de larmes.

AU TRIBUNAL : LES DÉFENSEURS

L'avocat commis d'office à la défense d'Anna Quangel était un vieil homme rongé par le souci et qui avait l'air d'un Juif (mais on ne pouvait pas le prouver, car ses papiers étaient « parfaitement aryens »). Il se leva pour entamer son plaidoyer.

Il se déclara très attristé d'être contraint de parler en l'absence de sa cliente. Il était indéniable que les attaques de cette dernière contre des institutions ayant fait leurs preuves, comme les S.A. et les S.S., étaient déplorables...

Interruption du procureur : « Criminelles! »

Certes, l'accusation avait raison, de pareilles attaques étaient criminelles. On voyait toutefois, par le cas du frère de l'accusée, qu'elle ne pouvait guère être considérée comme entièrement responsable de ses actes. Il était clair que la famille Heffke était animée d'une sorte de délire religieux. On pouvait penser, sans vouloir devancer les conclusions de l'expert médical, qu'il s'agissait de schizophrénie, c'est-à-dire d'une maladie héréditaire...

À cet endroit de sa plaidoirie, le défenseur grisonnant fut interrompu pour la seconde fois par le procureur, qui demanda au tribunal de rappeler à l'avocat son devoir de plaider au fond, car il s'agissait de haute trahison et non de folie. L'avocat objecta que si l'accusation avait le droit de soutenir la thèse de l'immoralité de sa cliente, il pouvait à son tour parler de schizophrénie. Le tribunal se retira pour en délibérer, après quoi le président déclara : « Aucun symptôme de troubles mentaux n'est apparu durant l'instruction du procès d'Anna Quangel. Le cas de son frère, Ulrich Heffke, ne saurait être considéré comme probant, puisqu'il n'existe pas encore d'expertise médicale à son sujet. Il est fort possible qu'il s'agisse d'un dangereux simulateur, qui aurait voulu tenter une opération de diversion en faveur de sa sœur. La défense est priée de s'en tenir aux données de fait, touchant le crime de haute trahison... »

L'avocat d'Anna Quangel reprit : « Puisque le tribunal m'interdit d'analyser l'état mental de ma cliente, je passerai sous silence tous les éléments qui semblent indiquer une diminution de sa responsabilité pénale : sa façon de s'en prendre à son mari après la mort de leur fils, son comportement souvent étrange et rappelant celui d'une aliénée... »

Le procureur aboie : « J'élève la plus vigoureuse protestation contre la manière dont le défenseur de l'accusée tourne l'interdiction du tribunal. Il ne fait que souligner ce qu'il prétend passer sous silence. Je demande une décision du tribunal. »

De nouveau, le tribunal se retire, et lorsqu'il reparaît, le président Freisler annonce, d'un ton amer, que l'avocat est condamné à une amende de 500 marks pour avoir enfreint une décision du tribunal. La parole lui sera retirée en cas de récidive.

L'avocat grisonnant s'incline. Il semble encore un peu plus rongé par le souci, comme s'il se demandait où trouver cette somme. Reprenant pour la troisième fois son exposé, il s'efforce de dépeindre la jeunesse d'Anna Quangel, les années qu'elle a passées comme bonne à tout faire, puis son mariage, aux côtés d'un froid fanatique ; toute une vie de femme. Il s'écrie : « Que pouvait faire Anna Quangel contre la volonté criminelle de son mari ? Car il est clair à présent que c'est lui qui eut cette idée, et non sa femme. Toutes les affirmations émises par ma cliente pour affirmer le contraire durant l'instruction doivent être comprises comme l'effet d'une volonté de sacrifice, d'ailleurs mal inspirée. Elle était la créature de son époux... »

Le procureur dresse l'oreille.

« Messieurs, on ne saurait mesurer la culpabilité, ou pour mieux dire la complicité, d'une femme ayant ainsi vécu. De même qu'on ne saurait punir un chien, qui, sur l'ordre de son maître, attrape les lièvres dans une chasse réservée, cette femme ne saurait être rendue totalement responsable de sa complicité. C'est également pour cette raison qu'elle est protégée par le paragraphe 51, dernier alinéa... »

Nouvelle interruption du procureur, qui se déchaîne, clamant que l'avocat a encore une fois enfreint une décision du tribunal. Protestation du défenseur. Le procureur affirme que l'expression « également pour cette raison » se rapporte de toute évidence à la maladie mentale que la défense prête à la famille Heffke. Il demande une décision du tribunal.

Le président demande au défenseur à quoi il rattachait l'expression « également pour cette raison » ?

L'avocat déclare que ces mots faisaient allusion à des arguments qu'il allait justement développer.

Le procureur hurle que personne, en parlant, ne se réfère à des choses qui n'ont pas encore été dites. Le défenseur réplique qu'il s'agit là d'un procédé oratoire bien connu, pour éveiller l'attention, et qu'on peut par exemple relever dans la troisième Philippique de Cicéron...

Anna Quangel était tout à fait oubliée. Médusé, son mari regardait l'un après l'autre ces cuistres, maintenant plongés dans une querelle de rhéteurs. Le tribunal finit par quitter la salle, et le président annonça à son retour que la parole était retirée à l'avocat, pour avoir une nouvelle fois enfreint une décision du tribunal, et que la défense d'Anna Quangel était confiée à l'assesseur Lüdecke.

L'avocat grisonnant s'inclina et, plus soucieux que jamais, quitta la salle. Le jeune assesseur parla trois minutes, demandant les circonstances atténuantes, dans la mesure où le tribunal jugerait bon de les accorder, et se rassit, très rouge et très embarrassé.

On donna la parole au défenseur d'Otto Quangel.

Il se leva, avec son teint de blond et son air extrêmement infatué. Il n'était pas intervenu une seule fois jusqu'alors et n'avait pas pris la moindre note. Pendant toutes les heures qu'avait duré l'audience, il n'avait fait que contempler ses ongles roses et soignés, pour les frotter ensuite les uns contre les autres. À présent il parlait, la robe entrouverte, une main dans la poche de son pantalon, en faisant de l'autre quelques gestes sobres. Ce défenseur ne pouvait souffrir son client, qu'il trouvait borné et laid au-delà de toute expression. En refusant tout renseignement à son avocat, malgré les conseils répétés du Dr Reichhardt, Quangel avait d'ailleurs fait tout ce qu'il fallait pour renforcer cette répulsion. Il estimait n'avoir pas besoin de défenseur.

La voix nonchalante de ce dernier s'accordait mal avec les paroles sans appel qu'il prononçait : « Tous tant que nous sommes, rassemblés dans cette salle, nous avons rarement eu le spectacle d'une corruption aussi insondable que celle qui fait l'objet de ce procès. Haute trahison, prostitution, proxénétisme, avortement, avarice – existe-t-il un vice que mon client n'ait pas connu ? Messieurs, vous me voyez hors d'état de défendre pareil criminel. Dans un cas de ce genre, je dépose la robe du défenseur pour me faire accusateur, et si j'élève la voix, ce ne peut être que pour souhaiter que la justice suive son cours avec la plus extrême rigueur. Il n'existe pas de circonstances atténuantes pour celui qui ne mérite pas le nom d'être humain. »

À ces mots, le défenseur s'inclina et se rassit, à la surprise générale, en ajustant soigneusement le pli de son pantalon. Il examina ses ongles et se remit à les frotter soigneusement les uns contre les autres.

Après quelques instants d'embarras, le président demanda à l'accusé s'il avait encore quelque chose à dire, en le priant toutefois d'être bref. Otto Quangel dit en retenant son pantalon : « Je n'ai rien à dire en ma faveur. Mais je voudrais remercier sincèrement mon avocat pour sa plaidoirie. J'ai enfin compris comment un spécialiste du droit peut parler de travers. »

Et Quangel se rassit, au milieu de la consternation générale.

L'avocat cessa de polir ses ongles et se leva pour déclarer négligemment qu'il renonçait à demander une sanction contre son client, qui avait une fois de plus démontré qu'il était un criminel invétéré.

À cet instant, Quangel se mit à rire, pour la première fois depuis son arrestation ; ou plutôt, ce fut son premier rire insouciant et joyeux, depuis des temps immémoriaux. Il trouva soudain d'un comique irrésistible les efforts que déployaient ce ramassis de criminels, pour le charger de tous les crimes. Le président lui adressa une sévère réprimande. Se rendant compte qu'il ne pouvait faire davantage, car il avait déjà décrété toutes les punitions possibles contre cet accusé, Freisler préféra ne pas l'exclure à son tour, car il avait besoin de sa présence, pour la lecture du verdict.

Le tribunal se retira un temps assez long, afin de délibérer.

Comme au théâtre, les spectateurs allèrent fumer une cigarette pendant cet entracte.

AU TRIBUNAL : LE VERDICT

Les deux gendarmes bavardaient, à quelque distance de Quangel. Le vieux contremaître appuya sa tête entre ses mains et sombra quelques instants dans une sorte de demi-sommeil. Il était épuisé par ces sept heures de séance, durant lesquelles son attention ne s'était pas relâchée. Des images défilaient dans son esprit : la main du président Freisler qui s'ouvrait et se fermait comme sur une proie, le petit bossu Heffke qui voulait apprendre à voler, les joues rouges d'Anna disant « quatre-vingt-sept », avec un air de supériorité sereine qu'il ne lui connaissait pas ; beaucoup d'autres images encore.

Sa tête pesait contre ses mains, il était fatigué ; il fallait dormir, ne fût-ce que cinq minutes... Il posa un bras sur la table et sa tête dessus, respirant avec volupté : cinq minutes de sommeil, un instant d'oubli !

Mais il se redressa brusquement. Il y avait dans cette salle quelque chose qui l'empêchait de trouver le repos désiré. Comme il écarquillait les yeux pour s'en rendre compte, son regard tomba sur Herr Fromm, le conseiller honoraire, appuyé contre la barrière qui fermait l'enceinte du public. Le conseiller semblait faire signe à Quangel. Auparavant, celui-ci avait déjà aperçu le vieux monsieur, mais sous le flot des impressions de cette journée, il avait oublié la présence de son ancien voisin. Il jeta un regard sur les deux gendarmes ; ils étaient plongés dans une conversation très animée, dont il saisissait quelques bribes : « Et alors, je te l'ai attrapé par le colback... » Il se leva et, retenant des deux mains son pantalon, se dirigea vers le conseiller. Ce dernier gardait les yeux baissés, comme s'il n'eût pas voulu voir le prisonnier qui s'approchait. Puis – Quangel n'était plus alors qu'à quelques pas de lui – il fit rapidement demi-tour, et se dirigea vers la sortie. Mais il avait laissé sur la balustrade un petit paquet blanc, à peine de la grosseur d'une échevette de fil. Quangel prit l'objet, qui était dur, au toucher, et le cacha dans le creux de sa main, puis dans sa poche. Se retournant, il vit que les deux gardes n'avaient pas encore remarqué son absence. Une porte claqua du côté du public ; le conseiller avait disparu. Quangel regagna sa place le cœur battant, car il était peu probable que cette aventure se terminerait heureusement. Quel était donc l'objet qui avait paru assez important au vieux conseiller pour qu'il prît un tel risque ?

Ce dernier n'était plus qu'à quelques pas de son banc lorsqu'un des gendarmes leva les yeux vers lui. Le militaire sursauta, jeta un coup d'œil sur le siège vide de l'accusé, comme pour se convaincre qu'il n'y était vraiment plus, et s'écria, l'air terrorisé :

– Qu'est-ce que vous faites là ?

– Je voudrais aller aux W.-C., fit Quangel...

– Dans ce cas, ne filez pas tout seul. Vous pourriez prévenir !

Le gendarme parlait encore lorsque Quangel se dit soudain qu'il n'avait pas envie d'être traité autrement qu'Anna. La lecture du verdict pouvait se faire en leur absence ; elle ne leur apprendrait rien. De plus, il avait hâte de savoir ce que le vieux conseiller lui avait remis. Les deux gendarmes s'étaient rapprochés pour le prendre par les bras. Quangel leur jeta un regard glacial en disant :

– Hitler peut crever!

– Quoi?

Ils n'en croyaient pas leurs oreilles. Quangel répéta très vite et plus fort :

– Hitler peut crever! Goering peut crever! Cette ordure de Goebbels peut crever. Et Streicher avec lui!

Un crochet au menton l'empêcha de poursuivre sa litanie. Les deux gendarmes traînèrent Quangel sans connaissance hors de la salle.

Tandis que Freisler finissait de lire le verdict, sans pouvoir placer les belles injures qu'il avait prévues, Quangel rouvrait les yeux dans sa cellule de la « souricière ». Son menton et toute sa tête étaient douloureux; il avait du mal à se rappeler ce qui s'était passé. Sa main chercha dans sa poche. Dieu merci, le paquet y était encore.

Il entendait dans le couloir le pas de la sentinelle, puis ce fut un léger glissement venant de la porte : on manœuvrait le volet du judas. Quangel ferma les yeux, comme s'il était encore sans connaissance, jusqu'à ce qu'il entendît de nouveau le glissement du volet, puis les pas qui s'éloignaient. Il avait maintenant deux ou trois minutes pour agir avant que le garde ne rouvrît le judas. Il tira vite de sa poche le paquet, fit glisser le fil qui l'enserrait, déplia le billet roulé autour d'un tube de verre et lut cette inscription, tapée à la machine : « Acide prussique, tue sans douleur en quelques secondes. À cacher dans la bouche. On s'occupe aussi de votre femme. Détruisez le billet. »

Quangel eut un sourire. Le cher vieil homme! L'admirable vieillard! Il mâcha le billet jusqu'à ce qu'il fût imprégné de salive, puis l'avala. Il regardait avec un vif intérêt le liquide transparent contenu dans l'ampoule. « Mort rapide et sans douleur, se dit-il, et pour Anna aussi. Il pense à tout, ce brave Fromm! »

Glissant le tube de verre dans sa bouche, il fit un essai. Il trouva que le mieux était de dissimuler l'objet entre la gencive et la joue. Le doigt n'en sentait même pas la place ; et si quelqu'un remarquait quelque chose, Quangel pouvait toujours briser le verre entre ses dents avant qu'on ne pût le lui enlever. Il sourit de nouveau : il était désormais vraiment libre. On n'avait plus sur lui aucun pouvoir.

LA MAISON DES MORTS

La prison de Plötzensee, dernière station des condamnés à mort, abrite maintenant Otto Quangel. Il est désormais dans une cellule individuelle, car la loi exige que les condamnés aient la mort pour seule compagnie.

Sans cesse on entend le bruit des pas dans le couloir ; et toute la nuit les chiens aboient dans les cours. Mais, dans les cellules, les fantômes vivants ne font aucun bruit. Ils viennent de tous les pays d'Europe, jeunes ou vieux, Allemands, Français, Hollandais, Belges, Norvégiens, bons, faibles, méchants... Tous les tempéraments, du sanguin au mélancolique ; dans cette maison, les différences s'estompent. Tous sont devenus silencieux. C'est à peine si Quangel entend parfois sangloter la nuit, puis de nouveau le silence, toujours le silence...

Il a toujours aimé le silence. Il a dû ces derniers mois mener une vie peu conforme à son caractère : jamais seul ; souvent contraint de parler, lui si taciturne... Le voici une dernière fois rendu à son genre de vie, dans le silence et la patience. Le Dr Reichhardt était un bon compagnon, qui lui a beaucoup appris ; mais maintenant, si près de la mort, il vaut encore mieux vivre seul.

C'est du Dr Reichhardt que Quangel tient l'habitude d'observer dans la cellule un horaire régulier. Chaque chose en son temps : la toilette très soignée, quelques mouvements de gymnastique, que lui a appris le musicien, une heure de promenade matin et soir, le nettoyage méticuleux de la cellule, les repas et le sommeil. Il existe également des livres de lecture ; on lui en apporte dix par semaine ; mais il n'a pas changé sur ce point et ne les ouvre pas. Ce n'est pas dans ses vieux jours qu'il va se mettre à lire !

Il tient encore du Dr Reichhardt une autre habitude. Durant ses promenades, il fredonne de vieilles chansons, qu'il se rappelle de ses années d'école. Il aligne les vers que sa mémoire lui permet de retrouver, plus de quarante ans après ! Et puis les ballades de Schiller et de Goethe : l'*Anneau de Polycrate*, la *Caution*, l'*Hymne à la Joie*, le *Chant de la Cloche*, le *Roi des Aulnes*...

C'est une vie calme, mais c'est pourtant le travail qui fait l'essentiel de la journée, car, dans cette prison, il faut travailler. Tous les jours, Quangel doit trier une certaine quantité de pois chiches. Cette occupation ne lui déplaît pas, ses doigts s'y appliquent au fil des heures. Il y trouve un autre avantage, celui de pouvoir se rassasier. Ce qu'on lui donne dans sa cellule n'est en effet qu'une soupe à l'eau, et le pain humide, à base de pommes de terre, est fort indigeste. Le peu de pois qu'il peut distraire de son travail quotidien lui permet, une fois amollis dans l'eau, puis versés dans la soupe, d'améliorer une nourriture dont il reçoit trop pour mourir et trop peu pour vivre.

Il inclinerait à penser que les surveillants n'ignorent pas ses larcins, mais se taisent, par pure indifférence, car plus rien ne les intéresse dans une maison où ils voient chaque jour tant de misère. S'ils ne parlent pas, c'est simplement pour ne pas avoir à rendre de comptes. Ne pouvant, de toute façon, rien changer, ils se contentent d'être des rouages, qu'on remplacerait s'ils n'entretenaient pas le mouvement dans une machine qui les dépasse.

Au sortir du cachot auquel l'avait condamné Freisler, Otto Quangel avait pensé qu'il resterait un jour ou deux dans cette cellule et qu'on aurait hâte d'en finir avec lui.

Mais il s'aperçoit peu à peu qu'il existe des condamnés qui attendent leur mort depuis un an, se couchant tous les soirs en ignorant si les aides du bourreau ne les réveilleront pas dans la nuit.

Cette prolongation indéfinie de la peur de mourir relève d'une cruauté inimaginable, car elle n'est pas due seulement aux lenteurs des formalités juridiques et des recours en grâce dont il faudrait attendre la réponse. Certains disent que le bourreau est débordé, qu'il doit voyager, car on exécute dans toute l'Allemagne. Mais, dès lors, comment se fait-il que sur deux condamnés dans la même affaire l'un est exécuté sept mois plus tôt que l'autre?... Non, il s'agit ici d'une méthode voulue et sadique. Dans cette maison, où les corps ne sont plus soumis aux brutalités ni à la torture, ce sont les âmes qui ne doivent pas échapper une minute à la peur de mourir, dont le poison suinte insidieusement dans les cellules.

Chaque lundi et chaque jeudi, la maison des morts s'agite. Durant la nuit, les fantômes se lèvent pour venir faire le guet à leur porte, les membres tremblants. Le pas des sentinelles retentit encore. Il n'est que deux heures du matin, mais bientôt... c'est peut-être pour aujourd'hui. Et ils implorent et supplient : « Encore trois, quatre jours de répit, jusqu'à la prochaine fournée! Alors je me laisserai faire, mais pas aujourd'hui! » Et ils implorent, supplient, mendient.

Une horloge sonne quatre heures. Bruit de pas et de clés, murmures. Les pas se rapprochent. Le cœur se met à battre plus fort; la sueur couvre tout le corps. Soudain une clé dans la serrure. « Ne bouge pas, c'est la cellule d'à côté qu'on a ouverte!... Non, c'est celle d'après! Ce n'est pas encore ton tour. » Un « non, non, au secours! » vite étouffé, des bruits de pieds. Silence. Le pas régulier de la sentinelle. Silence, attente. Attente angoissée. « Je n'y tiendrai pas!... »

Le temps se fractionne indéfiniment. L'attente. Rien que l'attente... Et le pas des sentinelles dans le couloir. « O mon

Dieu, voilà qu'ils prennent cellule après cellule! Tu es le suivant. Tu - es - le - suivant! Dans trois heures, tu seras un cadavre! Ce corps est mort; ces jambes, qui te portent encore, seront des béquilles inanimées; cette main qui a travaillé, caressé, fait le mal, ne sera plus qu'un morceau de chair en décomposition! » C'est impossible et cependant, c'est vrai!

Attendre - attendre - attendre!... Et soudain, celui qui attend voit le jour poindre à la fenêtre, il entend une cloche qui appelle au lever. Une nouvelle journée de travail est venue — et encore une fois on l'a épargné... il a encore un délai de trois jours; de quatre jours si c'est jeudi. La chance lui a souri. Il respire plus facilement. Peut-être vont-ils l'épargner tout à fait. Peut-être y aura-t-il une grande victoire, suivie d'une amnistie; peut-être sa peine sera-t-elle commuée en détention perpétuelle!

Pendant une heure, il respire

Et déjà la peur reprend. Elle empoisonne ces trois ou quatre jours. « Cette fois, ils se sont arrêtés juste avant ma cellule. Lundi, ils commenceront par moi... Que faire?... Je ne peux tout de même pas... »

Toujours neuve, deux fois par semaine, tous les jours de la semaine, la peur!

Mois après mois, la peur de mourir!...

Parfois Otto Quangel se demandait comment il savait tout cela. En réalité il ne parlait à personne. Quelques ordres brefs du gardien : « Suivez-moi! Debout!... Travaillez plus vite! » Peut-être, au moment de remplir les écuelles, un message à peine prononcé qu'on pouvait lire sur les lèvres : « Sept exécutions aujourd'hui. » C'était tout.

Mais les sens du prisonnier avaient acquis une acuité infinie. Ils devinaient ce que lui ne voyait pas. Ses oreilles entendaient le moindre bruit du couloir, une bribe de conversation entre les sentinelles au moment de la relève, un juron, un cri — rien ne lui échappait. Et puis, durant les longues nuits qui, d'après le règlement de l'établissement, duraient treize heures mais qui n'étaient jamais des nuits parce que la lumière devait brûler constamment dans la cellule, il prenait parfois le risque de grimper à la fenêtre, pour prêter l'oreille dans l'obscurité. Il savait que, dans la cour, les sentinelles, dont les chiens aboyaient éternellement, avaient l'ordre de tirer sur tout visage apparaissant aux fenêtres, et il n'était pas rare d'entendre un coup claquer ; mais il osait quand même.

Il était là, debout sur son tabouret, sentant la caresse de l'air pur de la nuit (cet air à lui seul faisait oublier n'importe quel danger), et il entendait les chuchotements, de fenêtre en fenêtre, paroles dépourvues de sens au premier abord : « Karl a encore sa crise ! » ou « La femme du 347 est restée en bas toute la journée ». Peu à peu, il apprit à interpréter ces odieux messages. Il sut que, dans la cellule voisine de la sienne, se trouvait un homme du contre-espionnage, accusé de s'être vendu à l'ennemi, et qui avait déjà tenté deux fois de se suicider. De l'autre côté, il y avait un ouvrier qui avait organisé le sabotage dans son usine. Le gardien Brennecke procurait du papier et des bouts de crayon et faisait également sortir des lettres en fraude, à condition d'être grassement payé à l'extérieur, de préférence en victuailles. On apprenait ainsi mille nouvelles. Une prison de condamnés à mort vit, respire, parle ; même en ce lieu, l'irrépressible besoin qu'ont les hommes de communiquer ne s'éteint pas.

Mais bien qu'Otto Quangel risquât parfois sa vie pour prêter l'oreille à la fenêtre, il ne faisait pas vraiment corps avec les autres. Ils devinaient parfois qu'il était là, lui aussi, et quelqu'un chuchotait : « Alors, Otto, comment ça va ?... Ton recours en grâce est déjà revenu ? » (ils savaient tout de lui). Il ne répondait jamais un mot ; jamais il n'avouait qu'il écoutait. Bien qu'ayant subi la même condamnation, il se sentait tout à fait différent des autres ; non pas à cause de son ancien goût de la solitude et du silence, mais à cause du petit tube de verre que le conseiller Fromm lui avait remis.

Cette solution d'acide prussique avait fait de lui un homme libre. Ses compagnons d'infortune devaient aller jusqu'au bout de leur calvaire, mais lui, il avait le choix. Il pouvait mourir à tout instant; il lui suffisait de le vouloir. Il était libre. Dans la maison des morts, derrière des grilles et des murs, maintenu par des chaînes et des fers, lui, Otto Quangel, contremaître menuisier en retraite, époux en retraite, père en retraite, agitateur en retraite, il était devenu un homme libre. Tout ce que ses ennemis avaient obtenu, c'était de l'avoir rendu plus libre qu'il n'avait jamais été. Muni de ce tube de verre, il ne craignait pas la mort. Elle était près de lui à chaque heure, elle était son amie. Lui, Otto Quangel, n'avait pas besoin, le lundi et le jeudi, de s'éveiller longtemps avant l'heure, pour guetter à sa porte dans l'angoisse. Il n'avait pas à se tourmenter, car il avait sur lui le moyen de mettre un terme à tous les tourments.

Il aimait la vie qu'il menait. Il n'était même pas bien sûr d'utiliser jamais cette ampoule. Peut-être valait-il mieux attendre jusqu'au dernier instant. Peut-être pourrait-il voir Anna encore une fois. N'était-il pas plus juste de leur faire boire leur honte jusqu'à la lie? Qu'ils l'exécutent, cela valait bien mieux!... Il voulait savoir comment cela se passait. Il lui semblait que son devoir était d'apprendre comment ils s'y prenaient, jusqu'à ce que sa tête fût sous la hache, ou qu'il eût la corde autour du cou. De toute façon, il pouvait leur jouer un tour au dernier instant.

Et dans la certitude que plus rien ne pouvait lui arriver, qu'il pouvait ici – peut-être pour la première fois de sa vie – être totalement lui-même, il trouvait le calme, la sérénité, la paix. Son corps vieillissant ne s'était jamais senti si bien que durant ces semaines. Son dur œil de rapace n'avait jamais eu un reflet aussi aimable que dans cette cellule de condamné à mort. Son esprit n'avait jamais pu errer aussi librement qu'en ces lieux horribles. Il espérait qu'Anna n'était pas malheureuse non plus. Le vieux conseiller était un homme de parole Anna était, elle aussi, au-delà de tous les tourments ; elle aussi était libre, libre dans sa captivité...

LES RECOURS EN GRÂCE

Otto Quangel n'était que depuis quelques jours dans le cachot auquel l'avait condamné le Tribunal du Peuple – il avait terriblement froid dans la petite cage, semblable à celle d'un singe du zoo – lorsque la porte s'était ouverte. On avait allumé la lumière L'avocat était à l'entrée de la pièce obscure où était posée la cage, et il regardait son client.

Quangel se leva lentement et le regarda à son tour Ce monsieur tiré à quatre épingles était donc venu encore une fois, avec ses ongles roses et son parler nonchalant. Il voulait sans doute voir souffrir le criminel. Mais Quangel avait déjà dans sa bouche l'ampoule de cyanure, ce talisman qui lui faisait endurer le froid et la faim, et il avait donc dévisagé ce « monsieur distingué » avec un sentiment de supériorité tranquille, bien qu'il fût en haillons, tremblant de froid et l'estomac tordu par la faim.

— Alors ? avait fini par demander Quangel.

— Je vous apporte le verdict, dit l'avocat.

— Cela ne m'intéresse pas. Je sais que c'est la mort. Ma femme aussi ?

— Votre femme aussi.

— Bien.

— Mais vous pouvez signer un recours en grâce.

— Au Führer ?

— Oui, au Führer.

— Non, merci.

— Vous voulez donc mourir ?

Quangel eut un sourire.

Pour la première fois, l'avocat regarda le visage de son client avec une trace d'intérêt. Il dit :

— Je vais donc introduire un recours en grâce à votre nom.

— Après avoir demandé que je sois condamné ?

— Le recours est d'usage pour toutes les condamnations à mort. Cela fait partie de mes obligations.

— Vos obligations ? Je comprends. De même que votre défense... Je suppose que votre recours sera de peu d'effet Laissez donc.

— Je l'introduirai quand même, malgré votre opposition.

— Je ne peux pas vous en empêcher.

Quangel se rassit sur son châlit. Il attendait que l'autre cessât ce bavardage stupide et s'en allât. Mais, au lieu de partir, l'avocat demanda, au bout d'un long silence :

— Dites-moi, pourquoi avez-vous fait cela ?

— Fait quoi ? demanda Quangel avec indifférence, sans même regarder le dandy.

— Écrit ces cartes postales... elles n'ont servi à rien et vous les payez de votre vie.

— Je l'ai fait parce que je suis un imbécile. Parce que je n'ai rien trouvé de mieux. Parce que j'en attendais plus d'effet.

— Et vous ne regrettez pas de mourir pour une pareille bêtise ?

Un regard dur atteignit l'avocat, l'ancien regard fier du rapace.

— Au moins, je suis resté propre. Tout le monde ne peut pas en dire autant.

L'avocat regarda longtemps l'homme assis, qui ne disait plus rien. Puis il déclara :

— Je crois maintenant que le confrère qui défendait votre femme avait raison. Vous êtes fous tous les deux.

— Payer n'importe quel prix pour rester propre, vous appelez cela être fou ?

– Vous auriez pu rester propre sans écrire de cartes.

– Ç'aurait été consentir à tout. Quel prix avez-vous payé pour devenir un monsieur distingué, au pantalon si bien repassé et aux ongles brillants, qui trahit ses clients? Qu'avez-vous payé?

L'avocat ne répondait pas.

– Vous voyez! dit Quangel. Et vous paierez cela de plus en plus cher. Et un jour, vous le paierez peut-être de votre tête, comme moi. Mais alors ce sera pour votre infamie.

L'avocat se taisait toujours. Quangel se leva.

– Voyez-vous, dit-il en riant, vous savez bien que celui qui est derrière les barreaux est un honnête homme, et que le vaurien, c'est vous, qui êtes devant. Que le criminel est libre, mais que l'innocent est condamné à mort. Ce n'est pas le droit qui vous guide, et ce n'est pas sans raison que j'ai dit que vous parliez de travers. Et c'est vous qui prétendez introduire pour moi un recours en grâce? Tenez, allez-vous-en!

– Je le ferai quand même, dit l'avocat.

Quangel ne répondit pas.

– Alors, au revoir, fit l'homme de robe.

– Peu probable! À moins que vous n'assistiez à mon exécution. Vous êtes cordialement invité.

L'avocat s'éloigna. Il rédigea le recours en grâce, en alléguant la folie du coupable, pour inciter le Führer à se montrer clément, mais il savait bien que Quangel n'était pas fou.

Un recours en grâce fut présenté aussi pour Anna Quangel, mais il ne venait pas de Berlin; issu d'un pauvre petit village du Brandebourg, il était signé de la famille Heffke.

Les parents d'Anna Quangel avaient reçu une lettre de leur belle-fille, la femme d'Ulrich. Cette lettre ne contenait que de mauvaises nouvelles, annoncées sans ménagements. Leur fils était à l'asile d'aliénés, par la faute d'Otto et d'Anna Quangel, qui eux, étaient condamnés à mort pour trahison. « Voilà où en sont vos enfants. Je suis honteuse de m'appeler

Heffke. » Sans dire un mot, sans même oser se regarder, les deux vieux étaient restés assis dans leur pauvre chaumière, la lettre au milieu de la table. Ils avaient dû courber le dos toute leur vie, petits journaliers travaillant pour les grands propriétaires. Leur seule joie avait été de voir leurs enfants se faire une meilleure situation que la leur, Ulrich étant chef d'équipe dans une fabrique d'instruments d'optique, et Anna, épouse d'un contremaître en menuiserie. La rareté de leurs lettres ne choquait pas les vieux, qui connaissaient les façons des oiseaux en âge de voler et savaient que leurs enfants se portaient bien.

Et voilà qu'arrivait ce coup impitoyable! Au bout d'un moment, la main desséchée du vieil ouvrier agricole se tendit par-dessus la table : « La mère! » Et soudain la vieille éclata en sanglots : « Ah, papa!... Notre Anna! Notre Ulrich! Je ne peux pas croire qu'ils aient trahi le Führer! »

Durant trois jours, ils furent hors d'état de prendre une décision, n'osant sortir, de peur que la honte ne fût déjà connue de tout le village. Puis, le quatrième jour, ils demandèrent à une voisine de s'occuper de leurs volailles et ils se mirent en route pour Berlin. À les voir cheminer sur la chaussée balayée par le vent, l'homme marchant devant, selon la coutume paysanne, sa femme à un pas derrière lui, on eût dit des enfants perdus dans le vaste monde. Deux jours après, ils marchaient dans la direction opposée, encore plus petits, plus courbés, plus désolés. À Berlin, ils n'avaient rien obtenu. Leur belle-fille les avait couverts d'injures, ils n'avaient pas eu le droit de voir leur fils, et personne n'avait pu leur dire dans quelle prison se trouvaient Anna et son mari. Quant au Führer, dont ils espéraient l'aide, il n'était pas à Berlin, mais au grand quartier général. Il s'employait à faire tuer d'autres fils, et n'avait pas le temps d'aider des parents sur le point de perdre leurs enfants.

On leur avait dit de présenter un recours en grâce, mais ils n'osaient se confier à personne. Leur fille avait trahi le Führer, et ils n'auraient pu continuer à vivre si cela s'était su. Il fallait pourtant vivre pour sauver Anna, et personne ne pouvait les aider à rédiger cette demande, pas plus le maire que l'instituteur ou le pasteur. Ils finirent par écrire péniblement une lettre, d'une main tremblante, après des heures de discussion et de réflexion, et ils la recopièrent plusieurs fois au propre. La lettre commençait ainsi :

Mon Führer ardemment aimé,

Une mère désespérée t'implore à genoux pour la vie de sa fille. Elle a gravement failli contre toi, mais tu es si grand que tu étendras la main en sa faveur. Tu lui pardonneras...

Hitler tient la place du seigneur de l'univers, du Dieu tout-puissant de bonté et de miséricorde ! Alors que la guerre étend ses ravages et assassine des millions d'êtres humains, deux vieilles gens croient en cet homme au moment où il remet leur fille au bourreau. Nul doute ne peut se glisser en leur cœur, c'est leur fille qui est mauvaise plutôt que le Führer !

N'osant pas expédier la lettre du village, ils s'en vont ensemble la porter au chef-lieu. Sur l'enveloppe, ils ont écrit : *À la propre personne de notre Führer ardemment aimé...* Puis ils rentrent chez eux et attendent avec foi que leur dieu soit clément...

La poste s'empare des deux recours, celui de l'avocat, qui sait travestir la vérité, comme celui des parents maladroits, mais elle se garde de les transmettre au Führer. Il ne veut pas avoir affaire à ces papiers, qui ne l'intéressent pas. Ils aboutissent à la chancellerie, où on leur attribue un numéro avec ce cachet : *Transmis au ministre de la Justice. À ne retourner ici que si le condamné est membre du Parti, ce qui n'apparaît pas dans la demande.* Au ministère de la Justice, les recours sont encore une fois enregistrés et pourvus d'un nouveau cachet : *À la direction de la prison, pour avis.* Au terme de ce troisième voyage, un secrétaire écrit sur les deux recours en faveur des Quangel ces quelques mots : *Le condamné s'est comporté selon le règlement intérieur. Pas de raison spéciale d'accorder la grâce. Retour au ministère de la Justice.*

Encore une fois, la grâce est compartimentée. Seuls, ceux qui sont membres du Parti, ou qui se sont distingués en espionnant ou en maltraitant leurs compagnons d'infortune, ont une chance de se voir gracier. Au ministère de la Justice, on enregistre la rentrée des recours en y apposant ce cachet : *À rejeter,* et une accorte demoiselle tape du matin au soir sur sa machine : *Votre recours en grâce est rejeté... rejeté... rejeté.* Puis, un jour, un fonctionnaire déclare à Otto Quangel : « Votre recours en grâce est rejeté. » N'ayant pas signé de recours, Quangel ne dit mot ; cela n'en vaut pas la peine. Mais la Poste achemine le refus jusque chez les vieux, et le bruit court dans le village que les Heffke ont reçu une lettre du ministre de la Justice. Bien que les vieux se taisent obstinément et se replient sur leur angoisse, le maire a le moyen d'apprendre la vérité. Et bientôt la honte vient s'ajouter au deuil de deux vieilles gens...

Chemins de la grâce !

LA PLUS PÉNIBLE DÉCISION
D'ANNA QUANGEL

Anna Quangel souffrait plus que son mari : elle était femme. Elle aspirait à un peu de tendresse ou de sympathie – et elle était désormais toujours seule, occupée du matin au soir à démêler, pour en faire des pelotes, des ficelles dont on apportait des sacs entiers dans sa cellule. Si rares qu'eussent été les gestes et les paroles qu'elle avait échangés avec son mari, ils lui rappelaient maintenant le paradis, et la seule présence d'un Otto muet eût été pour elle une bénédiction.

Elle pleurait beaucoup. Le dur et long séjour dans l'obscurité du cachot lui avait ôté le peu de forces qu'elle avait retrouvées en revoyant Otto et qui lui avaient donné tant de courage au procès. Elle avait eu trop faim et trop froid. En outre, elle n'avait pas, comme son mari, la possibilité d'améliorer le maigre menu avec des pois chiches, et elle n'avait pas appris comme lui à respecter un horaire dont le rythme brisât la monotonie des journées et permît d'attendre à chaque instant quelque chose comme une joie : une heure de promenade après le travail, ou la satisfaction que procure un corps fraîchement lavé.

Comme lui, elle savait pourtant prêter l'oreille dans l'obscurité, à la fenêtre de la cellule ; mais lui le faisait assez rarement, tandis qu'elle le faisait toutes les nuits. Elle chuchotait, racontant son histoire, demandant sans cesse des nouvelles d'Otto, d'Otto Quangel... Oui, un contremaître de cinquante-neuf ans, encore assez fort !...

Elle ne remarquait pas, ou ne voulait pas remarquer, qu'elle ennuyait les autres avec ses questions incessantes et sa soif de se raconter. En ces lieux, chacune avait ses soucis... « Vas-tu finir par la boucler, toi, numéro 6 ? On connaît ton refrain. » Ou bien · « Ah, c'est encore celle-là, avec son Otto par-ci, Otto par-là ! » Ou, brutalement : « Si tu ne la fermes pas cette fois-ci, on te dénonce ! Il y en a d'autres qui veulent avoir leur tour. »

Comme elle s'endormait toujours très tard, Anna Quangel n'était jamais à l'heure le matin, et la surveillante la menaçait souvent d'un nouveau séjour au cachot. Elle se dépêchait de travailler, mais elle perdait ensuite toute son avance en guettant indéfiniment à la porte, parce qu'elle croyait avoir entendu un bruit dans le couloir. Elle qui avait été une mère de famille calme et affable, la détention cellulaire la transformait, au point de la rendre désagréable à tout le monde. Les surveillantes ayant toujours des remontrances à lui faire, elle leur cherchait querelle, prétendant qu'on lui donnait les rations les plus maigres et les plus mauvaises, et le plus de travail. Plusieurs fois déjà, elle s'était emportée, au point de commencer à crier des paroles insensées. Puis elle s'arrêtait d'elle-même, comme effrayée de s'entendre. Elle songeait au chemin qu'elle avait parcouru jusqu'à cette cellule nue ; elle pensait à son foyer de la rue Jablonski, qu'elle ne reverrait jamais ; elle se rappelait son fils Otto, son babil d'enfant, ses premiers soucis d'écolier, sa petite main maladroite qui voulait attraper le visage de sa mère et qui, depuis longtemps, était retournée en poussière... Elle pensait aux nuits que Trudel avait passées dans son lit lorsque, durant des heures, ce jeune corps près du sien, elles parlaient de la sévérité du père, qui dormait dans le lit d'à côté, d'Otto et de leurs projets d'avenir. Mais Trudel aussi était perdue à jamais.

Puis elle pensait au combat clandestin qu'elle avait mené avec Otto pendant plus de deux années. Elle revoyait les dimanches où, assis tous deux dans la salle de séjour, elle au coin du sofa, reprisant des chaussettes, et lui sur sa chaise, penché sur son papier, ils polissaient leurs phrases d'un commun accord, rêvant tous deux de l'effet à produire sur le lecteur. Tout était fini sans retour... Seule dans sa cellule, face à une mort certaine et proche, sans un mot d'Otto, qu'elle ne reverrait peut-être jamais, seule dans sa cellule, seule dans la tombe !...

Pendant des heures, elle marche dans l'étroite pièce, n'y tenant plus. Elle a oublié son travail ; les écheveaux de ficelle sont encore en désordre et pleins de nœuds à même le sol ; elle les repousse du pied avec impatience ; et le soir, lorsque la surveillante ouvre la cellule, rien n'est fait. Anna n'écoute pas les menaces, ils peuvent faire d'elle ce qu'ils veulent. Tant mieux, s'ils l'exécutent plus tôt !

— Croyez-moi, déclare la surveillante à ses collègues, elle ne saura bientôt plus ce qu'elle fait. Ayez toujours une camisole de force en réserve. Jetez souvent un coup d'œil dans sa cellule. Elle est capable de se pendre en plein jour, et nous aurons des ennuis.

Mais, sur ce point, la surveillante se trompe : Anna Quangel ne songe pas à se pendre. Ce qui la maintient en vie à travers ces épreuves, c'est la pensée d'Otto, l'espoir d'avoir de ses nouvelles; peut-être même lui donnera-t-on la permission de le revoir avant de mourir.

Puis, un jour de cette triste période, le bonheur semble lui sourire. Une gardienne ouvre la porte de la cellule : « Venez, Quangel. Visite. »

« Visite ? Qui peut bien venir me voir ici ? C'est Otto, je le sens ! »

Elle suit la gardienne en tremblant de tout son corps. Elle ne voit rien, elle a tout oublié; elle ne sait même plus qu'elle va bientôt mourir. Une seule pensée l'occupe : elle va voir Otto, l'unique être au monde...

La gardienne remet la prisonnière 6 au brigadier; on la conduit dans une pièce qu'une grille sépare en deux moitiés; de l'autre côté de la grille, il y a un homme. Et à la vue de cet homme, toute la joie d'Anna Quangel l'abandonne. Ce n'est pas Otto, ce n'est que le vieux conseiller de la cour, Herr Fromm. La regardant de ses yeux bleus cernés de rides, il dit :

— Je voulais avoir de vos nouvelles, Frau Quangel.

Le surveillant s'est placé près de la grille, les observant tous deux d'un air songeur. Puis il se détourne et va vers la fenêtre, pour tromper son ennui.

— Vite ! chuchote le conseiller en tendant quelque chose à travers la grille.

Anna s'empare instinctivement du petit rouleau blanc. « Cachez-le ! » chuchote le conseiller. Elle obéit et pense : « C'est une lettre d'Otto. » Son cœur bat, sa déception s'envole.

Le surveillant s'est retourné et, de la fenêtre, les regarde. Anna se met enfin à parler. Elle ne salue pas le conseiller, ne le remercie pas, mais pose la seule question qui l'intéresse encore au monde ·

— Avez-vous vu Otto, Herr Fromm?

Le vieux monsieur secoue sa tête intelligente :

— Pas ces derniers temps, répond-il. Mais des amis m'ont dit qu'il va très bien, très bien. Il tient magnifiquement le coup.

Il hésite un instant et ajoute :

— Je crois que je peux vous dire bonjour de sa part.

— Merci, chuchote-t-elle. Merci beaucoup.

Ces paroles ont plongé Anna dans des sentiments contradictoires. Si le conseiller n'a pas vu Otto, il ne peut pas avoir de lettre de lui. Mais peut-être a-t-il reçu la lettre par les amis dont il parle. Ces mots : « Il tient magnifiquement le coup » rendent Anna heureuse et fière. Et ce bonjour venant de lui, ce printemps d'au-delà des murailles!... Oh, c'est merveilleux, la vie est belle!

— Vous n'avez pas bonne mine. dit le vieux conseiller

— Ah? fait-elle, un peu étonnée, l'esprit ailleurs. Mais je vais bien, très bien. Dites-le à Otto, s'il vous plaît. Dites-le-lui. N'oubliez pas de lui dire bonjour de ma part. Vous le verrez?

— Je pense que oui, répond-il en hésitant.

Il a scrupule à prononcer la plus petite contrevérité, devant cette mourante. Elle ne se doute pas qu'il a dû faire intervenir toutes ses relations pour parvenir derrière cette grille; mais il n'ose pas lui dire qu'il ne reverra jamais Otto en cette vie et qu'il n'a pas la moindre nouvelle de lui, car il voudrait donner un peu de courage à une femme en un si triste état. Il faut parfois savoir mentir aux mourants.

— Ah! fait-elle, s'animant soudain, tandis que ses joues pâles et creuses se colorent, dites donc à Otto, quand vous le verrez, que je pense à lui tous les jours, à chaque heure, et que je suis sûre de le revoir avant de mourir.

Embarrassé, le surveillant regarde un instant cette femme vieillissante qui parle comme une jeune amoureuse. « C'est la vieille paille qui brûle le mieux ! » pense-t-il, en retournant à la fenêtre. Mais elle n'a rien remarqué et continue fiévreusement :

— Et dites aussi à Otto que j'ai une belle cellule pour moi toute seule. Je vais bien. Je pense toujours à lui, et ainsi je suis heureuse. Je sais que rien ne pourra jamais nous séparer, ni les murs, ni les grilles. Je suis près de lui, à chaque heure du jour et de la nuit. Dites-le-lui !

Elle ment, oh, comme elle ment, pour ne dire que de bonnes choses à Otto ! Elle veut lui donner le calme, ce calme qu'elle n'a pas connu pendant une seule heure depuis qu'elle est dans cette prison.

Le conseiller à la cour glisse un regard en direction du surveillant distrait, avant de chuchoter : « Ne perdez pas ce que je vous ai donné ! » Car on dirait que Frau Quangel a oublié tout ce qui se passe sur terre.

— Non, je ne perdrai rien, monsieur le Conseiller.

Et soudain :

— Qu'est-ce que c'est ?

Lui, encore plus bas :

— Du poison. Votre mari en a aussi.

Elle approuve de la tête. Le fonctionnaire se tourne vers eux pour les prévenir :

— Il ne faut parler qu'à haute voix, sinon c'est fini tout de suite. Du reste, le temps de la visite s'achève dans une minute et demie, ajoute-t-il en consultant sa montre.

— Oui, fait-elle d'un air songeur, et soudain, elle sait ce qu'elle doit dire : Croyez-vous qu'Otto fera encore un voyage, avant son grand départ ? Le croyez-vous ?

Son visage est plein d'une douloureuse inquiétude.

— C'est difficile à dire, répond prudemment le conseiller. Les voyages sont très difficiles, à l'heure actuelle. Et plus vite, en chuchotant : Attendez jusqu'à la toute dernière minute. Peut-être le verrez-vous encore avant.

Elle approuve par deux fois, de la tête.

— Oui, dit-elle à haute voix, c'est sans doute la meilleure solution.

Puis ils restent tous les deux muets face à face, sentant soudain qu'ils n'ont plus rien à se dire. C'est fini.

— Eh bien, je crois qu'il faut que je m'en aille, dit le vieux conseiller.

— Oui, murmure-t-elle, je crois qu'il est temps.

Et soudain — le surveillant s'est retourné et les regarde, sa montre à la main — Frau Quangel n'y résiste plus. Se serrant contre la grille, elle chuchote, la tête contre les barreaux :

— S'il vous plaît. Vous êtes peut-être le dernier être respectable que je verrai en ce monde. S'il vous plaît, monsieur le Conseiller, donnez-moi un baiser. Je vais fermer les yeux. Je croirai que c'est Otto...

« Il lui faut un homme! pense le surveillant. Elle va être exécutée et elle en est encore là! Et un vieux comme ça... »

Mais le vieux conseiller dit d'une voix douce : « N'ayez pas peur, mon enfant, n'ayez pas peur. » Tandis que ses vieilles lèvres minces touchent délicatement la bouche sèche et gercée.

— N'ayez pas peur, mon enfant. Vous avez la paix en vous.

— Je sais, chuchote-t-elle. Je vous remercie beaucoup, monsieur le Conseiller.

Puis elle se retrouve dans sa cellule, dont le sol est jonché de ficelles. Elle les repousse impatiemment du pied vers les coins, comme elle le fait aux plus mauvais jours. Elle a lu le billet et sait maintenant qu'Otto et elle ont une arme; qu'ils peuvent désormais se défaire de cette misérable vie dès l'instant où ils ne pourront plus la supporter. Elle pourrait le faire tout de suite, alors que, grâce à cette visite, elle ressent encore un peu de bonheur.

Elle marche, se parle toute seule, pleure, rit. Derrière la porte, les gardiennes prêtent l'oreille, disant :

— Voilà qu'elle commence pour de bon à ne plus savoir où elle en est. La camisole de force est prête.

À l'intérieur, Anna livre son plus dur combat. Elle revoit le visage de Herr Fromm, si grave lorsqu'il lui conseillait d'attendre la dernière minute, dans l'espoir de revoir une fois son mari. Bien sûr, il faut attendre patiemment ; cela durera peut-être encore des mois. Mais il est si difficile d'attendre encore, ne fût-ce que des semaines. Elle se connaît ; elle va encore sombrer dans le désespoir. Tout le monde est si dur avec elle ! Jamais une bonne parole, jamais un sourire ! Elle ne pourra guère supporter cette attente. Il lui suffit de jouer un peu des dents et de la langue, simplement pour essayer, et tout sera terminé. C'est si facile, maintenant – c'est trop facile...

Justement : elle aura un moment de faiblesse ; et dans le tout petit intervalle qui la séparera de la mort, elle sera folle de remords. Pour avoir été faible et lâche, elle aura perdu l'espoir de revoir Otto encore une fois... À Otto, on apportera la nouvelle de la mort de sa femme ; il apprendra qu'elle l'a quitté lâchement et il la méprisera, lui dont l'estime est la seule chose au monde à quoi elle tienne. Non, il faut détruire tout de suite ce maudit tube de verre ! Demain matin, il sera peut-être trop tard. Qui sait dans quelles dispositions elle sera à son réveil !

Mais elle s'arrête, au moment de jeter l'ampoule dans les waters... Elle se rappelle le genre de mort qu'on lui réserve, et elle reprend son va-et-vient. À la fenêtre, elle a appris que ce ne sera pas la potence, mais la guillotine. On lui a décrit la planche sur laquelle elle sera attachée, couchée sur le ventre, les yeux rivés sur un panier à demi rempli de sciure, où sa tête tombera quelques minutes plus tard. On dégagera sa nuque, elle y sentira le froid du couperet, dont le sifflement se fera de plus en plus fort, retentissant à ses oreilles comme les trompettes du Jugement dernier; et son corps ne sera plus qu'une chose agitée de soubresauts, dont le cou crachera d'épais jets de sang, tandis que dans le panier sa tête pourra peut-être encore sentir, souffrir et voir ce cou crachant le sang...

C'est ce que les autres lui ont raconté; c'est l'obsession qui l'a hantée des centaines de fois et qui est souvent devenue dans ses rêves. Pour être libérée de toutes ces horreurs, il suffit de mordre le tube de verre. Pourquoi renoncer à cette délivrance? Elle a le choix entre une mort facile et une mort difficile. Mais elle secoue la tête. Non, elle n'aura pas de faiblesse... Elle est bien capable d'attendre jusqu'à la dernière minute pour revoir Otto. Elle a tout enduré, elle ira jusqu'au bout. Il est évident qu'elle doit conserver le poison jusqu'à la dernière minute.

Pourtant, cette décision ne la soulage pas. Le doute la reprend, maintenant que la nuit est tombée. On est venu chercher le travail et comme elle ne l'a pas fait, on lui a annoncé qu'en raison de sa paresse, elle sera pendant une semaine privée de matelas et nourrie de pain et d'eau. Mais elle n'a guère écouté ces discours. Que lui importe tout cela!

Sa langue joue maintenant avec le tube de poison; sans le vouloir ni bien le savoir, elle pose doucement ses dents sur l'ampoule, elle la mordille... puis elle l'ôte brusquement de sa bouche. Elle va et vient, prolongeant ses essais, ne sachant plus ce qu'elle fait, tandis qu'à quelques pas de là une camisole de force est préparée pour elle...

Soudain, déjà tard dans la nuit, elle s'aperçoit qu'elle est couchée sur ses planches, couverte de sa mince couverture. Tout son corps tremble de froid. A-t-elle dormi?... Le tube est-il encore là?... L'aurait-elle avalé?... Mais non, en dormant, elle l'a conservé au creux de la main ! Sa frayeur est passée ; elle sourit de se voir encore une fois sauvée, à l'abri de l'autre mort terrible. Assise et grelottante, elle pense qu'elle devra désormais livrer tous les jours ce terrible combat de la volonté et de la faiblesse, de la lâcheté et du courage, combat dont l'issue est incertaine. Et à travers son désespoir, elle entend une voix douce et bonne : « N'ayez pas peur, mon enfant ! N'ayez pas peur. »

Tout à coup, Anna est sûre d'elle-même : « C'est maintenant que je vais me décider ! Maintenant j'en ai la force. » Elle se glisse jusqu'à la porte et guette les bruits du couloir. Le pas de la surveillante se rapproche. Anna reprend ses allées et venues, avant que l'autre ne commence à l'observer par le judas. Elle attend que la surveillante s'éloigne, puis elle grimpe à la fenêtre. Une voix demande : « C'est toi, numéro 6 ? Tu as reçu une visite aujourd'hui ? » Anna ne répond pas, elle ne répondra plus jamais.

D'une main, elle se tient au barreau, tandis que, de l'autre main, elle presse le col du tube contre la muraille et laisse tomber le poison dans la cour.

Revenue à l'intérieur de la cellule, elle sent sur ses doigts une forte odeur d'amandes amères. Elle se les lave et se recouche. Elle est morte de fatigue, comme si elle venait d'échapper à un grave danger. Elle sombre rapidement dans un profond sommeil. Et le matin elle se réveille fraîche et dispose.

À compter de cette nuit-là, la prisonnière 6 ne s'attira plus de réprimandes. Elle était calme, sereine, aimable et travailleuse.

Elle ne pensait plus guère à la difficulté de mourir ; elle ne pensait plus qu'à être digne d'Otto. Et parfois, quand venait la mélancolie, elle entendait la voix du vieux conseiller Fromm : « N'ayez pas peur, mon enfant, n'ayez pas peur. »

Désormais, elle était courageuse. Elle avait surmonté la peur.

Il fait encore nuit lorsqu'un gardien ouvre la porte de la cellule d'Otto Quangel.

Le prisonnier, tiré d'un profond sommeil, regarde en clignant des yeux la grande silhouette noire qui est entrée dans sa cellule. Un instant plus tard, il est bien éveillé et son cœur bat plus vite qu'à l'ordinaire, car il a compris le sens de cette visite.

— C'est l'heure, monsieur le pasteur? demande-t-il, tout en prenant ses vêtements.

— C'est l'heure, Quangel! répond l'ecclésiastique. Vous sentez-vous prêt?

— Je suis toujours prêt, répond Quangel, tandis que sa langue touche le tube dans sa bouche.

Il commence à s'habiller. Tous ses gestes sont calmes et mesurés. Les deux hommes s'examinent quelque temps en silence. Le pasteur est encore jeune, son visage est simple et un peu niais. « Il n'y a pas grand-chose à en tirer, pense Quangel. Il n'a rien de commun avec son confrère, le bon pasteur. » Le pasteur, de son côté, voit un homme maigre, usé par le travail. Le visage au profil de rapace lui déplaît, mais il se fait violence pour dire, avec toute l'amabilité dont il est capable :

— J'espère que vous êtes en paix avec ce monde, Quangel?

— Ce monde est-il donc en paix, monsieur le pasteur?

— Malheureusement, pas encore, Quangel! Mais vous êtes bien en paix avec le Seigneur?

— Je ne crois pas au Seigneur.

— Comment?... Voyons, si vous ne croyez pas à une personne divine, vous êtes au moins panthéiste?

— Qu'est-ce que c'est?

— Eh bien, vous croyez à l'âme universelle. Tout est Dieu. Votre âme immortelle retournera au sein de la grande âme de l'univers.

— Tout est Dieu... Hitler aussi ? Le carnage de la guerre est Dieu ? Vous et moi, nous sommes Dieu ?

— Vous m'avez mal compris, sans doute à dessein. Mais je ne suis pas ici pour discuter avec vous de questions religieuses Je suis venu vous préparer à mourir dans quelques heures. Êtes-vous prêt ?

Au lieu de répondre, Quangel demande :

Avez-vous connu l'aumônier de la maison d'arrêt du Tribunal du Peuple, le pasteur Lorenz ?

Le pasteur, qui a encore une fois perdu le fil de son discours, répond avec quelque impatience :

— Non, mais j'ai entendu parler de lui. Je crois pouvoir dire que le Seigneur l'a rappelé à temps. Il a souillé l'habit qu'il portait.

Regardant l'aumônier droit dans les yeux, Quangel dit :

— C'était un homme très bon. Beaucoup de prisonniers penseront à lui avec reconnaissance.

— Oui, s'écrie le pasteur, sans dissimuler son indignation, parce qu'il s'est soumis à vos volontés ! Par ces temps de guerre, le serviteur de Dieu doit être un combattant, et non un tiède, prêt à tous les compromis ! Se ravisant une nouvelle fois, il ajoute, après avoir jeté un coup d'œil à sa montre : Je n'ai plus que huit minutes à vous consacrer, Quangel. Je dois encore voir quelques-uns de vos camarades qui, comme vous, vivent leurs derniers instants. Prions...

— Vous vous rappelez peut-être avoir vu ces derniers temps une nommée Anna Quangel ?

— Frau Anna Quangel, c'est votre femme ? Non. Certainement pas. Je me rappellerais. J'ai une excellente mémoire des noms.

— J'ai quelque chose à vous demander, monsieur le pasteur.

— Eh bien, faites vite, Quangel ! Vous savez que mon temps est mesuré.

– Je vous demande de ne pas dire à ma femme, quand son tour viendra, que j'ai été exécuté avant elle. Dites-lui que je mourrai en même temps qu'elle.

– Ce serait un mensonge. Un serviteur de Dieu ne doit pas enfreindre le huitième commandement.

– Vous n'avez donc jamais menti ?

– J'espère, dit le pasteur, troublé par le regard ironique de son interlocuteur, j'espère m'être toujours efforcé, dans la mesure de mes faibles moyens, de respecter les commandements de Dieu.

– Et les commandements de Dieu exigent donc que vous refusiez de consoler ma femme en lui disant que nous mourrons à la même heure ?

– Je ne dois pas porter de faux témoignage.

– Dommage !... Vous n'êtes vraiment pas le bon pasteur.

– Comment ?

– Dans la prison, on n'appelait le pasteur Lorentz que le bon pasteur.

– Mon ambition n'est pas de recevoir ici d'aimables surnoms. Il se ravisa : Agenouillez-vous avec moi, Quangel. Nous allons prier.

– M'agenouiller devant qui ?... Prier qui ?

– Oh, ne recommencez pas ! Je vous ai déjà consacré beaucoup trop de temps... Peu importe, je ferai mon devoir en priant pour vous.

Baissant la tête, il joint les mains et ferme les yeux. Puis, avançant le cou, il les rouvre et crie soudain, si fort que Quangel sursaute :

« Ô Seigneur, Dieu tout-puissant. Dieu de bonté et de justice, souverain juge de toutes choses, un pécheur est devant toi, dans la poussière. Je te demande, dans ta miséricorde, de tourner ton regard vers cet homme qui a commis bien des crimes, de le réconforter dans son corps et dans son âme et de lui pardonner tous ses péchés... »

Ayant terminé ses prières par un « *amen* » retentissant, le pasteur se releva et dit à Quangel sans le regarder :

— Sans doute est-il inutile de vous demander si vous êtes prêt à recevoir la sainte communion ?

— Parfaitement inutile, monsieur le pasteur.

En hésitant, le pasteur tendit la main à Quangel, qui secoua la tête en croisant les siennes derrière son dos.

— Cela aussi est inutile, dit-il.

Le pasteur, sans le regarder, se dirigea vers la porte. La porte claqua ; il était parti. Quangel poussa un soupir de soulagement.

LE CHEMIN SANS RETOUR

L'aumônier était à peine sorti qu'un petit homme en complet gris pénétra dans la cellule. Il jeta sur Quangel un regard intelligent et dit : « Docteur Brandt, médecin de la prison. » En même temps, il serra la main de Quangel, qu'il conserva dans la sienne en disant :

— Puis-je vous prendre le pouls ?

— Allez-y, fit Quangel.

Le médecin compta lentement, puis il lâcha la main de Quangel et dit :

— Très bien. Excellent, vous êtes un homme.

Jetant un regard rapide vers la porte, qui était restée entrouverte, il dit à mi-voix :

— Puis-je faire quelque chose pour vous ? Un stupéfiant ?

Quangel fit signe que non.

— Je vous remercie. Docteur, ça ira comme ça.

Sa langue toucha l'ampoule. Il se demanda un instant s'il devait donner au médecin quelque message pour Anna. Mais non, le pasteur lui dirait, de toute façon...

— Autre chose ? chuchota le médecin qui avait remarqué l'hésitation de Quangel. Peut-être une lettre à porter ?

— Je n'ai rien pour écrire. Et puis non ! J'y renonce aussi. En tout cas, je vous remercie, docteur. Tous les hommes ne sont donc pas mauvais, dans une maison comme celle-ci.

Le médecin approuva d'un air triste, serra encore une fois la main de Quangel, réfléchit et murmura :

— Je ne peux que vous dire une seule chose : Restez aussi courageux !

Et il quitta rapidement la cellule.

Un surveillant entra, suivi d'un prisonnier qui portait un bol de café chaud, et une assiette garnie de tartines beurrées et de deux cigarettes, avec deux allumettes et un morceau de frottoir.

— Voilà, fit le surveillant. Et le tout sans tickets !

Il rit, et l'homme de corvée s'efforça de rire également. On sentait que cette « plaisanterie » était usée. Dans un subit accès de colère, Quangel dit :

— Emportez-moi tout ça ! Je n'ai pas besoin de votre repas de croque-morts !

— Inutile de le dire deux fois ! fit le surveillant. D'ailleurs, le café est de l'orge grillée. Et le beurre, de la margarine.

De nouveau, Quangel fut seul. Il défit son lit, enleva les housses, qu'il déposa près de la porte, et replia le sommier contre le mur. Puis il se mit à sa toilette. Il y était encore lorsqu'un homme suivi de deux jeunes gens entra dans la cellule.

— Vous pouvez faire l'économie de ce décrassage, dit l'homme, d'une voix forte. Nous allons vous raser et vous friser de première ! Allez les gars, et faites vinaigre ! On est à la bourre ! Et s'excusant, tourné vers Quangel : Celui d'avant vous nous a retardés. Il y en a qui ne veulent rien savoir !... Ils ne comprennent pas que je n'y peux rien. Je suis le bourreau de Berlin...

Et il tendit la main à Quangel.

— Vous allez voir, je ne lanternerai pas. Si vous ne faites

pas d'histoires, je n'en ferai pas non plus. Pour les gens raisonnables comme toi, tout se passe en douceur.

Tandis qu'il continuait ses discours, une tondeuse avait parcouru la tête de Quangel et tous ses cheveux jonchaient maintenant le sol de la cellule. L'autre aide rasait sa barbe.

— Bon! fit le bourreau, satisfait. Sept minutes! Nous avons rattrapé le retard... Encore quelques types raisonnables comme ça et nous serons exacts comme le train. Et, s'adressant à Quangel : Veux-tu être assez gentil pour balayer tout ça toi-même. Tu n'es pas obligé, mais nous n'avons pas beaucoup de temps. Le directeur et le procureur peuvent arriver d'une minute à l'autre. Ne mets pas les cheveux dans les waters. Voilà un journal, tu les enveloppes et tu les déposes près de la porte. C'est un petit à-côté, tu comprends?

— Que vas-tu donc faire avec mes cheveux? demanda Quangel, intrigué.

— Je les vends à un perruquier. Les perruques sont toujours recherchées, pas seulement pour le théâtre... Bon, alors merci bien, *Heil* Hitler!

Les voilà partis, braves bougres connaissant leur métier! Impossible d'égorger des porcs avec plus d'égalité d'âme... et pourtant, Quangel trouva que ces rustres insensibles étaient plus supportables que le pasteur qui les avait précédés. C'est d'ailleurs sans réticence qu'il avait serré la main du bourreau.

Quangel venait de satisfaire aux vœux de ce dernier, concernant le nettoyage de la cellule, lorsque la porte s'ouvrit de nouveau. C'étaient, accompagnés de quelques militaires, un gros monsieur à la moustache rousse (le directeur de la prison, comme il apparut aussitôt) et une vieille connaissance de Quangel, le procureur général, celui qui aboyait si facilement. Deux militaires se saisirent de Quangel, qu'ils plaquèrent contre le mur de la cellule avant de l'encadrer. « Otto Quangel », cria l'un d'eux.

— Ah bon! Le procureur se mit à glapir : Je me rappelle maintenant cette figure!...

S'adressant au directeur :

— Un beau malappris! Au tribunal, il a cru pouvoir nous en remontrer. Mais il a été servi!... Hein? Tu ne fais plus tellement le malin?

Un des hommes qui encadraient Quangel lui donna une bourrade :

— Répondez! commanda-t-il à voix basse.

— Je vous ai tous où je pense! dit Quangel d'un air blasé.

— Quoi?... Comment?... Dans son émotion, le procureur dansait d'un pied sur l'autre. Monsieur le directeur, je demande...

— Enfin, dit le directeur, laissez donc ces gens en paix! Vous voyez bien que cet homme est tout à fait calme. Nous ne pouvons tout de même pas faire plus que l'exécuter, il le sait très bien. Alors, lisez donc le jugement.

L'autre se mit à lire d'une voix inintelligible, en sautant des phrases pour en finir plus vite. « Conduisez cet homme en bas », dit le directeur. Les deux gardes saisirent Quangel par les bras. Il se dégagea avec impatience.

— Laissez-le marcher seul, ordonna le directeur. Il ne nous fera pas de difficultés.

Ils passèrent dans le couloir, où se trouvaient une foule de gens, militaires et civils. Il se forma soudain un cortège, dont Otto Quangel était le centre. En tête marchaient des gendarmes, suivis du pasteur, qui murmurait des prières indistinctes. Derrière lui venait Quangel, au milieu d'une grappe de gardiens, mais le petit médecin en complet clair le serrait de près. Puis le directeur et le procureur, accompagnés de militaires et de civils, dont certains étaient munis d'appareils photographiques.

Le cortège parcourait des couloirs mal éclairés, empruntant des escaliers dont le linoléum glissait. Au passage, un gémissement semblait se faire entendre dans les cellules, comme un cri montant du fond des poitrines et vite réprimé. Tout à coup une voix lança, d'une des cellules : « Adieu, camarade ! » Otto Quangel répondit, aussi fort : « Adieu, camarade ! »

On ouvrit une porte et ils arrivèrent dans la cour. La nuit était encore accrochée aux murailles. Quangel jeta un regard rapide de gauche à droite ; rien n'échappait à son attention surexcitée. Un berger allemand aboya en direction du cortège, puis se détourna en grognant, rappelé d'un coup de sifflet. Les graviers crissaient sous les pas et paraissaient gris à la lueur des lampes électriques. En haut du mur on voyait dépasser le sommet d'un arbre dépouillé de ses feuilles. L'air était humide et froid. Quangel pensa : « Dans un quart d'heure, je n'aurai plus froid – c'est curieux ! » Sa langue chercha l'ampoule de verre, mais il était encore trop tôt.

Malgré la précision de tout ce qu'il enregistrait, il eut un instant l'impression de rêver. Franchissant une porte, ils pénétrèrent dans une pièce si violemment éclairée que Quangel commença par ne rien voir. Soudain, ses gardiens le poussèrent en avant, le bourreau vint à sa rencontre, accompagné de ses deux aides.

— Ne m'en veux pas ! dit-il en lui tendant la main.

— Non. Pourquoi donc ? répondit Quangel, en prenant sa main sans y penser.

Tandis que le bourreau lui retirait sa veste et découpait le col de sa chemise, Quangel regarda ceux qui l'avaient accompagné. Dans la clarté aveuglante, il ne voyait qu'un cercle de visages blancs, tournés vers lui.

« Je rêve », pensa-t-il, et son cœur commença à battre plus fort. Le petit médecin s'approcha de lui.

— Eh bien ? demanda-t-il avec un pâle sourire. Comment allons-nous ?

— Ça va toujours, dit Quangel tandis qu'on lui liait les mains derrière le dos. Pour l'instant, j'ai pas mal de battements de cœur, mais je pense que ça va se calmer dans les cinq prochaines minutes.

Et il sourit.

— Attendez, je vais vous donner quelque chose, dit le médecin en portant la main à sa poche.

— Ne vous donnez pas la peine, docteur, répondit Quangel. J'ai tout ce qu'il faut.

Et, très rapidement, sa langue fit apparaître l'ampoule de verre entre ses lèvres minces...

— Ah bon! fit le médecin, l'air gêné.

Ils retournèrent Quangel. Il voyait maintenant devant lui la longue table recouverte d'une housse noire et lisse comme une toile cirée. Il voyait des courroies et des boucles, mais surtout le couteau, le large couperet, qui semblait suspendu très haut, à une hauteur menaçante au-dessus de la table.

Quangel eut un léger soupir...

Soudain le directeur fut à côté de lui, disant quelques mots au bourreau. Quangel regardait toujours le couperet, n'écoutant qu'à demi :

— Je vous remets, à vous, bourreau de la ville de Berlin, le nommé Otto Quangel, afin que vous le fassiez passer de vie à trépas par la guillotine, comme l'ordonne le jugement du Tribunal du Peuple.

La voix était trop forte, insupportable, la lumière trop crue...

« Maintenant, pensa Quangel, maintenant... »

Mais il ne le fit pas. Une terrible curiosité le retenait...

« Encore quelques minutes, pensait-il. Il faut que je sache comment on est sur cette table... »

— Allez, mon vieux, dit le bourreau, pas d'histoires! Dans deux minutes, tu en auras terminé. As-tu pensé aux cheveux?

— Sont devant la porte, répondit Quangel.

Un instant plus tard, il était couché sur la table et il sentait qu'on lui attachait les pieds. Un cintre d'acier s'abaissa sur son dos et pressa ses épaules contre la table...

Cela puait la chaux, la sciure humide, les désinfectants...
Mais surtout, une odeur affreusement fade l'emportait sur
toutes les autres...

« Le sang! » pensa Quangel. « Maintenant! » pensa-t-il
également, et ses dents voulurent mordre l'ampoule de cyanure... Mais un vomissement emplit sa bouche et emporta le
tube...

« O mon Dieu! pensa-t-il, j'ai trop attendu!... »

Trois minutes après la chute du couperet, le médecin
blême annonça, d'une voix qui tremblait, que le condamné
était mort.

Ils emportèrent le cadavre.

Otto Quangel n'existait plus.

ANNA QUANGEL REVOIT SON MARI

Les mois passaient, les saisons se succédaient et Anna
Quangel était toujours dans sa cellule, attendant de revoir
Otto. Parfois la surveillante disait à Anna, qui était mainte-
nant sa préférée :

— Je crois qu'ils vous ont oubliée, Frau Quangel.

— Oui, répondait aimablement la prisonnière 6. On le
dirait. Mon mari et moi... Comment va Otto?

— Bien, s'empressait de répondre la surveillante. Il vous
fait dire le bonjour.

Tout le monde s'était mis d'accord pour que cette brave
femme, toujours travailleuse, n'apprît pas la mort de son
mari. Elles lui transmettaient régulièrement son bonjour; et
cette fois, le ciel se montrait favorable à Anna : nul bavardage irresponsable, nul pasteur conscient de ses devoirs ne
vinrent lui ôter l'idée qu'Otto était en vie.

Presque toute la journée, elle restait assise à sa petite
machine à tricoter, fabriquant sans arrêt des chaussettes de

soldat. Parfois elle chantonnait en travaillant; elle était maintenant convaincue qu'Otto et elle, non seulement se reverraient, mais vivraient encore longtemps côte à côte, soit qu'on les eût vraiment oubliés, soit qu'on les eût graciés en secret. Ils ne tarderaient plus à recouvrer leur liberté, car, malgré la discrétion des surveillants, Anna Quangel avait bien remarqué que la guerre tournait mal. La nourriture devenait de jour en jour plus mauvaise; on manquait de matière première pour le travail et de pièces de rechange pour sa machine; tout était difficile à trouver. Tant mieux pour les Quangel! Leur libération approchait.

Elle tricote et mêle à ses mailles des rêves et des espoirs qui ne se réaliseront jamais, des désirs qui jadis lui étaient étrangers. Elle se construit un Otto tout différent de celui aux côtés duquel elle a vécu, un Otto gai et tendre. Elle est presque devenue une jeune fille au printemps de la vie. Ne lui arrive-t-il pas de rêver qu'elle aura encore des enfants...

Depuis qu'elle a détruit le cyanure et qu'elle a décidé de tenir jusqu'à ce qu'elle revoie Otto, quoi qu'il arrive, elle est redevenue libre, jeune et gaie. Elle le reste au cours des nuits de plus en plus pénibles que la guerre apporte maintenant à la ville de Berlin. Les sirènes hurlent; les avions passent, en escadrilles de plus en plus denses; les bombes tombent et les incendies éclatent partout. Tandis que ses compagnes hurlent de terreur, Anna Quangel ne connaît pas la peur. Elle passe à tricoter ces heures où elle ne peut pas dormir, et en tricotant elle laisse aller son imagination, au tic-tac de sa machine. Elle rêve qu'elle revoit Otto. Et c'est pendant un de ces rêves que tombe, dans un bruit infernal, la bombe qui va réduire en cendres et en décombres cette partie de la prison.

Anna Quangel n'a pas eu le temps de sortir du rêve où elle revoyait Otto. Elle est déjà avec lui. Elle est, en tout cas, là où il est, quel que soit le nom qu'on donne à ce lieu.

Cependant, nous ne voulons pas fermer ce livre sur des images funèbres : c'est à la vie qu'il est dédié, à la vie qui sans cesse triomphe de la honte et des larmes, de la misère et de la mort.

Nous sommes au début de l'été 1946. Un garçon, presque un jeune homme déjà, traverse la cour d'une ferme du Brandebourg. Une femme assez âgée le croise :

— Alors, Kuno, demande-t-elle, quoi de neuf aujourd'hui?

— Je vais à la ville. Il faut que j'aille chercher la nouvelle charrue.

— Bon. Je vais te faire une liste des choses qu'il faut rapporter. Si tu les trouves...

— S'il y en a quelque part, je les trouverai, maman, tu le sais bien.

Ils se regardent en riant, puis elle rentre dans la petite maison où se trouve son mari, le vieil instituteur, qui a depuis longtemps atteint l'âge de la retraite et qui continue pourtant à faire la classe, comme le plus jeune de ses collègues.

Le garçon sort de l'écurie le cheval Toni, dont ils sont tous si fiers. Une demi-heure plus tard, Kuno-Dieter Borkhausen est sur le chemin de la ville. Mais il ne s'appelle plus Borkhausen; il a été adopté régulièrement par le couple Kienschäper, le jour où il est apparu que ni Karlemann, ni Max Kluge ne reviendraient de la guerre. On a profité de l'occasion pour supprimer le « Dieter » : Kuno Kienschäper est un nom qui suffit parfaitement.

Kuno siffle entre ses dents, tandis que son cheval bai prend son temps, dans le soleil; ils ont toute la matinée devant eux. Kuno examine les champs, jugeant en expert de l'état des semailles. Il a beaucoup appris à la campagne et — Dieu merci — il a presque autant oublié.

L'arrière-cour de Frau Otti, non, il n'y pense presque plus jamais. Pas plus qu'au Kuno-Dieter de treize ans, qui était une espèce de brigand. Tout cela n'existe plus. Mais il a renoncé également à son rêve de devenir mécanicien. Pour l'instant, il lui suffit de conduire le tracteur du village au moment des labours. C'est qu'ils ont bien mené leurs affaires tous les trois ; l'an dernier ils sont devenus indépendants et ont reçu de la terre, en plus de Toni, d'une vache, d'un cochon, de deux moutons et sept poules. Kuno sait cultiver la terre, la vie lui sourit. Il arrondira la ferme, c'est sûr !

Il siffle.

Au bord de la route se lève un homme en haillons, grand et le visage ravagé. Ce n'est pas un de ces malheureux réfugiés ; c'est un propre à rien, un vagabond. Il crie, de sa voix avinée : « Eh, le gars, emmène-moi en ville ! »

Kuno Kienschäper a tressailli en entendant cette voix. Il est trop tard pour faire partir Toni au galop. Aussi dit-il, en baissant la tête :

— Assieds-toi derrière.

— Pourquoi pas à côté de toi ? fait l'autre, en forçant sa voix criarde. Je ne suis pas assez distingué pour ton goût ?

— Imbécile ! lance Kuno, grossier à dessein. Parce que derrière tu seras mieux sur la paille !

L'homme obéit en grommelant, et Toni, de lui-même, prend le trot. Kuno s'est remis de sa première frayeur. Pourquoi faut-il qu'il ait justement ramassé son père au bord de la route ? Mais peut-être n'était-ce pas un hasard, Borkhausen a dû le guetter ; il sait sans doute bien qui le conduit.

Kuno jette un regard par-dessus son épaule, en direction de l'homme. Ce dernier s'est couché dans la paille et dit, comme s'il avait senti le regard du garçon :

— Peux-tu me dire s'il n'y a pas dans les environs un gars de seize ans, venant de Berlin. Il doit habiter par ici.

— Il y a beaucoup de Berlinois dans le coin.

— C'est bien mon impression. Mais le gars dont je te parle, c'est un cas spécial. On ne l'avait pas évacué pendant la guerre, c'est lui qui a plaqué ses parents! N'aurais-tu pas entendu parler de lui?

— Non. Vous ne savez pas comment il s'appelle?

— Si. Il s'appelle Borkhausen.

— Il n'y a pas de Borkhausen dans le coin. Je le saurais.

— C'est drôle! dit l'homme en ricanant, et il enfonce brutalement son poing entre les épaules du garçon. J'aurais juré qu'il y avait un Borkhausen dans cette voiture.

— Vous auriez perdu, répond Kuno, et maintenant que la certitude est acquise, son cœur bat calmement. Moi, je m'appelle Kienschäper, Kuno Kienschäper.

— Non, ça alors! fait l'homme étonné. Celui que je cherche s'appelle aussi Kuno, Kuno-Dieter!

— Je ne m'appelle que Kuno Kienschäper, dit le garçon. Et puis, si j'apprenais jamais qu'il y a un Borkhausen dans ma voiture, je retournerais mon fouet pour le frapper jusqu'à ce qu'il tombe sur la route.

— Non, eh bien, ça existe donc, un garçon qui jetterait son père en bas de sa voiture?

— Et quand je serais débarrassé de ce Borkhausen, continue Kuno Kienschäper impitoyable, j'irais en ville prévenir la police. J'irais lui dire qu'il y a dans la région un homme qui ne sait que fainéanter, qui a fait de la prison et qui est un criminel. Pour qu'on vienne le chercher!

— Tu ne vas pas faire ça, Kuno-Dieter! s'écrie Borkhausen maintenant effrayé pour de bon. Tu ne vas tout de même pas me mettre les flics sur le dos. À présent que je suis sorti de tôle et que je me suis vraiment amendé. J'ai un certificat du pasteur. Je ne fais plus rien de mal, je te le jure! Mais j'ai pensé que, puisque tu as une ferme et que tu ne manques de rien, tu laisseras ton vieux père se reposer un peu chez toi. Je ne vais pas bien du tout, Kuno-Dieter. Je suis pris de la poitrine. Il faut que je me repose un peu.

— Je connais ton repos. Si je te laisse pénétrer une seule journée chez nous, tu t'installeras définitivement, et avec toi les disputes, le malheur et le parasitisme seront entrés dans la maison. Non, dépêche-toi de descendre de ma voiture, ou je retourne mon fouet pour de bon!

Le garçon avait arrêté la voiture et avait mis pied à terre. Il était là, le fouet à la main, prêt à tout pour défendre la tranquillité de son nouveau foyer.

Borkhausen, l'éternel malchanceux, dit d'une voix lamentable :

— Tu ne vas tout de même pas frapper ton père!

— Tu n'es pas mon père. Tu me l'as assez dit autrefois.

— C'était une plaisanterie, Kuno-Dieter. Comprends-moi donc!

— Je n'ai pas de père! cria le garçon, fou de rage. J'ai une mère et je repars de zéro. Et si des gens d'autrefois trouvent à y redire, je les battrai jusqu'à ce qu'ils me laissent tranquille. Je ne te laisserai pas m'empoisonner la vie.

Il était si menaçant, avec son fouet levé, que le vieux fut vraiment effrayé. Il descendit de voiture et resta sur la route, le visage convulsé par une peur de lâche, mais essayant quand même de se faire craindre :

— Je peux te faire beaucoup de tort...

— Je m'y attendais! s'écria Kuno Kienschäper. Après la mendicité, les menaces! Tu as toujours été comme ça... Écoute-moi bien ; je te jure que je m'en vais tout droit prévenir la police que tu as parlé de mettre le feu à notre maison.

— Mais je n'ai pas dit ça.

— Tu l'as pensé, je l'ai vu dans tes yeux! Voilà ce que tu as en tête... méfie-toi. Dans une heure, la police sera à tes trousses. Tu n'as pas de temps à perdre pour déguerpir!

Kuno Kienschäper resta sur la route jusqu'à ce que le vagabond eût disparu entre les champs de blé. Il dit alors à son cheval, en lui flattant l'encolure :

— Hein, Toni, nous n'allons pas nous laisser gâcher l'existence par un type pareil! Quand la mère m'a plongé dans l'eau pour me décrasser de ses mains, je me suis juré de rester propre sans l'aide de personne. Et je tiendrai parole.

Les jours suivants, Frau Kienschäper remarqua que le garçon ne voulait pas quitter la ferme. D'ordinaire toujours le premier pour aller aux champs, il ne voulait même pas mener paître la vache. Mais elle sut se taire comme lui. Et lorsque vint le plein été et que commença la récolte du seigle, Dieter partit quand même au travail.

Car il faut récolter ce que l'on a semé, et le garçon avait semé du bon grain.

FIN

TABLE

PREMIÈRE PARTIE

LES QUANGEL

DEUXIÈME PARTIE

LA GESTAPO

TROISIÈME PARTIE

LA SITUATION SE RETOURNE
CONTRE LES QUANGEL

QUATRIÈME PARTIE

LA FIN

DU MÊME AUTEUR

Impression Bussière Camedan Imprimeries
à Saint-Amand (Cher), le 3 juin 2004.
Dépôt légal : juin 2004.
1ᵉʳ dépôt légal dans la collection : janvier 2004.
Numéro d'imprimeur : 042576/1.
ISBN 2-07-031296-8./Imprimé en France.

131346